THÉÂTRE QUÉBÉCOIS:
146 AUTEURS, 1067 PIÈCES RÉSUMÉES
Répertoire du Centre des auteurs dramatiques
édition 1994
est le cinq cent douzième ouvrage
publié chez
VLB ÉDITEUR.

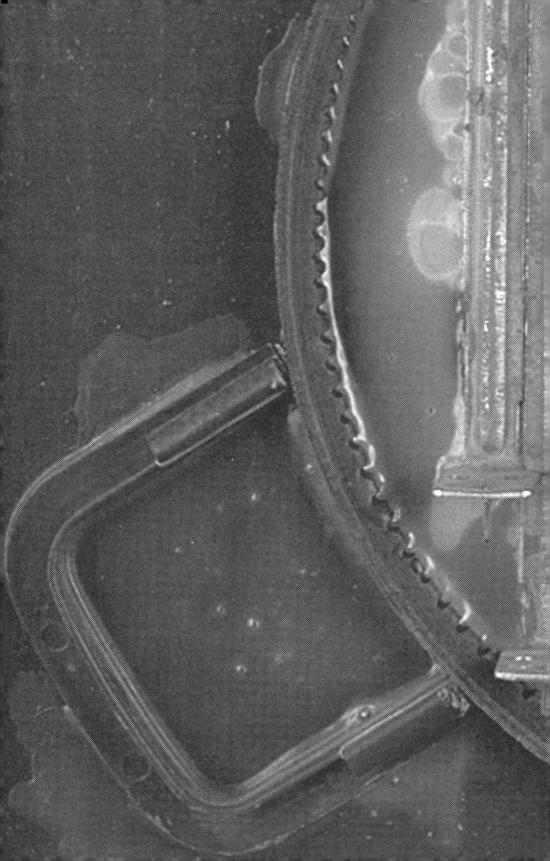

CENTRE DES AUTEURS DRAMATIQUES (Cead)
3450, rue Saint-Urbain
Montréal, Québec, H2X 2N5
Tél.: (514) 288-3384
Télécopieur: (514) 288-7043

VLB ÉDITEUR
Une division du groupe Ville-Marie Littérature
1010, rue de la Gauchetière Est
Montréal, Québec, H2L 2N5
Tél.: (514) 523-1182
Télécopieur: (514) 282-7530

Maquette de la couverture: Eric L'Archevêque

En couverture: *La Terrasse des délices,* un montage de Rock Plante tiré de la quatrième exposition des œuvres de l'artiste, présentée à la Galerie Pink de Montréal en décembre 1993. Photo: François Courville.
Le Cead remercie chaleureusement Monique Proulx, propriétaire du montage, pour sa gracieuse collaboration.

DISTRIBUTEURS EXCLUSIFS:

• Pour le Québec, le Canada et les États-Unis:
  LES MESSAGERIES ADP*
  955, rue Amherst, Montréal H2L 3K4
  Tél.: (514) 523-1182
  Télécopieur: (514) 939-0406
  * Filiale de Sogides ltée

• Pour la Belgique et le Luxembourg:
  PRESSES DE BELGIQUE S.A.
  Boulevard de l'Europe 117, B-1301 Wavre
  Tél.: (10) 41-59-66
         (10) 41-78-50
  Télécopieur: (10) 41-20-24

• Pour la Suisse:
  TRANSAT S.A.
  Route des Jeunes, 4 Ter, C.P. 125, 1211 Genève 26
  Tél.: (41-22) 342-77-40
  Télécopieur: (41-22) 343-46-46

• Pour la France et les autres pays:
  INTER FORUM
  Immeuble ORSUD, 3-5, avenue Galliéni, 94251 Gentilly Cédex
  Tél.: (1) 47.40.66.07
  Télécopieur: (1) 47.40.63.66
  Commandes: Tél.: (16) 38.32.71.00
              Télécopieur: (16) 38.32.71.28
              Télex: 780372

Dépôt légal: 1er trimestre 1994
Bibliothèque nationale du Québec
ISBN 2-89005-577-9
ISBN 2-920308-18-1

Théâtre québécois:

146 auteurs, 1067 pièces résumées

Répertoire du Centre des auteurs dramatiques

édition 1994

vlb éditeur

Rédacteur en chef et directeur de production : Daniel Gauthier

Recherchiste-documentaliste : Yvan Bienvenue

Rédacteurs (éditions 1985, 1987, 1990 et 1994) : Danielle Bergeron, Hélène Bernier, Yvan Bienvenue, Lorraine Camerlain, Pierre Chamberland, Diane Cotnoir, Marie-Dominique Cousineau, Chantale Cusson, (également rédactrice en chef des éditions 1985 et 1987), Gilbert David, Jean-Luc Denis, Jean Fortin, Daniel Gauthier, France Labrie, Benoît Lagrandeur, Louise LaHaye, Pierre Lavoie, Paul Lefebvre, Solange Lévesque, Pierre MacDuff, Diane Pavlovic, Yannick Portebois et Lise Roy, ainsi que plusieurs des auteurs présentés.

Recherche iconographique : Marie Lemieux

Publicité : Lise Roy

Montage : Luc Mondou

Conception de la banque de données : Daniel Gauthier

Gestion du programme informatique : Azim R. Mandjee de A à Z informatique

Le Cead reçoit pour ses activités régulières des subventions du Conseil des Arts du Canada, du Ministère de la Culture du Québec et du Conseil des Arts de la Communauté urbaine de Montréal.

Remerciements

Le Centre des auteurs dramatiques remercie tous ceux qui ont collaboré, de près ou de loin, à l'édition de ce répertoire. Tout d'abord les auteurs qui nous ont fourni les données sans lesquelles nous n'aurions pas pu réaliser cet ouvrage, puis, Azim R. Mandjee qui nous a aidé à constituer la banque de données informatisée du centre de documentation.

Le Cead remercie chaleureusement les organismes qui l'ont aidé à assumer sa part des coûts de cette coédition par l'achat de publicité.

Merci enfin à Jacques Lanctôt, complice de toujours et directeur du Groupe Ville-Marie.

SOMMAIRE

MODE D'EMPLOI

QUI ?

Sont inscrits au répertoire : les auteurs membres du Cead en 1994 ; ayant au moins une oeuvre dramatique créée par des professionnels (ou trois oeuvres dans le cas des textes écrits en collaboration) ; ou au moins une oeuvre dramatique publiée par un éditeur agréé ; et ayant fourni la documentation nécessaire à l'établissement de leur théâtrographie. Le Cead ajoute au répertoire la théâtrographie de certains auteurs dramatiques décédés.

QUOI ?

Sont mentionnées et résumées toutes les oeuvres théâtrales originales de chaque auteur, si elles sont disponibles au centre de documentation du Cead. Les adaptations librement inspirées d'une oeuvre dramatique ou les adaptations d'un autre genre littéraire ont été considérées comme des oeuvres originales.

Les traductions, les transpositions et les collages sont mentionnés sans synopsis, à moins qu'ils aient fait l'objet d'une activité du Cead.

COMMENT ?

Les auteurs sont inscrits par ordre alphabétique. Après leurs notes biographiques, leurs oeuvres sont classées dans l'ordre chronologique de l'écriture.

Pour toutes les oeuvres, apparaissent ensuite : l'année d'écriture entre crochets ; les notes d'édition ; le nom de la compagnie qui a créé la pièce et, si possible, la date de la première représentation publique ; le synopsis de la pièce, la durée, le nombre de personnages, le nombre de chansons et tout autre détail utile au producteur éventuel.

Les codes inscrits dans la marge signifient : **E** pour enfance, **J** pour jeunesse. Les pièces sans code sont écrites pour les adultes. Les codes peuvent s'additionner quand une pièce s'adresse à plus d'un public. Dans ce dernier cas le code **A** pour adulte apparaît.

LE CENTRE DES AUTEURS DRAMATIQUES (CEAD) A 29 ANS

Fondé en 1965 par des auteurs de théâtre dont le but était d'abord de faire connaître leurs oeuvres, le « Centre d'essai des auteurs dramatiques », rebaptisé en 1990, à l'occasion de son premier quart de siècle d'existence, en CENTRE DES AUTEURS DRAMATIQUES est un organisme unique au service des dramaturges québécois. Fort d'un nombre d'adhérents toujours grandissant d'auteurs dramatiques professionnels, le Cead a vu tout au long des ans son mandat prendre de l'importance et ses activités se diversifier.

Jouant, sans relâche depuis le début, son rôle dans le développement, la promotion et la diffusion de la dramaturgie québécoise, le Cead s'est acquis un statut de partenaire incontournable de tous ceux et celles qui défendent l'écriture dramatique contemporaine. À commencer par les auteurs, bien sûr, qui y trouvent un interlocuteur privilégié, un support dans la création et un relais efficace entre leurs oeuvres et le public. En mettant en contact les textes et les producteurs, le Cead favorise la création à la scène de nouveaux textes et contribue à la pérennité du répertoire national.

Le Cead est aussi au service de la communauté théâtrale, tant ici qu'à l'étranger. Par la publication de bulletins d'information en anglais *Théâtre Québec* et en français *Dramaturgies/Nouvelles* destinés aux professionnels de l'extérieur du Québec; par la publication de répertoires d'auteurs et de textes; par l'organisation de lectures publiques, d'ateliers de traduction, d'une Semaine de la dramaturgie, d'échanges et d'activités de promotion au Canada anglais, aux États-Unis et en Europe, le Cead veut donner au théâtre québécois et aux auteurs une visibilité internationale bien méritée.

CENTRE DE DOCUMENTATION DU CEAD

Le Cead gère un centre de documentation qui donne accès à la plupart des oeuvres du répertoire québécois. Les textes édités y sont disponibles et, lorsqu'une pièce n'a pas été publiée, le manuscrit peut être prêté sur demande moyennant l'achat d'une carte d'usager.

En plus des dossiers qu'on peut consulter sur les auteurs et chacune de leurs pièces, des conseils que peut donner Daniel Gauthier, le responsable du centre de documentation, le Cead aide tout usager à contacter l'auteur ou son agent afin de demander les autorisations obligatoires pour reproduire ou monter une pièce.

Une publication coproduite par le Cead et l'Association québécoise des auteurs dramatiques (Aqad) et intitulée : *Le Théâtre et le Droit d'auteur*, est également disponible au coût de 10 $ (incluant les frais d'envoi). Outre des renseignements sur le droits d'auteur, les coordonnées des auteurs ou de leurs agents, elle contient un index de tous les textes disponibles au Cead dans un classement par distribution.

Le centre de documentation est ouvert de 13 h 30 à 17 h 00, du lundi au vendredi. On peut communiquer ses demandes par la poste ou par téléphone : Cead, 3450, rue Saint-Urbain, Montréal, (Québec) H2X 2N5. Téléphone : (514) 288-3384, télécopieur : (514) 288-7043

LE FONDS GRATIEN GÉLINAS : POUR L'AVENIR DE NOTRE DRAMATURGIE

Dans le but d'assurer un soutien accru à la dramaturgie du Québec, le Cead créait en 1990 le Fonds Gratien Gélinas, du nom du premier auteur dramatique du Québec. Les deux objectifs primordiaux du fonds sont le soutien aux jeunes (nouveaux) auteurs et la diffusion de la dramaturgie du Québec sur les scènes du monde.

Selon la raison d'être du fonds, l'argent recueilli peut servir à mettre sur pied des ateliers de formation : donner la chance à des premiers textes d'être créés à la scène ; soutenir la carrière des auteurs ayant déjà fait leurs preuves ici et à l'étranger ; traduire en plusieurs langues les oeuvres de notre répertoire et les promouvoir sur la scène internationale ; organiser des événements de promotion à l'étranger et des échanges avec des artistes de ces pays.

Beaucoup de pain sur la planche et des projets qui pourront être réalisés en fonction des sommes amassées au fil des campagnes de souscription annuelles et des événements bénéfices. Les auteurs ne sont pas souvent sous les projecteurs, pourtant leur travail constitue le premier chaînon de la création théâtrale. Nous désirons mettre la notoriété de notre théâtre au service d'une grande visibilité pour tous, tant auprès du grand public que du milieu corporatif.

C'est ainsi que le 4 février 1991, le Fonds Gratien Gélinas était lancé avec éclat lors d'une soirée-bénéfice au cours de laquelle les plus grands noms de notre théâtre rendaient hommage à Gratien Gélinas. De la même façon, le 21 mai 1992, la communauté artistique et le milieu corporatif se réunissaient pour faire la fête à Marcel Dubé lors d'une soirée « meurtre et mystère » puis, le 18 octobre 1993, le public était invité à *Sacré Michel, damné Bingo!*, une soirée alliant le populaire jeu de bingo à un « bien cuit » dont l'auteur des *Belles-Soeurs* était la victime volontaire pour la cause.

En 1994, un jeune auteur se verra attirbuer une Prime à la création d'une nouvelle oeuvre. Il disposera de 15 000 $ pour la compagnie professionnelle qui produira son texte. Un montant de 9 000 $ servira à la publication des bulletins d'information *Théâtre/Québec* et *Dramaturgies nouvelles*, deux outils qui servent à promouvoir notre dramaturgie auprès des professionnels étrangers. Finalement, une somme de 6 000 $ assurera une partie des coûts d'un événement de promotion au Royaume-Uni.

Tout individu ou corporation peut faire un don et chaque contribution est grandement appréciée. Un reçu pour usage fiscal est émis. Le chèque doit être fait à l'ordre de **Cead Diffusion**.

Cead Diffusion
3450, rue Saint-Urbain
Montréal, QC
H2X 2N5

ALLEN, Michelle

Après quatre années à la faculté de médecine de l'Université de Montréal, Michelle Allen étudie au Conservatoire d'art dramatique de Montréal (1976-1979) avant un stage en écriture dramatique et en improvisation chez Alain Knapp à Paris. En 1979, elle est cofondatrice et administratrice des Productions Germaine Larose, compagnie intéressée à la nouvelle dramaturgie québécoise et étrangère. Elle tient plusieurs rôles à la télévision, au cinéma et au théâtre et fait quelques mises en scène dont celle de sa première pièce, **La Passion de Juliette**, créée en 1982 et mise en nomination pour le Prix du gouverneur général du Canada. Depuis, elle se consacre principalement à l'écriture. Son premier court métrage, **Moïse**, est produit en 1989. Elle collabore à plusieurs séries de télévision (**D'amour et d'amitié**, **L'Or et le Papier**) et elle travaille actuellement à des scénarios de long métrage.

photo: Pierre Desjardins

La Passion de Juliette [1982] (Éditions Leméac, 1983)
Productions Germaine Larose, mai 1983
Fiction poétique. Sous l'oeil amusé d'une Esmée un peu sorcière, Juliette, une scientifique travaillant sur l'amour chez les pigeons, connaît la passion à la suite de sa rencontre, lors d'un carnaval, avec Adris, un survivant d'expériences post-atomiques.
Durée : 2 heures
Personnage(s) : 3 femmes, 2 hommes

Fugue en mort mineure [1983]
Productions Germaine Larose, mai 1984
Thriller poétique. Robert R., photographe émérite, apprend dans le quotidien qu'il doit mourir assassiné le jour même. Il tente d'échapper à la fatalité...
Durée : 1 heure 30
Personnage(s) : 2 femmes, 2 hommes, et un choeur qui peut être joué par ces 4 interprètes

Blanche éclaboussée de sang ou Madame, cette peau de chienne vous va comme un gant [1985] (dans **20 ans**, VLB Éditeur, 1985)
Un couple et une chienne entremêlés au quotidien jusqu'à ce que la violence les éclabousse.
Durée : 20 minutes
Personnage(s) : 1 femme, 1 homme et 3 voix

La Résurrection de la chair [1985]
Conservatoire d'art dramatique de Montréal, 19 avril 1986
Conte fantastique. En 3001, sur une planète qui s'appelle encore Terre, trois héros et une passagère clandestine sont en route pour recevoir une reconnaissance suprême. Leur vaisseau est détourné sur Alba, ancienne station balnéaire maintenant située dans la Zone Périphérique Interdite de la Cité. Accident ou complot ? Nos héros sont accueillis par Puja et sa fille Effie.
Durée : 1 heure 30
Personnage(s) : 5 femmes, 2 hommes

Piège pour Cendrillon [1986], d'après le roman du même titre de Sébastien Japrisot (Éditions Denoël, 1965)
Productions Germaine Larose, 20 novembre 1987
Drame policier. Un incendie détruit la maison où Dominique et Michèle sont en vacances. On retrouve le cadavre calciné de l'une d'elles. L'autre gît inconsciente au pied de l'escalier, le visage et les mains complètement brûlés. Quand elle se réveille à l'hôpital, elle a tout oublié. Qui est-elle ? Dominique ou Michèle ? Une grande femme blonde vient la chercher et prétend tout lui expliquer. L'histoire d'un crime où l'on connaît la victime quand on sait qui est le meurtrier.
Durée : 1 heure 40
Personnage(s) : 4 femmes, 2 hommes

Terre de feu [1987-1989], opéra ; musique de Catherine Gadouas
Cet opéra a été présenté en lecture publique chantée par le Cead, le 8 février 1991, ainsi que lors de l'événement Quatre mondes en lecture, en coproduction avec le Festival de Théâtre des Amériques, le 6 juin 1993.
Un cérémonial de la mémoire. Mary Shelley avait 18 ans quand elle a écrit son premier roman *Frankenstein*. À la veille de sa mort, elle assiste à un rituel onirique et somptueux au cours duquel les héros de son roman viennent se mêler aux personnages de sa vie pour recréer les principaux moments de son histoire. Elle finit par s'enfuir avec sa créature.
Durée : 2 heures
Personnage(s) : 4 femmes, 4 hommes
Entièrement chanté

E   **Morgane** [1991-1992] (Boréal, 1993)
Coproduction du Théâtre de Carton, des Ateliers de la Colline (Belgique) et du Théâtre de l'Écume (Bretagne) 1993, créée à Rennes, en Bretagne, en juillet 1993
Le roi Arthur trahit la promesse qu'il avait faite à Viviane de protéger le monde d'Avalon. Dans une forêt enchantée, entre le sauvage et le sacré, deux mondes s'affrontent. Arthur, Guenièvre, Lancelot et Morgane, tiraillés entre leur image de héros et leurs propres désirs, cherchent à regagner une unité perdue.
Durée : 1 heure 30
Personnage(s) : 3 femmes, 3 hommes

TRADUCTIONS

Le Songe d'une nuit d'été [1988], traduction de **A Midsummer-Night's Dream** de Shakespeare (Leméac Éditeur, 1990)
Théâtre du Nouveau Monde, 12 avril 1988

À l'ouest de l'Ouest [1989], traduction de **Farther West** de John Murrell
Cette traduction a été présentée en lecture publique par le Cead lors d'un échange avec Prairie Theatre Exchange de Winnipeg, à Montréal, les 5 et 6 mars 1989.
Un *road movie* théâtral. En 1986, une femme, May, décide d'être libre de vivre à sa façon. Elle prend une valise, un revolver et part vers l'Ouest. Deux hommes la suivent : celui qui l'aime et celui qui veut sa disparition. Cette quête éperdue de liberté se terminera au bord du Pacifique et dans la mort.
Durée : 2 heures
Personnage(s) : 4 femmes, 6 hommes

ALONZO, Anne-Marie

Docteure en littérature, Anne-Marie Alonzo a signé depuis 1979, des textes de création et d'analyse dans des revues d'ici comme de l'étranger. Membre du comité de rédaction d'*Estuaire* de 1984 à 1987, elle collabore également à la revue *Fruits* (Paris) dont elle assure la diffusion au Québec et est cofondatrice de la revue culturelle *TROIS*. Auteure de dix-huit ouvrages (dont cinq en collaboration avec des artistes visuels), **Bleus de mine** lui a valu le prix Émile-Nelligan en 1985 et **Galia qu'elle nommait amour**, le Grand Prix d'excellence artistique de Laval, en 1992. Éditrice, elle a dirigé la collection « fiction » des Éditions Nouvelle Optique, et a été membre du comité de lecture des Éditions de la Pleine Lune. En 1980 et 1986, elle a enseigné l'écriture dramatique à l'Université de Montréal. En 1981, elle fonde la Troupe Auto/Graphe, avec Myrianne Pavlovic et Mona Latif-Ghattas. La troupe a monté **Veille** de Anne-Marie Alonzo, **City Lights** de Jean-Paul Daoust et **Les Chants du Karawane**, texte et mise en scène de Mona Latif-Ghattas. Depuis, elle codirige les Éditions TROIS En 1987, elle fonde les Productions A.M.A., une entreprise de livres-cassettes dont elle assure la direction. En 1989, elle crée le seul événement littéraire de longue durée en période estivale, le Festival de TROIS.

photo: Véro Boncompagni

Ravages [1978], adaptation théâtrale du roman du même titre de Violette Leduc
« Ma mère ne m'a jamais donné la main. » : première phrase du roman **La Bâtarde** de Violette Leduc. C'est cette impossible relation mère fille qui est réexaminée ici. La mère repoussant l'enfant « hors mariage » d'un aristocrate chez qui elle travaillait comme bonne. La fille ne se remettant pas d'avoir été privée de l'affection véritable de sa mère et n'ayant gardé de son père que l'image d'un homme en haut-de-forme lui tapotant la tête et remettant une enveloppe d'argent à sa mère. Il y a aussi l'amante de Violette. Et si la mère avait poussée Violette dans ses bras pour la protéger des hommes ?
Durée : 1 heure 50
Personnage(s) : 3 femmes

Veille [1979-1980] (Éditions des Femmes, Paris, 1982)
Adapté pour la radio (Radio-Canada, émission *Escales*, 1981)
Troupe Auto/Graphe, 10 juin 1981
Fait de courts soliloques poétiques, d'un « je » tendu vers le « tu », ce texte est un exorcisme doux de la solitude menaçante. Histoire intime/moments : une voix murmure sa musique et chante un « écrire de douleur ».
Durée : 1 heure 30
Personnage(s) : 1 femme et 1 musicienne (clarinette)

Droite et de profil [1983] (Éditions Lèvres Urbaines, 1984)
C'est le voyage d'une femme. Un retour à sa terre natale d'Égypte... Alexandrie. Un voyage onirique, un retour à l'enfance qui devient mythique pour essayer de rééquilibrer les tourments de l'enfance et la sérénité de l'âge adulte.
Durée : 1 heure
Personnage(s) : 1 femme

Une lettre rouge orange et ocre [1983] (Éditions de la Pleine Lune, 1984)
Radio de Radio-Canada, mars 1983 ; créé en traduction allemande à la scène
Traduit en allemand par Traude Bührmann sous le titre de **Eine Ungeschrieben Brief** [1990]
(Xenia Berlin, 1990)
Festival international des Femmes, Brême, Allemagne, 1990
Deux femmes s'affrontent, sont affrontées, l'une devant l'autre, l'une contre l'autre. La mère et
la fille. (É)prises, elles s'arrachent aux maux de l'amour, elles s'attirent, se lient, se déchirent. Se
retrouvent aussi au pied de la croix car leur vie est vive et douloureuse. Il y a pourtant le rire.
L'humour/amour des deux, les voix sont souvent douces, les sourires frôlent les regards éclatés.
Durée : 1 heure 30
Personnage(s) : 2 femmes

Galia qu'elle nommait amour [1992] (TROIS, 1992)
Festival de TROIS, 23 août 1992
C'est le voyage dans un désert d'une femme en quête d'absolu. C'est un no man's land, un désert
de neige ou de sable, un désert intérieur. La femme y rencontre une autre femme, Galia, une
artiste, une chanteuse, à la quête d'elle-même. Après leur rencontre, elles trouveront chacune ce
qu'elles cherchaient.
Durée : 1 heure 30
Personnage(s) : 2 femmes
Plusieurs chansons

ANDERSON, Éric

« D'origine suédoise Éric Anderson est né au Québec en
novembre 1956 d'une famille de navigateurs. De son
enfance il garde un goût profond pour les voyages. Ses
déplacements l'amèneront à séjourner autant en Asie qu'en
Europe. Mis à part l'écriture il consacre son temps à
l'engagement social en travaillant notamment auprès des
sans-abri. »

La Famille Toucourt en solo ce soir [1979] (VLB Éditeur, 1981)
Théâtre de Quat'Sous, 9 octobre 1979
Respectant les dernières volontés de son mari, Sabine Toucourt réunit ses enfants pour que la
famille remonte une dernière fois sur scène entonner les airs de *La Bonne Chanson canadienne*
qui ont fait sa renommée, quinze ans auparavant. Mais les enfants, maintenant adultes, ne
l'entendent pas ainsi...
Durée : 1 heure 30
Personnage(s) : 3 femmes, 3 hommes
Une dizaine de chansons tirées de **La Bonne Chanson canadienne**

La Disparition des dinosaures [1984-1986]
Ce texte a été présenté en lecture publique par le Cead, le 30 janvier 1987.
Nouvelle version de **Siddhartha et les animaux en voie de disparition**
La jeune mère de Siddharta Gauthier a été militante contestataire, il y a longtemps ; lui, 17 ans, ne partage pas spécialement, sa vision du monde à elle. Le soir de Pâques, il lui annonce qu'il se fait baptiser le lendemain. Cette nuit-là, ils ne dormiront pas. Ils vont se parler.
Durée : 1 heure 15
Personnage(s) : 1 femme, 1 homme

ANDRÈS, Bernard

Professeur de lettres à l'Université du Québec à Montréal depuis 1975, Bernard Andrès a été critique à *Jeu*, au *Jour* hebdo, au *Devoir*, à *Spirale* et à *Voix et images* (dont il a été directeur). En plus de ses textes pour la scène, il a publié un roman, **La Trouble-Fête** (Leméac, 1986) et un recueil de nouvelles, **D'ailleurs** (XYZ, 1992). Outre de nombreux articles sur la littérature québécoise, il a aussi produit deux essais, l'un à Montréal, **Écrire le Québec : de la contrainte à la contrariété** (XYZ, 1990) et l'autre à Paris, **Profils du personnage chez Claude Simon** (Minuit, 1992).

Rien à voir [1986] (XYZ éditeur, 1991. L'édition comprend une version solo et une version pleine distribution)
Atelier de théâtre l'Eskabel, octobre 1986
Dans un parc d'attraction, un bonimenteur (O'Dean) invite le public (auquel se mêlent des figurants) à entrer dans son théâtre. Ceux qui le font assistent (cachés) aux réactions de la salle (public scindé en deux). Intimidation, séduction, humour, tragique, comique de O'Dean. Révolte des figurants et coup de théâtre : ils étaient aveugles ! Affrontement général, violence et mort. Tragi-comédie à la Handke.
Durée : 1 heure 30 (pleine distribution) ; 1 heure 15 (spectacle solo)
Personnage(s) : 1 femme, 2 hommes et 10 figurants (femmes ou hommes) (pleine distribution ou 1 homme (spectacle solo)
Scénographie permettant à une partie du public de voir sans être vu.

La Doublure [1988] (Guérin Éditeur, 1988)
Une femme et deux hommes s'entre-déchirent dans un Québec post-atomique. Les comédiens qui jouaient la captive, le maître et le bouffon dans la première partie, se retrouvent « simples acteurs » dans la deuxième. rôles et caractéristiques physiques sont alors inversés : beauté, laideur, pouvoir, faiblesse : jeu vertigineux de masques et de voiles, de personnages réels et de faux comédiens, sur fond de quête identitaire.
Durée : 1 heure 20
Personnage(s) : 6 personnages (2 femmes, 4 hommes) joués par 1 femme, 2 hommes
Jeux variés de demi-masques, de maquillages, de voiles et de miroirs

ARCHAMBAULT, François

Après avoir complété un majeur en études françaises à l'Université de Montréal et achevé un premier texte dramatique, François Archambault s'inscrit au mineur en études théâtrales. Il écrit **Le Coeur aboli**, texte gagnant du Concours d'écriture dramatique de l'Université de Montréal édition 1990, qui lui permet aussi d'être accepté en écriture dramatique à l'École nationale de théâtre du Canada. En 1992, sa pièce en un acte **Le Jour de la fête de Martin** est sélectionnée parmi les 13 pièces finalistes du Concours Val'en Scène à Valenciennes, en France, où elle est lue publiquement avant de recevoir une mention spéciale du jury. En novembre 1993, sa pièce **Cul sec !** est présentée en lecture publique au Festival International des Francophonies de Limoges. Au retour, la pièce est créée à Montréal. Elle sera reprise par le Théâtre Petit à Petit en février 1995. En plus d'une dizaine de pièces de théâtre, François Archambault a aussi écrit une quarantaine de textes de chansons pour son frère Benoît, compositeur et interprète.

photo: André Le Coz

Le Jour de la fête de Martin [1992]
École nationale de théâtre du Canada, avril 1992
Les parents de Martin ont prévu un petit souper intime avec leur fils pour souligner son vingtième anniversaire. Un jeune désespéré vient cependant troubler la fête en imposant sa présence à la famille et en la menaçant avec un revolver.
Durée : 45 minutes
Personnage(s) : 1 femme, 3 hommes

Cul sec ! [1993]
École nationale de théâtre du Canada, 26 octobre 1993
Serge, Éric et Michel, trois jeunes provenant d'un milieu aisé, se préparent à passer une soirée infernale. C'est la fin de semaine, ils veulent boire, ils veulent baiser. Ils boivent donc, partent à la chasse et ramènent trois filles consentantes. Les six jeunes ont envie de plaisirs. Tout est en place pour une soirée magnifique ! Et pourtant...
Durée : 1 heure 45
Personnage(s) : 3 femmes, 3 hommes

AUBRY, Suzanne

Après avoir complété un diplôme en écriture dramatique de l'École nationale de théâtre du Canada en 1979, Suzanne Aubry n'a pas cessé d'écrire pour le théâtre. Sa pièce **La Nuit des p'tits couteaux** a connu un grand succès et a fait l'objet de nombreuses reprises. Suzanne Aubry s'est également consacrée à la traduction et à l'adaptation de pièces américaines ainsi qu'au journalisme et à l'enseignement. Depuis 1985, elle a collaboré à de nombreuses séries télévisées, dont **Manon, L'Or et le Papier** et **D'amour et d'amitié**. Elle est l'auteure d'un court métrage, **Signé Charlotte S**, qui a été primé lors du concours Fictions 16/26, et d'un téléfilm de 90 minutes intitulé **Meurtre en musique**. Coauteure d'une autre série à l'affiche de Radio-Canada, **À nous deux !**, Suzanne Aubry se voue également depuis de nombreuses années à la défense des droits des auteurs et à l'amélioration de leur statut.

Une goutte d'eau sur la glace [1979], en collaboration avec Jasmine Dubé et Geneviève Notebaert
Théâtre Petit à Petit, 12 décembre 1979
Deux amies d'enfance dans la vingtaine, aux destinées et aux caractères opposés, sont amenées à partager provisoirement un appartement. Cette difficile cohabitation est illustrée par divers procédés théâtraux, dont un choeur et des chansons, qui font entendre ce que chacun des deux personnages n'ose dire à l'autre.
Durée : 1 heure 30
Personnage(s) : 4 personnages féminins et un choeur pouvant être joués par 2 femmes
3 chansons

J'te l'parle mieux quand j'te l'écris [1980-1981], d'après **Chers nous autres** de Robert Blondin
(VLB Éditeur, 1981)
Théâtre d'Aujourd'hui, 26 février 1981
Issus de la petite histoire du Québec rural et urbain, une soixantaine de personnages relatent les moments importants de leur vie et de leur époque, à travers une quarantaine de lettres écrites entre 1860 et 1970.
Durée : 1 heure 45
Personnage(s) : une soixantaine de personnages pouvant être joués par 3 femmes et 3 hommes

Mon homme [1982], en collaboration avec Elizabeth Bourget et Maryse Pelletier
Théâtre d'Aujourd'hui, 16 septembre 1982
Dans une succession de courts tableaux humoristiques, trois jeunes femmes de caractères différents revivent alternativement les épisodes marquants de leur vie amoureuse avec les hommes d'âges et de types divers qu'elles ont fréquentés.
Durée : 1 heure 45
Personnage(s) : 16 personnages (4 femmes, 12 hommes) pouvant être joués par 3 femmes et 2 hommes
2 chansons

E   **Ombrelle, tu dors** [1982]
Théâtre de l'Oeil, 1982
Avec humour et poésie, et au moyen de divers types de marionnettes (à trois dimensions, en aplat et en ombres chinoises), la pièce illustre les rêves et les inquiétudes d'une petite fille, Ombrelle, qui se croit abandonnée par ses parents alors que ceux-ci s'apprêtent à partir en vacances sans elle.
Durée : 1 heure
Personnage(s) : 10 marionnettes et des ombres chinoises pouvant être manipulées par 3 marionnettistes
Public visé : premier cycle du primaire
Accompagnement sonore et musical élaboré

La Nuit des p'tits couteaux [1983] (Cead, collection « Dramaturgies nouvelles », épuisé ; Éditions Leméac, 1987)
Coproduction de l'auteure et des Pichous, 8 mars 1984
Traduit en anglais par Maureen LaBonté sous le titre de **Night of the Long Knives** [1987] (extrait publié dans 6 Plays/Playwrights from Quebec, Cead, 1987)
Avec la précision clinique d'un reportage, la pièce reconstitue les temps forts d'une fin de semaine durant laquelle, pour des motifs divers, cinq personnages très différents les uns des autres se livrent à une séance thérapeutique intensive, âprement menée par un couple d'animateurs à qui rien n'échappe.
Durée : 1 heure 30
Personnage(s) : 4 femmes, 3 hommes

E   **Un vrai roman-fleuve** [1984]
Production de Georgette Rondeau, août 1984
Personnage fantaisiste et attachant, Grib fait partager aux spectateurs le souvenir de ses amitiés et les aventures qu'elle s'invente à partir de ce que lui suggèrent des accessoires qu'elle extirpe d'une malle sur un quai où elle attend un train.
Durée : 50 minutes
Personnage(s) : 1 femme
1 chanson

TRADUCTIONS ET TRANSPOSITIONS

Bonne nuit m'man [1984], traduction de **'Night Mother** de Marsha Norman
Compagnie Jean Duceppe, 5 avril 1984

État civil : célibataire [1984], traduction et transposition de **Isn't it Romantic ?** de Wendy Wasserstein
Compagnie Jean Duceppe, 5 avril 1985

Signes de vie [1986], traduction de **Signs of Life** de Joan Schenkar
Cette traduction a été présentée en lecture publique par le Cead lors d'un échange avec New Dramatists de New York, à Montréal, les 11 et 12 mai 1986.
Une comédie de menaces qui réunit Henry James et sa soeur Alice, P.T. Barnum et son « freak » la Femme Éléphant, Dr Sloper, un gynécologue dément, et plusieurs autres personnages. Tout ce beau monde joue sa vie au lieu de la vivre. Une cérémonie du thé aussi bizarre que meurtrière.
Durée : 2 heures
Personnage(s) : 5 femmes, 3 hommes

BARBEAU, Jean

Après un cours classique au Collège de Lévis, où sont produits ses premiers textes, Jean Barbeau s'inscrit en lettres à l'Université Laval et se joint à la Troupe des Treize en 1968. Cette année-là, sa pièce **Et caetera**, présentée au Dominion Drama Festival à Windsor, remporte deux prix. Pendant ses études, il a écrit, seul ou en collectif, plusieurs pièces pour les étudiants, textes qui n'ont pas été produits professionnellement. En 1969, il fonde, avec des comédiens, le Théâtre Quotidien de Québec, sa carrière de dramaturge professionnel amorçant ainsi sa lancée. Si, depuis, les différentes scènes montréalaises ont présenté ses textes dramatiques, elles ne furent pas les seules. La plupart de ses pièces ont en effet été produites à travers toute la province ou à l'étranger, dans leur version originale, traduites ou adaptées. **Ben-Ur** connaîtra un succès d'édition : 30 000 exemplaires vendus. Jean Barbeau a également écrit pour la radio ; travaillé comme coscénariste pour la série télévisée **Les Enfants de la rue** et a aussi écrit un scénario **Coeur de nylon** produit dans le cadre de la série des téléfilms présentés à Radio-Québec en 1988-1989. De 1992 à 1993, il a coscénarisé le premier long métrage acadien, **Le Secret de Jérôme**, à l'affiche en 1994. Il écrit présentement un *sitcom* pour Radio-Canada, **L'Arche de Noé**.

photo: Jean-Guy Thibodeau

Ben-Ur [1969-1970] (Éditions Leméac, 1971)
Théâtre populaire du Québec, février 1971
Traduit en anglais par Laurence Bédard et Philip W. London sous le même titre
Sous des dehors comiques, la destinée tragique de Benoît-Urbain Théberge, éternel perdant qui souhaite se distinguer et devenir un héros de bandes dessinées mais qui, tout en réalisant son rêve, demeurera néanmoins un Ben-Ur victimisé.
Durée : 2 heures
Personnage(s) : 21 personnages et un choeur joués par 3 femmes et 3 hommes
3 chansons

Le Chemin de Lacroix [1970] (suivi de **Goglu**, Éditions Leméac, 1971)
Théâtre Quotidien de Québec, mars 1970
Traduit en anglais par Laurence Bédard et Philip W. London sous le titre de **The Way of Lacross** (Playwrights Co-op, Toronto, 1973)
Un chômeur, assisté de son ami français, et de sa blonde, vient raconter au public comment il a été injustement arrêté et malmené par la police, pendant une manifestation violente, à laquelle il ne participait même pas.
Durée : 1 heure
Personnage(s) : 1 femme, 2 hommes

Goglu [1970] (précédé du **Chemin de Lacroix**, Éditions Leméac, 1971)
Ce texte a été présenté en lecture publique par le Cead, le 15 février 1971
Théâtre Quotidien de Québec, juillet 1970
Traduit en anglais par John Van Burek sous le même titre (*Canadian Theatre Review*, no 11, 1976, p.103-117)

Également traduit en anglais par Laurence Bédard et Philip W. London sous le titre de **Bobolink**
The Pleiade Theatre Company (Toronto), janvier 1976
Sur un banc, devant le fleuve, Godbout tente de réconforter son ami Goglu qui souffre de solitude et qu'une vie sans surprise accable.
Durée : 45 minutes
Personnage(s) : 2 hommes

Solange [1970] (précédé de **La Coupe Stainless**, Éditions Leméac, 1974)
Théâtre Quotidien de Québec, juillet 1970
Traduit en anglais par John Van Burek sous le même titre (*Canadian Theatre Review*, no 11, 1976, p. 92-102)
The Pleiade Theatre Company (Toronto), janvier 1976
Jeune femme simple, venue de la campagne, Solange raconte son enfance au couvent, sa vie de religieuse, sa liaison avec l'une de ses élèves, son renvoi de la congrégation et sa brève rencontre, dans un train, avec un inconnu dont elle aura un enfant.
Durée : 40 minutes
Personnage(s) : 1 femme

Joualez-moi d'amour [1970] (précédé de **Manon Lastcall**, Éditions Leméac, 1972)
Théâtre Quotidien de Québec, octobre 1970
Dans cette allégorie au ton hyperréaliste, Jules, Québécois timide et complexé, se retrouve impuissant devant Julie, une prostituée française qui se plie pourtant avec complaisance aux obsessions du jeune homme. La clé du blocage est dans l'accent châtié qu'il se donne : assumant son parler « joual », pourra-t-il enfin parler d'amour à Julie ?
Durée : 45 minutes
Personnage(s) : 1 femme, 1 homme

Manon Lastcall [1970] (suivi de **Joualez-moi d'amour**, Éditions Leméac, 1972)
Version originale pour la radio [1969] (Radio-Canada, Québec, 1969)
Traduit en anglais par Philip W. London et Suzan K. London sous le même titre
Comédie. Maurice, conservateur de musée, s'étant attiré les faveurs d'une auto-stoppeuse après lui avoir promis du travail, a la surprise de voir surgir cette femme, Manon, dans son bureau. À cause de certaines circonstances, il se voit forcé de lui donner un poste de guide. Bien qu'elle ait un succès incontestable : les visiteurs ont décuplé, ses façons cavalières et son langage sans nuance entraînent son renvoi ainsi que celui de Maurice.
Durée : 45 minutes
Personnage(s) : 2 femmes, 2 hommes

Le Chant du sink [1971-1972] (Éditions Leméac, 1973)
Théâtre populaire du Québec, 15 mars 1973
Un écrivain, harcelé par quatre muses, (La Langue, La Culture, Le Sexe, La Religion) qui veulent se l'accaparer en exclusivité, se réfugie dans la folie.
Personnage(s) : 5 femmes, 1 homme

Citrouille [1971-1974] (Éditions Leméac, 1975)
Théâtre du Nouveau Monde, 16 mai 1975
Rachel, intellectuelle pincée, Mado, lesbienne naïve, et Citrouille, ex-Cendrillon devenue vindicatrice, kidnappent et séquestrent un mâle sûr de lui. Au fil de discussions parfois truculentes, les trois amies font subir à leur prisonnier les traitements que la société phallocrate impose habituellement aux femmes.
Durée : 2 heures
Personnage(s) : 3 femmes, 1 homme

La Coupe Stainless [1972-1973] (suivi de **Solange**, Éditions Leméac, 1974)
Piggery Theatre, 15 août 1974
Parodiant autant le sport professionnel que certaines comédies musicales, la pièce met aux prises le joueur étoile de l'équipe de ballon-balai de Sainte-Nitouche et son gérant qui l'exploite honteusement. Avec l'aide de sa blonde, le premier ne reculera devant aucun moyen pour renégocier son contrat et venir à bout de l'autre.
Durée : 1 heure 30
Personnage(s) : 2 femmes, 3 hommes
Une quinzaine de chansons

J **Le Théâtre de la maintenance** [1972-1973] (Éditions Leméac, 1979)
Nouvelle Compagnie Théâtrale, 1973
Écrit dans le but d'initier les adolescents au langage scénique, ce divertissement met en scène une supposée équipe d'entretien nettoyant un théâtre. À l'instigation d'un curieux meneur de jeu, citation vivante du Cyrano de Rostand, ces gens de la « maintenance » jouent à être acteurs et se mettent, tout en interrogeant l'acte théâtral, à dépoussiérer les masques que l'on porte dans la vie réelle.
Durée : 1 heure 15
Personnage(s) : 4 femmes, 4 hommes

Une brosse [1973-1975] (Éditions Leméac, 1975)
Théâtre du Trident, 24 avril 1975
Traduit en anglais par John Van Burek sous le titre de **The Binge**
Young Peoples's Theatre
(Traduction non disponible au Cead)
Deux chômeurs forcés prennent la « brosse » de leur vie au milieu des vidanges de la société qui les entoure, sous l'oeil d'une prostituée et d'un policier. Commencée avec un humour de taverne, la charge de Gaston et de Marcel contre l'esclavage politique et culturel dont ils sont victimes atteint une violence absolue, un pessimisme troublant.
Durée : 1 heure 30
Personnage(s) : 1 femme, 3 hommes

Dites-le avec des fleurs [1976], en collaboration avec Marcel Dubé (Éditions Leméac, 1976)
Bateau-Théâtre l'Escale, été 1976
Dans une commune de la fin des années 1970, pousse un immense lierre, Parthénocisse, véritable baromètre de la vie du groupe. À la fin, il aura perdu toutes ses feuilles ; on comprendra que le rêve du mariage communautaire se sera cassé la gueule. Chacun des partenaires repartira de son côté, une fois dressé le bilan fiancier de l'opération !
Durée : 2 heures 30
Personnage(s) : 4 femmes, 4 hommes
4 chansons

Le Jardin de la maison blanche [1978] (Éditions Leméac, 1976)
L'Atelier de la Nouvelle Compagnie Théâtrale, 19 février 1980
D'un onirisme traversé d'accents réalistes et même humoristiques, l'épopée de cinq jeunes dans un pays étrange, le Coma, leur est une occasion de mesurer la solitude, la détresse et l'impasse sociale dans lesquelles ils vivaient avant les événements qui les ont amenés, par des voies différentes, à cette frontière entre la vie et la mort.
Durée : 1 heure 45
Personnage(s) : 2 femmes, 3 hommes

Émile et une nuit [1978-1979] (Éditions Leméac, 1979)
Théâtre du Rideau Vert, 4 octobre 1979
L'étrange rencontre de deux êtres corrodés par l'indifférence du monde : Émile, clochard

cinquantenaire, instruit, pourchassé par la Mort, vivant terré dans une station de métro qu'il ne quitte jamais et Étienne qui, à vingt ans, est résolu à se suicider parce qu'il a découvert que la vie n'est pas l'Eldorado.
Durée : 1 heure 30
Personnage(s) : 4 personnages pouvant être joués par 1 femme et 3 hommes ou par 4 hommes
3 chansons

Une marquise de Sade et un lézard nommé King-Kong [1979] (Éditions Leméac, 1979)
Théâtre de la Manufacture, 1er juillet 1980
Tandis qu'Hercule, fonctionnaire dont la tête enfle ou se rétrécit selon la température, tente méthodiquement de comprendre l'univers, son épouse se livre à des fantasmes frénétiques, voyageant des jungles érotiques à sa cuisine dérisoirement normale. L'imaginaire délirant de ce couple, son cynisme et sa logorrhée verbale composent une parodie dont l'issue, la rechute dans le réel, réserve encore des surprises.
Durée : 1 heure 15
Personnage(s) : 1 femme, 1 homme

Le Grand Poucet [1979] (Éditions Leméac, 1985)
Production de Jean Barbeau, de Michel Demers et de Claude Maher, 19 octobre 1982
Comédie dramatique en neuf tableaux. Roger Doucet, gloire locale d'une petite ville de l'Abitibi, homme instable et insatisfait, a la nostalgie d'une petite enfance à la campagne, entouré de son père et de sa soeur. Petite enfance refuge qu'il mythifie. L'arrivée de sa soeur qu'il aime d'un amour trouble et la nouvelle de la mort prochaine de son père le poussent dans une aventure désespérée qui se transforme en prise d'otages, se terminant tragiquement. Mais auparavant, il aura réglé ses comptes avec son père et la société que ce dernier représente.
Durée : 2 heures 30
Personnage(s) : 17 personnages (6 femmes, 11 hommes) pouvant être joués par 6 femmes et 7 hommes
12 chansons

La Vénus d'Émilio [1980] (Éditions Leméac, 1984)
La Relève à Michaud, été 1980
Sur un ton de comédie légère qui accumule jeux de mots, jeux de scène et quiproquos, se déroule un double match : après dix ans de fréquentations avec Fénelon, la prude Rachel décide de passer à l'attaque et de se faire demander en mariage le soir même où, à la télévision, s'affrontent les Canadiens et les Nordiques. Relégué à la cuisine, le père de Rachel suit les deux offensives d'un oeil intéressé - et partisan !
Durée : 1 heure 30
Personnage(s) : 1 femme, 2 hommes

Les Gars [1980-1983] (Éditions Leméac, 1984)
Compagnie Jean Duceppe, avril 1983
Traduit en anglais par Linda Gaboriau sous le titre de **The Guys**
Vancouver Playhouse, 1984
Sur un patio de banlieue, trois voisins dans la quarantaine, provisoirement délaissés par leurs femmes, passent ensemble une soirée et, par-delà leurs maladroites tentatives de communiquer, offrent le portrait humoristique d'une certaine aliénation masculine.
Durée : 2 heures
Personnage(s) : 1 femme, 3 hommes

Coeur de papa [1981] (Éditions Leméac, 1985)
La Relève à Michaud, été 1981
Un petit entrepreneur, trouvant sa vie conjugale un peu fade, après vingt-cinq ans de mariage, et se navrant du conservatisme de son fils et de sa fille, décide d'exercer une paternité qu'il se

découvre soudainement. Mais le mariage, et de son fils, et de sa fille, vient contrecarrer ses plans et mettre un frein à la cure de jouvence qu'il projetait.

Durée : 2 heures
Personnage(s) : 2 femmes, 2 hommes

Le Temps d'une poire [1984]
Théâtre de Saint-Donat, juin 1984
Des personnages fantaisistes et farfelus défilent dans un bistrot. Mari, épouse, amant (dans un pastiche à la Guitry), homme-objet, danseuse punk, granola désirant se recycler, etc. ne manquent pas de créer des situations cocasses. Rita, la barmaid au caractère changeant, tisse le lien entre ces différentes histoires.

Durée : 1 heure 20
Personnage(s) : 10 personnages (4 femmes, 6 hommes) pouvant être joués par 2 femmes et 4 hommes

Le Complexe d'Édith [1985] (dans 20 ans, VLB Éditeur, 1985)
Une mère porteuse avoue à son jeune amant son envie de faire un enfant avec lui. Cet homme pourrait être son fils.

Durée : 20 minutes
Personnage(s) : 1 femme, 1 homme

L'Abominable Homme des sables [1988] (Leméac Éditeur, 1989)
Productions Volt-Face, 24 mai 1989
Comédie. Étienne a vécu vingt ans aux côtés de Maria, archéologue réputée qui vient de mourir. Elle réussissait tout. Il a tout raté : le projet politique, la carrière littéraire... Étienne vient s'entretenir avec elle sur sa tombe où il rencontre Serge, l'amant de Maria, de vingt ans son cadet. Le cocu mord, l'amant se défend, puis ils se parlent. Beaucoup d'eux. Surtout d'elle, absente en apparence, mais présente dans cette sorte de duel qui se déroule sur sa tombe.

Durée : 1 heure 30
Personnage(s) : 2 hommes

Diplômée en enseignement de l'Université du Québec à Montréal, Jacqueline Barrette écrit ses premières pièces tout en étudiant. En 1970, après sa participation remarquée au Festival de l'ACTA, où elle présente sa revue **Ça dit qu'essa à dire**, elle abandonne l'enseignement pour se consacrer au métier d'auteure et d'actrice. Elle écrit pour la radio (**Pauline et Édouard**), pour la télévision (**Clark-Coco Soleil, Minute Moumoute, You Hou, La Fricassée, Pop Citrouille, Court-Circuit**), rédige des textes pour les spectacles de Jean-Guy Moreau et Dominique Michel, et signe *le Show des femmes* sur le mont Royal en 1975 : **Ça s'pourrait-tu ?** On doit aussi à cette auteure et interprète de nombreux monologues, un scénario de film, **Le Lys cassé**, réalisé par André Melançon, dans lequel elle tenait le rôle de la mère. **Les Larmes volées**, scénario produit par Radio-Québec, lui a valu le prix Évaluation Média en 1986. Elle a été coscénariste pour l'émission **Passe-Partout**, de 1989 à 1991, et a écrit une dizaine de livres pour enfants (Collection Passe-Partout). Elle signait récemment le scénario **Madame La Bolduc** réalisé par Monique Turcotte et dans lequel elle jouait le rôle principal qui lui a valu le prix Gémeaux de la Meilleure interprétation féminine, en 1993.

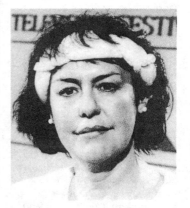

Le Rêve d'un mort [1967]
Comédie réaliste. Première journée au salon mortuaire : la famille, la soeur, l'ami. Les querelles, les comptes se règlent. Mais il y a aussi le rêve du défunt. La réalité telle qu'il la racontait à son ami, celle qu'il avait rêvée pour sa femme, ses enfants, et qu'ils entendent pour la première fois. Et ce rêve les aidera à vivre. C'est l'héritage.
Durée : 1 heure
Personnage(s) : 6 femmes, 4 hommes

Ça dit qu'essa à dire [1970] (Théâtre Actuel du Québec et les Grandes Éditions du Québec, 1975, épuisé ; copie disponible pour prêt)
Théâtre Actuel du Québec, juin 1971
Revue composée de 29 courtes scènes intitulées : **Y'a pas de soin, Ça-dit-qu'essa-à-dire, La Faim dans le monde, La vie c'est pas une chanson, Un paquet de cartes à rêver, J'y ai dit, Pareil comme dans les vues, Charloune, Réincarnation, Cendrillon, Faut pas s'y fier, Y'a pus de soleil, Assis sa bol des toilettes, La Ronde, Samedi matin, Shower, Un grand gars, ça pleure pas, Enfance, Berçeuse, La Moman, Waitress-poète, 47 ans, Jeannette, Antoine, Violence, Avec mes espoirs, J'le vois, Ma planète, Ça dit qu'essa à dire**.
Durée : 1 heure 50
Personnage(s) : 25 personnages (14 femmes, 11 hommes) pouvant être joués par 3 femmes et 2 hommes
6 chansons
Cette revue est essentiellement constituée de monologues en vers rimés.

Oh ! Gerry Oh ! [1972] (Éditions Leméac, 1982)
Théâtre Actuel du Québec au Patriote de Sainte-Agathe-des-Monts, 4 juillet 1972 (version d'une heure non disponible), Théâtre Actuel du Québec au Théâtre Port-Royal, automne 1972 (version

publiée)
Gerry Lafleur a trouvé un moyen de recruter d'éventuelles victimes pour un réseau de prostitution. Il convoque les femmes esseulées à des simili-thérapies. Les faux exercices de dynamique de groupe et les confessions qu'ils provoquent finissent par démasquer la misogynie du beau parleur.
Durée : 2 heures
Personnage(s) : 3 femmes, 2 hommes

Flatte ta bédaine, Éphrème [1972-1973] (Théâtre Actuel du Québec et les Grandes Éditions du Québec, 1973, épuisé ; copie disponible pour prêt)
Productions Claude Michel, 7 février 1973
Revue musicale en six tableaux illustrant le duel, la chicane et le désaccord entre l'espoir et le désespoir qui nous habitent tous. Les personnages s'affrontent, tantôt dans le rire, tantôt dans l'amertume, pour faire triompher leur philosophie de la vie, de l'amour, de la justice et de la mort.
Durée : 2 heures
Personnage(s) : 12 personnages (5 femmes, 7 hommes) pouvant être joués par 3 femmes, 3 hommes
6 chansons

Bonne fête, papa [1973] (Théâtre Actuel du Québec et les Grandes Éditions du Québec, 1973, épuisé ; copie disponible pour prêt)
Théâtre Actuel du Québec, 18 septembre 1973
Craignant d'être irrémédiablement atteint d'impuissance, un homme marié de 54 ans sombre dans la dépression. Il se voit contraint de remettre en question certaines de ses valeurs à l'égard des rôles sexuels et apprend ainsi que la tendresse et la camaraderie tiennent aussi une place importante dans la vie de chacun.
Durée : 1 heure 30
Personnage(s) : 3 femmes, 3 hommes

Dis-moi qu'y fait beau, Méo ! [1974] (les Grandes Éditions du Québec, 1975, ; Éditions Leméac 1983)
Théâtre Actuel du Québec, 26 septembre 1974
Suite de 11 tableaux brossant avec humour des portraits de la vie quotidienne et faisant part de la soif de vérité d'êtres humains agressés par les idéologies que véhiculent les médias sur un « volcan appelé Terre ».
Durée : 2 heures
Personnage(s) : 23 personnages (10 femmes, 12 hommes et un transsexuel) pouvant être joués par 3 femmes et 4 hommes (le rôle du transsexuel étant joué par une femme)
13 chansons

Les Larmes volées [1986] (Éditions Leméac, 1986), non produit à la scène
Créé à la télévision de Radio-Québec, le 26 mars et le 2 avril 1986 et diffusé en deux épisodes
Francine souffre de son obésité. Après de multiples cures, elle décide d'aller en analyse. Tour à tour, la pièce nous la montre chez son thérapeute puis chez son amie Claudette qui, souffrant du même problème et complice de Francine dans ses excès de nourriture, craint de perdre une alliée et est menacée de perdre son équilibre par la nouvelle démarche de Francine. Constituant un drame sur l'obésité et sur la solitude, ces dialogues tout en nuances contournent l'écueil du plaidoyer pour privilégier un discours intime auquel s'ajoute une merveilleuse touche d'humour.
Durée : 2 heures
Personnage(s) : 2 femmes, 1 homme

BASILE, Jean

D'origine franco-russe, Jean Basile (Jean Bezroudnoff) s'est installé au Québec à l'âge de 30 ans. Tour à tour journaliste, critique et éditeur, il a dirigé les pages littéraires du quotidien *Le Devoir*, qu'il a quitté pour fonder *Mainmise*, le magazine de la contre-culture des années soixante-dix. Il a aussi collaboré, en tant que pigiste, à de nombreux journaux et revues. Auteur d'un récit (**Lorenzo**) et de romans (**La Jument des Mongols, Le Grand Khan, Les Voyages d'Irkoutsk, Le Piano-trompette**), il a également publié deux recueils de poésie : **Journal poétique (1964-1965)** et **Iconostase pour Pier Paolo Pasolini**. Jean Basile est décédé le 10 février 1992, à l'âge de 60 ans. Il signait depuis plusieurs années, une chronique littéraire à *La Presse*. La même année, VLB Éditeur publiait un album de textes pour la plupart inédits, intitulé **Keepsake 1**. Gilles Marcotte écrivait à son sujet dans *Le Devoir* du 15 février 1992, « Parmi les écrivains qui sont venus de l'étranger faire oeuvre au Québec, deux ou trois ont vraiment marqué, recréé notre paysage. Jean Basile est de ceux-là. »

photo: Guy Borremans

Joli Tambour [1966] (Éditions du Jour, 1966, épuisé)
Non produit dans sa version originale française
Theatre Toronto, janvier 1968
Traduit en anglais sous le titre de **The Drummer Boy** (traduction non disponible)
Denis Quévillon, jeune tambour, est condamné à mort en 1750 pour avoir violé une jeune fille de 11 ans. On lui offre cependant une autre peine : devenir bourreau. Il accepte, mais ce métier lui pèse et l'ostracisme qu'il lui vaut l'accable. La fille du directeur de la prison l'invite à partir avec elle en Nouvelle-Angleterre, mais son plan est contrecarré par son prétendant qui l'enferme et se rend chez Denis pour le rouer de coups. Le lendemain, on trouve le bourreau pendu dans la cour de la prison.
Durée : 3 heures
Personnage(s) : 3 femmes, 18 hommes

Adieu...je pars pour Viazma ! [1986], d'après dix-sept récits d'Anton Tchekhov (Éditions de l'Hexagone, 1987)
Cette pièce propose un voyage à travers l'esprit créateur de Tchekhov, par une série de onze courts tableaux dont l'action se déroule entre 1886 et 1904, à Klimonov, bourg perdu d'une Russie imaginaire. Parmi les personnages : un vagabond qui joue du violon en ignorant superbement qu'il pourrait bien être un assassin, une jeune femme riche et sensuelle qui utilise tous ses atouts pour berner le fringant lieutenant de l'armée du tsar, un jeune moine qui pleure la mort de son ami, le poète méconnu, ou encore cette comédienne moribonde qui veut retourner à Viazma, sa ville natale.
Durée : 1 heure 30
Personnage(s) : 28 personnages (7 femmes, 21 hommes) pouvant être joués par 3 femmes et 9 hommes

BEAULIEU, Jocelyne

Au début des années soixante-dix, Jocelyne Beaulieu connaît ses premières expériences au théâtre comme comédienne, auteure et metteure en scène. Après avoir terminé un majeur en littérature et un mineur en théâtre à l'Université Laval, elle s'inscrit à l'École nationale de théâtre du Canada, en 1976, d'où elle ressort en 1979, seconde diplômée en écriture dramatique. Elle suit également les cours de comédie de l'École Juste pour rire. Tout en écrivant pour le théâtre, elle collabore à quelques scénarios de films ainsi qu'à des émissions pour la radio et la télévision. Présentement, elle écrit douze textes de théâtre qui serviront d'outils pédagogiques pour les étudiants en immersion française, une série publiée chez Guérin éditeur.

Arrête don' de contrairer, Bérengère [1974]
Deux vieilles filles, deux soeurs, Alma l'optimiste et Bérengère la pessimiste, jasent sur leur balcon.
Durée : 50 minutes
Personnage(s) : 2 femmes

Paul Martin ou Qui est Paul Martin ? [1978]
École nationale de théâtre du Canada, 1978
À la suite d'un meurtre commis dans le métro, quinze témoins racontent ce qu'ils ont ou auraient aimé voir... et personne ne dit la même chose.
Durée : 45 minutes
Personnage(s) : 15 personnages (7 femmes, 8 hommes) pouvant être joués par 2 femmes et 2 hommes

Soi et les autres [1979]
École nationale de théâtre du Canada, 4 décembre 1979
Série de 9 scènes très courtes explorant les rapports affectifs dans le quotidien. Indépendantes les unes des autres, elles ont servi d'exercices pédagogiques. Chaque scène présente deux personnages, parfois trois. Elles s'intitulent : **Qui perd gagne** ; **Papa a pas toujours raison** ; **Les Frères hostiles** ; **Blanche Neige et sa mère** ; **Marie-Lou veille et s'éveille** ; **La boss' frappe encore !** ; **Consommateur non averti** ; **Un malentendu d'pluss'** et **Autour d'un pamplemousse.**
Durée : 50 minutes
Personnage(s) : 21 personnages (6 femmes, 15 hommes ou 8 femmes, 13 hommes)

J'pogne-tu ou chus pognée ? [1980]
Troupe théâtrale La Vitrine, été 1980
Vue de façon humoristique l'attitude de trois femmes dans la vingtaine face à leurs comportments sexuels et à leur vie émotive.
Durée : 1 heure 15
Personnage(s) : 5 personnages (3 femmes, 2 hommes) pouvant être joués par 3 femmes et 1 homme ou par 3 femmes
3 chansons

L'incroyable histoire de la lutte que quelques-unes ont menée pour obtenir le droit de vote pour toutes [1980], en collaboration avec Josette Couillard, Madeleine Greffard et Luce Guilbeault (VLB Éditeur, 1990)
Présenté à la télévision de Radio-Canada, 1990
Production des auteures, avril 1980
Écrit à partir de documents historiques, ce texte dont la fonction première en est une d'information et d'animation, fait état des étapes marquantes dans la lente ascension des femmes du Québec à leur droit d'être des citoyennes à part entière, malgré la farouche opposition des pouvoirs politiques et religieux en place.
Durée : 1 heure
Personnage(s) : 4 femmes ou plus

J'ai beaucoup changé depuis [1980] (Éditions Leméac, 1981)
2e version de **Chus jamais tombée en amour avec toi**
Théâtre d'Aujourd'hui, 11 septembre 1980
Après trois séjours en institut psychiatrique à la suite d'un avortement, F. s'y retrouve une fois de plus, subissant une grossesse nerveuse et obsédée par la maternité, faisant le bilan de ses rapports avec les autres. Deux écoles de pensée s'affrontent quant à la thérapie qu'il lui faut.
Durée : 1 heure 30
Personnage(s) : 7 personnages (5 femmes, 2 hommes) pouvant être joués par 3 femmes et 1 homme

Camille C. [1983-1984], en collaboration avec René Richard Cyr, d'après le roman **Une femme** d'Anne Delbée (roman publié aux Presses de la Renaissance, Paris, 1982)
Coproduction du Projet Camille C. et du Théâtre d'Aujourd'hui, 8 mai 1983
Sculpteure passionnée par son travail, Camille Claudel souffre de n'être considérée, par la société artistique du 19e siècle, que comme la soeur de Paul et la maîtresse de Rodin, avec qui elle vit une relation orageuse. Incapable de faire valoir son oeuvre de femme artiste, elle sombre dans la folie. Elle sera internée pendant trente ans.
Durée : 1 heure 45
Personnage(s) : 16 personnages (9 femmes, 7 hommes) pouvant être joués par 4 femmes et 4 hommes

J't'aime ben qu'trop [1985]
Théâtre d'un Temps, 6 mars 1985
Se voulant un moyen de sensibilisation et de prévention de la violence faite aux femmes dans leur milieu familial, cette pièce tente de démontrer comment la violence porte souvent l'empreinte de la possessivité et de l'exclusivité.
Durée : 1 heure 30
Personnage(s) : 3 femmes, 2 hommes

Bain public [1985-1986], en collaboration avec Louise Bombardier, François Camirand, Anne Caron, René Richard Cyr, André Lacoste, Geneviève Notebaert, Claude Poissant et Denis Roy
Théâtre Petit à Petit, 20 février 1986
Inspirée du cabaret politique, la pièce regroupe une cinquantaine de sketches sur l'actualité sociale. Qu'on y traite de torture ou de violence, de sexualité ou de menace nucléaire, humour et ironie dominent : pour sourire et réfléchir, pour mordre ou choquer, mais surtout pour ne rien oublier, ni les menaces, ni les angoisses, ni les misères.
Durée : 1 heure 30
Personnage(s) : 65 personnages pouvant être joués par 2 femmes et 4 hommes
7 chansons

L'Alibi [1987], théâtre d'intervention
Théâtre d'un Temps, 4 juin 1987
L'histoire d'un enfant victime de rapt par ses deux parents. Cette pièce a pour but de lancer un débat sur la question de rapt des enfants et de souligner l'isolement dans lequel est souvent plongée la victime.
Durée : 1 heure 30
Personnage(s) : 3 femmes, 3 hommes

Faux frère [1988]
Théâtre de la Manufacture, 4 mars 1988
Nicole, à la demande de son père, atteint d'une tumeur, a arrêté la vie de ce dernier. Son frère Paul, pris de remords, la dénonce un an plus tard. Nicole est condamnée à sept années de prison et privée de la garde de sa fille Candide. Sortie de prison, elle va maintenant retrouver Paul qui s'est isolé dans le chalet familial. La pièce commence au moment de la rencontre et de la confrontation de ces trois personnages.
Durée : 1 heure 30
Personnage(s) : 2 femmes, 1 homme

E   **Le Secret de la grande chef Natalia** [1993], en collaboration avec Jocelyne Verret (Guérin éditeur, 1993)
Ce texte a été conçu pour être joué par des enfants en classe d'immersion française. La grande chef Natalia vient dévoiler aux enfants les traits communs que présentent les aliments dans les divers pays du monde.
Durée : 45 minutes
Personnage(s) : 18 enfants ou moins
Public visé : 4e année, immersion française

TRADUCTION

Les Reines de la réserve [1993], traduction de **The Rez Sisters** de Tomson Highway [1986]
Théâtre populaire du Québec, 22 septembre 1993

Après une formation en technique à l'École nationale de théâtre du Canada (1977-1979), Guy Beausoleil enseigne dans la même institution de 1980 à 1987. Il y est d'abord adjoint à la direction de la section technique, puis adjoint à la direction de la section décoration. Parallèlement, il fait de nombreuses conceptions de décor et d'éclairage ainsi que de la régie au Théâtre du Nouveau Monde, au Théâtre du Rideau Vert, au Nouveau Théâtre Expérimental, au Centre national des Arts et autres. Il est scripteur à la télévision et à la radio où il a notamment participé à plusieurs reprises à l'émission **L'Aventure** de Robert Blondin. Il est l'auteur de trois scénarios de film et d'une dramatique radiophonique d'une heure intitulée **Break**, diffusée le 27 février 1987 à Radio-Canada. Après avoir dirigé cinq exercices pédagogiques à l'École nationale de théâtre, il réalise sa première mise en scène professionnelle : **Noir de monde** de Julie Vincent, texte créé d'abord à la Licorne puis présenté off-Avignon et repris au Théâtre Mont-Royal. Il a également signé la mise en scène et la scénographie des **Guerriers** de Michel Garneau et les mises en scène du **Cerf-volant** de Pan Bouyoucas et du **Lion de Bangor** de Jovette Marchessault.

photo: Jean-Claude Labrecque

Contes de la zone crépusculaire [1986]
Ce texte a été présenté en lecture publique par le Cead, le 27 février 1988.
École nationale de théâtre du Canada, octobre 1986
Faisant référence à la série télévisée américaine « The Twilight Zone » (« Au delà du réel »), cette pièce est une mosaïque de la société québécoise passée par le filtre du fantastique. À partir d'une situation de base, plusieurs histoires interconnectées entraînent le spectateur dans un monde subitement plongé dans l'envers du familier. Des contes originaux pour rire et pour frémir.
Durée : 2 heures 15 minutes
Personnage(s) : 5 femmes, 4 hommes

J   **L'Imprévisible** [1987]
Théâtre de l'Atrium, janvier 1988
Dans un récit tumultueux et éclaté, la pièce raconte les aventures de Georgette Mandeville, clocharde dotée d'étranges pouvoirs qui peuvent s'avérer bienfaisants ou maléfiques selon les gens qu'elle rencontre.
Durée : 1 heure 15 minutes
Personnage(s) : 2 femmes, 2 hommes

TRADUCTIONS ET TRANSPOSITIONS

Les Crimes de Vautrin [1984], traduction de **The crimes of Vautrin** de Nicholas Wright d'après
Splendeurs et Misères des courtisanes de Honoré de Balzac
École nationale de théâtre du Canada, octobre 1984

Crime du siècle [1992], traduction de **Crime of the Century** de Peter Madden
Théâtre d'Aujourd'hui, 10 avril 1992

Les Traverses du coeur [1992], traduction de **Passage of the Heart** de Wendy Lill
Théâtre populaire du Québec, 14 janvier 1993

BÉDARD, Christian

Originaire du Saguenay, Christian Bédard poursuit des
études universitaires en sciences politiques à Toronto et à
Paris. Dès 1972, il aborde le théâtre professionnel par le
biais de la technique : régie de scène, construction de
décor, direction technique. Il fait ensuite ses premières
armes en écriture dramatique en traduisant plusieurs pièces
canadiennes. Auteur prolifique, il signe en quinze ans plus
d'une vingtaine de titres et traductions dont la plupart ont
été portés à la scène. Par ailleurs, il fut plusieurs fois
boursier du Conseil des Arts du Canada et du ministère des
Affaires culturelles du Québec. De 1979 à 1988, il a été
membre du Théâtre de la Dame de Coeur où il a réalisé
quelques mises en scène. En 1982, il assumait pour un an
la présidence du Centre des auteurs dramatiques. Depuis
1986, tout en poursuivant son écriture pour le théâtre,
Christian Bédard rédige des scénarios pour la télévision et
le cinéma.

Le Schisme [1977] et [1988], avec la collaboration pour la réécriture de Lorraine Pintal (première
version, revue *Boréal*, no 11-12, 1978, p. 59-102)
Ce texte a été présenté en lecture publique par le Cead, les 7 et 10 février 1978
Adapté par l'auteur pour le cinéma sous le titre de **Le Schisme**
Traduit en anglais par Christopher Vroom sous le titre de **Schism**
Basée sur des faits réels, la pièce relate ce qui arrive quand, au fond du Saguenay, la moitié d'une
paroisse bien catholique décide de renier sa bonne mère l'Église et d'opter pour une autre
religion. Dans le tourbillon de la grande chicane, une humble idylle : fils et fille de familles
ennemies s'aiment. Mais jamais main de prêtre ne bénira leur union car la bonne mère l'Église
veille sur son troupeau.
Durée : 2 heures
Personnage(s) : 22 personnages (5 femmes, 17 hommes) et un choeur pouvant être joués par 4
femmes et 6 hommes

Donald Morrisson : hors-la-loi [1978]
Théâtre de la Dame de Coeur, octobre 1979
Le texte se base sur un fait réel : le procès de Donald Morrisson, survenu à Sherbrooke en 1889.
Voulant se défendre d'une escroquerie, Morrisson commet un homicide involontaire et prend la

fuite. Le texte dénonce les rouages malhonnêtes de la justice et de la politique et fait l'éloge de la solidarité de la communauté écossaise dont Morrisson fait partie.
Durée : 1 heure 30
Personnage(s) : une quarantaine de personnages pouvant être joués par 2 femmes et 5 hommes et des marionnettes pouvant être manipulées par les interprètes
3 chansons

Le Chas de l'aiguille [1979]
Théâtre de la Dame de Coeur, juin 1979
Agénor, le fou du village de Sainte-Allégorie, gagne le million. Tout le village est mis sens dessus dessous, puisque, généreux, il fait des cadeaux saugrenus à tous ses concitoyens. Mais c'est la convoitise du maire, de la directrice de l'école et du curé qui est au centre de l'intrigue. La mère d'Agénor aura fort à faire pour aider son enfant à dépenser son argent.
Durée : 2 heures
Personnage(s) : 2 femmes, 2 hommes
5 chansons

L'Anse-aux-Coques [1979]
Théâtre de la Dame de Coeur, octobre 1980
La quiétude d'un jeune couple de cultivateurs est bousculée par l'obligation du mari à trouver loin des siens un revenu que l'inclémence de sa terre ne lui permet pas de gagner. Improvisé par un parent, un spectacle de marionnettes exposant ce drame entraîne une prise de conscience chez les vrais protagonistes.
Durée : 1 heure 15
Personnage(s) : 1 femme, 2 hommes et 6 marionnettes
1 chanson

Le Duel [1980]
Ce texte a été présenté en lecture publique par le Cead, le 5 mai 1981.
Un rencontre fortuite entre deux hommes tourne à la confrontation de deux visions de la masculinité. Meurtre gratuit ou mise à mort rituelle ? Au delà des mots percent les maux de toute une société.
Durée : 1 heure 30
Personnage(s) : 2 hommes

Jello aux fraises [1981], en collaboration avec Richard Blackburn
Théâtre de la Dame de Coeur, juin 1981
Cette comédie débute par le vol mystérieux et répété des gâteaux de l'institut psychiatrique de Sainte-Allégorie et, après de nombreuses péripéties, finira par opposer, dans un surprenant conflit de travail, la haute direction administrative de l'hôpital et ses employés de la cuisine quelque peu farfelus.
Durée : 1 heure 45
Personnage(s) : 2 femmes, 2 hommes

Tant qu'on l'sait pas... [1982], en collaboration avec Richard Blackburn
Théâtre de la Dame de Coeur, juin 1982 ; créé sous le titre de **Crakias ou Tant qu'on l'sait pas...**
À Sainte-Allégorie, les méchantes langues vont bon train : tout le monde parle contre son voisin, y va de son petit commentaire acide. Même les vaches s'entretiennent sur ce ton-là ! Mais, tant qu'on ne sait pas ce que les autres racontent, ça peut aller. Jusqu'au jour où Lucien, le secrétaire municipal, apprend qu'il est cocu... Alors les ragots deviennent vraiment ce qu'ils sont : de la mauvaise herbe qui empoisonne la vie.
Durée : 2 heures
Personnage(s) : 16 personnages (13 femmes, 3 hommes) pouvant être joués par 2 femmes et 1 homme

Le Triomphe de Malvina Lachance [1983]

Profitant d'un programme gouvernemental d'aide aux jeunes chômeurs, quelques jeunes gens du village de Ste-Allégorie, dont le fils du maire, décident de monter un spectacle. La protectrice locale de la culture, Malvina Lachance, les couvre de son aile tout en se lançant à la conquête de la mairie. La révélation d'un projet secret du maire sortant, lors de la première du spectacle des jeunes, forcera celui-ci à se retirer de la course.

Durée : 2 heures
Personnage(s) : 33 personnages (17 femmes, 16 hommes) et 1 musicien
7 chansons

La Petite Bougraisse [1984]

Théâtre de la Dame de Coeur, octobre 1984
Traduit en anglais par Christian Bédard et Marie Stewart sous le titre de **Butter Ball** [1988]
À l'occasion de l'aménagement de son nouvel appartement, une jeune fille obèse et quelque peu obsédée par sa taille trace avec humour un bilan lucide de son existence et décide de mettre fin au rôle de clown qu'elle a consenti à jouer jusque-là pour les autres.

Durée : 1 heure 30
Personnage(s) : 1 femme
1 chanson

Voisin-voisines [1985]

Théâtre de la Dame de Coeur, octobre 1985
Dans une petite annonce, un hilarologue offre 20 $ aux personnes qui participeront à un sondage. Deux comédiennes en chômage se déguisent et jouent divers personnages afin de toucher le maximum d'argent. Plus tard, elles apprennent qu'un violeur dont la description correspond à celle de leur hilarologue est recherché par la police. Elles s'improvisent alors « détectives » afin de toucher la récompense offerte pour la capture du sinistre individu.

Durée : 1 heure 40
Personnage(s) : 2 femmes, 1 homme

Faits divers [1991]

Théâtre du Lys Arc-en-ciel, mai 1993
À peine sorti d'un long séjour à l'hôpital, Daniel se retrouve à la rue, abandonné, malade, rejeté. Pourquoi ce rejet subit de la part d'Éric ? En désespoir de cause, Daniel accepte l'invitation de sa mère et se rend dans son patelin d'origine. Mais comment revenir chez ses parents après quinze ans de silence ? Comment renouer avec un père qui l'avait chassé autrefois à cause de son homosexualité en lui jetant au visage « Fais-toi soigner ou sacre ton camp ! » ?

Durée : 1 heure 20
Personnage(s) : 1 femme, 4 hommes

Éon/Beaumarchais ou la Transaction [1991]

Retenu à Londres depuis plusieurs années, le chevalier d'Éon se prétend femme tout en étant vêtu en homme. Ruiné, objet de paris sur son sexe véritable, victime d'agressions, il passe même pour un hermaphrodite. Il refuse toujours d'obéir à Louis XV qui lui ordonne de reprendre les habits de son sexe. Il détient des documents lui permettant de faire chanter les autorités françaises. On lui envoie un émissaire en la personne de Beaumarchais. Croyant ne devoir affronter qu'une faible créature Beaumarchais doit affronter un dragon. Deux entretiens constituent cette pièce. D'Éon devra faire confiance à ce « charmant singe » qu'est Beaumarchais.

Durée : 2 heures
Personnage(s) : 1 femme, 3 hommes ou 2 femmes, 2 hommes et 1 claveciniste (facultatif). Le rôle du chevalier d'Éon peut être joué par une femme ou un homme.

Nomades urbains [1993]

Comédie tragique se déroulant dans un logement insolite au coeur d'une société malade. Michel, sidéen, ne voulant pas laisser seul son jeune amant, convainc une amie de venir partager leur abri de fortune situé sur une autoroute. L'irruption d'un ex-amant de cette amie vient contrecarrer leurs projets et détruire leur rêve.

Durée : 2 heures

Personnage(s) : 1 femme, 3 hommes (la femme est de race noire et un des hommes est d'origine latino-américaine)

TRADUCTIONS ET TRANSPOSITIONS

Four to Four [1974], en collaboration avec Keith Turnbull, traduction de **Quatre à quatre** de Michel Garneau (Éditions Simon and Pierre, Toronto, 1978)
Tarragon Theatre, Toronto, mars 1974

Les Donnelly [1975-1977], traduction de la trilogie de James Reany **Les Donnelly** [1975] (The Donnellys) : **Des bâtons pis des roches** [1975] (Sticks and Stones) ; **L'Hôtel Saint-Nicolas** [1975] (The Saint-Nicholas Hotel) ; **Les Menottes** [1977] (Handcuffs)

Écoutez le vent [1976], en collaboration avec Ann Van Burek, traduction de **Listen to the Wind** de James Reany

Bent [1982], traduction de la pièce du même titre de Martin Shermann

Hystérie bleu banane [1983], traduction et transposition de **Bland Hysteria** de John Palmer
Théâtre de la Dame de Coeur, été 1983

BÉDARD, Réjean

Né à Montréal en 1950, Réjean Bédard fait ses études secondaires en lettres au cégep Ahuntsic et ses débuts au théâtre avec différentes troupes dont Les Sans Regrets, la Famille Corriveau et le Théâtre à l'Ouvrage. Il déménage à Victoriaville en 1982 pour travailler comme comédien permanent au Théâtre Parminou. Plus de dix ans de tournée le conduiront dans toutes les régions du Québec et plusieurs fois dans l'Ouest canadien. En plus des cours en scénarisation qu'il suit à l'Université du Québec à Montréal en 1989, il se perfectionne en création théâtrale en suivant différents stages avec Normand Canac-Marquis, Louis-Dominique Lavigne et Fred Curchack à San Francisco.

Y'a d'la paix sur la planche [1983], en collaboration avec Michel Cormier et Nicole-Éva Morin
Théâtre Parminou, 1983
Deux clowns lisent leur journal quotidien et font le tour du monde et de ses zones de tensions,

de famine et de répression. Ils veulent que cesse la guerre et que s'installe la paix.
Durée : 50 minutes
Personnage(s) : 2 clowns jouant 6 personnages
5 chansons
Participation du public

Pensions-y-bien [1983], en collaboration avec Martine Beaulne, Michel Cormier et Nicole-Éva Morin
Théâtre Parminou, été 1983
Intervention théâtrale traitant des régimes de pension pour les femmes.
Durée : 45 minutes
Personnage(s) : 9 personnages pouvant être joués par 1 femme et 1 homme

Attention, ça va germer [1984], en collaboration avec Michel Cormier, Marie-Dominique Cousineau, Jean-François Couture, Daniel Jean, Gilles Labrosse et Nicole-Éva Morin
Théâtre Parminou, 1984
Le problème de la relève et l'importance de la formation technique et professionnelle en agriculture.
Durée : 1 heure 30
Personnage(s) : 9 personnages pouvant être joués par 2 femmes et 2 hommes
4 chansons

L'égalité brille pour tout le monde [1985-1986], en collaboration avec Michel Cormier, Nicole-Éva Morin et Madeleine St-Hilaire
Théâtre Parminou, 1986
Théâtre-forum. Marie-Claude pose sa candidature pour un nouveau poste. Son mari et son patron se posent comme obstacles. Le public est invité à intervenir.
Durée : 1 heure
Personnage(s) : 9 personnages (4 femmes, 5 hommes) et 1 meneur ou meneuse de jeu.

D'égale à égal [1988], en collaboration avec Michel Cormier et Louise Deslière
Théâtre Parminou, 1988
Les inégalités et les préjugés que vivent encore les femmes en matière d'emploi dans le réseau de l'éducation au Québec.
Durée : 1 heure
Personnage(s) : 7 personnages (2 femmes, 5 hommes) pouvant être joués par 1 femme et 1 homme et 1 meneur ou meneuse de jeu

Les Pétards à mèche célestes [1991], en collaboration avec Yves Dagenais, Hélène Desperrier, Maureen Martineau, François Roux, Yves Séguin et Sonia Vachon
Avec la collaboration spéciale de Marcel Sabourin
Théâtre Parminou, été 1991
Une troupe itinérante essaie de mener à bien son spectacle en présentant des numéros burlesques de l'illustre Houdini, d'un orchestre de chambre tout à fait désaccordé, d'un surprenant dompteur d'escalopes de veau, d'équilibristes en déséquilibre, tout cela dans une atmosphère de folie indescriptible propre à l'univers clownesque.
Durée : 1 heure 30
Personnage(s) : Une dizaine de personnages pouvant être joués par 3 femmes et 2 hommes
Jeux clownesques. Très peu de paroles.

Aki [1992], en collaboration avec Hélène Desperrier et Patrice Dussault
Théâtre Parminou, automne 1992
Trois récits modernes : **1492 avenue des Amériques**, **L'Indian Time** et **L'Homme qui a vu l'ours**, pour parler d'enracinement, d'appartenance à la terre et de préjugés entre les nations

blanche et autochtone.
Durée : 1 heure 30
Personnage(s) : 11 personnages pouvant être joués par 2 femmes et 3 hommes
Distribution mixte, Blancs et autochtones

À temps pour l'Indian Time [1993], en collaboration avec Hélène Desperrier et Maureen Martineau
Théâtre Parminou, 1993
Théâtre-forum. Pris au milieu des bois, Marc et Pierre s'affrontent sur les préjugés mutuels qu'ils nourrissent face aux Blancs et aux autochtones.
Durée : 1 heure 30
Personnage(s) : 2 hommes et 1 meneur ou meneuse de jeu
Distribution mixte, un Blanc et un autochtone

À côté de moi [1993], en collaboration avec Hélène Desperrier, François Roux et Yves Séguin
Théâtre Parminou, 1993
Jean-Christophe a choisi la voie du silence. Il a tranché le fil de ses rêves. Il a brisé le miroir de son adolescence mais la vie a été plus forte que lui. Spectacle sur l'estime de soi.
Durée : 1 heure
Personnage(s) : 7 personnages pouvant être joués par 2 femmes et 2 hommes

BÉLANGER, Denis

photo: Robert Barzel

« Denis Bélanger est né à Amqui en 1950. Après un baccalauréat en lettres anciennes, il touche à tout, de l'inventaire d'oeuvres d'art au secrétariat, en passant par l'enseignement et le théâtre. Dans ce va-et-vient continuel, trois constantes : la passion des langues étrangères, l'exil chronique et l'écriture. Denis Bélanger écrit romans (**Rue des Petits-Dortoirs**), nouvelles, théâtre, scénarios et collabore à des revues de cinéma (*Ciné-bulles, Lumières*). Dans tout cela, il tente de satisfaire sa curiosité. En vain. » Denis Bélanger est décédé en avril 1992. En mars 1991, les Éditions Québec-Amérique publiaient son recueil de nouvelles, **La Vie en fuite** et, en octobre 1993, son dernier roman **Les Jardins de Méru** paraissait chez Boréal.

Lunes de miel [1980]
Les Pichous, 10 janvier 1980
Casse-tête amoureux dans lequel on vit, exagère ou invente ses amours afin de tromper la solitude. Depuis deux ans, Suzanne vit avec Jean Roussel et ses casse-tête ; Michel vient de rencontrer son nouveau *chum* et Louise vit seule avec ses rêves et ses faux désirs. Tous ont près de trente ans, âge qui provoque des tempêtes, qui force à contrôler son coeur et à rire pour ne pas rider.
Durée : 1 heure 15
Personnage(s) : 2 femmes, 3 hommes

Rongé aux mythes [1982]
Centre de théâtre musical de Peter George, mai 1982
Pleins d'espoir, sept personnages de la littérature québécoise trottent dans la tête de l'auteur Romulus Ducharme qui est en train de créer le personnage de Pierre. Celui-ci, né sans contexte, perdu, tente de se définir par ses rapports avec ses pairs et en veut à son auteur de l'avoir fait naître rongé par les mythes que charrie la littérature. Il décide d'envoyer paître Romulus et persuade les autres personnages d'en faire autant.
Durée : 1 heure 15
Personnage(s) : 4 femmes, 4 hommes
10 chansons

Pontormo [1987-1988], en collaboration avec Michel Ouimet, d'après le **Journal** du peintre Jacopo da Pontormo
Coproduction de L'Atalante et du Groupe 3.5.81, Paris, le 3 janvier 1992
En pleine Renaissance italienne, Jacopo da Pontormo, 60 ans, peintre florentin célèbre et respecté, écrit son journal sous le regard bienveillant d'Alessandra, modèle, amie, mère ou biographe. Vieilli, épouvanté et fasciné par la mort, Pontormo tente de conjurer sa peur par l'énumération de ses menus, de ses visites, de ses maladies, et s'entête à ne rien dire, à ne rien nommer.
Durée : 1 heure 30
Personnage(s) : 1 femme, 1 homme

BELLEFEUILLE, Robert

Après sa sortie du Conservatoire d'art dramatique de Québec en 1979, Robert Bellefeuille participe à la fondation du Théâtre de la Vieille 17 de Rockland, en Ontario. Coauteur de plusieurs textes, il fut de la distribution de toutes les productions de cette compagnie. Dix ans plus tard, Robert Bellefeuille se retrouve seul à la barre de la Vieille 17, les autres fondateurs ayant emprunté des voies différentes. Même s'il a signé et cosigné plusieurs pièces, Robert Bellefeuille ne se considère pas comme un auteur, il se définit plutôt comme « un acteur qui écrit ».

Les Murs de nos villages [1979 et 1980], en collaboration avec Hélène Bernier, Anne-Marie Cadieux, Roch Castonguay, Jean Marc Dalpé, Vivianne Rochon et Lise Roy (Les Éditions de la Sainte-Famille, Rockland, 1983 (épuisé) ; Éditions Prise de Parole, Sudbury, 1993)
Théâtre de la Vieille 17, automne 1979
Ce texte raconte avec beaucoup d'humour la journée des habitants d'un village. On entre dans l'intimité des demeures, des conversations et des rapports humains pour faire la connaissance du barbier philosophe, des enfants d'école, des membres du club de l'âge d'or et des jeunes amoureux...
Durée : 2 heures
Personnage(s) : 117 en tout (44 femmes, 73 hommes) pouvant être joués par 3 femmes, 3 hommes

2 chansons
La pièce est un ensemble de scènes plus ou moins longues, elle peut alors être jouée entièrement ou en partie.

E   **Le Nez** [1984], en collaboration avec Isabelle Cauchy, d'après le conte du même titre de Nicolas Gogol (suivi de **Petite histoire de poux**, Éditions Prise de Parole, Sudbury, 1992)
Théâtre de la Vieille 17, septembre 1984
Traduit en anglais par Robert Bellefeuille et Robert Marinier sous le titre de **The Nose** [1985]
Par un beau matin de printemps, pendant que la grande Simone chantonne dans la cuisine, après avoir servi à déjeuner à son petit mari, Yvan le barbier, ce dernier découvre avec épouvante, un nez enfoui au fond de sa brioche. À l'autre bout du village, le professeur Nicolas se réveille tout doucement, se lève comme d'habitude, se rend au miroir... et découvre avec horreur que son nez a disparu. Spectacle coloré et humoristique dans un monde où les nez en quête de liberté deviennent chanteurs de cabaret, où certaines femmes tombent amoureuses d'hommes sans nez et où les barbiers innocents aimeraient bien être hors de tout soupçon lorsqu'il s'agit d'histoires auxquelles la police est mêlée...
Durée : 55 minutes
Personnage(s) : 18 personnages (10 femmes, 8 hommes) pouvant être joués pas 2 femmes, 2 hommes et 11 marionnettes
7 chansons
Masques

La Visite ou Surtout, sentez-vous pas obligés de venir ! [1984 et 1986], en collaboration avec Michel Marc Bouchard ; version revue et corrigée, en 1993 par Benoit Lagrandeur
Coproduction du Théâtre de la Vieille 17 et du Théâtre du Nouvel-Ontario, 11 mars 1987
Un couple raconte trois journées mémorables au cours desquelles, à dix ans d'intervalle, il a reçu de la visite, et illustre par trois livres - *L'Art de recevoir*, *L'Art de percevoir* et *L'Art de décevoir* - les joies et les affres provoquées par ces visiteurs le plus souvent issus du « cirque de la condition humaine ». Comédie grinçante sur nos moeurs et revendication du droit à la solitude.
Durée : 1 heure 45
Personnage(s) : 25 personnages pouvant être joués par 3 femmes et 3 hommes

Les Rogers [1985], en collaboration avec Jean Marc Dalpé et Robert Marinier (Éditions Prise de Parole, Sudbury, 1983)
Adapté pour la télévision (TVOntario, diffusion juin 1987)
Coproduction du Théâtre du Nouvel-Ontario et du Théâtre de la Vieille 17, janvier 1985
Sous prétexte d'une peine d'amour, trois vieux amis dans la trentaine passent une nuit blanche à parler de relations amoureuses, des femmes, des hommes et de leur amitié. Leurs fantasmes et leurs caprices les entraînent dans un court voyage où se mêlent tendresse et ridicule. Un regard comique sur le nouvel homme aux prises avec son présent et son passé.
Durée : 1 heure 30
Personnage(s) : 3 hommes

E   **Folie furieuse** [1986], avec la participation au scénario d'Anne-Marie Cadieux
Théâtre de la Vieille 17, automne 1986
Vedette au cabaret de monsieur Arthur, la belle Zelda travaille en duo avec la méchante Barbara, une chanteuse acariâtre dévorée par la jalousie. Cette terrible Barbara, qui est aussi sorcière à ses heures, ne pourra supporter que Zelda soit la préférée de la célèbre cantatrice Donna Giovanna Carlotta en visite au cabaret. C'est ainsi que Barbara mettra en oeuvre un plan diabolique pour faire disparaître Zelda.
Durée : 55 minutes
Personnage(s) : 7 personnages (3 femmes, 4 hommes) pouvant être joués pas 2 femmes, 3 hommes
7 chansons

En camisoles [1988], en collaboration avec Robert Marinier
Théâtre de la Vieille 17, printemps 1988
Cette comédie de caractère met en scène deux copines, Odette, la grande maigre, et Marjolaine, la petite boulotte. Elles se retrouvent, après un accident d'automobile, dans les limbes en attendant leurs prochaines réincarnations. Elles y revivent les moments burlesques qui ont marqué et cimenté leur relation d'amitié : ruptures, déménagements, cadeaux incongrus, incendie, jalousies et d'homériques discussions autour d'une carte de crédit.
Durée : 1 heure 30
Personnage(s) : 2 femmes

E   **Petite histoire de poux** [1988] (précédé de **Le Nez**, Éditions Prise de Parole, Sudbury, 1992)
Théâtre de la Vieille 17, automne 1988
Lorsque soeur Antoinette apprend à monsieur le directeur, Jean-Charles Latulippe, que trois de ses élèves ont des poux, celui-ci s'affole : il se rend au bureau de Rita Rouleau, l'hygiéniste, afin de lui demander son aide. Le bureau est vide, mais l'aspourateur, cette merveilleuse machine qui aspire les poux, est là... et il se met férocement en marche, « aspourant » le directeur ! Jean-Charles Latulippe se retrouve prisonnier d'Esméraldine, reine et impératrice des poux, et c'est le début d'une aventure époustouflante...
Durée : 1 heure
Personnage(s) : 3 femmes, 2 hommes
7 chansons

E   **La Machine à beauté** [1991], adaptation théâtrale du roman du même titre de Raymond Plante (Québec-Amérique, 1982, épuisé ; Boréal junior, 1992)
Théâtre de la Vieille 17, 11 février 1991
Traduit en anglais par Linda Gaboriau sous le titre de **The Beauty Machine** [1994]
La moitié des habitants d'un village ne sont pas satisfaits de leur apparence physique. Arrive Arsène Clou, inventeur d'une machine à beauté. Les villageois en ressortent transformés... beaux mais se ressemblant tous. L'euphorie que leur apporte cette beauté nouvelle les entraîne ensuite à ne tolérer que le beau, puis plonge le village dans un état de crise aiguë. Il faut faire quelque chose, mais quoi ?
Durée : 1 heure
Personnage(s) : 2 femmes, 3 hommes
Public visé : le second cycle du primaire

TRADUCTIONS

E   **The Nose** [1985], en collaboration avec Robert Marinier, traduction de **Le Nez** de Robert Bellefeuille et Isabelle Cauchy, d'après le conte du même titre de Nicolas Gogol

BERNARD, Pierre-Yves

Depuis 1987, Pierre-Yves Bernard a écrit pour de nombreuses productions, autant pour la scène que pour la télévision. Citons **Le Club des 100 watts** à Radio-Québec (pour lequel il a remporté le prix Gémeaux du Meilleur texte série jeunesse en 1991 et 1992), **Télé-Pirate** au Canal-Famille, **Surprise sur prise** à Radio-Canada, la **Tournée Juste pour rire** 1994, ainsi que tous les spectacles de la compagnie de théâtre Bluff dont il est également directeur artistique et membre fondateur. Depuis 1993, Pierre-Yves Bernard enseigne l'écriture à l'École nationale de l'humour. Il est également détenteur d'une maîtrise en sociologie de l'Université de Montréal, maîtrise portant sur le jeune théâtre québécois.

photo: Izabel Zimmer

J **Le Rock du grand méchant loup** [1990]
Bluff Productions, mai 1990
Résolument optimiste, cette pièce, sans proposer de message ou de solution à l'emporte-pièce, tente de faire réfléchir les jeunes sur ce que peut être l'école. Les personnages découvrent qu'elle peut être un lieu d'expérimentation et d'apprentissage sans que cela ne s'inscrive nécessairement dans un plan de carrière. Les scènes courtes et rythmées sont dominées par un humour tout à fait *rock n'roll* qui dynamise ce propos voulant que l'école puisse être un lieu stimulant et émancipateur.
Durée : 1 heure
Personnage(s) : 18 personnages (3 femmes, 8 hommes et 7 femmes ou hommes) pouvant être joués par 1 femme et 2 hommes

JA **Dollard** [1991], en collaboration avec Claude Legault
Bluff Productions, juin 1991
Dollard des Ormeaux, héros national, sauveur de la Nouvelle-France ? Détrompez-vous : Dollard était égoïste, hypocrite et menteur. Entouré du père Nault, jésuite aux tendances suicidaires, et de l'Indien Winnebago, Dollard est confronté à l'absurdité d'une guerre qu'il fuit à tout prix, couardise oblige. Sous le prétexte d'une saga historique où domine l'humour, la pièce souligne les travers qui, encore aujourd'hui, ne cessent de hanter l'être humain.
Durée : 1 heure 45
Personnage(s) : 8 personnages (2 femmes, 4 hommes et 2 femmes ou hommes) pouvant être joués par 2 femmes et 3 hommes

J **Chroniques des années de feu** [1991], en collaboration avec Simone Chartrand
Bluff Productions, septembre 1991
Une pièce sur le difficile passage de l'adolescence à l'âge adulte. Plus précisément, sur la difficulté d'entretenir et de réaliser ses idéaux dans un monde où la performance et l'individualisme sont trop souvent identifiés comme les seuls moyens de survie. Marc croit à la passion perpétuelle, à la liberté et à la rage de vivre. Il tente d'entraîner Viviane, sa blonde, puis Bandit, son meilleur ami, dans cette quête d'absolu ; il se heurtera toutefois à leur incompréhension et à ses propres contradictions.
Durée : 1 heure 15
Personnage(s) : 1 femme, 2 hommes

BERNIER, André

Né à Sherbrooke le 27 juillet 1949. Journaliste depuis 1964, André Bernier a oeuvré pour trois quotidiens (*La Tribune*, *Le Journal de Montréal* et *Le Matin*) et plusieurs hebdomadaires et périodiques. Il a également travaillé à la radio et à la télévision de Sherbrooke (CHLT et Télé 7) et à CJMS à Montréal. Il détient un baccalauréat spécialisé et une maîtrise en français de l'Université de Sherbrooke. Il a publié deux pièces de théâtre, **Les Iconoclastes** et **Les Jambes**, et plusieurs nouvelles dans des revues. Il a récemment fait paraître un premier roman, **La Magie des danseuses**. Actuellement, il enseigne la rédaction journalistique à l'Université de Sherbrooke.

Les Iconoclastes [1972-1973] (Éditions Cosmos, Sherbrooke, 1977)
Joseph, le chauffeur de taxi, aime Catherine, la cuisinière qui aime Philippe, le prestigieux annonceur de télévision qui aime Françoise, l'autodidacte qui, elle, n'aime personne en particulier tout absorbée qu'elle est par les livres et l'étude. Dos au public, devant leur miroir, deux hommes et deux femmes tenteront d'aller au-delà de leurs images.
Durée : 1 heure 30
Personnage(s) : 2 femmes, 2 hommes

Les Jambes [1976] (Éditions Naaman, Sherbrooke, 1980)
Tombent littéralement du ciel deux femmes et deux hommes : le mari, la femme, l'amante et un drôle d'intellectuel dont les jambes pendent longtemps dans le vide avant d'aboutir au sol. Mais tant qu'elles sont au-dessus des têtes, donc difficiles à identifier, les jambes font peur...
Durée : 2 heures
Personnage(s) : 2 femmes, 2 hommes

La Fête [1987]
Un homme invite au hasard des gens de la rue à entrer chez lui. En provoquant artificiellement leur rencontre, il tente de les faire communiquer entre eux, pour le simple plaisir de les observer.
Durée : 1 heure
Personnage(s) : 2 femmes, 4 hommes

BIENVENUE, Yvan

« Poète et dramaturge, Yvan Bienvenue est diplômé en écriture dramatique de l'École nationale de théâtre du Canada. Avant d'écrire et de jouer **Déphase nuit**, sa première vraie pièce, en 1985, il s'adonna surtout à la poésie, au blues et à la pratique du clown. Joueur étoile de la Ligue Majeure d'Improvisation, fondateur de l'Atelier libre d'impro à Saint-Hyacinthe, il a enseigné et dirigé pendant cinq ans des ateliers d'improvisation pour des groupes scolaires des niveaux primaire, secondaire et collégial. Sur scène, on a pu le voir jouer dans **L'Asile de la pureté** de Claude Gauvreau, lors de la création mise en scène par Yves Desgagnés en 1988 au Monument National, puis dans le **Macbeth** de Michel Garneau, produit par le théâtre Ô Parleur. Il a signé quelques textes pour la radio de Radio-Canada et vient tout récemment d'écrire **Modus vivendi**, une commande des productions Versafilm. Il a cofondé le Théâtre Urbi et Orbi en 1992. Yvan Bienvenue enseigne présentement la poésie à l'École nationale de théâtre et travaille régulièrement au Centre des auteurs dramatiques. »

photo: Catherine Avard

Lettre d'amour pour une amante inavouée [1989] (suivi de **In vitro** et **Les Foufs**, sous le titre de **Histoires à mourir d'amour**, Les Herbes Rouges, 1994)
Théâtre Urbi et Orbi, 11 février 1993 ; avec **In vitro** dans un spectacle intitulé **Histoires à mourir d'amour**
Réunies par le hasard du covoiturage, trois personnes frappent un poète unicycliste sur une route du Parc des Laurentides. La lecture d'un recueil trouvé dans les effets personnels de la victime provoque chez elles d'étranges et orageuses confidences.
Durée : 45 minutes
Personnage(s) : 1 femme, 2 hommes

Les Foufs [1991] (précédé de **Lettre d'amour pour une amante inavouée** et **In vitro**, sous le titre de **Histoires à mourir d'amour**, Les Herbes Rouges, 1994)
Théâtre Urbi et Orbi, 4 décembre 1991 ; dans un spectacle intitulé **Contes urbains**
Seul, la nuit du jour de l'An, un jeune homme déprimé parce que loin de sa blonde rencontre une *skinhead* qui s'offre à lui avec une ingénuité presque inquiétante.
Durée : 30 minutes
Personnage(s) : 1 conteur

In vitro [1992] (précédé de **Lettre d'amour pour une amante inavouée** et suivi de **Les Foufs**, sous le titre de **Histoires à mourir d'amour**, Les Herbes Rouges, 1994)
Théâtre Urbi et Orbi, 11 février 1993 ; précédé de **Lettre d'amour pour une amante inavouée**, dans un spectacle intitulé **Histoires à mourir d'amour**
Traduit en anglais par Shelley Tepperman sous le même titre [1994]
Une jeune chrétienne évangélique devient l'objet d'un troc d'âmes après que son fiancé eut tenté de convertir un fugitif s'étant introduit chez eux armé d'un 12 et ayant à la main un foetus.
Durée : 1 heure 10
Personnage(s) : 1 femme, 2 hommes
Musique Speed Metal

Après une licence en psychologie, Claude Binet met en pratique la théorie dans le jeu théâtral au Conservatoire d'art dramatique de Québec. En 1976, il est membre fondateur du Théâtre de la Bordée. Il enseigne l'interprétation à l'Université Laval et à l'Atelier d'art lyrique du Conservatoire de musique de Québec. Côtoyer cet art l'amène à se perfectionner aux maisons d'opéra de Bayreuth, Bruxelles, Munich, Salzbourg et Vérone et à rédiger une synthèse du jeu à l'opéra intitulée **Jouer en chantant** (non publiée). En quinze ans, il met en scène plus de quarante-cinq productions pour le théâtre et le spectacle musical. Son adaptation de **Le Petit Prince** de Saint-Exupéry vaut à la Boîte à Popicos d'Edmonton, le prix Sterling 1989 pour la Meilleure production pour jeunes publics en Alberta initiant ainsi une tournée pancanadienne. C'est maintenant l'écriture à plein temps : nouvelles, textes dramatiques, scénarios, essais, monologues, textes pour événements spéciaux et chansons.

photo: Éric Enr.

Angoisse [1977]
Théâtre de la Bordée, 28 avril 1982
Deux étudiants logent sous les combles d'une maison privée. Harcelés par des appels anonymes, par les aboiements de Bébé-le-caniche et par les plaintes de la propriétaire, ils commencent à se soupçonner l'un l'autre d'attirer le malheur quand arrive un mystérieux colis. Drame basé sur une interprétation psychanalytique de la culpabilité. Un thriller à l'atmosphère morbide et au langage cru.
Durée : 1 heure 30
Personnage(s) : 4 personnages 1 femme, 3 hommes (dont un travesti)

Les Minounes [1988], en collaboration avec Ghyslain Boutin ; version revue et corrigée par Claude Binet de **Chars usagés - Used Cars**
Les Productions Art-Pom, 14 juin 1988
Rouler sans se faire rouler. L'achat d'une voiture d'occasion est-il valable dans un rapport qualité-prix ? La réponse est simple : oui, mais seulement si l'on se pense plus fin que le vendeur « expérimenté » d'un garage où le quotidien est de rouler le client.
Durée : 1 heure 30
Personnage(s) : 10 personnages (2 femmes, 8 hommes) joués par 3 interprètes

E   **Le Dieu et la Grenouille**
Version à distribution plus modeste, deux familles de dieux
[1989], inspiré de l'opéra **L'Or du Rhin**, prologue du cycle de **L'Anneau des Nibelungen** de Richard Wagner
La Boîte à Popicos (Edmonton), juin 1989
Fable à caractère fantastique : une initiation cocasse et loufoque à la mythologie. Le dieu Odin ne peut payer la construction de son château, un ouvrage construit par les mouffettes géantes. On lui propose d'aller trouver un humain qui transforme tout ce qu'il touche en or : Ti-Casse, qui possède en outre un casque magique. Le voyage d'Odin commence.
Durée : 50 minutes
Personnage(s) : 28 personnages (9 femmes, 19 hommes) mais dont la moitié sont asexués
Public visé : le second cycle du primaire

EJ   Le Dieu et la Grenouille [1989]

Version pleine distribution, 4 familles de dieux

La Boîte à Popicos (Edmonton)

Le même voyage d'Odin vers la terre (voir le résumé précédent) nous permet de découvrir deux autres familles de dieux : les dieux mexicains et les dieux indiens.

Durée : 90 minutes

Personnage(s) : 51 personnages (31 femmes, 20 hommes)

Public visé : le second cycle du primaire et le premier cyle du secondaire

Une recherche exhaustive pour les éléments de scénographie est disponible auprès de l'auteur.

EJ   Arthur cherche son épée [1990]

La Boîte à Popicos (Edmonton) juin 1990

Fable à caractère fantastique, initiation cocasse et loufoque à la légende arthurienne de la table ronde. Dans une période sans quête, les preux et fiers chevaliers n'ayant rien à faire se chamaillent entre eux. Guenièvre apprend en songe que son mari Arthur a égaré son épée Excalibur. Chacun se précipite pour la retrouver et prendre la place du roi. La suite se joue dans la forêt, royaume des sorciers Merlin et Viviane, où la magie fait parler la nature pour confondre tout le monde. On retrouvera bien sûr l'épée.

Durée : 50 minutes

Personnage(s) : 7 femmes, 10 hommes

Public visé : le second cycle du primaire et le permier cycle du secondaire

Une recherche exhaustive pour les éléments de scénographie est disponible auprès de l'auteur.

JA   Il était une fois Delmas, Sask. Mais pas deux fois ! [1990-1991], en collaboration avec André Roy

La Boîte à Popicos et les Productions de l'Arc (Edmonton), 2 décembre 1990

Un peintre protographe raconte l'histoire ordinaire de son village natal qui n'a plus de français que le nom parce qu'il est mort d'une maladie banale dans l'Ouest : l'assimilation.

Durée : 1 heure

Personnage(s) : 1 homme

Public visé : public adulte et second cycle du secondaire

BLAIS, Marie-Claire

Aujourd'hui très connue au Québec comme à l'étranger, Marie-Claire Blais a amorcé sa carrière par un roman : **La Belle Bête** (1959), qu'elle avait écrit à dix-sept ans et dont s'inspirera une chorégraphie créée par le Ballet National du Canada en 1976. Par la suite, elle signera plus d'une vingtaine d'oeuvres (poésie, roman, théâtre, récit) dont la plupart seront traduites en anglais et parfois en d'autres langues. Après avoir fait de longs séjours à l'étranger, aux États-Unis et en France, elle vit aujourd'hui au Québec. En 1966, elle a obtenu le prix France-Québec et le prix Médicis pour son roman **Une saison dans la vie d'Emmanuel**, qui a été porté à l'écran, et en 1982, le prix Athanase-David pour l'ensemble de son oeuvre. En 1975, elle était décorée de l'Ordre du Canada et recevait, en 1985, l'un des prix de l'Académie Française, pour son roman **Vision d'Anna**. Elle obtenait aussi une distinction de la Société Royale du Canada. En 1990, elle recevait, pour l'ensemble de son oeuvre, le prix Wessim Habif de l'Académie Royale de langue et de littérature française de Belgique où elle était élue en 1993. En 1990, elle recevait un doctorat honorifique en lettres de l'Université de Victoria. Ses carnets autobiographiques, **Parcours d'un écrivain** qu'elle écrivait dans *Le Devoir*, paraissaient chez VLB Éditeur en 1993.

photo: Marc Drolet

L'Exécution [1967] (Éditions du Jour, 1970)
Théâtre du Rideau Vert, 15 mars 1968
Traduit en anglais par David Lobdell sous le titre de **The Execution** (Éditions Talonbooks, Vancouver, 1976)
Traduction non produite
Dans un collège privé, un complot se prépare. Poussé par Kent, Stéphane tue Éric. Kent pousse tous les élèves ainsi que la direction à croire que le meurtre a été commis par deux élèves, D'Argenteuil et Lancelot. Stéphane avouera son crime et sera emprisonné avec les deux autres et l'enquête se poursuivra.
Durée : 2 heures
Personnage(s) : 3 femmes, 17 hommes

Sommeil d'hiver [1984] (suivi de **L'Exil, Fantôme d'une nuit, Fièvre** et **Un couple**, Éditions de la Pleine Lune, 1984)
C'est l'hiver. Un homme se réveille lentement, son corps est faible et endolori. En fait, il s'éveille à la mort et est passé dans un autre monde où il devra refaire les rencontres marquantes de sa vie à laquelle il a mis fin volontairement.
Durée : 1 heure
Personnage(s) : 7 femmes, 5 hommes et des voix

La Nef des Sorcières [1975], en collaboration avec Marthe Blackburn, Nicole Brossard, Odette Gagnon, Luce Guilbeault, Pol Pelletier et France Théoret (Éditions Quinze, 1976, épuisé ; L'Hexagone, Typo, 1992)
Théâtre du Nouveau Monde, 5 mars 1976
Traduit en anglais par Linda Gaboriau sous le titre de **A Clash of Symbols** (Éditions Coach House

Press, Toronto, 1977)
Firehall Theatre, The Alumni Theatre (Toronto), 1978
Exposant le perpétuel quotidien de la vie refoulée, six femmes de conditions et d'âges différents étalent en plein jour un aspect de la vie privée, en autant de monologues réalistes ou délirants écrits par six auteures. Chaque monologue peut être joué individuellement.
Durée : 2 heures
Personnage(s) : 6 personnages féminins pouvant être joués par 1 femme

L'Océan [sans date] (suivi de **Murmures**, Éditions Quinze, 1977, épuisé)
Créé à la télévision (Radio-Canada, mai 1976)
Traduit en anglais par R. Chamberlain sous le titre de **The Ocean** (*Exile*, vol. 4, no 3-4, 1977)
Traduction non produite
Un écrivain célèbre meurt. Ses trois enfants se retrouvent à la maison paternelle, près de la mer. François, le préféré du père, défend l'héritage spirituel et matériel de l'écrivain, remis en question par Simon et Maria. Des retours dans le temps nous dévoilent des querelles difficiles à oublier. L'auteure met ici en parallèle les qualités intérieures nécessaires à l'écrivain et celles que doivent posséder ses proches et la société pour l'accueillir et le comprendre.
Durée : 1 heure 30
Personnage(s) : 6 femmes, 5 hommes dont 4 enfants (2 filles, 2 garçons)

Murmures [sans date] (précédé de **L'Océan**, Éditions Quinze, 1977, épuisé)
Créé à la radio de Radio-Canada, émission *Premières* ; non produit à la scène
Lors d'une baignade dans une rivière, Judith nous livre la fragilité de son existence. Son frère Luc l'aide à extirper d'elle-même son mal de vivre en l'écoutant raconter ses rêves d'enfant, sa recherche d'absolu, sa tentative de suicide, son regret des êtres chers disparus, sa peur de vieillir et sa difficulté de faire partie de l'univers des humains.
Durée : 40 minutes
Personnage(s) : 1 femme, 1 homme et des voix

L'Île [1988] (VLB Éditeur, 1988)
Théâtre de l'Eskabel, 26 avril 1988
Traduit en anglais par David Lobdell sous le titre de **The Island** [1989] (Éditions Oberon, Toronto, 1991)
Des hommes, des femmes se retrouvent sur une île, faite de plages, de mer et de soleil, comme échoués pour la vie, pour la mort. Ils partagent un même destin, qu'ils soient blancs ou noirs, jeunes ou vieux, dans la marge ou dans la norme, sur cette île que tous les fléaux modernes attaquent : le racisme, le sida, l'indifférence. Cette île de bonheur et de malheur est la réplique de notre société où rien n'est jamais acquis, où tout doit se négocier. Mais sur cette île nue, la tendresse vient parfois chasser la grisaille et faire place à la joie.
Durée : 1 heure 30
Personnage(s) : 22 personnages (9 femmes, 13 hommes) pouvant être joués par une distribution plus restreinte

BOMBARDIER, Louise

C'est dans sa région d'origine, l'Estrie, que Louise Bombardier fait ses premières armes comme comédienne en 1969. Au fil des ans, elle travaille intensivement, comme auteure et comédienne, avec plusieurs compagnies dont l'Atelier de Sherbrooke, le Théâtre du Sang Neuf, le Théâtre de la Dame de Coeur, le Gyroscope et le Théâtre Petit à Petit. Depuis 1977, elle joue régulièrement au théâtre, à la télévision et elle a également touché au cinéma et à la mise en scène. Membre du Gyroscope jusqu'à sa dissolution, elle est ensuite cofondatrice des Événements Artistiques Bêtes-à-Coeur et depuis 1988, elle partage principalement son temps entre le théâtre et l'écriture (avec une prédilection pour le théâtre de création). Outre ses textes de théâtre, elle écrit pour la télévision et le cinéma et est aussi auteure de chansons.

J **Chu pour rien, chu contre toute** [1976], en collaboration avec Marthe Boisvert, Jacques Couture, André Saint-Pierre et Marc Thibault
Théâtre du Sang Neuf, 1976
« Allô ! Qu'est-ce que tu fais à soir, c'est vendredi ? »... Illustrant différentes préoccupations des adolescents et certains moments de leur vie, cette revue musicale à sketches est construite autour des thèmes de l'enfance, de la famille, de la sexualité, de l'école et de l'évasion.
Durée : 1 heure 30
Personnage(s) : 42 personnages (17 femmes, 25 hommes) pouvant être joués par 2 femmes et 3 hommes
9 chansons

E **Le Cas rare de Carat** [1979]
Le Gyroscope, 5 avril 1979
L'étrange histoire d'un jeune raton, Carat, incompris de son drôle d'entourage, lequel ne respectera son travail de créateur de « ramionnettes » que lorsque celles-ci finiront par s'animer. Jusque-là, on l'aura cependant tenu pour suspect parce qu'il constitue un cas, un cas rare !
Durée : 1 heure
Personnage(s) : 25 personnages (principalement des rats indistinctement sexués) pouvant être joués par 2 femmes et 2 hommes, ou par 3 femmes et 1 homme

E **Dis-moi doux** [1981]
Les Événements Artistiques Bêtes-à-Coeur, décembre 1984
Allégorie poétique sur le pouvoir d'évocation des mots. Motus et Mimosa et leur Papamaman rejoignent Momot dans une armoire et, jouant avec les animots, ils basculent dans un univers insolite et drôle.
Durée : 1 heure
Personnage(s) : 4 personnages nécessitant 4 interprètes dont au moins 2 femmes

Claudette Fréchette, secrétaire rythmique [1983], argument pour performance
Production de l'auteure, Festival de créations de femmes, novembre 1983
Une secrétaire tape une lettre follement remplie d'accumulations, de répétitions et d'allitérations. Un numéro de diction pour une actrice.

Durée : 15 minutes
Personnage(s) : 1 femme

J **Sortie de secours** [1984], en collaboration avec Marie-France Bruyère, François Camirand, Normand Canac-Marquis, René Richard Cyr, Jasmine Dubé, Louis-Dominique Lavigne, David Lonergan et Claude Poissant (VLB Éditeur, 1987)
Théâtre Petit à Petit, 3 octobre 1984
Cinq adolescents ont fui, s'apprêtent à le faire, ou vivent les problèmes reliés à leur fugue. Réunis à la « Maison des jeunes », ils souhaitent réaliser une murale sur l'un des murs de l'établissement. Ils trouvent dans ce projet une tribune inespérée pour se faire entendre et s'écouter les uns les autres.
Durée : 1 heure 30
Personnage(s) : 23 personnages (13 femmes, 10 hommes) pouvant être joués par 3 femmes et 2 hommes
8 chansons

Bain public [1985-1986], en collaboration avec Jocelyne Beaulieu, François Camirand, Anne Caron, René Richard Cyr, André Lacoste, Geneviève Notebaert, Claude Poissant et Denis Roy
Théâtre Petit à Petit, 20 février 1986
Inspirée du cabaret politique, la pièce regroupe une cinquantaine de sketches sur l'actualité sociale. Qu'on y traite de torture ou de violence, de sexualité ou de menace nucléaire, humour et ironie dominent : pour sourire et réfléchir, pour mordre ou choquer, mais surtout pour ne rien oublier, ni les menaces, ni les angoisses, ni les misères.
Durée : 1 heure 30
Personnage(s) : 65 personnages pouvant être joués par 2 femmes et 4 hommes
7 chansons

E **Hippopotamie** [1988-1991]
Oeuvre de commande pour le Théâtre des Confettis
Théâtre des Confettis, 1991
Traduit en anglais par Linda Gaboriau sous le titre de **Hippopotamus Tea** [1992]
Cette traduction a été présentée en lecture publique par le Festival Interact et Theatre Direct, à Toronto, en octobre 1992.
Theatre Direct (Toronto), mai 1994
Deux vieilles femmes seules. Millie, bibliothécaire à la retraite, s'est inventé un hippopotame comme animal de compagnie. Anna travaille dans un zoo et soigne un vrai hippopotame. Elles vont se rencontrer et leur amitié les mènera au delà du quotidien.
Durée : 1 heure
Personnage(s) : 2 femmes et 1 voix d'homme
Public visé : les enfants de 8 à 12 ans

Fanny-Geste [1989]
Une affaire mystérieuse : la disparition d'une jeune fille dans les années cinquante, l'histoire d'une peau d'ours qui a la voix de son père et de la mère dont on a fait la peau.
Durée : 40 minutes
Personnage(s) : 3 femmes, 1 homme

E **Château-Geste (Monologue)** [1991]
Créé par l'auteure au Festival Coups de théâtre, 1991
Une enfant, se sentant abandonnée, se met à délirer pour conjurer le sentiment d'abandon.
Durée : 40 minutes
Personnage(s) : 1 femme
Lors de la création, la comédienne était accompagnée par deux percussionnistes

Folire, le garçon d'ascenseur [1991]
Momentum, novembre 1991 ; dans un montage intitulé **Nuit blanche**
Une jeune fille, amoureuse de son frère (par adoption), le suit jusqu'en enfer, jusqu'à la désintégration, jusqu'à l'itinérance.
Durée : 30 minutes
Personnage(s) : 2 femmes, 2 hommes et plusieurs figurants masculins

Tania Feber [1992]
Une adolescente est séquestrée dans le grenier de son père. Ce père, qui se veut mystique et se dit « voyant », l'a fait grandir à l'écart de la « vile » société et lui voue un culte « virginal ». La fille a des « désirs de fenêtres » et le père des désirs tout court. C'est l'histoire d'un désenvoûtement. Partir, c'est tuer un peu, beaucoup.
Durée : 30 minutes
Personnage(s) : 1 femme, 2 hommes

L'Enfant [1993]
Théâtre Folle Pensée/Passerelle, à Saint-Brieux (France), mai 1993
Une jeune femme invite une amie dans sa maison de campagne. Ce week-end tourne au cauchemar avec la découverte de l'enfant-monstre que l'hôtesse tente en vain de dissimuler.
Durée : 20 minutes
Personnage(s) : 2 femmes et 1 voix

E   **Conte de Jeanne-Marc, chevalière de la Tour** [1993]
Théâtre des Confettis, 13 octobre 1993
Traduit en anglais par Shelley Tepperman sous le titre de **The Tale of Joan Avark : Knight of the Tower** [1993]
Théâtre des Confettis, à Vancouver, mai 1994
Jeanne-Marc vit seule dans la tour d'un château délabré situé en bordure de forêt. Ses parents travaillent à l'extérieur (ils sont courtiers en châteaux !). Le soir de ses 6 ans, pour tromper sa solitude, elle invite dans sa tour secrète des amis de son âge : le public. Histoire d'une enfant chevalière, nourrie à même les contes de fées, livrée à elle-même et qui combat ses peurs à la manière de Jeanne d'Arc, son idole et patronne.
Durée : 50 minutes
Personnage(s) : 1 femme et 1 musicien-comédien-manipulateur
Public visé : les enfants de 5 à 8 ans
La production originale utilisait le théâtre d'ombres

TRADUCTION

Le Cygne [1992], traduction de **The Swan** de Elizabeth Egloff
Cette traduction a été présentée en lecture publique par le Cead, en collaboration avec le Théâtre d'Aujourd'hui et lors d'un échange avec New Dramatists de New York, le 14 décembre 1992.
Théâtre Les Gens d'en Bas, été 1994
Pièce inspirée par le tableau **Léda et le Cygne** du Tintoret. Une femme voit un cygne se fracasser contre une baie vitrée de sa demeure. Elle le traîne à l'intérieur. Le lendemain, il se transforme en homme et elle en tombe amoureuse.
Durée : 1 heure 45
Personnage(s) : 1 femme, 2 hommes

BOUCHARD, Michel Marc

Michel Marc Bouchard est né en 1958 au Lac-Saint-Jean. Pendant des études en tourisme au cégep de Matane, il écrit et monte ses premiers textes. Il termine son baccalauréat en théâtre à l'Université d'Ottawa en 1980 et il oeuvre dans les différents théâtres francophones de l'Ontario en tant qu'auteur et acteur. En 1983, il fait son entrée sur la scène montréalaise avec **La Contre-nature de Chrysippe Tanguay, écologiste** dans une mise en scène d'André Brassard. En 1988, le succès de **Les Feluettes ou la Répétition d'un drame romantique** (prix du *Journal de Montréal* et prix d'excellence du Cercle littéraire de l'Outaouais) lui donne accès à d'autres scènes canadiennes et à d'autres continents. En 1990, la même pièce tient l'affiche deux mois à Paris au Théâtre du Ranelagh. En 1989, sa pièce **Les Muses orphelines** obtient les mêmes honneurs. **Lilies** la version anglaise de **Les Feluettes** reçoit le prix Dora Moore et le prix Chalmer (1991). **L'Histoire de l'oie**, reçoit le prix du Conseil des arts de la communauté urbaine de Montréal (1992), le prix de l'Association des critiques de théâtre du Québec (1992), le prix du Centre national des Arts (1993) et finalement, le prix du Meilleur spectacle étranger de l'Association de critiques de théâtre du Mexique (**La Historia de la oca**, 1993). Michel Marc Bouchard a été boursier du Conseil des Arts du Canada, du Conseil des Arts de l'Ontario, du ministère des Affaires culturelles du Québec et de la Fondation Beaumarchais de Paris (1990). Il fut directeur artistique du Théâtre du Trillium à Ottawa (1989-1991), professeur à l'Université d'Ottawa et à l'Université du Québec à Montréal (1992). Il est présentement vice-président du Théâtre d'Aujourd'hui et président du Centre des auteurs dramatiques.

photo: Robert Laliberté

La Contre-nature de Chrysippe Tanguay, écologiste [1979] (Éditions Leméac, 1984)
Théâtre d'Aujourd'hui, 3 novembre 1983
Traduit en anglais par James Magruder sous le titre de **The Counter Nature of Chrysippos Tanguay, Ecologist** [1987] un extrait seulement publié dans *6 Plays/Playwrights from Quebec* (Cead, 1987)
Par un jeu psychodramatique de tous instants, deux homosexuels ayant le couple comme idéal de vie, tentent de conférer à leur quotidien une vision homérique. Ils voient leur désir d'adopter un enfant se heurter à leur perception fantasmatique des femmes qui ont marqué leur existence.
Durée : 1 heure 30
Personnage(s) : 1 femme, 2 hommes

Les Porteurs d'eau [1980], avec la collaboration de Normand Thériault pour la musique
Théâtre du Nouvel-Ontario, mars 1981
Au début du siècle, au Lac-Saint-Jean, l'expropriation des terres et l'exploitation des colons sont le prix à payer pour l'électrification de la région. Issu d'une famille modeste mais pressé de s'en démarquer, Théophyle vendra sa conscience pour défendre les intérêts des investisseurs étrangers plutôt que ceux de ses concitoyens.

Durée : 1 heure 30
Personnage(s) : 17 personnages (9 femmes, 8 hommes) pouvant être joués par 2 femmes et 2 hommes
6 chansons

EJA **Rock pour un faux bourdon** [1983], avec la collaboration de Monique Leblanc pour la musique (Éditions Leméac, 1987)
Coproduction du Théâtre d'la Vieille 17 et du Centre national des Arts, 1983
Trahi par sa bande, les *Rois du lip-sync*, Bourdon décide de se venger. L'intrusion, au sein du groupe, d'une jeune fille bien nourrira davantage son désir de vengeance. C'est dans une atmosphère musicale, où l'on va de la comédie au drame, que ces jeunes tenteront, à travers leurs histoires d'amour et leur petite délinquance, de former un véritable orchestre rock.
Durée : 1 heure 45
Personnage(s) : 4 femmes, 3 hommes
8 chansons

La Poupée de Pélopia [1984] (Éditions Leméac, 1985)
Théâtre d'Aujourd'hui, novembre 1984
Traduit en anglais par Gideon Y. Schein sous le titre de **Pelopia's Doll**
Cette traduction a été présentée en lecture publique par le Cead, au New Dramatists, dans le cadre d'un échange avec le Cead, à New York, les 20 et 21 avril 1986.
Ce drame psychologique et symbolique traite de l'inceste. Maître Daniel, un illustre fabricant de poupées, reçoit la visite d'une jeune femme qui désire lui en commander une. Il s'agit en fait de sa fille Estelle qu'il a séduite quinze ans plus tôt. Ces retrouvailles mettent à nu la névrose d'une famille qui a cherché par le mensonge à protéger sa respectabilité.
Durée : 2 heures
Personnage(s) : 3 femmes, 1 homme

La Visite ou Surtout, sentez-vous pas obligés de venir! [1984 et 1986], en collaboration avec Robert Bellefeuille ; version revue et corrigée, en 1993, par Benoît Lagrandeur
Coproduction du Théâtre du Nouvel-Ontario et du Théâtre de la Vieille 17, 11 mars 1987
Un couple raconte trois journées mémorables au cours desquelles, à dix ans d'intervalle, il a reçu de la visite, et illustre par trois livres - *L'Art de recevoir, L'Art de percevoir* et *L'Art de décevoir* - les joies et les affres provoquées par ces visiteurs le plus souvent issus du « cirque de la condition humaine ». Comédie grinçante sur nos moeurs et revendication du droit à la solitude.
Durée : 1 heure 45
Personnage(s) : 25 personnages pouvant être joués par 3 femmes et 3 hommes

Du haut de ses vingt ans [1985] (dans **20 ans**, VLB Éditeur, 1985)
Des années plus tard, une actrice, ayant joué une scène de suicide devenue célèbre, passe à l'action.
Durée : 20 minutes
Personnage(s) : 1 femme, 4 hommes

L'Amour à l'agenda [1986]
Bateau-Théâtre l'Escale, 17 juin 1986
Comment ne pas confondre relations amoureuses et travail ? C'est ce que tentent d'éviter Julie et Richard, divorcés et propriétaires du même restaurant, et Solange et Jérôme, fiancés et avocats partageant le même cabinet. La situation s'envenime lorsque Richard a recours aux services de sa fille Solange contre sa femme et que Julie fait appel à son futur gendre contre son ex-mari.
Durée : 1 heure 30
Personnage(s) : 2 femmes, 3 hommes

Les Feluettes ou la Répétition d'un drame romantique [1985-1986] (Éditions Leméac, 1987)
Adapté pour le cinéma par l'auteur. Scénario traduit en anglais par Linda Gaboriau sous le titre de **Lilies**
Coproduction du Centre national des Arts et du Théâtre Petit à Petit, 10 septembre 1987
Traduit en anglais par Linda Gaboriau sous le titre de **Lilies or The Revival of a Romantic Drama** [1988]
Cette traduction a été présentée en lecture publique à Toronto, par le Factory Theatre et le Cead, le 20 mai 1988.
Passe-Muraille Theatre, Toronto, 1991
Traduit en espagnol uruguayen par Eduardo Schinca sous le titre de **Lirios o el ensayo de un drama romantico** [1994]
Montevideo, Uruguay, juin 1994
Traduit en italien par Francesca Moccagatta sous le titre de **Le Mammole, prova di un dramma romantico** [1992]
Ce texte a été présenté en lecture publique au Festival Intercity/ Montréal I, octobre 1992.
(Éditions Sipario, Milan, 1993)
Traduit en néerlandais par Thom Van des Goot sous le titre de **De Doejtes** [1991]
De Lewi theater, Drachten, Hollande, 1991
Un groupe d'ex-prisonniers, sous la direction de Simon, en 1952, séquestrent l'évêque Jean Bilodeau pour lui jouer des événements ayant eu lieu quarante ans auparavant alors que Simon et Bilodeau étudiaient au Collège Saint-Sébastien de Roberval. Simon était amoureux du jeune comte Vallier de Tilly, aristocrate français ruiné, exilé avec sa mère devenue folle à force d'attendre le retour de son mari et la chute de la Troisième République qui signalerait un retour de la monarchie. Le spectacle des ex-prisonniers, qui raconte les amours troublées entre Vallier et Simon, ainsi que les tentatives de Bilodeau pour s'immiscer entre eux, a pour but de faire avouer à monseigneur Bilodeau les véritables circonstances de la mort violente de Vallier, pour laquelle Simon a été injustement condamné.
Durée : 2 heures
Personnage(s) : 14 personnages (2 femmes, 12 hommes) joués par 14 hommes

Les Muses orphelines [1988] (Leméac Éditeur, 1989)
adapté pour le cinéma sous le titre de **La Résurrection** par l'auteur et Bernard Hébert
Théâtre d'Aujourd'hui, 7 septembre 1988
Traduit en anglais par Linda Gaboriau, avec la collaboration du Banff Springs Art Centre de l'Alberta sous le titre de **The Orphan Muses** [1993]
Ubu Repertory Theater, New York, novembre 1993
Version pour la France « traduite » par Noëlle Renaude sous le même titre [1992]
Cette traduction a été présentée en lecture publique au Festival d'Avignon par Théâtrales et le Cead, en 1992.
(Éditions Théâtrales, 1992)
Saint-Ludger-de-Milot, village isolé du Lac-Saint-Jean, 1965. Trois soeurs et leur frère se retrouvent pour la première fois depuis plusieurs années. Le prétexte de leurs retrouvailles est le retour, du reste improbable, de leur mère qui les a abandonnés vingt ans plus tôt, peu après la disparition de leur père pendant la Seconde Guerre mondiale. À cette époque, les rôles du père et de la mère avaient été redistribués et l'histoire de la famille « réécrite », sans doute pour protéger la plus jeune des filles, Isabelle. Mais c'est Isabelle qui les obligera tous à reprendre contact avec la réalité.
Durée : 1 heure 30
Personnage(s) : 3 femmes, 1 homme

EJA **L'Histoire de l'oie** [1989] (Leméac Éditeur, 1991)
Théâtre de la Marmaille, en coproduction avec le Centre national des Arts d'Ottawa, aux RITEJ, à Lyon, juin 1991
Traduit en anglais par Linda Gaboriau sous le titre de **The Tale of Teeka** [1992]
Les Deux Mondes (Théâtre de la Marmaille) au World Stage Festival de Toronto, juin 1992

Traduit en allemand par Marie-Élizabeth Morf sous le titre de **Die geschichte von Teeka** [1993]
Zürcher Theater Spektakel, Zurich, septembre 1993
Traduit en espagnol par Gilberto Flores Patina sous le titre de **La Historia de la oca** [1992]
Les Deux Mondes au Festival international de la ville de Mexico, juillet 1992
Pour évacuer les violences répétées qu'il subit, Maurice s'est construit un monde imaginaire.
Profitant de l'absence de ses parents, il invite sa seule amie, l'oie Teeka, à pénétrer dans la maison.
La salle de bain et la chambre de Maurice deviennent alors les hauts lieux des exploits de Tarzan
et de ses amis. Mais le retour des parents ramène Maurice et Teeka à la réalité. La peur pousse
Maurice à faire un geste désespéré et cruel.
Durée : 1 heure
Personnage(s) : 2 hommes

Les Grandes Chaleurs [1990] (Leméac Éditeur, 1993)
Théâtre de la Fenière, août 1991
Traduit en anglais par Bill Glassco sous le titre de **Heat Wave**
Gisèle, une veuve de 52 ans, tombe amoureuse d'un jeune délinquant de 20 ans. Elle l'amène à
son chalet où rappliquent ses deux enfants et le voisin encombrant. Tout ce beau monde a son
secret.
Durée : 1 heure 45
Personnage(s) : 2 femmes, 3 hommes

Les Papillons de nuit
Théâtre de la Fenière, août 1992
Une maman volontaire souhaite que sa fille policière trouve un prétendant, aussi profitent-elles
de leurs vacances ensemble pour tenter de provoquer le destin. Le premier prétendant convoité
se trouve être un entomologiste qui a loué le même chalet pour la même période. Deux jeunes
frères, en liberté provisoire, profitent de leur sortie pour écumer les chalets entourant le lac. Des
couples se formeront.
Durée : 1 heure 45
Personnage(s) : 2 femmes, 3 hommes

BOUCHARD, Reynald

« Quand un écrivain écrit et qu'il se lève, la chaise reste par
terre, mais quand un clown écrit et qu'il se lève, la chaise
reste collée au cul. » R.B. Après des études au Conservatoire
d'art dramatique de Montréal en 1969, Reynald Bouchard
apprivoise différents médias et lieux de création
dramatique : écriture de texte et interprétation à la radio,
participation à différentes émissions de télévision (dont
Hibou, chou, genou et la série **Les Filles de Caleb**). Il
joue sur scène dans **Le Misanthrope** au Théâtre populaire
du Québec et au cinéma dans **La Tête de Normande
St-Onge** de Gilles Carle, touche à l'animation et à
l'improvisation au Québec et en Europe, et publie des
oeuvres poétiques dont **Dans les yeux de Virginie** et **La
Poétite**. Il obtient aussi des bourses du Conseil des Arts du
Canada et du ministère des Affaires culturelles du Québec.
Mais surtout, il écrit, joue et produit ses one man shows.

And now Ladies and Gentleman, Reynald Bouchard [1973-1974] (Éditions de l'Aurore, 1975)
Production Papa, octobre 1974
Avec sa petite valise héritée d'un vieux jongleur de cirque, le personnage tente de convaincre différents directeurs de club de l'engager. Mais son sens de l'humour ne leur convient pas.
Durée : 1 heure 30
Personnage(s) : 1 homme
1 chanson

Le Cri d'un clown (Reynald Bouchard, mon père et moi) [1986] et [1989] (Éditions Triptyque, 1989)
Production Papa, 4 décembre 1986
Traduit en anglais par Daniel Freedman sous le titre de **Diary of a Clown** [1991]
À cause du suicide de son père, un comédien-clown questionne à nouveau le sens de sa vie. Il joue avec le rire et la tragédie. Par nécessité, tous les niveaux de jeu sont abordés. Les bouffonneries, les clowneries, la satire, la tragédie grecque, les vieux comiques : Chaplin, Keaton, Ti-Zoune... la jonglerie, la musique, la magie et le verbe.
Durée : 1 heure 40
Personnage(s) : 1 homme

BOUCHER, Serge

Après son cours en interprétation à l'Option-théâtre du cégep Lionel-Groulx (1980-1983), Serge Boucher étudie à l'Université du Québec à Montréal, en enseignement du français langue maternelle au secondaire (1986-1989). Depuis, il partage son temps entre l'enseignement et l'écriture dramatique.

Avec le soleil... la mère ! [1990], en collaboration avec Marie-Louise Nadeau
Théâtre de la Crique, été 1990
Montréal l'été. Il fait chaud sur le Plateau Mont-Royal. André et Antoine discutent fermement des bouleversements provoqués par l'arrivée de Margo, la mère, que l'on attendait plus tard pour fêter le retour de Nathalie, sa fille et soeur d'André. Pas le temps de cacher les rondeurs confondantes que l'on ne veut pas montrer... Quatre jours à taire des secrets que l'on souhaiterait tant révéler...
Durée : 1 heure 40
Personnage(s) : 2 femmes, 2 hommes

Natures mortes [1990-1993]
Une première version de ce texte a été présentée en lecture publique par le Cead, sous le titre de
Le Printemps de Stef, *le 5 février 1990. La version finale a été présentée en lecture publique par*
le Cead, le 8 avril 1993.
Théâtre de Quat'Sous, 4 octobre 1993
Stéphane trouve refuge chez deux êtres mûs par une sollicitude trouble : deux vies étriquées. Chez
Jean-Guy, Stéphane fuit les problèmes familiaux, connaît un certain répit, découvre la liberté du
geste consenti. Six ans plus tard, chez Diane, la détresse partagée éveille le désir, les murs ravivent
la mémoire, rappellent la mort. Mais, dans ce monde d'esseulés, la rencontre des corps n'a jamais
lieu. Toujours, ils demeurent distincts et seuls.
Durée : 2 heures 30
Personnage(s) : 1 femme, 2 hommes

BOULAY, François

photo: Izabel Zimmer

François Boulay est diplômé de l'École nationale de théâtre
du Canada (1988-1991) en écriture dramatique et détient
un baccalauréat ès arts du département d'études littéraires
de l'Université du Québec à Montréal (1985-1988). Pour la
télévision, il a été scénariste pour les séries **Les Grands
Procès** (réseau TVA, 1993, 1994), **Les Intrépides**
(Radio-Canada, 1992) et **Bibi et Geneviève** (Canal-Famille,
1992). Pour la radio, il a écrit **L'Arizona**, 1987, texte
dramatique diffusé sur le réseau FM de Radio-Canada, et
L'Entracte, 1989, diffusé sur les ondes de Radio
Centre-Ville. Outre l'écriture dramatique, il a écrit quelques
nouvelles publiés dans les revues *XYZ* et *Humanitas*.

Cinq fois je t'aime [1989]
École nationale de théâtre du Canada, 5 novembre 1989
Dans un restaurant, sous l'oeil attentif d'un serveur, cinq couples dans la vingtaine vivent cinq
étapes différentes de leur vie amoureuse. Annie et Robin en sont à leur premier tête à tête.
Marie-Chantal et Ugo, qui se connaissent depuis six mois, se demandent s'ils doivent ou non
emménager ensemble. Ophélie et Olivier, qui partagent leur quotidien depuis un an et demi, se
questionnent sur l'exclusivité dans le couple. Ugrina et Marco, ensemble depuis plus de deux ans,
vivent une crise, tandis que Ruth et Antoine, un ancien couple, se retrouvent après un long silence
de trois ans.
Durée : 1 heure 50
Personnage(s) : 5 femmes, 6 hommes

Dissonances [1990]
École nationale de théâtre du Canada, 15 mars 1990
Dans un immeuble du centre-ville, une soirée des plus dissonantes un soir de pleine lune. Ted
rencontre Thomas dans un parc et l'invite chez lui au grand dam de Pablo qui l'attendait sur le
pas de sa porte. Ursula attend Thomas qui tarde à se présenter à un rendez-vous fixé au petit bar
attenant à cet immeuble. Carine vient de constater que sa meilleure amie, Carole, couchait avec

Carl, son chum, et lui claque la porte au nez. Ellena et Maximilien vivent un moment d'ennui à l'intérieur de leur couple, alors que Cloée aide sa mère à fuguer de la maison.
Durée : 1 heure 50
Personnage(s) : 7 femmes, 4 hommes

E   **Québec express** [1991]
École nationale de théâtre du Canada, 15 mai 1991
L'histoire de Benjamin en quête de son autonomie...Benjamin est un grand garçon. C'est sa première semaine à l'école des grands. Pourra-t-il maintenant aller voir son père plus souvent, comme il semblait être entendu ? Comment faire comprendre à son entourage qu'on est rendu grand à l'âge de 6 ans ?
Durée : 1 heure
Personnage(s) : 2 ou 3 femmes et 2 hommes (l'un jouant le garçon de 6 ans et l'autre un chien qui parle, le « confident » de Benjamin)
Public visé : les enfants de 5 à 9 ans

La Fin de l'été [1991]
École nationale de théâtre du Canada, 15 octobre 1991
Marie-Claude, à l'aube de ses quarante ans et perturbée par ses amours déchues, a du mal à se faire à l'idée que ses enfants soient rendus en âge de quitter la maison. Julie et Benoit, âgés respectivement de 17 et 19 ans, constatent qu'il est ardu de rompre les liens qui les unissent à un entourage étouffant, surtout que leur mère est hystérique. Fin d'un monde ou début d'un autre, fin d'un cauchemar ou début d'un autre. Dans un contexte contemporain, il s'agit surtout du regard de deux jeunes adultes sur le monde qui les entoure. Une galerie de personnages chez lesquels se mêlent excès et désillusion.
Durée : 2 heures
Personnage(s) : 5 femmes, 4 hommes

C'est mon frère [1992], en collaboration avec Pauline Martin
Théâtre Molson, 10 juin 1993
Pour Laurence, la soirée s'annonce calme, harmonieuse, avec un nouveau colocataire. Au programme, déménager quelques meubles, prendre un bon repas. Mais voilà que tout dégénère, se complique par la faute de l'ex-conjoint, drôle, charmant, insupportable.
Durée : 1 heure 30
Personnage(s) : 1 femme, 3 hommes

BOURGET, Elizabeth

« En 1978, alors qu'elle venait de terminer ses études en écriture dramatique à l'École nationale de théâtre du Canada, Elizabeth Bourget se fait connaître du public avec **Bernadette et Juliette**. Depuis, elle écrit principalement pour le théâtre et la télévision. Quand elle n'écrit pas, elle suit l'écriture des autres (ateliers de création, enseignement à l'École nationale de théâtre), et elle administre (conseil d'administration du Cead, secrétaire exécutive de l'Association québécoise des auteurs dramatiques pendant deux ans). Le reste du temps, elle s'occupe de sa vie, de son chat et de son jardin. »

Fais-moi mal juste un peu [1977]
Les Pichous, 10 avril 1980
De l'ironie férocement joyeuse : Claudine se marie avec Gilles et s'y prépare comme elle le peut, malgré un grand-père débile et vaguement satyre, un père ivrogne, une mère rivale et une soeur décidée à épouser son père dès qu'elle l'aura trouvé. Les parents de Claudine sont aussi ceux de Gilles... Autour du lit du grand-père, cette famille délirante, malgré les éclats qui la menacent à tout instant, se félicite de son bonheur et de son unité.
Durée : 1 heure 15
Personnage(s) : 3 femmes, 3 hommes

Bernadette et Juliette ou La vie, c'est comme la vaisselle, c'est toujours à recommencer [1979] (VLB Éditeur, 1979)
Ce texte a été présenté en lecture publique par le Cead, les 14 et 19 janvier et le 2 février 1982, respectivement au Théâtre de l'Est Parisien, au Théâtre les Ateliers de Lyon et au Théâtre Populaire Romand (La Chaux-de-Fond, Suisse).
Les Pichous, 27 septembre 1978
Au fil d'un quotidien qui oscille entre l'humour et les larmes, Bernadette et Juliette voient leurs vies amoureuses s'effriter à mesure qu'elles tentent de s'affranchir socialement. A travers leur quête d'autonomie et celle de leurs amis, tiraillés également, émerge celle de toute la génération des 25-30 ans qui, après l'euphorie des illusions, se retrouve aux prises avec le réel.
Durée : 2 heures
Personnage(s) : 2 femmes, 3 hommes, ou 3 femmes, 2 hommes

Le Bonheur d'Henri [1979]
Bateau-Théâtre l'Escale, 19 juin 1979
La directrice de publicité des céréales Bon Matin a lancé un concours, « Gagnez le bonheur », qu'Henri Lemieux, cadre moyen abandonné par sa femme, remporte malgré lui. S'il est facile de le soumettre aux commerciaux exigés par les organisateurs, le rendre heureux l'est beaucoup moins ; et tout en s'y appliquant, les protagonistes de ce divertissement en viennent à questionner leur propre définition du bonheur.
Durée : 2 heures
Personnage(s) : 4 femmes, 2 hommes

Bonne fête maman [1980] (VLB, Éditeur, 1982)
Des ajouts et des corrections à ce texte (version télévisuelle) sont disponibles pour prêt.
Adapté par l'auteure pour la télévision sous le même titre (Radio-Canada, émission *Les Beaux Dimanches*, le 21 octobre 1984)
Bateau-Théâtre l'Escale, 17 juin 1980
Traduit en anglais par John Stowe sous le même titre
Au seuil de ses 55 ans, Estelle, mère, épouse et... vendeuse (d'articles de cuisine !), prend conscience de l'écart qui s'est creusé entre elle et son mari qu'elle aime toujours et du fossé qui l'éloigne de ses deux enfants, adultes aux prises avec leurs propres contradictions. Une brève aventure lui permettra de se remettre en question et d'affirmer son droit à l'existence. Sujet grave traité avec humour.
Durée : 2 heures
Personnage(s) : 3 femmes, 3 hommes

Songe pour un soir de printemps [1980]
Les Pichous, 25 février 1981
Les finalistes d'un concours de la relève de la chanson québécoise se heurtent, au moment de passer devant les caméras, au comité organisateur qui leur impose un uniforme rouge et blanc, couleurs du fédéralisme. Cette fable politique amère pose également un regard sans indulgence sur le monde du spectacle, sur son culte de l'ordre établi, et s'achève tristement, sous la pluie, sur l'air de « Que reste-t-il de nos amours ? ».
Durée : 1 heure 45
Personnage(s) : 7 femmes, 6 hommes

Mon homme [1982], avec la collaboration de Suzanne Aubry et Maryse Pelletier
Théâtre d'Aujourd'hui, 16 septembre 1982
Dans une succession de courts tableaux humoristiques, trois jeunes femmes de caractères différents revivent alternativement les épisodes marquants de leur vie amoureuse avec les hommes d'âges et de types divers qu'elles ont fréquentés.
Durée : 1 heure 45
Personnage(s) : 16 personnages (4 femmes, 12 hommes) pouvant être joués par 3 femmes et 2 hommes
2 chansons

En ville [1982] (VLB Éditeur, 1984)
Compagnie Jean Duceppe, 27 octobre 1982
À la veille de la Crise de 1929, Violette arrive en ville. Entre son patron avide de profits, son mari avide de richesses et son beau-frère, de syndicalisme et d'égalité, elle observe les rouages de ce jeu de pouvoir mené par un personnage multiforme, le Joker, et elle réfléchit à sa condition de femme dans la société. Face aux manigances politiques et économiques, elle est décidée à ne pas perdre, mais n'est pas sûre de savoir jouer.
Durée : 2 heures 15
Personnage(s) : 3 femmes, 5 hommes

Bernadette et Juliette - Suite [1986]
Théâtre d'Aujourd'hui, 2 mai 1986
Bernadette et Juliette ont eu trente ans. Bernadette a tout : bébé, *chum*, carrière, maison... et se sent un peu débordée. Mais entre elle et Jacques, ce n'est plus la passion et elle ne sait que faire. Juliette n'a rien et s'inquiète de sa situation. Elle a envie d'un enfant mais ne peut se décider. Histoire d'amour et de bébés, questions de choix. Le tout présenté avec humour.
Durée : 1 heure 45
Personnage(s) : 3 femmes, 2 hommes

Une maison, un bébé, un barbecue [1987], 2e version de **Bernadette et Juliette - Suite**
Théâtre de Marjolaine, 21 juin 1987
Voir le résumé précédent.

Un monde nouveau [1992-1993]
Groupe Multidisciplinaire de Montréal, 6 janvier 1993
Une troupe d'acteurs voulait faire un spectacle sur le problème de la dépendance aux drogues.
Manquant d'argent, ils ont dû trouver un commanditaire : le centre *Le Nouveau Monde*, guérisseur
de toutes nos mauvaises dépendances. Nous assistons à une répétition publique du spectacle
qu'ils sont en train de concocter.
Durée : 1 heure 45
Personnage(s) : 2 femmes, 3 hommes

Appelle-moi [1993]
Ce texte a été présenté en lecture publique par le Cead, le 9 avril 1993, sous le titre de Une
histoire de cul.
Adapté pour la radio par Jean-Pierre Saulnier sous le titre de **Une annonce dans le journal**, radio
de Radio-Canada, janvier 1994
Théâtre d'Aujourd'hui, avril 1995
Il a placé une annonce dans le journal, elle a répondu. Ils sont sortis ensemble pendant six mois
et puis ils ont cassé. Mais hier soir, par hasard, ils se sont revus. Pourquoi cette rencontre leur
fait-elle un tel effet ? Pourquoi tous ces souvenirs ? Qu'est-ce donc qu'ils ont vécu ensemble ? En
cette époque où l'on est prodigue de son cul, serions-nous avares de nos sentiments ?
Durée : 1 heure 20
Personnage(s) : 1 femme, 1 homme

BOUYOUCAS, Pan

D'origine grecque, Pan Bouyoucas habite Montréal depuis
1963. C'est sous la forme de roman qu'il signe ses premiers
textes, **Une bataille d'Amérique** et **Le Dernier Souffle**.
Tout en travaillant comme critique de cinéma et traducteur,
il écrit aussi des nouvelles et des pièces radiophoniques.
Après un silence d'une dizaine d'années, il revient à
l'écriture par le théâtre et en anglais, quand le Théâtre
Centaur l'invite à écrire une pièce sur les enfants
d'immigrants. **From the Main to Mainstreet** tient l'affiche
sept semaines en 1989 à Montréal, puis sept autres en 1991
au Canadian Stage Company à Toronto. Pan Bouyoucas n'a
pas cessé d'écrire depuis, du théâtre et en français. Il a écrit
aussi le scénario d'un long métrage, un documentaire de
deux heures sur l'immigration pour Radio-Canada et
prépare présentement une série de vignettes ethniques
pour Radio-Québec.

photo: Josef Geranio

Trois flics sur un toit [1989]
Production POV, 30 octobre 1991
Traduit en anglais par Pan Bouyoucas sous le titre de **Three Cops on a Roof** [1991]
Le concierge d'un immeuble de Montréal est tombé du toit. Accident ? Suicide ? Homicide ? Trois
policiers enquêtent : un jeune caporal brillant et ambitieux ; un vieux sergent gâteux, jaloux des
succès de son subalterne ; et une femme agent idéaliste, choquée par l'attitude sexiste de ses

collègues. Et vite le bord du toit vire en champ de bataille où l'on oublie le concierge pour régler ses propres comptes.

Durée : 1 heure 30

Personnage(s) : 1 femme, 2 hommes

Le Cerf-volant [1990] (VLB Éditeur, 1994)

Théâtre d'Aujourd'hui, 5 février 1993

Traduit en anglais par Linda Gaboriau sous le titre de **The Paper Eagle** [1993]

Depuis trente ans, Dimitri, un épicier d'origine grecque, travaille d'arrache-pied à se bâtir une sécurité. Un jour, il lâche tout et monte sur son toit pour faire voler un cerf-volant. Sa femme le supplie de descendre. Rien à faire. Viennent ensuite son fils, puis son frère, et enfin la locataire québécoise de souche, tannée de se faire marcher sur la tête. Une comédie dramatique sur le Montréal ethnique.

Durée : 1 heure 35

Personnage(s) : 2 femmes, 3 hommes

BROCHU, Yvon

Diplômé en lettres françaises de l'Université du Québec à Montréal, Yvon Brochu explore plusieurs facettes de l'écriture : théâtre, télévision, bande dessinée et livres pour jeunes. Dénominateur commun : l'humour ! Depuis 1976, il a écrit, en plus de ses pièces de théâtre, deux bandes dessinées, dix romans pour enfants (dont la série **Alexis**) et quelques textes pour la télévision et la radio.

Adieu les Olympiques [1981]

Théâtre des Marguerites, juin 1981

Un propriétaire de chalets se mêle des affaires de ses locataires et aime bien leur monter des bateaux. Un matin, il accepte de venir en aide à son jeune ami Stéphane qui a décidé de révéler à son père ce qu'il a fait de l'argent devant servir à son entraînement en vue des Olympiques. Confident et confesseur, le père Latreille réalise une performance digne des grands médaillés d'or.

Durée : 1 heure 50

Personnage(s) : 2 femmes, 4 hommes

La Maison hantée [1982]

Théâtre des Marguerites, juin 1982

Deux comédiennes louent une vieille maison de campagne, espérant y trouver l'inspiration pour écrire une comédie. Or, ce n'est pas l'inspiration qui les attend ; grâce à la complicité des voisins, elles apprennent plutôt le passé étrange de la maison. Après des moments palpitants, et malgré les esprits maléfiques, elles finissent par découvrir le pot aux roses.

Durée : 2 heures
Personnage(s) : 3 femmes, 1 homme

Kouic ! Kouic ! [1983]
Théâtre des Marguerites, juin 1984
Puisque la mafia doit être de son temps, papa Marco décide de marier sa fille Claudia à Lucien Riopel, directeur du Département d'informatique de l'Université de Montréal, et brillant collègue de Claudia. Lucien sera forcé d'accepter, préférant la lune de miel au ciel. Mais alors que tout devrait baigner dans l'huile, c'est justement le ciel qui lui tombe sur la tête.
Durée : 2 heures
Personnage(s) : 1 femme, 4 hommes

La Ménagère apprivoisée [1985]
Théâtre de Marieville, 19 juin 1985
Roger vient de mettre un terme à sa carrière peu enthousiasmante de comptable pour se lancer dans les «affaires ménagères». Ménagère apprivoisée, combien de temps résistera-t-il à sa belle-mère et à ses préjugés, au curé et à son bingo, à un ancien collègue et à ses sarcasmes, à sa femme et à ses attentes parfois exigeantes ? Son seul soutien, Rosaldine, sa charmante voisine.
Durée : 2 heures
Personnage(s) : 2 femmes, 3 hommes

Gai Froufrou [1985]
Théâtre du Manoir du Lac Lucerne, juin 1985
À 70 ans, retourner sur le marché du travail, perdre à jamais son meilleur *chum* et apprendre à côtoyer un couple d'homosexuels, qui d'autre que Rosalma pouvait relever un tel défi ? Avec ses nouveaux amis, propriétaires de la maison de haute couture où elle travaille, elle sait tirer son épingle du jeu à travers les péripéties visant à sortir la maison de ses difficultés financières.
Durée : 1 heure 30
Personnage(s) : 1 femme, 2 hommes

Relaxe Max Relaxe ! [1985]
Théâtre de Beloeil, 12 juin 1986
La palpitante aventure d'un homme d'affaires invétéré tombé entre les mains de sa femme, mordue des techniques de relaxation, de sa fille, véritable volcan en éruption, et de son « fidèle » associé. Affaires de coeur et d'argent, complots et quiproquos.
Durée : 1 heure 40
Personnage(s) : 2 femmes, 2 hommes

Le Cadeau d'anniversaire [1986], non produit à la scène
Radio de Radio-Canada, *Les Lundis du théâtre*, 8 septembre 1986
Lucie, une célibataire de 40 ans, reçoit la visite de son père. Elle est aussi avec son jeune et nouvel amant. Son père vient lui présenter sa future belle-mère. Surprise ! La surprise vient aussi du cadeau qu'apporte le père : une chienne. Cette chienne se révèle être... Gilberte, la mère de Lucie !...
Durée : 1 hcure
Personnage(s) : 3 femmes, 2 hommes et des voix

La Muselière [1986]
Théâtre de la Bordée, septembre 1986
Jean-Louis, auteur dramatique en quête d'inspiration, ramène à la maison un jeune homme qu'il vient de sauver du suicide. Cet être romantique se révèle être un sujet en or pour lui. Aussi n'hésite-t-il pas à lui offrir gîte, travail et plus encore, jusqu'au moment où sa muse devient muselière dans un rôle imprévu : l'amant de sa femme.
Durée : 1 heure 45
Personnage(s) : 1 femme, 2 hommes

E **On s'laisse pus faire** [1986]

A été adapté en roman par l'auteur sous le titre de **On ne se laisse plus faire** (Éditions Québec/Amérique, 1989)

Troupe Dismoitout (Normandie, France), été 1989 ; Théâtre de La Poudrière, Montréal, été 1989

Sur un mode humoristique et tendre, la pièce décrit le rapport de force qui s'établit entre Zappi, un auteur-illustrateur de bande dessinée de science-fiction, et ses personnages, échappés de l'album. Ceux-ci parviendront à convaincre l'auteur de mettre fin au scénario de violence dans lequel il les a placés.

Durée : 55 minutes

Personnage(s) : 2 femmes, 2 hommes

1 chanson

Ombres chinoises. Masques.

Papa, sors des boules à mites [1988]

Théâtre de la Pomme, été 1990

Bouleversé par le départ impromptu de sa femme, Antoine se complaît dans son malheur et ses vieilles habitudes d'intello... Sa fille entend secouer son père. Pour ce faire, elle loue à son amie Kim une chambre à la résidence de son père à l'insu de ce dernier. La fougueuse Kim, le coloré voisin Angelo et la rusée fille d'Antoine parviendront-ils à sortir papa des boules à mites ?

Durée : 1 heure 45

Personnage(s) : 3 femmes, 2 hommes

La Maison hantée ou j'reste-ti ou j'reste-ti pas ? [1982-1993], nouvelle version de **La Maison hantée** [1981]

Théâtre de la Mine d'Arts, été 1994

Voir le résumé à **La Maison hantée**

Durée : 2 heures

Personnage(s) : 2 femmes, 2 hommes

BUHBINDER, Ariane

Née en Belgique, Ariane Buhbinder est diplômée de l'Institut supérieur des arts du spectacle en mise en scène et techniques de communication (1978-1982). Elle a aussi reçu une formation musicale en piano (1969-1984) et une autre en danse. Dès sa sortie de l'école, elle a travaillé au Théâtre de la Vie de Bruxelles tour à tour comme assistante à la mise en scène, comédienne, musicienne... En 1984, elle fait du Québec sa terre d'adoption et se fait connaître comme assistante puis en tant que metteure en scène (**Les enfants n'ont pas de sexe ?**, **Coup de fil**, **Oui ou non**, **L'amour guérit**). En 1989, elle se consacre entièrement à la direction artistique du Théâtre de Carton pour lequel elle écrit et met en scène la pièce **Seuls**. Elle signe aussi la direction et la mise en scène du projet **Morgane** en coproduction avec la Belgique et la France. Membre du conseil d'administration de la Maison-Théâtre depuis 1992, Ariane Buhbinder a développé une sensibilité particulière à l'univers de l'enfance et s'attache à explorer le monde de l'intériorité humaine.

JA **L'amour guérit...** [1989], collage d'extraits de sept pièces de Molière, mais principalement de **L'Amour médecin**
Théâtre de Carton, août 1989
Collage d'extraits de pièces de Molière autour du thème de la santé, dans lequel il tient lui-même le premier rôle. Molière doit en effet écrire, en trois jours, une pièce commandée par le roi. Dans le stress et la tension que cela provoque, réalité et fiction se mêlent, médecins et patients, peurs et désirs, auteur et oeuvre se confondent pour nous faire découvrir avec plaisir la richesse et l'humanité de l'écriture de cet auteur universel.
Durée : 2 heures
Personnage(s) : 16 personnages (2 femmes, 8 hommes et 6 femmes ou hommes) pouvant être joués par 2 femmes, 5 hommes
4 chansons

E **Seuls** [1991]
Théâtre de Carton
Dora vit avec son père dans une maison perchée au sommet d'une montagne d'or. Ils n'ont à se soucier de rien car il leur suffit de prononcer « la formule » pour voir leur quatre volontés se réaliser. Cependant ils ont tous deux un immense besoin d'affection... Arrive un étrange oiseau qui promet au père de combler ce vide... La pièce s'inspire des schémas et de la structure des contes traditionnels pour proposer une approche différente de la solitude.
Durée : 1 heure
Personnage(s) : 7 personnages pouvant être joués par 2 femmes et 1 homme
Public visé : les enfants de 6 ans et plus

CADIEUX, Chantal

Native de Richmond en Estrie, Chantal Cadieux a écrit son premier roman à l'âge de 16 ans, **Longueur d'onde** (Fides, 1985). À 17 ans, elle écrivait **Éclipses et Jeans** (Fides 1987) et, en 1990, Boréal publiait son troisième intitulé **Samedi trouble**. Elle obtient son diplôme en écriture dramatique de l'École nationale de théâtre du Canada en 1990, année où elle rencontre le metteur en scène Gilbert Lepage avec qui elle entretient depuis une étroite et enrichissante collaboration. Elle termine la scénarisation de son premier roman destiné au grand écran et a collaboré à la série télévisée **ZAP**. Outre ses projets d'écriture, Chantal Cadieux rencontre, depuis plusieurs années déjà, des étudiants et étudiantes de niveau secondaire et collégial, dans le cadre de la Tournée des écrivains du ministère de l'Éducation et du Festival national du livre.

Parfums divers [1990]
École nationale de théâtre du Canada, 12 février 1990
Après plusieurs années sans les avoir vues, Dorianne invite ses cinq amies du cégep afin de compiler les informations qui lui sont nécessaires pour une recherche de maîtrise. Sous le couvert d'un humour teinté d'ironie, nous assistons aux retrouvailles de six vieilles amies pendant lesquelles trois hommes tentent de prendre leur place...
Durée : 1 heure 30

Personnage(s) : 6 femmes, 3 hommes
Équipement : moniteur vidéo (facultatif)

E   **La nuit tous les chats sont gris** [1990]
École nationale de théâtre du Canada, 9 mai 1990
Mélanie, 8 ans, part en vacances avec son amie Catrine, la mère de Catrine et le chum de celle-ci.
La veille du départ, Mélanie passe la nuit chez Catrine et fait des rêves où elle voit son frère,
prisonnier des « mounstroums ». Catrine viendra l'aider dans son rêve et vaincra ses propres peurs.
Durée : 50 minutes
Personnage(s) : 3 femmes, 1 homme et une dizaine de marionnettes

Urgent besoin d'intimité [1991] (VLB Éditeur, 1993)
Bateau-Théâtre l'Escale, été 1991
Les enfants ont été élevés mais... ils collent à la maison. Que peuvent faire les parents pour un peu
d'intimité ?
Durée : 1 heure 45
Personnage(s) : 3 femmes, 2 hommes

Mal de mères [1992]
Bateau-Théâtre l'Escale, été 1992
Comédie. Les Langlois se réunissent pour remonter le moral de maman Doris que son mari a
abandonnée pour aller retrouver une jeune femme enceinte de lui. Judith, la cadette, annonce
qu'elle est enceinte de son nouvel amoureux. Line et Claude quant à eux ne peuvent avoir
d'enfant et envisagent l'adoption internationale.
Durée : 1 heure 45
Personnage(s) : 3 femmes, 2 hommes

Un homme en soie [1993]
Bateau-Théâtre l'Escale, été 1993
Pierre, 48 ans, avait tout : carrière enviable ; respect de ses employés ; fils peu exigeant ; compagne
dynamique ; mère attentive ; auto et maison à faire rêver. Mais un burn-out l'attendait au
tournant... Après trois mois de repos et une certaine reprise de contrôle de ses émotions, il est
abandonné par sa compagne... sa mère est victime d'un accident de la route... ses employés
déclenchent une grève... et son fils décide de devenir président du syndicat dans sa propre
entreprise... Décidément Pierre doit reprendre ses affaires en main et il y réussira avec l'aide
essentielle d'une médium amateure qui lui fera entendre le fantôme de la mère resté accroché
ici-bas !
Durée : 2 heures
Personnage(s) : 3 femmes, 2 hommes

On court toujours après l'amour [1994]
Théâtre Beaumont-Saint-Michel, été 1994
Céline (49 ans), sa fille Sarah (25 ans) et sa soeur Juliette (34 ans) vivent ensemble sans hommes
propres à venir perturber des habitudes de célibataires heureuses et endurcies. Céline a une
carrière enviable et sa carte de membre *Nautilus*. Sarah est une jeune policière prometteuse.
Juliette se dit de santé précaire. De congés de maladie en chômage, elle participe aux
concours-radio et rejoint les lignes téléphoniques « en fête », ses activités principales. Mais voilà
qu'un jour Sarah, faisant fi de l'exemple maternel, décide de convoler en justes noces avec un
jeune homme qu'elle connaît à peine et que l'Amour sous les traits de deux hommes, l'un
romantique, l'autre échaudé, vient faire tout basculer...
Durée : 2 heures
Personnage(s) : 3 femmes, 2 hommes

CANAC-MARQUIS, Normand

photo: Stéphane Dumais

Finissant du Conservatoire d'art dramatique de Montréal en 1974, Normand Canac-Marquis travaille avec le Théâtre Parminou jusqu'en 1980. Il est depuis lors auteur dramatique, téléscénariste, comédien et metteur en scène.

Danse, p'tite désobéissance [1981-1982], en collaboration avec le Théâtre de Carton (à partir de textes et d'improvisation du collectif)
Théâtre de Carton, 16 février 1983
Édith Larose, musicienne et gardienne de Pierre-Marie Lamaire, est condamnée pour avoir encouragé la dissidence de l'enfant. La pièce raconte, de 1957 à 1980, l'histoire de Pierre-Marie et de ses deux amies : leur enfance, leur adolescence et leur trentaine. Critiques d'un certain ordre social, tous trois sont finalement écrasés par la violence de cet ordre. Mais leur survie s'affirme au-delà de la mort dans une descendance sans fin.
Durée : 2 heures
Personnage(s) : une quinzaine de personnages pouvant être joués par 2 femmes et 1 homme

J **Sortie de secours** [1984], en collaboration avec Louise Bombardier, Marie-France Bruyère, François Camirand, René Richard Cyr, Jasmine Dubé, Louis-Dominique Lavigne, David Lonergan et Claude Poissant (VLB, Éditeur, 1987)
Théâtre Petit à Petit, 3 octobre 1984
Cinq adolescents ont fui, s'apprêtent à le faire, ou vivent les problèmes reliés à leur fugue. Réunis à la « Maison des jeunes », ils souhaitent réaliser une murale sur l'un des murs de l'établissement. Ils trouvent dans ce projet une tribune inespérée pour se faire entendre et s'écouter les uns les autres.
Durée : 1 heure 30
Personnage(s) : 23 personnages (13 femmes, 10 hommes) pouvant être joués par 3 femmes et 2 hommes
8 chansons

Le Syndrome de Cézanne [1987] (Les Herbes Rouges, 1988)
La Rallonge, 20 février 1987
Traduit en anglais par Louison Danis sous le titre de **The Cezanne Syndrome** (Playwrights Press, New York 1989 et dans la revue *Theatrum*, Toronto, avril/mai 1989, no 13) [1988]
Cette traduction a été présentée en lecture publique par le New Dramatists, dans le cadre d'un échange avec le Cead, à New York, les 2 et 3 octobre 1988.
Créée par le Soho Rep (New York) 26 janvier 1989
« Autopsie de deux douleurs ». Une femme et un enfant meurent dans un accident de voiture et

le chauffeur de camion responsable de cette tragédie disparaît. S'agit-il de Gilbert, le *chum* et le père ? Drame policier impressionniste, la pièce traite de l'autonomie et essaie de situer le spectateur différemment quant à la perception qu'il peut avoir de la réalité. L'auteur déconstruit ici le drame réaliste, en proposant un violent collage de fragments de quotidien, d'éclats de voix et de réflexes compulsifs.

Durée : 1 heure 30
Personnage(s) : 1 femme, 2 hommes

Les Jumeaux d'Urantia [1989]
Théâtre d'Aujourd'hui, 8 novembre 1989
Traduit en anglais par Linda Gaboriau sous le titre de **Children of Urantia** [1990]
Cette traduction a été présentée en lecture publique par le Factory Theatre, en collaboration avec le Cead, à Toronto, en 1991.
Au cours d'un huis clos réunissant les gens d'Urantia, lieu de création artistique, se jouera une course contre la montre. Car à défaut d'avoir la même optique en regard du temps (temps de dire, temps de vivre, temps = argent), c'est à l'éclatement de la planète que nous assisterons.

Durée : 1 heure 50
Personnage(s) : 3 femmes, 4 hommes

TRANSPOSITION

Les Grands Moyens [1991], libre adaptation et transposition québécoise d'une farce de Dario Fo
Théâtre de la Molluque, 1990

CARON, Jean-François

photo: Yves Richard

« Né à La Tuque. Diplômé de l'École nationale de théâtre du Canada, en écriture dramatique. Résidences d'écriture à La Licorne, au Quat'Sous ainsi qu'à Limoges. »

Donut [1985]
Théâtre Il va sans dire, été 1986
Cinq jeunes délinquants tentent de s'échapper d'une prison-pilote.
Durée : 1 heure 30
Personnage(s) : 3 femmes, 4 hommes

J'écrirai bientôt une pièce sur les nègres... [1988] (Les Herbes Rouges, 1990)
Ce texte a été présenté en lecture publique par le Cead, le 10 février 1989.
Théâtre de Quat'Sous, 11 septembre 1989
Danny Gaucher en a assez d'écrire pour les autres. Il vient de terminer sa première pièce dans laquelle le personnage principal, Gaucher, écrit un roman intitulé **Danny les vidanges** dont le héros prend un répit d'écriture pour se consacrer entièrement à son nouveau boulot : éboueur. Cette pièce à trois étages proclame le droit à l'opinion et appelle le retour à l'engagement politique et social.
Durée : 2 heures
Personnage(s) : 10 personnages (3 femmes, 7 hommes)

Le Scalpel du diable [1990]
Ce texte a été présenté en lecture publique par le Cead, le 5 février 1991 et, lors d'un échange avec le Cead, par Théâtrales, à Paris, au Théâtre de la Colline, le 22 juin 1991.
Théâtre de la Manufacture, 29 octobre 1991
Traduit en anglais par Joel Miller sous le titre de **The Devil's Scalpel** [1992]
Cette traduction a été présentée en lecture publique dans le cadre d'Interact 91, un projet coproduit par le Factory Theatre et le Cead, à Toronto, le 8 mai 1991.
Régine s'entête à vouloir savoir pourquoi son père s'attache à son scalpel, pourquoi sa mère lit comme si le diable était entré en elle. Elle écrira jusqu'à ce que les fantômes sortent du placard.
Durée : 1 heure 45
Personnage(s) : 3 femmes, 4 hommes

Aux hommes de bonne volonté [1991] (Leméac Éditeur, 1994)
Ce texte a été présenté en lecture publique par le Cead, à Montréal, le 16 avril 1992.
Théâtre de Quat'Sous, 25 janvier 1993
Jeannot est mort du sida dans la fleur de l'âge. Il a demandé que son testament (16 pages illisibles) soit lu dans le bureau d'un notaire, officiellement. Ledit testament dénonce la mort des survivants, à force de rêves tués dans l'oeuf et de désirs avortés. Quand il y a vraiment urgence, on n'a plus le temps d'être poli.
Durée : 1 heure 45
Personnage(s) : 2 femmes, 4 hommes

Cabaret Neiges Noires [1992], en collaboration avec Dominic Champagne, Jean-Frédéric Messier et Pascale Rafie (VLB Éditeur, 1994)
Ce texte a été présenté en atelier ouvert par le Théâtre Il va sans dire, en collaboration avec le Cead, le 18 avril 1992.
Adapté pour le cinéma [1994]
Coproduction du Théâtre Il va sans dire et du Théâtre de la Manufacture, 19 novembre 1992
Traduit en anglais par Shelley Tepperman [1994] (provisoirement sous le même titre)
Satire décapante du sens de la vie, de l'assassinat de Martin Luther King, de la solitude urbaine, de l'errance de Claude Jutra, de la passion amoureuse et de bien d'autres sources de désarroi, cette exaltante épopée tragico-comique allie allègrement les impitoyables chansons des *Joyeux Troubadours* au strip-tease intégral de Maria Casarès, la mort de Jacques Brel au fond de tonne de Jack Daniel's et au Manifeste du FLQ.
Durée : 2 heures 45
Personnage(s) : 4 femmes, 6 hommes (comédiens, chanteurs et musiciens)
En musique et en chansons

Le Temps d'une parade [1993]
Une première version de ce texte a été présentée en lecture publique par le Cead, en coproduction avec le Théâtre Petit à Petit, le 28 mars 1988, sous le titre de Rio.
Carré-Théâtre, mars 1994
Une jeune « truite » échouée en ville rencontre une vieille « jument »... Au son d'une fanfare,

l'espace insolite d'un fond de ruelle est chauffé à blanc par la canicule. La jeune fugueuse et la vieille itinérante vont s'affronter... le temps d'une parade. Allégorie tragi-comique.
Durée : 1 heure 30
Personnage(s) : 2 femmes

Capharnaüm [1993]
Ma Chère Pauline, printemps 1995
Vendredi a fait une bêtise. Sa « détention » à la bibliothèque doit durer une semaine. Le silence dans lequel il se réfugie n'est pas moins « verbeux » que l'est l'écriture du journal à laquelle s'adonne la bibliothécaire, à l'aube de sa retraite. C'est que Vendredi jouit d'un moyen de communication exceptionnel : la télépathie avec son jeune frère Zacharie, qui souffre de ne jamais avoir assez de temps pour l'étude.
Durée : 1 heure 30
Personnage(s) : 1 femme, 2 hommes

MONTAGE

Territoires occupés [1992], commande du Centre des auteurs dramatiques. Montage de textes dramatiques d'auteurs québécois des années quatre-vingt, a fait une tournée des Maisons de la culture de Montréal et a été enregistré par Radio-Canada.
Centre des auteurs dramatiques, le 1er février 1992
Version disponible pour spectacles dans un cadre pédagogique seulement

CAUCHY, Isabelle

Auteure, metteure en scène et animatrice, Isabelle Cauchy a commencé sa formation en théâtre auprès de Jacques Lessard alors qu'elle était encore étudiante au Collège de Lévis. Elle étudie ensuite au département de théâtre de l'Université d'Ottawa, puis au Centre d'Études Théâtrales de l'Université de Louvain, en Belgique, où elle observe les travaux de Benno Besson et d'Otomar Krejka. À son retour, elle enseigne à l'Université d'Ottawa, s'occupe du théâtre communautaire au sein de l'organisme Théâtre-Action et signe ses premières mises en scène. À ces activités s'ajoute bientôt l'écriture, ce qui l'amène à travailler en atelier auprès de Michel Garneau au Centre national des Arts et avec le Théâtre de la Vieille 17. Elle a ensuite enseigné l'histoire du théâtre et l'interprétation à l'École nationale de théâtre du Canada. Oeuvrant dans les Cantons de l'Est depuis quelques années, elle est codirectrice artistique du Théâtre Entre Chien et Loup.

photo: Normand Achim

E   **Le Nez** [1983], en collaboration avec Robert Bellefeuille, d'après le conte du même titre de Nicolas Gogol (suivi de **Histoires de poux** de Robert Bellefeuille, Éditions Prise de Parole, Sudbury, 1992)
Théâtre de la Vieille 17, septembre 1984
Traduit en anglais par Robert Bellefeuille et Robert Marinier sous le titre de **The Nose** [1985]
Par un beau matin de printemps, pendant que la grande Simone chantonne dans la cuisine, après avoir servi à déjeuner à son petit mari, Yvan le barbier, ce dernier découvre avec épouvante, un

nez enfoui au fond de sa brioche. À l'autre bout du village, le professeur Nicolas se réveille tout doucement, se lève comme d'habitude, se rend au miroir... et découvre avec horreur que son nez a disparu. Spectacle coloré et humoristique dans un monde où les nez en quête de liberté deviennent chanteurs de cabaret, où certaines femmes tombent amoureuses d'hommes sans nez et où les barbiers innocents aimeraient bien être hors de tout soupçon lorsqu'il s'agit d'histoires auxquelles la police est mêlée...

Durée : 55 minutes
Personnage(s) : 18 personnages (10 femmes, 8 hommes) pouvant être joués pas 2 femmes, 2 hommes et 11 marionnettes
7 chansons
Masques

Oh ! George [1983], nouvelle version de **Souvenirs de George, Lucie's souvenirs**
Théâtre français du Centre national des Arts, janvier 1984 ; sous le titre de **Souvenirs de George, Lucie's souvenirs**
La non-communication a son langage.
Durée : 15 minutes
Personnage(s) : 1 femme, 1 homme
Ce texte demande l'utilisation de vidéos et d'écrans.

Lili [1984-1989]
Théâtre français du Centre national des Arts, avril 1984
Une insoluble histoire d'argent et d'autonomie vécue par une jeune bourgeoise au début de ce siècle.
Durée : 2 heures
Personnage(s) : 3 femmes, 3 hommes

E **Olmö** [1991], avec la collaboration de Michel G. Côté pour la musique
Théâtre Entre chien et loup, septembre 1991
Une comédie tendre qui met en scène des ours et une marmotte, et où il est question de recherche d'identité, d'intégrité et d'apparences. Olmö a fugué. Il est à la recherche de Balbine, une étoile de cirque dont il est tombé passionnément amoureux. S'il ne l'a vue qu'une fois, dans une foire, il court les rues depuis des mois pour la retrouver. Sur le point d'abandonner sa recherche, il aperçoit un dernier cirque, celui de Gros-Guy et de sa famille. Son enquête y connaîtra un dénouement explosif.
Durée : 70 minutes
Personnage(s) : 2 femmes, 3 hommes
Public visé : les enfants de 6 à 12 ans
6 chansons
Masques, numéros de cirque, effets spéciaux

E **Zzzoom, ou la Belle Zébude** [1992-1993], avec la collaboration de Michel G. Côté pour la musique
Théâtre Entre chien et loup, septembre 1993
Émile est musicien. Il aime le calme de son appartement, le silence qui y règne. Il aime aussi le ciel et les étoiles mais il est surtout amoureux de la lune. Zébude est collante, bruyante et persistante. La Belle Zébude, comme l'appellent ses amis, est la mouche qui choisit de s'installer chez Émile. Une comédie où il est question de l'infiniment grand, de l'infiniment petit et de l'infinie complexité de nos rapports avec l'environnement.
Durée : 50 minutes
Personnage(s) : 1 femme, 1 homme
Public visé : les enfants de 6 à 12 ans
7 chansons
Chorégraphies

TRADUCTIONS

Affamée [1988], en collaboration avec Michel Garneau, traduction de **Affamée/Want** de Jo Lechay et Eugene Lion [1987]
Création Isis, novembre 1988

Zéro absolu [1992], en collaboration avec Michel Garneau, traduction de **Absolute Zero** de Eugene Lion ; musique de Connie Kaldor [1991]
Coproduction de Création Isis et du Théâtre d'Aujourd'hui, avril 1992

CHAMPAGNE, Claude

photo: Guy Beaupré

« Né surtout à Montréal, Claude Champagne quitte le cégep et son programme de psycho pour écrire des nouvelles, des poèmes et tâter l'écriture romanesque. Mais la décision d'écrire pour le théâtre se fait une nuit qu'il couche dehors, au froid, en Colombie britannique. Après deux années de voyage en auto-stop à travers le Québec, le Canada et l'Europe, il s'inscrit en écriture dramatique à l'École nationale de théâtre du Canada et reçoit son diplôme en 1992. Claude Champagne a auparavant travaillé en animation culturelle, auprès de jeunes de 6 à 12 ans pour la Ville de Montréal et a collaboré à un projet d'émission jeunesse (3-5ans) à Radio-Canada (**Pif Paf Pouf**). »

E   **Tu me feras pas peur !** [1992]
École nationale de théâtre du Canada, mai 1992
Marie-Anne aime avoir peur. Ce soir-là, des personnages effrayants prennent vie. Sans l'aide de son nounours Bidon, fidèle compagnon d'aventures, comment s'en sortira-t-elle ?
Durée : 1 heure
Personnage(s) : 10 personnages (2 femmes, 3 hommes et 5 neutres) pouvant être joués par 6 à 8 interprètes
Public visé : les enfants de 6 à 12 ans

Le Combat du siècle [1992]
École nationale de théâtre du Canada, automne 1992
Gilles, ancien boxeur devenu pianiste, criblé de dettes envers son ex-patron, est obligé, malgré ses principes, de remonter sur le ring pour un combat des plus louches.
Durée : 2 heures
Personnage(s) : 4 femmes, 5 hommes

E   **Les Lunes de Wichikapache** [1993]
Texte de commande, écrit à partir d'une légende orale
Troupe Tiguedou Pac Sac, 1993
Wichikapache, créateur du monde, premier humain sur terre, renaît à la pleine lune dans un

monde qu'il a oublié. Il devra se confronter aux hommes et aux animaux mais surtout au Windigo, sorte de caméléon maléfique.

Durée : 50 minutes

Personnage(s) : 12 personnages (femmes ou hommes) pouvant être joués par 3 interprètes

Public visé : les enfants de 6 à 12 ans

Richard IV [1994]
Ce texte a été présenté en lecture publique par le Cead, le 29 mars 1994.

Richard, jeune entrepreneur, a fait faillite et, ayant dilapidé l'héritage du vivant de son père, se retrouve devant rien. À son retour à la maison, devant le refus de son père de l'aider, Richard décide d'utiliser les grands moyens pour obtenir tout le reste de l'héritage. Réussir à tout prix !

Durée : 1 heure 30

Personnage(s) : 2 femmes, 3 hommes

CHAMPAGNE, Dominic

photo: Robert Laliberté

Auteur, metteur en scène et directeur artistique du Théâtre Il va sans dire, Dominic Champagne a signé une dizaine de créations à la scène. Il a également mis en scène **Toupie Wildwood** de Pascale Rafie et **En attendant Godot** de Samuel Beckett. Professeur d'écriture dramatique, il partage son temps entre la création théâtrale et l'écriture de scénarios. Il cosignait en 1993 le téléfilm **La Femme Pitre**, présenté dans le cadre de la série **Les Grands Procès**. Deux fois finaliste au Prix du gouverneur général du Canada, il a remporté en 1990, le prix de l'Association québécoise des critiques de théâtre pour le Meilleur texte avec **La Répétition**, une pièce présentée à plusieurs reprises au Canada et aux États-Unis.

Import-Export [1988]
Théâtre Il va sans dire, 16 juin 1988

Odyssée satirique de trois Québécois partis à la quête d'un ailleurs fabuleux et échouant dans un cirque italien installé à Athènes, où dans le choc des cultures ils errent entre la fiction et la réalité, le rêve et la désillusion, l'amour, la haine et l'amitié, l'écoeurement et la liberté.

Durée : 1 heure 45

Personnage(s) : 2 femmes, 4 hommes

En québécois, français, anglais, italien et kurde

La Répétition [1989] (VLB Éditeur, 1990)
Présenté en téléthéâtre à Radio-Canada, 1992

Théâtre Il va sans dire, 9 janvier 1990

Traduit en anglais par Shelley Tepperman sous le titre de **Playing Bare** [1993] (Éditions Talonbooks, Vancouver, 1993)

Street People Company, Montréal, 1992

Traduit en écossais par Martin Bowman et Bill Findlay sous le titre de **The Rehearsal** [1993]

Le génie fatigué et l'imagination morte, une diva déchue entreprend de livrer son âme à son public en interprétant le personnage le plus insignifiant du répertoire théâtral : le Lucky de

Beckett. Et le rideau s'ouvre sur les répétitions de cette quête absurde où les premiers rôles sont tenus par deux vieux amis de toujours, clochards célestes, qui sans cesse trouvent un jeu pour se donner l'impression d'exister.
Durée : 1 heure 30
Personnage(s) : 2 femmes, 3 hommes et 1 pianiste

La Cité interdite [1991] (VLB Éditeur, 1992)
Théâtre Il va sans dire, 19 avril 1991
Traduit en anglais par Shelley Tepperman sous le titre de **The Forbidden City** [1994]
Épopée imaginaire a été inspirée par les événements tragiques de la crise d'octobre 1970, cette satire féroce du rêve et de la révolte met en scène le combat de trois frères pour une révolution à faire dans un pays incertain et nous entraîne au fond du placard où dort toujours le mythique cadavre.
Durée : 2 heures
Personnage(s) : 2 femmes, 4 hommes

Cabaret Neiges Noires [1992], en collaboration avec Jean-Frédéric Messier, Pascale Rafie et Jean-François Caron (VLB Éditeur, 1994)
Ce texte a été présenté en atelier ouvert par le Théâtre il va sans dire, en collaboration avec le Cead, le 18 avril 1992.
Adapté pour le cinéma [1994] par Dominic Champagne et Raymond St-Jean
Coproduction du Théâtre Il va sans dire et du Théâtre de la Manufacture, 19 novembre 1992
Traduit en anglais par Shelley Tepperman provisoirement sous le même titre [1994]
Satire décapante du sens de la vie, de l'assassinat de Martin Luther King, de la solitude urbaine, de l'errance de Claude Jutra, de la passion amoureuse et de bien d'autres sources de désarroi, cette exaltante épopée tragico-comique allie allègrement les impitoyables chansons des *Joyeux Troubadours* au strip-tease intégral de Maria Casarès, la mort de Jacques Brel au fond de tonne de Jack Daniel's et au Manifeste du FLQ.
Durée : 2 heures 45
Personnage(s) : 4 femmes, 6 hommes (comédiens, chanteurs et musiciens)
En musiques et en chansons

CHAREST, Marie-Renée

Finissante du Conservatoire d'art dramatique de Québec en 1971, Marie-Renée Charest est membre du Théâtre Euh ! de 1971 à 1978. Elle fonde et assume ensuite la direction artistique de 1978 à 1983 du Théâtre à l'ouvrage où elle joue et écrit. Elle enseigne aussi l'improvisation et les techniques théâtrales au niveau collégial, puis à l'Université du Québec à Montréal. En 1984, elle est boursière du Conseil des Arts du Canada et collabore, jusqu'en 1987, avec le Théâtre de la Corvée et le théâtre Sans Détour. En 1986, de concert avec Clément Cazelais, elle fonde Acteurs Associés, où elle agit en tant que directrice artistique et auteure. En 1990 et 1991, elle est boursière du ministère des Affaires culturelles et du Conseil des Arts du Canada.

photo: Daniel Do

AJ   Les Déserteurs, War in the Head [1984], en collaboration avec Clément Cazelais
Théâtre de la Corvée, octobre 1984
Comédie dramatique, la pièce met en parallèle les déserteurs de la Seconde Guerre mondiale et l'actuelle jeunesse. La génération des 50 ans raconte avec humour sa participation à l'effort de guerre canadien et les jeunes, pacifistes, anti-impérialistes ou pro-militaires, cherchent quelque façon de sortir du désespoir dans lequel la société moderne les plonge.
Durée : 1 heure 15
Personnage(s) : 8 personnages (4 femmes, 4 hommes) pouvant être joués par 3 femmes et 2 hommes
1 chanson et 1 poème à mettre en mouvement

J   Casier secret [1985]
Théâtre Sans Détour, septembre 1985
Théâtre-forum. À l'école, trois jeunes de 14 ans partagent le même casier, qui appartenait d'abord à François. Puis Martine est arrivée, y a déposé ses choses pour quelques jours ; elles y sont toujours. Plus tard, Alex, qui avait oublié la combinaison numérique de son cadenas, y est accueilli. Ces trois jeunes dévoilent leur intimité au fur et à mesure que se vide le casier.
Durée : dramatique : 30 minutes ; forum : 1 heure ou plus
Personnage(s) : 1 femme, 3 hommes ou 2 femmes, 2 hommes
Le texte comprend des notes du metteur en scène sur la formule du théâtre-forum.

Dix minutes de vérité [1986]
Théâtre Sans Détour, printemps 1986
Prisonniers dans un espace où se joue le Jeu de la vérité, un homme et une femme cherchent à se connaître, à se comprendre dans une confrontation où la seule règle est l'interdiction de mentir. Arbitré par un joker, ce spectacle de théâtre forum invite le public à intervenir dans le cours de l'action par l'improvisation.
Durée : 1 heure 15 (dramatique : 15 minutes ; forum : 1 heure)
Personnage(s) : 1 femme, 2 hommes ou 2 femmes, 1 homme

L'Amour aux trousses [1988], en collaboration avec le Théâtre Sans Détour
Théâtre Sans Détour, printemps 1988
Elle a vingt-six ans. Elle désespère de trouver le gars qui aura le courage de l'aimer. Il a vingt-sept ans. Il n'est pas tout à fait remis de sa séparation. Les premiers pas sont difficiles. Pas facile de tomber amoureux même si Cupidon veille.
Durée : 1 heure 15 (dramatique : 30 minutes ; forum : 45 minutes)
Personnage(s) : 1 femme, 2 hommes ou 2 femmes, 1 homme

Meurtre sur la rivière Moisie [1986]
Comédie dramatique tirée d'un fait réel : le meurtre de deux Amérindiens sur une rivière à saumons. Meurtre ou noyade ? Noyés avec une balle dans la tête ! Tout serait resté dans l'ombre si Lucienne n'avait pas décidé d'aller au bout de la vérité. Plus elle progresse, plus elle s'enfonce dans le racisme blanc jusqu'à s'écoeurer et à prendre la décision de se taire. Un silence qui inquiète toute une petite ville de la Côte Nord.
Durée : 1 heure
Personnage(s) : 4 femmes, 4 hommes

Le chien qui fume [1988]
ABCD Acteurs Associés, 21 septembre 1988
C'est l'aventure amoureuse d'un homme et d'une femme. Entraînés dans le dédale des passions, ils se heurtent aux grands mythes qui se font la guerre au coeur de leur inconscient. Le Soleil, la Lune et la Mort reproduisent et confirment leur destin amoureux.
Durée : 1 heure 45
Personnage(s) : 2 femmes, 2 hommes

Cuatro palmas [1991-1993]

Ce texte a été présenté en lecture publique par le Cead, le 9 février 1991.

Carl, journaliste pour une grande chaîne de télévision américaine, retourne trente ans plus tard dans son village natal. Les paysages, les odeurs, les souvenirs du petit Quechuas refont surface. Une descente vers les origines, un suspense inquiétant où le temps américain et le temps indien s'affrontent. Une pièce sur la crise d'identité de la quarantaine.

Durée : 1 heure 35

Personnage(s) : 2 femmes, 1 homme

Chéri(e) [1992]

Productions Moult Scénique, mai 1992

Comédie. Que peut faire Chérie quand l'appartement qu'elle partage avec Chéri est trop petit pour les babioles qu'il accumule en vue des nombreux projets qu'il met en branle sans toujours les mener à terme. La comédie des sexes ou l'art de vivre à deux.

Durée : 1 heure

Personnage(s) : 1 femme, 1 homme

Lancelot du Lac ou le Destin amoureux [1993]

Ce texte a été présenté en lecture publique par le Cead le, le 7 avril 1993.

Promise au roi Arthur, Guenièvre rencontre Lancelot dans un lieu enchanté. Le destin amoureux est bien railleur. Lancelot tombe d'amour pour Guenièvre. Arthur est séduit par sa soeur Morgane la fée. C'est le point de départ d'une grande épopée inspirée du Roman de la Table Ronde.

Durée : 2 heures 30

Personnage(s) : 4 femmes, 5 hommes et les voix de 2 hommes et d'une foule

La production doit comprendre des chansons et des danses

Quasimodo [1993], d'après le roman **Notre-Dame de Paris** de Victor Hugo

Une belle histoire d'amour du XVe siècle : celle de Quasimodo, sonneur de cloches de Notre-Dame, pris de passion pourEsméralda, une danseuse gitane dont la beauté excite la convoitise du beau capitaine Phoebus et de l'archidiacre Claude Frollo.

Durée : 2 heures 30

Personnage(s) : Une trentaine de personnages pouvant être joués par 4 femmes et 6 hommes

Le texte comprend des chansons et des danses

CHAURETTE, Normand

Après un baccalauréat en littérature obtenu en 1979, Normand Chaurette, pendant ses études de maîtrise, enseigne la linguistique et la grammaire transformationnelle, et met sur pied un Centre d'accueil pour réfugiés asiatiques à qui il enseigne le français. En 1976, **Rêve d'une nuit d'hôpital** lui avait mérité le premier prix du IVe Concours d'oeuvres dramatiques de Radio-Canada ainsi que le Prix Paul-Gilson, décerné à Lausanne par l'Association radiophonique des programmes de langue française. De 1979 à 1983, il écrit 65 textes radiophoniques sur des musiques sacrées, quelques préfaces à des textes dramatiques, quatre traductions, et des textes critiques pour la revue *Jeu*. Pendant quatre ans directeur de la production aux Éditions Leméac, il se consacre, depuis 1988, uniquement à l'écriture. Sa pièce **Les Reines** (traduite en anglais par Linda Gaboriau) a reçu le prix Chalmer en 1993. Ses pièces les plus récentes ont été jouées au Canada anglais, aux États-Unis, en France, en Belgique, en Italie et en Espagne.

photo: Ève-Lucie Bourque

Rêve d'une nuit d'hôpital [1975] (Éditions Leméac, 1980)
Théâtre de Quat'Sous, 9 janvier 1980
L'univers désaccordé d'Émile Nelligan évoqué en douze tableaux mi-réels, mi-rêvés, cristallisés en trois lieux (l'école : monde des hommes, les vacances familiales et l'hôpital) et habités par d'innombrables figures féminines (la mère, les soeurs/infirmières, etc.). Univers hallucinant remémoré par le poète et par un choeur dont les répliques sont émaillées d'extraits de poèmes.
Durée : 1 heure 15
Personnage(s) : 12 personnages (6 femmes, 6 hommes) pouvant être joués par 3 femmes et 3 hommes

Fêtes d'Automne [1976-1982] (Éditions Leméac, 1982)
Théâtre du Nouveau Monde, 19 mars 1982
Construite comme un requiem, cette mélopée renoue l'imaginaire et le sacré à travers le journal fasciné d'une collégienne poète : Joa abandonne sa mère Memnon à ses cauchemars pour se donner, dans la mort, au Roi Septant, son amant crucifié. Leurs noces éternelles coïncideront avec la célébration mythique des Fêtes d'Automne.
Durée : 2 heures
Personnage(s) : 4 femmes, 2 hommes

Provincetown Playhouse, juillet 1919, j'avais 19 ans [1978] (Éditions Leméac, 1981)
Productions Provincetown Playhouse, septembre 1982
Traduit en anglais par William Boulet sous le titre de **Provincetown Playhouse, July 1919, I was 19** (dans Quebec Voices, Three Plays, Coach House Press, Toronto, 1986)
Cette traduction a été présentée en lecture publique par le Ubu Repertory Theater, en coproduction avec le Cead, à New York, le 17 octobre 1984.
Buddies in Bad Times Theatre (Toronto), décembre 1986
En 19 tableaux lancinants, égrenés en écho, Charles Charles 38 se remémore un soir de pleine lune au bord de la mer, dix-neuf ans plus tôt. Lui-même et ses deux amis donnaient l'unique représentation de sa pièce sur l'Immolation de la Beauté, pièce dans laquelle un enfant était éventré de dix-neuf coups de couteau. Mais savaient-ils que le sac contenait réellement un enfant ? Quelle image insupportable hante, encore aujourd'hui, l'esprit de l'auteur, Charles Charles 38 ?

Durée : 1 heure
Personnage(s) : 4 hommes

La Société de Métis [1981-1982] (Éditions Leméac, 1983)
Les Têtes Heureuses, 30 octobre 1986
Traduit en italien par Francesca Moccagatta sous le titre de **La Società di Metis** [1992]
Teatro Della Limonaia, Festival Intercity/Montréal 1, octobre 1992
Juillet 1954. Zoé la milliardaire, Octave le jeune aveugle, Casimir le capitaine des pompiers et Paméla la cousine du célèbre pianiste Anthony Dickson revivent le souvenir d'un été sur la côte. L'histoire tourne autour d'un peintre, dont les portraits qu'il a faits de cette petite société de Métis-sur-Mer représentent, au yeux de leurs modèles, un gage d'éternité ; ils poursuivront leur reflet jusque dans un autre monde, celui d'un musée.
Durée : 1 heure 45
Personnage(s) : 2 femmes, 2 hommes

Fragments d'une lettre d'adieu lus par des géologues [1986] (Éditions Leméac, 1986)
Ce texte a été présenté en lecture publique par le Cead, en collaboration avec le Théâtre international de langue française, à Montréal et à Québec, les 2 et 9 septembre 1987.
Théâtre de Quat'Sous, le 8 mars 1988
Traduit en anglais par Linda Gaboriau sous le titre de **Fragments of a Farewell Letter read by Geologists** [1989]
Cette traduction a été présentée en lecture publique par le Prairie Theatre Exchange, dans le cadre d'un échange avec le Cead, à Winnipeg, le 23 avril 1989.
Traduit en italien par Francesca Moccagatta sous le titre de **Frammenti da une lettera d'addio letti dai geologi** [1993] (Ubu libri, Florence, 1994)
Coproduction de Intercity-Krypton et du Laboratorio Nove, Florence, 1er octobre 1993
La pensée rationnelle et le jargon scientifique : un étrange lexique rempli de sonorités qui rendent le savoir désespérément incommunicable. Au cours d'une commission d'enquête sur l'échec d'une expédition au Cambodge, où un ingénieur a trouvé la mort, des hommes de science exposent leur vision de la tragédie.
Durée : 1 heure 15
Personnage(s) : 1 femme, 6 hommes

Les Reines [1991] (Leméac/Actes Sud, 1991)
Une mise en espace de ce texte a été présenté lors du projet Montréal/Paris-Paris/Montréal, une coproduction du Cead et de Théâtrales, à Paris, le 22 juin 1991.
Théâtre d'Aujourd'hui, 18 janvier 1991
Traduit en anglais par Linda Gaboriau sous le titre de **The Queens** [1992] (Coach House Press, Toronto, 1992)
Canadian Stage Company, Toronto, 6 novembre 1992
Londres, janvier 1483. Un climat d'épouvante règne sur le palais. Gloucester s'apprête à assassiner les enfants d'Élisabeth pendant que le roi Édouard agonise. Dans la Tour, les reines vont et viennent, guindées, revêches et blafardes. Leur intuition capte l'imminence de la mort avec une telle acuité que les raisons s'en trouvent ébranlées, les conflits personnels confondus avec les conflits royaux, universels, métaphysiques. C'est le désespoir qui culmine, comme la lune qui transparaît et s'estompe, livide, derrière des tissus de brouillard que le vent déchire et recoud.
Durée : 2 heures 30
Personnage(s) : 6 femmes

Je vous écris du Caire [1993] (Leméac/Actes Sud, 1994)
Théâtre d'Aujourd'hui, 22 octobre 1993
Le compositeur Giuseppe Verdi, entouré du directeur de la Scala, d'un baryton à la retraite et de la jeune Teresa Stolz dont il est épris, doit composer son opéra **Don Carlo** pour des raisons politiques. Un pièce sur le monde mégalomane, tragique et passionné de l'opéra.

Durée : 2 heures
Personnage(s) : 1 femme, 4 hommes

TRADUCTION

Comme il vous plaira [1989], traduction de **As you like it** de William Shakespeare
Nouvelle Compagnie Théâtrale, le 4 avril 1994

CHOUINARD, Denis

Denis Chouinard est parmi les premiers finissants de l'option-théâtre du cégep Lionel-Groulx : il y a obtenu son diplôme en interprétation en 1971. Grâce à une bourse, il a ensuite suivi un stage d'une dizaine de mois à l'École supérieure d'art dramatique du Théâtre National de Strasbourg. Outre ses activités d'acteur, d'adaptateur, de traducteur et de professeur, il a signé plusieurs mises en scène, surtout pour le Théâtre Sainfoin et le Centre du Théâtre d'Aujourd'hui. Il a assumé la direction artistique de la Troupe de la Seizième, à Vancouver, pendant deux ans. Par la suite, il a été animateur au Théâtre du P'tit Bonheur de Toronto et critique de cinéma à Radio-Canada (Toronto). De retour à Montréal en 1985, il obtient un baccalauréat en sciences politiques, suivi d'une maîtrise en 1988. Il est maintenant agent au ministère des Affaires étrangères du Canada. Il a été en poste à la mission canadienne auprès de l'OTAN à Bruxelles. Il réside dans l'Outaouais et participe à la vie théâtrale de la région. Il est marié à Violette Paré, enseignante et scénographe, et est père de trois enfants. Sa famille et lui ont fondé le Théâtre du Beau Temps qui se produit annuellement.

On n'est pas né pour un p'tit pain [1972]
Théâtre Sainfoin, 1973
Dans l'esprit de la commedia dell'arte, les personnages sont distribués en deux clans égaux : d'une part, les ouvriers de la boulangerie, et de l'autre, les patrons. Les situations, elles, sont un amalgame de tous les styles : boulevard, vaudeville et même burlesque. Ajoutons à cela quelques bouffonneries, propres à la farce, coups de pied au cul, grivoiseries et tout ce qui s'en suit.
Durée : 1 heure 45
Personnage(s) : 2 femmes, 4 hommes

Salut Galarneau ! [1973], d'après le roman du même titre de Jacques Godbout (roman publié aux Éditions du Seuil, Paris, 1967)
Théâtre Sainfoin, 1973
La pièce raconte la vie de François Galarneau, fils de pêcheur, propriétaire d'un stand de patates frites, qui rêve d'ethnographie et de littérature. Poussé par sa femme et son frère, il entreprend d'écrire un roman qui l'oblige à plonger en lui-même, à comprendre le monde qui l'entoure et à consentir à y vivre.
Durée : 1 heure 45
Personnage(s) : 13 en tout (6 femmes, 7 hommes) pouvant être joués par 3 femmes et 4 hommes

E   **Le Fou de l'île** [1978], d'après le roman du même titre de Félix Leclerc (roman publié aux éditions Fides, 1962)

Productions pour enfants de Québec, 4 avril 1979

Venu de la mer, un personnage mystérieux et candide convainc tour à tour les habitants d'une île de se mettre chacun à la poursuite d'un idéal et de transformer le gouvernement de leur village pour le mieux-être de tous.

Durée : 50 minutes

Personnage(s) : 7 personnages (2 femmes, 5 hommes) pouvant être joués par 2 femmes et 3 hommes

1 chanson

Violette en avril [1981], en collaboration avec Odette Brassard, Thérèse Champagne, Neil Duffy, Gabriel Gauthier et Nicole-Marie Rhéault

Troupe de la Seizième (Vancouver), 1981

Avec sa fille âgée de quelques mois, une Québécoise dans la trentaine décide d'aller refaire sa vie à Vancouver. Elle est aux prises avec la culture canadienne-anglaise, mais aussi avec les valeurs nouvelles des gens avec qui elle se lie d'amitié et qui lui redonnent confiance en elle.

Durée : 1 heure 30

Personnage(s) : 15 personnages (8 femmes, 7 hommes) pouvant être joués par 3 femmes et 3 hommes

5 chansons

E   **Histoire de Julie qui avait une ombre de garçon** [1981], en collaboration avec Nicole-Marie Rhéault, d'après le conte du même titre d'Anne Bozellec, de Christian Bruel et d'Annie Galland (conte publié aux Éditions du Sourire qui mord, Paris, 1978) (adaptation théâtrale publiée aux Éditions Québec-Amérique, 1982)

Théâtre du Gros Mécano, avril 1982

« Garçon manqué ! » À coeur de jour, c'est ce que Julie s'entend répéter par ses parents. Un matin, elle se découvre une ombre de garçon qui lui renvoie, en les grossissant, tous ses gestes et comportements masculins. Vainement, elle tente de s'en débarrasser. En dernier recours, elle va dans un parc afin de s'y enterrer (« Sous terre, on n'a pas d'ombre... ») et y rencontre François, un gars de huit ans qui s'est caché là pour pleurer...

Durée : 50 minutes

Personnage(s) : 4 personnages (2 femmes, 2 hommes) pouvant être joués par 1 femme et 1 homme

3 chansons

E   **Catou est-elle différente ? ou l'Enfant spina bifida** [1983]

Troupe de la Seizième, Vancouver, 1983

En douze tableaux où le réalisme et la fantaisie alternent, la pièce illustre les problèmes qu'une petite fille handicapée physiquement peut rencontrer à la maison ou à l'école et les réactions de sympathie ou de répulsion que son état suscite chez les autres enfants.

Durée : 50 minutes

Personnage(s) : 7 personnnages (4 femmes, 3 hommes) pouvant être joués par 3 femmes et 2 hommes

6 chansons

J   **Titre provisoire : Roméo et Juliette** [1984]

Théâtre du Gros Mécano, mars 1984

Spectacle musical qui traverse les époques. Des tableaux prennent source dans les temps anciens et se déroulent jusqu'à un temps futur. Un fil continu : les amants adolescents. Un prototype : l'amour spontané, l'amour total. Mais un titre pour les amoureux hétérosexuels, alors que l'homosexualité se vit aussi à l'adolescence. La pièce en parle et la trame de Shakespeare est suivie. Le titre est, ici, provisoire.

Durée : 1 heure 30
Personnage(s) : 3 femmes, 4 hommes
6 chansons

TRADUCTIONS ET TRANSPOSITIONS

Jackpot [1973], transposition de **La Cagnotte** d'Eugène Labiche
Théâtre Sainfoin, 1973

E   **Un millier d'oiseaux** [1986], traduction de **One thousand Cranes** de Colin Thomas
Théâtre du Gros Mécano, 30 avril 1987

CLAING, Robert

photo: Josée Lambert

Après avoir complété un baccalauréat en arts au Séminaire de Saint-Hyacinthe (1970) et une maîtrise en études françaises à l'Université de Montréal (1976), Robert Claing enseigne la littérature au Collège Ahuntsic. De 1976 à 1979, il est membre du Théâtre Expérimental de Montréal. Il est ensuite cofondateur et animateur du Nouveau Théâtre Expérimental et de l'Espace Libre jusqu'en 1988. En 1988-1989, il siège au conseil d'administration du Cead à titre de trésorier. Pour les saisons 1989-1990 et 1993-1994, il est auteur en résidence pour la troupe Omnibus.

Colette [1975]
Produit dans **Colette et Pérusse**
Voir le résumé à ce titre
Durée : 20 minutes
Personnage(s) : 2 femmes

Colette et Pérusse [1975]
Théâtre de Quat'Sous, 1975
L'obsession de manger, de tout faire passer par la bouche. Colette, obèse, mange et satisfait ainsi tous ses désirs, qui sont énormes. Pérusse, sorte d'avorton, vit dans la terreur. Il réussit à tuer un père déjà mort en le maculant de boudin pendant que s'approche la grosse femme, l'ogresse qui se repaît de lui. Une orgie verbale.
Durée : 1 heure 30
Personnage(s) : 2 femmes, 2 hommes

J   **Radisson** [1979]
Centre national des Arts, 1978
La vie de Pierre-Esprit Radisson, depuis son arrivée en Nouvelle-France jusqu'à sa mort en terre

d'exil (l'Angleterre) : sa capture et sa vie sauvage chez les Iroquois, ses découvertes au pays des Cris et ses tractations avec les Anglais et les Français. Radisson était bien lorsqu'il était libre parmi les Amérindiens et son ultime voyage résume son irrésistible élan vers l'inconnu.
Durée : 1 heure 15
Personnage(s) : 3 femmes, 3 hommes

Marée basse [1984]
Nouveau Théâtre Expérimental, 1984
Un homme et une femme refont le dernier château de sable. Tout se mêle et s'emmêle : passé, enfance, amour et présent. Ils retracent les liens qui ont pu les unir, les rapprocher. Mais, comme le sable, tout s'effrite, se dissout lorsque monte la grande vague ; vague souvenir des voix chuchotées d'un homme et d'une femme.
Durée : 1 heure 20
Personnage(s) : 1 femme, 1 homme

Le temps est au noir [1985] (précédé de **La Mort des rois**, VLB Éditeur, 1991)
Omnibus, 9 septembre 1986
Un homme cherche une femme ; au bout du parcours, il se trouve. Sa quête l'aura amené à examiner ce et ceux qui l'entourent, à constater que tout est en ordre, à sa place. Mais, du sous-sol, sourd la pourriture de la médiocrité. Le temps est au noir. Loin de l'anecdote réaliste, bien qu'elle soit imprégnée de réalisme, la pièce est une recherche sur l'écriture théâtrale.
Durée : 1 heure 15
Personnage(s) : 2 femmes, 2 hommes

La Femme d'intérieur [1986] (avec **Une femme à la fenêtre**, VLB Éditeur, 1989)
Nouveau Théâtre Expérimental, 19 janvier 1988 ; et à la radio de Radio-Canada (Québec), 1988
Accompagnée de sa voisine, amie silencieuse, une femme de banlieue fait le tour de sa maison. Divorcée. Les murs sont creux. Les enfants grandissent et la vie est vide et sans drame ; à peine de petites envies. C'est dans le souffle de la parole et du silence des deux femmes que le drame est caché, retenu.
Durée : 1 heure 15
Personnage(s) : 2 femmes

Une femme à la fenêtre [1986] (avec **La Femme d'intérieur**, VLB Éditeur, 1989)
Ce texte a été présenté en lecture publique par le Cead, le 26 février 1988.
Un auteur médiocre tente d'écrire la vie de deux êtres tout aussi médiocres : un directeur de banque et une femme de banlieue, responsable des festivités du cinquantenaire de la banque. La fiction des personnages envahit l'espace et la vie de l'écrivain tandis qu'une femme, qu'on ne voit que de dos, lui fait l'amour le jour, l'abandonne la nuit.
Durée : 1 heure 15
Personnage(s) : 2 femmes, 2 hommes

Anna [1989]
Ce texte a été présenté en lecture publique par le Cead, le 7 février 1990.
Théâtre de la Manufacture, 7 janvier 1991
Anna a passé la trentaine et n'a encore rien fait de sa vie. Près d'elle et comme elle, des amis tentent de se frayer un chemin dans le monde, de se faire une place dans la vie. Elle fait un enfant, meurt d'une balle perdue. Allez savoir pourquoi.
Durée : 1 heure 40
Personnage(s) : 3 femmes, 2 hommes

La Mort des rois [1990] (suivi de **Le temps est au noir**, VLB Éditeur, 1990)
Omnibus, 6 mars 1990
Jean sans Terre, roi d'Angleterre, et sa mère Aliénor d'Aquitaine. Le fils ne voit dans l'existence

que haine, jalousie et absurdité. Sa mère fait le procès des hommes de sa vie : violents, insignifiants et ambitieux. Le premier mourra dans un état de dépression totale, la seconde dans la joie et l'espoir.

Durée : 1 heure 50

Personnage(s) : 1 femme, 1 homme

Vienne, la nuit [1991], librement inspiré d'une nouvelle de Arthur Schnitzler, **Traumnovelle** (nouvelle publiée sous le titre de **Rien qu'un rêve**, avec **Les Dernières Cartes**, Le livre de poche, no 3050)

Vienne 1956. Le vieux monsieur assis à sa table devant sa coupe de vin blanc, c'est François-Emmanuel, autrefois médecin chef de l'Hôpital-général de Vienne. Il hante la nuit, il ausculte les rues de sa ville et remonte les avenues du temps. Plutôt que d'aller à la rencontre des souvenirs, il laisse les images, les sons, les odeurs le toucher, éveiller en lui des fragments de sa vie passée. Il est dans sa ville comme dans sa vie, comme si c'était son propre corps. De la ville encore tout estropiée par la guerre et l'occupation, monte une vapeur, comme les exhalaisons d'un grand corps terrassé aux blessures ouvertes qu'on n'a pas eu le temps de soigner. Malgré tout, cette nuit, Vienne valse.

Durée : 2 heures

Personnage(s) : 7 femmes, 9 hommes et des figurants

Les Fossiles (élégie) [1990] (Éditions Comp'Act, France, 1993)

L'Attroupement 2, Lyon, 1994

Un homme et une femme très âgés se racontent, en attendant l'expropriation qui les chassera de leur demeure. Ils fouillent les souvenirs à la recherche des traces de ce que fut leur vie. Il y a un album de photos, de vieilles coupures de journaux et une carte postale signée d'un prénom oublié. La vie passée est comme un puzzle en éclats. La vie tout court n'a plus de sens parce que la mémoire de toutes peines et de toutes douleurs est gommée par le temps qui file. Les deux vieux jettent la clé de la maison dans la rivière en passant sur le pont qui les mène à la gare et, de là, par le train de nuit, ils partent pour toujours jusqu'à Manchester, puis Lowell et enfin à la mer. Tous deux refont l'ancien chemin de l'exil vers la Nouvelle-Angleterre pour se glisser, chacun à sa façon, dans le lit de sa mort.

Durée : 1 heure 30

Personnage(s) : 1 femme, 1 homme

Jean Cossette est né à Shawinigan, le 27 mai 1948. Il est détenteur d'un baccalauréat spécialisé en études littéraires de l'Université du Québec à Montréal et d'un certificat en enseignement du français de l'Université du Québec à Rimouski. Pendant deux ans, il a été responsable de la bibliothèque de l'École des Hautes Études commerciales de l'Université de Lausanne (Suisse). Il est professeur à la Polyvalente d'Amqui depuis 1976, en plus d'être écrivain, éditeur, directeur artistique et metteur en scène. Membre fondateur de la revue littéraire *Urgences*, des éditions Éditeq, de Machin Chouette Éditeur, dont il est l'actuel président, des troupes de théâtre Thelyd'am (1978) et du Théâtre du Quidam (1987), il a été critique d'arts et de spectacles de *L'Avant-Poste gaspésien* pendant dix ans. Il a publié un recueil de poèmes, trois contes pour enfants et un recueil de lettres d'amour d'adolescents. Il a été récipiendaire du prix Jovette-Bernier en 1987 et de neuf prix Artquimédia de 1987 à 1992. Il est également membre de l'Union des écrivaines et des écrivains du Québec, de l'Association québécoise des auteurs dramatiques, de la Société canadienne des auteurs, compositeurs et éditeurs de musique et du Conseil de la Culture de l'Est du Québec.

On va avoir l'air de vrais fous [1983] ; adapté pour la radio sous le titre de **Pour le meilleur et pour le père**
Théâtre du Double Signe, mai 1988
Traduit en anglais par Réjean Larocque sous le titre de **Are We Gonna Look Stupid !**
Un mariage civil entre deux divorcés ? Rien de plus fréquent ! Mais voilà, ni l'un ni l'autre n'a avoué son précédent mariage... Qui plus est, Yvette n'a pas averti son futur qu'elle est mère de deux enfants. Pour leur part, les familles des mariés se préparent à la noce et ne sont pas au bout de leur journée puisque la cérémonie sera quelque peu confuse et que le banquet de noce « surprise » se déroulera au MacDonald ! Faisant face à leur triste réalité, les personnages sont-ils au moins conscients de leur condition ?
Durée : 2 heures
Personnage(s) : 14 personnages (10 femmes, 4 hommes) pouvant être joués par 3 femmes, 2 hommes
3 chansons : bande sonore disponible chez l'auteur

Deux thérapies pour Globensky [1988]
Ce texte réunit deux pièces en un acte d'une heure chacune. Elles peuvent être jouées séparément.
Aussi connu sous les titres de **Bilou et Victor, ici et maintenant** et de **Plaintes d'intérieur**
Théâtre du Quidam, juillet 1988
Le docteur Globensky est psychothérapeute en thérapie Gestalt. Il reçoit tout d'abord un couple, Victor et Priscilla, dont la réussite sociale est florissante mais dont la vie affective est un échec. Réussiront-ils à s'en sortir ou à s'entre-déchirer un peu plus ? La deuxième thérapie est celle de Pierre Julien, un homme d'intérieur plutôt tranquille. Mais Monsieur Julien cache une liaison assez étrange avec Chantal, son philodendron... Réussira-t-il à s'en détacher pour s'épanouir dans une vraie relation avec Hélène, une femme en chair et en os celle-là... ?
Durée : 2 heures

Personnage(s) : 2 femmes, 1 homme ou 1 femme, 2 hommes
Le docteur Globensky peut être joué indifféremment par une femme ou un homme.

J   **Urgences-Français** [1988]
Texte pour la télévision (TVC Câble 4) ; adapté par l'auteur pour la scène. Production scolaire. Trois chirurgiens pratiquent une opération d'urgence. Le malade ? La langue française. On se livre à une véritable histologie de la détérioration du français dans nos écoles, des années cinquante à nos jours. Avec François, on se retrouve dans une « gang », dans des classes de français, dans des salles de professeurs et dans sa famille. Pour finir, on applique un traitement draconien : les nouvelles directives du ministère de l'Éducation pour l'obtention du diplôme d'études secondaires.
Durée : 30 minutes
Personnage(s) : 21 personnages (femmes ou hommes) pouvant être joués par 5 interprètes

Opération « Pigeon » [1990]
Théâtre du Quidam, été 1991
Comédie. Gaston, hypocondriaque, est à l'hôpital depuis qu'il a assisté, impuissant, à la noyade d'un pigeon. Alors qu'il est perdu dans sa propre impuissance et dans des rêves hors de sa portée, les femmes de sa vie viennent lui assener les plus durs coups : d'abord son ex-épouse, puis sa copine de bureau... en fait un transsexuel, et enfin sa mère qui lui portera le coup fatal. Son médecin, pour sa part, est davantage inquiété par la solitude d'une douce infirmière...
Durée : 1 heure 30
Personnage(s) : 9 personnages (5 femmes, 4 hommes) pouvant être joués par 2 hommes et 1 femme
6 chansons : bande sonore disponible chez l'auteur

CYR, René Richard

Comédien issu de l'École nationale de théâtre du Canada en 1980, René Richard Cyr a joué au théâtre dans **Hosanna** de Tremblay, rôle éponyme pour lequel il a reçu le prix de la Meilleure interprétation masculine de l'Association québécoise des critiques de théâtre ; **Les Bas-Fonds** de Gorki ; **La Charge de l'orignal épormyable** de Gauvreau ; **Les Feluettes** de Bouchard, entre autres. Il a aussi joué à la télévision et au cinéma. On lui doit également les mises en scène suivantes : **L'École des femmes** de Molière, **Le Malentendu** de Camus, **L'Opéra de Quat'Sous** de Brecht, **La Ménagerie de verre** de Williams, **Les Bonnes** de Genet et **Bonjour, là, bonjour** de Tremblay. René Richard Cyr a de plus participé à la conception de spectacles de Michel Lemieux, Joe Bocan, Diane Dufresne et Céline Dion, pour lesquels il a remporté deux Félix du metteur en scène de l'année. Il est codirecteur artistique du PàP2/Théâtre Petit à Petit.

photo: Laurent Leblanc

Dépêche-toé j'ai envie [1980-1981]
Théâtre Peut-être, février 1981
Rachel et Marie-Anne, toutes deux seules, décident d'habiter ensemble ; sur un mode à la fois drôle et tragique entrecoupé de chansons, elles continuent à vivre, chacune de son côté, les épreuves du désir et de l'attente, observées par une narratrice empathique, Elle, présente dans

le même appartement, entre les rues Rachel et Marie-Anne...
Durée : 1 heure 15
Personnage(s) : 3 femmes
3 chansons

Girafes [1982-1983]
Théâtre Petit à Petit, 23 mars 1983
Grégoire Paré, son père, sa tante et un couple de ses amis sont observés, dans leur quotidien hyperréaliste, par cinq zoologues aseptisés prenant des notes sur le comportement humain (comme sur celui des girafes). Leur présence muette souligne la misère et les moeurs contraintes de la société et du langage théâtral conventionnel.
Durée : 1 heure 40
Personnage(s) : 6 femmes, 5 hommes

Camille C. [1983-1984], en collaboration avec Jocelyne Beaulieu, d'après le roman **Une femme** d'Anne Delbée (Presses de la Renaissance, Paris, 1982)
Coproduction du Projet Camille C. et du Théâtre d'Aujourd'hui, 8 mai 1983
Sculpteure passionnée par son travail, Camille Claudel souffre de n'être considérée, par la société artistique du 19e siècle, que comme la soeur de Paul et la maîtresse de Rodin, avec qui elle vit une relation orageuse. Incapable de faire valoir son oeuvre de femme artiste, elle sombre dans la folie. Elle sera internée pendant trente ans.
Durée : 1 heure 45
Personnage(s) : 16 personnages (9 femmes, 7 hommes) pouvant être joués par 4 femmes et 4 hommes

Aurore l'enfant martyre [1984], d'après la pièce du même titre de Léon Petitjean et d'Henri Rollin (texte reconstitué par Alonzo Le Blanc avec la collaboration de Claude Robitaille, VLB Éditeur, 1982)
Théâtre de Quat'Sous, 25 septembre 1984
Cette version du plus célèbre mélodrame du théâtre québécois a été écrite à partir de l'original, dont on retrouve l'esprit et la langue, mais elle comprend également des éléments du procès de « l'affaire Gagnon » qui a inspiré la pièce initiale. Ici, le personnage central est moins l'enfant que la sadique marâtre, et la folie - plutôt que la « méchanceté » - est évoquée comme explication à l'horreur du comportement de celle-ci.
Durée : 1 heure 30
Personnage(s) : 11 personnages (3 femmes, 8 hommes) pouvant être joués par 3 femmes et 7 hommes

J **Sortie de secours** [1984], en collaboration avec Louise Bombardier, Marie-France Bruyère, François Camirand, Normand Canac-Marquis, Jasmine Dubé, Louis-Dominique Lavigne, David Lonergan et Claude Poissant (VLB, Éditeur, 1987)
Théâtre Petit à Petit, 3 octobre 1984
Cinq adolescents ont fui, s'apprêtent à le faire, ou vivent les problèmes reliés à leur fugue. Réunis à la « Maison des jeunes », ils souhaitent réaliser une murale sur l'un des murs de l'établissement. Ils trouvent dans ce projet une tribune inespérée pour se faire entendre et s'écouter les uns les autres.
Durée : 1 heure 30
Personnage(s) : 23 personnages (13 femmes, 10 hommes) pouvant être joués par 3 femmes et 2 hommes
8 chansons

Bain public [1985-1986], en collaboration avec Jocelyne Beaulieu, Louise Bombardier, François Camirand, Anne Caron, André Lacoste, Geneviève Notebaert, Claude Poissant et Denis Roy
Théâtre Petit à Petit, 20 février 1986

Inspirée du cabaret politique, la pièce regroupe une cinquantaine de sketches sur l'actualité sociale. Qu'on y traite de torture ou de violence, de sexualité ou de menace nucléaire, humour et ironie dominent : pour sourire et réfléchir, pour mordre ou choquer, mais surtout pour ne rien oublier, ni les menaces, ni les angoisses, ni les misères.

Durée : 1 heure 30

Personnage(s) : 65 personnages pouvant être joués par 2 femmes et 4 hommes

7 chansons

Volte-face ou la Fameuse Poutine [1986], en collaboration avec François Camirand
Théâtre Petit à Petit, 7 octobre 1986

Trois jeunes sèchent leurs cours au snack-bar. Comme d'habitude, ils commandent des poutines, mais ce jour-là, la fameuse poutine les transporte dans des mondes insolites où ils affrontent des défis imprévus. Bruno le plus-que-parfait est incarcéré en Pologne ; Martine la pas capable est propulsée dans l'espace, et Alain, qui s'aime peu, devient une grande vedette américaine.

Durée : 1 heure 20

Personnage(s) : 12 personnages (5 femmes, 7 hommes) et 3 voix, pouvant être joués par 2 femmes et 2 hommes

1 chanson

J **« La Magnifique Aventure de Denis St-Onge »** [1988], en collaboration avec François Camirand (VLB Éditeur, 1990)
Théâtre Petit à Petit, 29 septembre 1988
Traduit en anglais par Marie-France Bruyère et Jean-Frédéric Messier sous le titre de **Andy O'Brien's Amazing Adventure**
Théâtre Petit à Petit, 1990

Comédie fantastique. Denis St-Onge, chargé d'écrire le spectacle de fin d'année de sa polyvalente, découvre qu'il détient un grand pouvoir. En effet, tout ce qu'il tape sur la vieille machine à écrire du frère St-Arnaud se concrétise. Après s'être fait la main avec de banales histoires impliquant sa blonde Lise, son *chum* Simoneau et la grosse Desmarais, il devient rapidement imbu de ce pouvoir extraordinaire. Aveuglé par sa force et sa jalousie, il fait mourir son meilleur ami, va jusqu'à modifier le déroulement des enjeux socio-économiques mondiaux, et déclenche une guerre atomique. Mais, à son insu, la vieille machine à écrire est remplacée par une nouvelle, munie d'un auto-correcteur...

Durée : 1 heure

Personnage(s) : 2 femmes, 2 hommes et 3 voix

1 chanson

J **Marco chaussait des dix** [1991], en collaboration avec François Camirand (VLB Éditeur, 1994)
Théâtre Petit à Petit, 10 octobre 1991

Marco est coincé. Ses résultats scolaires sont à la baisse, sa situation familiale est précaire. Éric, son meilleur ami, et la blonde de ce dernier lui proposent de louer le deuxième étage d'un restaurant chinois. Marco y découvre une sculpture mystérieuse qui a le pouvoir et lui propose de transférer son âme et son coeur dans la peau d'un autre et vice versa. Pour Marco le candidat idéal est Éric.

Durée : 1 heure

Personnage(s) : 2 femmes, 2 hommes et 2 voix

L'An de grâce [1992], en collaboration avec Alexis Martin et Claude Poissant (Les Herbes Rouges, 1994)
PàP2, 17 février 1992

L'univers trouble, parfois drôle, parfois tragique de trois femmes, trois soeurs qui avec le temps ont oublié de se ressembler.

Durée : 1 heure 45

Personnage(s) : 3 femmes, 1 homme

L'Apprentissage des marais [1994], en collaboration avec Alexis Martin
PàP2, 22 février 1994
La nuit, pendant que leur mère travaille, deux frères rusent avec les ombres de la réalité, leur découvrent des clartés et font ainsi l'apprentissage du monde. Sous les apparences d'un drame urbain, voilà un univers où pauvreté ne rime pas avec ennui et où l'on peut encore absoudre un délinquant au bicarbonate de soude.
Durée : 1 heure 45
Personnage(s) : 1 femme, 2 hommes

DAIGLE, Jean

photo: André Le Coz

Après avoir suivi des cours chez Sita Riddez et au Conservatoire d'art dramatique, avec Jan Doat, Jean Daigle joue dans de nombreuses productions, à la scène, à la radio et à la télévision, entre 1949 et 1965, notamment pour le Théâtre du Nouveau Monde, le Théâtre-Club et la Société Radio-Canada. La rédaction de textes pour Radio-Canada et Télé-Métropole lui fait abandonner peu à peu son métier de comédien pour celui d'auteur. Il écrit dès lors de nombreuses oeuvres pour la scène, la radio et la télévision. En 1968, il débute dans la peinture. Depuis, sa carrière d'animateur, d'auteur, de peintre et d'illustrateur puise à tout cela. Il écrit également des contes pour la radio.

Coup de sang [1966-1967] (Éditions du Noroît, 1976)
Adapté pour la télévision (Radio-Canada, émission *Les Beaux Dimanches*, 15 janvier 1978)
Théâtre du Nouveau Monde, 12 novembre 1976
Traduit en anglais par John Glassco sous le titre de **Burning Ashes** (traduction non disponible au Cead)
Au début du siècle, dans une maison terrienne du Québec rural, la claustration étouffe Julie, une vieille fille dans la trentaine, et la maintient dans une révolte sans espoir. L'engagement d'Henri, le futur mari de sa nièce, comme homme de ferme, enclenche un processus passionnel qui brisera tous les protagonistes.
Durée : 2 heures
Personnage(s) : 4 femmes, 1 homme

Le Jugement dernier [1967-1979] (Éditions du Noroît, 1979)
Compagnie Jean Duceppe, 31 octobre 1979
Au moment de mourir, Alphonse revoit sa vie depuis l'époque d'avant son mariage : défilent son père, sa première maîtresse, sa femme et le seul de ses deux fils qui ait jamais tenté de se rapprocher de lui. Des voix issues de son passé se mêlent aux personnages qui incarnent, de façon très réaliste, le bilan pessimiste de son existence.
Durée : 1 heure 30
Personnage(s) : 2 femmes, 3 hommes

Le Mal à l'âme [1977] (Éditions du Noroît, 1980)
D'abord créé à la radio (Radio-Canada, émission *Premières*, 30 décembre 1977)
Coproduction du Théâtre populaire du Québec et de la Comédie Nationale, 22 novembre 1980
Traité avec lyrisme, ce drame sentimental dépeint la bourgeoisie campagnarde de la fin du 19e siècle et illustre les réactions de trois soeurs qui, ayant choisi de vivre seules dans la maison familiale, voient la période des Fêtes perturbée par les problèmes de coeur d'une jeune cousine venue les visiter.
Durée : 1 heure 30
Personnage(s) : 4 femmes

La Débâcle [1977-1978] (Éditions du Noroît, 1979)
Adapté pour la radio (Radio-Canada, émission *Premières*, 12 octobre 1979)
Théâtre du Rideau Vert, 29 mars 1979
Veuf depuis plusieurs années, un fermier épouse une citadine qui s'éprend follement de son beau-fils de vingt ans. Isolé dans la campagne québécoise du début du siècle, ce triangle se brise avec violence. Trois actes écrits dans une langue verte et savoureuse qui, sous sa familiarité, laisse poindre puis s'installer la tragédie.
Durée : 1 heure 45
Personnage(s) : 1 femme, 2 hommes

L'Heure mauve [1981-1982] (Éditions du Noroît, 1989), non produit à la scène
Créé à la radio (Radio-Canada, émission *Premières*, 1982)
Comédie de moeurs. À Montréal en 1890, dans le vivoir d'une maison victorienne cossue. Adultère entre un gendre, Édouard 30 ans et sa jeune belle-mère, Angéline 45 ans, après une soirée d'opéra et devant un tableau de Ozias Leduc. Nature morte et fruit défendu. Comédie de moeurs.
Durée : 1 heure 30
Personnage(s) : 1 femme, 1 homme

Le Paradis à la fin de vos jours [1983] (Éditions du Noroît, 1985)
Théâtre des Marguerites, été 1985
Deux femmes de 55 ans, l'une veuve, l'autre célibataire, ouvrent une maison de pension pour retraités. Leurs deux premiers pensionnaires : un veuf et un vieux garçon. Survient une amie d'enfance qui a perdu son troisième mari et en cherche un quatrième. Elle est chargée de « débaucher » le vieux garçon mais sa manoeuvre est vaine ; veuf et veuve, et célibataires tombent amoureux.
Durée : 1 heure 45
Personnage(s) : 3 femmes, 2 hommes

Au septième ciel [1986] (Éditions du Noroît, 1986)
Théâtre des Marguerites, 7 juin 1986
Dénouement des idylles nouées dans *le Paradis*... Après quelques hésitations, notre célibataire accepte de se marier. Au retour de son voyage de noces, les deux couples sont transportés au septième ciel. L'amie d'enfance y est déjà, avec son quatrième mari.
Durée : 1 heure 45
Personnage(s) : 3 femmes, 2 hommes

Les Anges cornus [1986] (Éditions du Noroît, 1988)
Théâtre Palace de Granby, été 1988
Après un an de mariage, les personnages du *Paradis à la fin de vos jours* et d'*Au septième ciel* reviennent. Les maris passent leur temps au golf, leurs femmes ont donc décidé de prendre les grands moyens pour faire cesser ces activités. Elles font la grève ; pas de repas, pas de ménage, pas de sexe. Elles vont faire chambre à part jusqu'à ce que les maris comprennent. Tout ceci avec l'aide de leur amie Évangéline, qui, en grand deuil de son dernier mari, le quatrième, pour le moment, déprime tout le monde, jusqu'à ce que...

Durée : 1 heure 45
Personnage(s) : 3 femmes, 2 hommes

DALPÉ, Jean Marc

Jean Marc Dalpé est né le 21 février 1957 à Ottawa. Diplômé en théâtre de l'Université d'Ottawa et finissant du Conservatoire d'art dramatique de Québec, il travaille depuis dix ans en Ontario comme comédien et auteur. En 1979, il est cofondateur du Théâtre de la Vieille 17 et participe en tant que coauteur et comédien à toutes les productions de cette troupe durant deux saisons. En 1981, il déménage à Sudbury, dans le Nord de la province et devient artiste en résidence du Théâtre du Nouvel-Ontario. En 1987, il est écrivain en résidence à l'Université d'Ottawa. En 1988, il est boursier du Conseil des Arts du Canada. En 1988, il a reçu le Prix du Nouvel-Ontario et en 1989, le Prix du gouverneur général pour sa pièce **Le Chien**. En 1990, il est auteur en résidence au Festival des Francophonies à Limoges et en 1993, à la Nouvelle Compagnie Théâtrale de Montréal. Il a de plus écrit trois recueils de poèmes et a participé à de nombreux spectacles de poésie dont **Cris et Bleues** qui est disponible sur disque compact.

Les Murs de nos villages [1979 et 1980], en collaboration avec Robert Bellefeuille, Hélène Bernier, Anne-Marie Cadieux, Roch Castonguay, Vivianne Rochon et Lise Roy (Les Éditions de la Sainte-Famille, Rockland, 1983, épuisé ; Éditions Prise de Parole, Sudbury, 1993)
Théâtre de la Vieille 17, 1979
Ce texte raconte avec beaucoup d'humour la journée des habitants d'un village. On entre dans l'intimité des demeures, des conversations et des rapports humains pour faire la connaissance, entre autres, du barbier philosophe, des enfants d'école, des membres du club de l'âge d'or et des jeunes amoureux...
Durée : 2 heures
Personnage(s) : 117 personnages (44 femmes, 73 hommes) pouvant être joués par 3 femmes, 3 hommes
2 chansons
La pièce est un ensemble de scènes plus ou moins longues, elle peut alors être jouée entièrement ou en partie.

Hawkesbury Blues [1982], en collaboration avec Brigitte Haentjens (Éditions Prise de parole, Sudbury, 1982)
Théâtre de la Vieille 17, février 1982
Spectacle musical qui raconte l'histoire de Louise et ayant comme toile de fond la ville industrielle où elle vit, Hawkesbury, Ontario. On voit évoluer cette femme de 14 à 34 ans, à travers ses amours, son travail, sa famille et son accession à l'indépendance.
Durée : 1 heure 20
Personnage(s) : 14 personnages (5 femmes, 9 hommes) pouvant être joués par 3 femmes, 2 hommes
11 chansons

Nickel [1984], en collaboration avec Brigitte Haentjens (Éditions Prise de parole, Sudbury, 1984)
Coproduction du Théâtre français du Centre national des Arts et du Théâtre du Nouvel-Ontario, février 1984
La pièce raconte en parallèle l'effort de syndicalisation dans les mines de nickel de Sudbury dans les années trente et le chemin parcouru par une femme en quête d'autonomie au cours de cette lutte.
Durée : 1 heure 30
Personnage(s) : 11 personnages (4 femmes, 7 hommes) pouvant être joués pas 4 femmes, 5 hommes
5 chansons

Les Rogers [1985], en collaboration avec Robert Bellefeuille et Robert Marinier (Éditions Prise de parole, Sudbury, 1985)
Adapté pour la télévision (TVOntario, diffusion juin 1987)
Coproduction du Théâtre de la Vieille 17 et du Théâtre du Nouvel-Ontario, janvier 1985
Sous prétexte d'une peine d'amour, trois vieux amis dans la trentaine passent une nuit blanche à parler de relations amoureuses, des femmes, des hommes et de leur amitié. Leurs fantasmes et leurs caprices les entraînent dans un court voyage où se mêlent tendresse et ridicule. Un regard comique sur le nouvel homme aux prises avec son présent et son passé.
Durée : 1 heure 30
Personnage(s) : 3 hommes

Le Chien [1988] (Éditions Prise de Parole, Sudbury, 1988)
Ce texte a été présenté en lecture publique par le Cead, en collaboration avec le Théâtre international de langue française, à Québec et à Montréal, les 3 et 6 septembre 1987.
Coproduction du Théâtre du Nouvel-Ontario et du Théâtre français du Centre National des Arts, février 1988
Traduit en anglais par Maureen LaBonté et Jean Marc Dalpé sous le même titre [1988]
Cette traduction a été présentée en lecture publique par le Cead, en coproduction avec The Factory Theatre, à Toronto, le 20 mai 1988.
Version pour la France « traduite » par Eugène Duriff sous le même titre [1993]
Cette version a été présentée en lecture publique par le Cead, en coproduction avec Théâtrales (Paris) à la Chartreuse de Villeneuve-lez-Avignon, le 20 juillet 1992.
(version publiée par Les Éditions Théâtrales, Paris, 1994)
Quelque part dans le bois. Dans le Nord. Une maison mobile et un ciel d'aurores boréales. Un texte sauvage comme un blues à cinq voix. Le retour de Jay chez lui, à ses racines. L'affrontement avec son père. La violence et la blessure des personnages. L'amour, la haine et l'impuissance livrés à l'état brut, tranchants comme des couteaux.
Durée : 1 heure 30
Personnage(s) : 2 femmes, 3 hommes

Blazing bee to win [1989], courte pièce en un acte
Théâtre Niveau Parking, 10 avril 1990 ; (avec plusieurs autres textes de divers auteurs, dans un collage intitulé **Passion Fast-food)**
Albert en chaise roulante vient parier tout ce qu'il possède sur un cheval.
Durée : 20 minutes
Personnage(s) : 1 femmes, 2 hommes

Eddy 1993, commande du Stratford Theatre Festival
Ce texte a été présenté en lecture publique par le Cead en avril 1994.
Nouvelle Compagnie Théâtrale, automne 1994
Traduit en anglais par Robert Dickson sous le titre de **In The Ring** [1994]
Stratford Theatre Festival, été 1994
Eddy, un ex-boxeur maintenant entraîneur et propriétaire d'un *greasy spoon* dans l'Est de Montréal, reçoit chez lui son neveu Vic qui veut devenir un « pro ». Une pièce qui parle d'échecs

et de succès, des rêves et du prix à payer pour les réaliser.
Durée : 2 heures
Personnage(s) : 1 femme, 6 hommes

TRADUCTION

La Ménagerie de verre [1990], traduction de **The Glass Menagery** de Tennessee Williams
Théâtre Varia, Bruxelles (Belgique), 1990

DANIS, Daniel

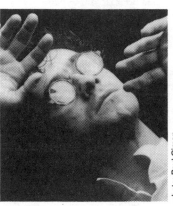

photo: Paul Cimon

« Daniel Danis, auteur dans la trentaine vivant au Saguenay, sa première pièce **Celle-là** obtient le prix de la critique en création de texte en 1993 ainsi que le Prix du gouverneur général du Canada. Publiée chez Leméac, elle fait également l'objet d'un « Tapuscrit » chez Théâtre Ouvert (Paris). **Cendres de cailloux**, sa deuxième pièce, a reçu le prix Radio-France International « Théâtre 92 (Texte et Dramaturgie du Monde) » ainsi que le premier prix au Concours International de Manuscrits du Festival de Maubeuge (France). **Les Nuages de terre**, premier volet de la trilogie **Le Souffle de l'Imparadis**, sera créé par le théâtre Les Deux Mondes (Montréal) et le Kl Him Bock (Abidjan) en 1994 en France. »

Celle-là [1991] (Leméac Éditeur, 1993)
Ce texte a été présenté en lecture publique par le Cead, sous le titre de Le Gâchis, le 6 février 1991.
Espace GO, 12 janvier 1993
Histoire rouge sang de trois êtres : une femme qui avait soif, son fils qui aimait rire, un vieux qui les regardait sans pouvoir rien dire. En vingt instantanés incisifs, issus de l'objectif d'une caméra qui réanime le souvenir d'un passé où mysticisme et trivialité se mêlent.
Durée : 1 heure 30
Personnage(s) : 1 femme, 2 hommes

Cendres de cailloux [1992] (Actes Sud-Papiers, 1992)
Ce texte a été présenté en lecture publique par le Cead, le 13 avril 1992.
Espace GO, 16 novembre 1993
Traduit en anglais par Linda Gaboriau sous le titre de **Stone and Ashes** [1993]
Cette traduction a été présentée en lecture publique par Ubu Repertory Theater, en coproduction avec le Cead, à New York, le 5 décembre 1993.
Une tragédie autour de quatre personnages. Le chagrin s'est collé à leur peau comme une tache de naissance, la rage s'est cristallisée dans leurs yeux. Une nuit, ils se rendront dans un champ, tourneront les montagnes dans la boue, tireront et jetteront le ciel dans la rivière, déchireront la terre avec leurs dents. Au bout de leur fatigue, couchés dans le rien, leurs coeurs se lèveront de leurs corps pour les réchauffer.

Durée : 2 heures
Personnage(s) : 2 femmes, 2 hommes

DA SILVA, Joël

Né à Montréal, Joël da Silva est un enfant de la balle. Il écrit son premier texte dramatique à l'âge de onze ans, et fait des marionnettes, avec de la ficelle et du papier, au sein de l'entreprise familiale. Il dit avoir été marqué définitivement dans sa tendre enfance par trois disques : **Pierre et le Loup** de Prokofiev, **Barbe-Bleue** par la Compagnie Renaud-Barrault et **La Vie de Jean-Sébastien Bach racontée aux enfants**. Après des études en interprétation à l'option-théâtre du cégep Lionel-Groulx, il tâte de la création collective avec le théâtre La Cannerie de Drummondville, puis travaille pour diverses compagnies de création à titre d'auteur, compositeur, metteur en scène et comédien.

E **La Nuit blanche de Barbe-Bleue** [1988] (VLB Éditeur, 1989)
Théâtre de Quartier, 3 mars 1989
Traduit en anglais par Maurice Roy sous le titre de **Bluebear's Long Sleepless Night** [1992]
Théâtre de Quartier, mai 1992
À l'heure du coucher, Benoît Beaulieu se raconte son histoire préférée, celle de **Barbe-Bleue**. Seul dans sa chambre, il se laisse emporter par son histoire. Peu à peu, réalité et imaginaire deviennent indissociables... Ombres, personnages et musique viennent peupler sa nuit blanche.
Durée : 1 heure
Personnage(s) : 1 homme ou 1 femme (avec de légères adaptations)
Plusieurs chansons
Public visé : les enfants de 5 à 12 ans

E **Théo** [1990]
L'Arrière Scène, 29 mai 1992
Les fantômes de Jo et Marie reviennent hanter les lieux de leur existence. Dans la maison en ruine, ils retrouvent des objets familiers leur rappelant leur passé, mais aussi, des objets appartenant à un jeune homme venu squatter le lieu, avec lequel ils s'inventent une nouvelle vie. Une famille farfelue de fantômes qui inventent des réponses drôles et poétiques à nos questions sur les frontières entre le réel et l'imaginaire, entre la vie et la mort.
Durée : 1 heure
Personnage(s) : 1 femme, 1 homme
Public visé : le second cycle du primaire ou 9 ans et plus

EJA **Le Pain de la bouche** [1991] (VLB Éditeur, 1993), librement inspiré du conte **Hansel et Gretel** des frères Grimm
Théâtre de Quartier, 9 décembre 1992
Conte musical, humoristique et poétique. Deux octogénaires entreprennent un voyage pour aller

enterrer les cendres de leur père défunt. Ils devront traverser une forêt folle et furieuse au bout de laquelle une sorcière vorace les attend.

Durée : 1 heure

Personnage(s) : 5 personnages joués par 1 femme, 2 hommes ou 2 femmes, 1 homme

Conception musicale de l'auteur sur des musiques de Schubert non intégrées à l'édition

D'ASTOUS, Michel

Après des études en journalisme et en lettres à l'Université Laval, Michel d'Astous a travaillé dans le domaine des relations publiques à titre d'agent d'information, rédacteur en chef d'une revue spécialisée et directeur des communications d'un ministère. Il fut ensuite administrateur chargé de la planification dans une agence étatique chargée du financement des entreprises culturelles (la SOGIC). **Les Dernières Fougères** constitue sa première expérience dans l'écriture théâtrale. Cette première oeuvre a été mise en scène par André Brassard au printemps 89. Elle a également été produite, en 1990, au Théâtre français de Toronto. Michel d'Astous a par ailleurs écrit avec Anne Boyer, le téléroman **Jeux de société**. Un tandem d'auteurs qui signe **Sous un ciel variable**, un autre téléroman diffusé par Radio-Canada.

Les Dernières Fougères [1987] (Éditions Léméac, 1989)
Ce texte a été présenté en lecture publique par le Cead, en coproduction avec le Théâtre d'Aujourd'hui, le 20 avril 1987.
Adapté pour la télévision sous le même titre (Radio-Québec, novembre 1992)
Coproduction du Théâtre du Rideau Vert et du Théâtre français du Centre national des Arts d'Ottawa, 19 avril 1989
« Il fait exceptionnellement beau en ce printemps 1987. Dans un village du Bas-du-Fleuve, la résidence de cinq religieuses enseignantes. La vie tranquille de cette petite communauté est dérangée par une visite imprévue. Cinq femmes à la marge du monde. Cinq femmes appartenant peut-être à une race en voie d'extinction. Cinq femmes qui ne se sont pas choisies mais qui partagent le même quotidien. Dans la foi encore, dans les tensions souvent, en crise pour certaines. Comment vivent aujourd'hui ces religieuses que nous avons laissées derrière nous, dans les couvents de notre enfance ? Elles ressemblent à bien des femmes, en plus fragiles sans doute, mais vivant les mêmes peurs, les mêmes espoirs. Des femmes ignorées sous les traits pourtant familiers de Thérèse, Bernadette, Hélène, Catherine et... Jeanne. »
Durée : 1 heure 30
Personnage(s) : 5 femmes

DESPERRIER, Hélène

Originaire de Montréal, Hélène Desperrier complète un baccalauréat ès arts au Collège Sainte-Marie avant de poursuivre ses études à l'Université du Québec à Montreal en s'inscrivant au baccalauréat spécialisé en animation culturelle, mention art dramatique. Après une formation en jeu, qu'elle commence au Conservatoire d'art dramatique de Montréal et termine au Conservatoire de Québec, elle fonde en 1973 avec d'autres finissants, le Théâtre Parminou. Doyenne de ce collectif de création, elle en assure aujourd'hui la direction artistique. En plus d'une carrière en jeu et en mise en scène qu'elle a surtout menée au sein de la troupe, elle a collaboré de façon importante à l'écriture de la majorité des créations depuis 20 ans. Ses dernières productions, surtout pour le jeune public, ont été largement diffusées en milieu scolaire. Pour compléter sa formation, elle a fait à quelques reprises de longs voyages en Amérique latine.

La Grand'langue [1974], avec la collaboration de Véronique Aubut, Normand Canac-Marquis, Rémy Girard, Louis-Dominique Lavigne, André Poulin, Carole Poliquin, Jack Robitaille et Jean-Léon Rondeau
Théâtre Parminou, été 1974
Spectacle traitant des problèmes de la langue au Québec.
Durée : 1 heure 30
Personnage(s) : 3 femmes, 3 hommes jouant plusieurs personnages

Partez pas en peur [1977], avec la collaboration de Martine Beaulne, Normand Canac-Marquis, Reynald Robinson et Jack Robitaille
Théâtre Parminou, automne 1977
Spectacle traitant de la peur du changement.
Durée : 54 minutes
Personnage(s) : 2 femmes, 3 hommes jouant plusieurs personnages

Toujours trop jeune [1986], avec la collaboration de Odette Caron et Jacques Drolet
Théâtre Parminou, hiver 1986
Les jeunes et la responsabilisation.
Durée : 1 heure
Personnage(s) : 6 personnages pouvant être joués par 1 femme et 2 hommes

L'Étoffe du pays [1987]
Version pour les écoles secondaires. Adaptation de Hélène Desperrier du texte original de Michel Cormier, Jacques Drolet, Marie-Dominique Cousineau, Nicole-Éva Morin et Gilles Labrosse [1987]
Théâtre Parminou, 1987
1837. Le mécontentement gronde au Bas-Canada. Tit-clin répond à l'appel du boycottage des produits anglais par les députés qui se présentent en chambre vêtus de l'« étoffe du pays ». Mêlé à la violence qui s'ensuit, il en sort à la fois victime et héros.
Durée : 45 minutes
Personnage(s) : 14 personnages (4 femmes, 10 hommes) pouvant être joués par 1 femme, 2 hommes
2 chansons

La Vie à l'an vert [1990-1991], en collaboration avec Maureen Martineau
Théâtre Parminou, 1990
Mosaïque de scènes clips. Ni victimes, ni héros, des jeunes tentent de se réapproprier leur pouvoir d'agir sur leur environnement.
Durée : 50 minutes
Personnage(s) : 18 personnages (6 femmes, 8 hommes et 4 neutres) pouvant être joués par 2 femmes, 2 hommes

Dans de beaux draps [1990-1991], avec la collaboration de Maureen Martineau et François Roux
Théâtre Parminou, 1991
Pourquoi les gens font peu ou pas d'enfants ?
Durée : 1 heure 20
Personnage(s) : 18 personnages (10 femmes, 8 hommes) pouvant être joués par 2 femmes et 2 hommes
2 chansons

Les Pétards à mèche célestes [1991], avec la collaboration de Réjean Bédard, Yves Dagenais, Maureen Martineau, François Roux, Yves Séguin et Sonia Vachon
Avec la collaboration spéciale de Marcel Sabourin
Théâtre Parminou, été 1991
Une troupe itinérante essaie de mener à bien son spectacle en présentant des numéros burlesques de l'illustre Houdini, d'un orchestre de chambre tout à fait désaccordé, d'un surprenant dompteur d'escalopes de veau, d'équilibristes en déséquilibre, tout cela dans une atmosphère de folie indescriptible propre à l'univers clownesque.
Durée : 1 heure 30
Personnage(s) : Une dizaine de personnages pouvant être joués par 3 femmes et 2 hommes
Jeux clownesques. Très peu de paroles.

L'Effet secondaire [1991], en collaboration avec Maureen Martineau
Théâtre Parminou, automne 1991
Théâtre-clip en couleur et en musique sur le phénomène du décrochage scolaire.
Durée : 1 heure
Personnage(s) : Une vingtaine de personnages pouvant être joués par 2 femmes et 2 hommes et 1 musicien
1 chanson (cassette disponible au Théâtre Parminou)

Chut ! c'est un secret [1992], avec la collaboration de Maureen Martineau, François Roux, Yves Séguin et Sonia Vachon
Théâtre Parminou, été 1992
La nuit, dans un théâtre désaffecté, des personnages surgissent tout à coup et entraînent le public dans un jeu très étrange qui mêle fiction et réalité.
Durée : 1 heure 30
Personnage(s) : 7 personnages pouvant être joués par 3 femmes et 1 homme

Aki [1992], avec la collaboration de Réjean Bédard et Patrice Dussault
Théâtre Parminou, automne 1992
Trois récits modernes : **1492 avenue des Amériques**, **L'Indian Time** et **L'Homme qui a vu l'ours**, pour parler d'enracinement, d'appartenance à la terre et de préjugés entre les nations blanche et autochtone.
Durée : 1 heure 30
Personnage(s) : 11 personnages pouvant être joués par 2 femmes et 3 hommes
Distribution mixte, Blancs et autochtones

À temps pour l'Indian Time [1993], avec la collaboration de Réjean Bédard et Maureen Martineau
Théâtre Parminou, 1993
Théâtre-forum. Pris au milieu des bois, Marc et Pierre s'affrontent sur les préjugés mutuels qu'ils nourrissent face aux Blancs et aux autochtones.
Durée : 1 heure 30
Personnage(s) : 2 hommes et 1 meneur ou meneuse de jeu
Distribution mixte, un Blanc et un autochtone

À côté de moi [1993], avec la collaboration de Réjean Bédard, François Roux, Yves Séguin
Théâtre Parminou, 1993
Jean-Christophe a choisi la voie du silence. Il a tranché le fil de ses rêves. Il a brisé le miroir de son adolescence mais la vie a été plus forte que lui. Spectacle sur l'estime de soi.
Durée : 1 heure
Personnage(s) : 7 personnages pouvant être joués par 2 femmes et 2 hommes

DORÉ, Isabelle

À l'âge de quinze ans, elle joue le rôle de Betty Paris dans **Les Sorcières de Salem** au Théâtre du Nouveau Monde. En 1971, elle part en tournée avec La Quenouille Bleue et participe ainsi, en tant qu'auteure et comédienne, au spectacle **Ni professeur ni gorille**. Préférant son métier d'auteure, elle participe, pour la télévision de Radio-Canada, à l'écriture des séries **La Fricassée**, **Pop Citrouille** et **Court-Circuit**. Au théâtre, elle coécrit **Les Nerfs à l'air**, **Sont-ce les effets du Southern Comfort ?** et **Switch et son ensemble**. En 1992, elle gagne le premier prix du concours international Val'en scène pour sa pièce **César et Drana**.

César et Drana [1991-1992] (*L'Avant-Scène/Théâtre*, Paris, mars 1994)
Ce texte a été présenté en lecture publique par le Cead, le 5 avril 1993.
Une version radiophonique a été produite par la radio FM de Radio-Canada (diffusée en décembre 1992) ; puis traduite en slovène et en allemand par les radios Slovaque et Westdeutscher Rundfunk Köln
Théâtre du Vieil Escault, Valenciennes, France, 18 mars 1994, et Théâtre d'Aujourd'hui, saison 1994-1995
Contrairement au chien qui meurt sur son maître, Drana est la maîtresse qui meurt sur son cheval. C'est en vraie *Tsigane* qu'elle cède à l'incontournable dicton Rom : « Lorsque tu restes immobile, la sueur qui coule de ton front creuse ta tombe. Alors, voyage ! »
Durée : 1 heure 30
Personnage(s) : 1 femme interprétant 3 personnages (2 femmes, 1 homme)

DORÉ, Marc

Marc Doré fait ses premières études au rythme d'une école par année. C'est ensuite la formation théâtrale : à Québec, au cours Gabriel Vigneault, et à Paris, au cours Charles Dullin ; puis il étudie pendant trois ans à l'École de mime, mouvement et théâtre de Jacques Lecoq. Comédien-animateur au Théâtre Euh... !, il oeuvre au sein de l'Association québécoise du jeune théâtre et enseigne dans différentes écoles de la région de Québec et, à compter de 1967, au Conservatoire d'art dramatique de Québec, dont il a été directeur de 1981 à 1988 ; depuis il est retourné à l'enseignement. Il a publié deux romans : **Le Raton laveur** et **Le Billard sur la neige**.

Kamikwakushit [1977], d'après le conte montagnais du même titre conté par Pien Peters, recueilli par Rémi Savard et traduit du montagnais par Pipin Bacon et Josée Mailhot (Éditions Leméac, 1978)
Conservatoire d'art dramatique de Québec, 22 octobre 1977
Traduit en tchèque par Eva Janovcova sous le même titre [1984] (traduction non disponible au Cead)
Le gérant d'un poste de la Compagnie de la Baie d'Hudson veut marier sa fille ; celui qui saura répondre correctement aux trois questions qu'elle posera aura sa main. Blancs et Amérindiens se présentent à elle et c'est le plus sot des Amérindiens qui l'emportera. Un Blanc rival tâchera de le perdre, mais Kamikwakushit triomphera grâce aux pouvoirs magiques de sa culture.
Durée : 2 heures 15
Personnage(s) : 27 personnages (8 femmes, 19 hommes) pouvant être joués par 3 femmes et 4 hommes
3 chansons

Autour de Blanche Pelletier [1983] (Éditions Leméac, 1984)
Conservatoire d'art dramatique de Québec, 26 février 1983
Au début du siècle, en quelques années, l'histoire amoureuse de personnages qui gravitent autour de Blanche Pelletier, femme trompée. Inspirée du célèbre tableau de Jean-Paul Lemieux, *Remembered 1910*.
Durée : 2 heures 30
Personnage(s) : 5 femmes, 8 hommes
2 chansons

L'Auberge espagnole [1983]
Théâtre Repère, octobre 1983
Un oncle et son neveu se disputent les faveurs de la patronne d'une petite auberge de campagne. Deux institutrices de Montréal y arrivent. L'une, sourdement amoureuse de l'autre, passera aux aveux au moment où cette dernière entend profiter du rendez-vous qu'elle a donné à son amant. Chacun trouvera ce qu'il apporte.
Durée : 1 heure 30
Personnage(s) : 3 femmes, 3 hommes

Les Quatre Mots de Raul Alvarez [1985]
Conservatoire d'art dramatique de Québec, 1985
L'alphabétisation des paysans en Amérique du Sud et les différentes formes que peut prendre la répression qu'elle suscite. Ces deux actions sont illustrées au sein d'une famille qui sera anéantie, à l'exception d'une des filles qui deviendra le témoin accablé et accablant du régime. Réfugiée à Paris, elle raconte ce qui s'est passé.
Durée : 2 heures
Personnage(s) : 26 personnages (14 femmes, 12 hommes) pouvant être joués par 7 femmes, 3 hommes et des marionnettes
Drame avec parties narratives

Requiem [1988]
Conservatoire d'art dramatique de Québec, février 1989
Comédie surréaliste. Marie, aubergiste de la Grande Ourse, est appelée à témoigner à la cour. Elle reconstitue le week-end des sept vacanciers, morts dans un accident impliquant l'autobus qui devait les ramener chez eux. Accompagnés du chauffeur et de la mort, incarnée par une dénommée Élise Thanatos-Doyon, les protagonistes avaient évoqué des souvenirs et manifesté certains tics hérités de leurs angoisses de vivre. Mais cachés derrière leurs masques à la Bacon, à travers leurs propos apparemment décousus et leurs remarques empreintes d'un humour caustique, c'est avant tout le vide de leur existence qu'ils livrent.
Durée : 2 heures 10
Personnage(s) : 6 femmes, 4 hommes et des marionnettes
Le spectacle est joué masqué et les marionnettes sont manipulées à vue.

Frères et soeurs [1990]
Conservatoire d'art dramatique de Québec, décembre 1990
Parce que l'un des fils a écrit une pièce à son sujet, une famille tient un conseil pour le juger.
Durée : 1 heure 30
Personnage(s) : 5 femmes, 3 hommes

Christoeuf [1992]
Conservatoire d'art dramatique de Québec, octobre 1992
Sotie dans laquelle il est question de Colomb et de sa découverte. Comment il a trouvé le moyen de partir. Comment il est parti, comment il a traversé l'océan.
Durée : 2 heures
Personnage(s) : 7 femmes ou 7 hommes ou 3 femmes ou 4 hommes
5 chansons

JA **Okai le hockey** [1993]
Conservatoire d'art dramatique de Québec, septembre 1993
Un père force son fils à jouer au hockey ; il récolte ce qu'il a semé.
Durée : 1 heure 30
Personnage(s) : 2 femmes, 2 hommes

TRADUCTIONS ET TRANSPOSITIONS

Celui-ci n'est pas mon fils [1986], transposition de la pièce du même titre de Philippe Gaulier
Les Bouffons de Bullion, 1er septembre 1986

DOUCET, Paul

Franco-Ontarien d'origine, Paul Doucet obtient, en 1981, un diplôme en Écriture dramatique de l'École nationale de théâtre du Canada. En 1979-1980, il anime des ateliers d'écriture en Ontario et travaille comme auteur-animateur auprès de groupes communautaires et étudiants. Conjointement avec quatre auteurs ontariens, il reçoit, en 1981, une aide financière du Conseil des Arts du Canada pour un laboratoire d'écriture. Il a été étudiant en cinéma à l'Université Concordia et a réalisé quelques films. Il a aussi écrit un texte dramatique en anglais, **Strong Expectations in Maria's Bathroom.** Paul Doucet est décédé en 1987, à l'âge de 26 ans.

Le Silence d'une tragédie ou la Mesure humaine [1979]
Coproduction du Théâtre de la Corvée et du Théâtre de la Vieille 17 (Ontario), 10 février 1981
Reconstitution des événements survenus durant les années soixante dans un village du Nord de l'Ontario. Un conflit, opposant les travailleurs d'une importante compagnie de coupe de bois, à ceux d'une coopérative concurrente, connut un dénouement tragique.
Durée : 1 heure 30
Personnage(s) : 36 personnages (18 femmes, 18 hommes) pouvant être joués par 4 femmes et 4 hommes
1 chanson

E **L'autre jour... j'ai rêvé d'une journée plus claire** [1980]
Ce texte a été présenté en lecture publique par le Cead, en collaboration avec L'Arrière-Scène, le 11 mars 1982.
Théâtre de la Corvée (Ontario), septembre 1980
Dans l'atmosphère un peu trouble de la veille de l'Halloween, Martin, huit ans, va chez sa cousine du même âge, confiée ce soir-là à une gardienne adolescente. À travers la succession de jeux auxquels se livrent les enfants, ce sont les peurs et les interdits quotidiens qui sont illustrés et dont ils parviennent à s'affranchir avec bonhomie.
Durée : 50 minutes
Personnage(s) : 2 femmes, 1 homme

Urgence du moment [1980]
Productions Vertiges, décembre 1981
Au rythme de la musique forcément omniprésente d'une discothèque à la mode, huit jeunes dans la vingtaine essaient, chacun à sa manière, de concilier à la fois l'image qu'ils souhaitent projeter d'eux-mêmes, leur soif d'absolu et leur besoin de tendresse.
Durée : 1 heure 30
Personnage(s) : 4 femmes, 4 hommes

Point d'arrêt pour Nomi [1986]
Comédie fantastique. Dans sa vie, Klaus Nomi, chanteur allemand, décédé des suites du sida en 1983, alors que sa carrière était en plein essor, rêvait de jumeler l'opéra et le rock dans une

esthétique moderne. Dans cette pièce, le chanteur est catapulté dans une situation fantastique où il peut poursuivre son rêve, en compagnie d'Elvis Presley, de Maria Callas...
Durée : 1 heure
Personnage(s) : 3 femmes, 4 hommes
2 chansons
Utilisation du cinéma et de la musique

DROLET, Pierre

Après des études collégiales en histoire en 1971, Pierre Drolet obtient un diplôme en théâtre professionnel, section interprétation, à l'Option-théâtre du cégep Lionel-Groulx en 1976. Il a été membre fondateur et directeur artistique du théâtre de la Riposte de 1976 à 1981, puis membre du théâtre de Quartier de 1981 à 1986. Il a conçu et animé plusieurs ateliers d'écriture dramatique. Il a fait également de la mise en scène et a joué dans plusieurs productions théâtrales professionnelles.

L'Amour en deuil [1978], en collaboration avec Céline Beaudoin, Denise Beaulieu et Jean Trudelle
Production Les Beaux Cossins, avril 1978
C'est d'une certaine façon une histoire d'amour racontée par deux cupidons chamailleurs qui rêvent à l'histoire la plus belle, la plus merveilleuse, celle que tous aimeraient vivre un jour. Sur un ton à la fois sarcastique et tendre, nos cupidons assistent et participent à la lente évolution de l'amour d'un couple, essaient d'en écarter les embûches et d'en garder la fraîcheur originelle.
Durée : 1 heure 15
Personnage(s) : 2 femmes, 2 hommes

On est d'dans [1981], en collaboration avec Jasmine Dubé et Judith Renaud
Théâtre de Quartier, octobre 1981
En suivant, en parallèle, l'histoire de deux prisonniers, un homme et une femme, la pièce fait la critique du système judiciaire et carcéral. Les raisons sociales et économiques de la criminalité y sont clairement identifiées. L'absurdité des méthodes de réhabilitation donne à réfléchir. Le ton sobre de la pièce lui confère toute son efficacité.
Durée : 30 minutes
Personnage(s) : 1 femme, 1 homme
1 chanson

J **On n'est pas parti pour aller nulle part** [1984]
Théâtre de Quartier, mars 1984
Depuis quelque temps déjà, Yves est devenu « décrocheur » : un pied à la polyvalente, l'autre au snack-bar, il parie son avenir scolaire avec Astéroïda, la machine à boules. Chantal, elle, songe à

quitter l'école, la famille et son ami Yves pour un hypothétique emploi dans une ville étrangère. Rester ou partir ?... Impatients de vivre et de découvrir, ils cherchent à mieux se connaître eux-mêmes afin d'être reconnus.

Durée : 35 minutes, plus une animation de 20 minutes

Personnage(s) : 1 femme, 1 homme

E   **Poussière-de-lit** [1987]

Productions Le Pipeau, mai 1987

Anne-Marie et Véronique s'amusent entre elles un samedi matin où leur père fait la grasse matinée. Elles font la rencontre de Poussière-de-lit et de Luc-la-Luciole qui les entraînent de « l'autre côté du miroir »...

Durée : 45 minutes

Personnage(s) : 2 femmes, 2 hommes ou 3 femmes, 1 homme

Public visé :, les enfants du préscolaire et du premier cycle

12 chansons

Chers parents [1987]

Pièce créée comme outil de sensibilisation par le Théâtre Dérives Urbaines en collaboration avec le C.L.S.C. de Hull

Théâtre Dérives Urbaines, septembre 1987

Un samedi matin, Martine, lasse d'une nuit sans sommeil, doit naviguer entre les besoins de ses fils et filles et les exigences que vivent les parents face à l'éducation des enfants. Elle doit prendre des décisions controversées il va sans dire, comme tous les parents doivent le faire un jour et parfois même quotidiennement. Avec humour, la pièce nous présente un moment de vie d'une famille qui somme toute ressemble à bien d'autres.

Durée : 45 minutes

Personnage(s) : 4 personnages (2 femmes, 2 hommes) pouvant être joués par 1 femme, 1 homme

Homme et père [1988]

Pièce créée comme outil de sensibilisation par le Théâtre Dérives Urbaines en collaboration avec le C.L.S.C. de Hull

Théâtre Dérives Urbaines, octobre 1988

Sous le signe de l'humour, un homme s'interroge à voix haute sur ses relations avec sa femme et ses deux enfants à l'aube de leur adolescence. Se rendant compte de l'évolution des moeurs et des comportements sociaux, il essaie de se resituer en tant qu'homme et père.

Durée : 30 minutes

Personnage(s) : 1 homme

E   **L'Ogre aux légumes** [1990] [1992], d'après une idée d'André Rousseau

Théâtre Dérives Urbaines, décembre 1990 ; version révisée, avril 1992

Un ogre nous raconte comment il a été transformé de mangeur d'enfants en mangeur de légumes après sa rencontre avec le Petit Poucet.

Durée : 40 minutes

Personnage(s) : 1 homme

Musique, bande sonore. L'acteur joue toutes les voix et son pouce est le Petit Poucet.

E   **Clair de ville** [1990], livret d'opéra, avec la collaboration de Vincent Beaulne pour la musique (musique non disponible au Cead)

Productions Le Pipeau, 4 juin 1990

Christos et Julie ont dix ans. L'année scolaire est terminée. Quoi de mieux que de voyager l'été ? Ils entreprennent donc un voyage abracadabrant dans la métropole et vivent, l'espace de quelques heures, la grande aventure de la ville et de la vie. Ils font des rencontres parfois un peu bizarres qui éveillent en eux toutes sortes d'émotions et leur font découvrir la force de leur amitié.

Durée : 45 minutes

Personnage(s) : 8 personnages (2 femmes, 6 hommes) joués par 2 femmes, 2 hommes
Public visé : les 6 à 12 ans
Entièrement chanté

DUBÉ, Jasmine

Diplômée en interprétation de l'École nationale de théâtre du Canada (1978), Jasmine Dubé a joué avec plusieurs compagnies de théâtre dont le Théâtre Petit à Petit, la Marmaille, le Théâtre Expérimental des Femmes, la Compagnie Jean Duceppe... Scénariste pour la télévision (TVOntario, Radio-Canada...) elle a collaboré aux séries **Passe-Partout** et **Télé-Pirate**, entre autres. Elle écrit aussi des albums pour les enfants et des romans-jeunesse. Elle a signé des textes dans des revues (*Lurelu, Frontières...*) et a collaboré à la rédaction de manuels scolaires. Cofondatrice et directrice du Théâtre Bouches Décousues, elle est l'auteure des productions de la compagnie depuis 1986. Sa pièce **Petit Monstre** lui a valu le prix de la Meilleure production jeune public décerné par l'Association québécoise des critiques de théâtre, en 1992. Jasmine Dubé partage son temps entre l'écriture et le jeu.

photo: Kéro

Une goutte d'eau sur la glace [1979], en collaboration avec Suzanne Aubry et Geneviève Notebaert
Théâtre Petit à Petit, 12 décembre 1979
Deux amies d'enfance dans la vingtaine, aux destinées et aux caractères opposés, sont amenées à partager provisoirement un appartement. Cette difficile cohabitation est illustrée par divers procédés théâtraux, dont un choeur et des chansons, qui font entendre ce que chacun des deux personnages n'ose dire à l'autre.
Durée : 1 heure 30
Personnage(s) : 4 personnages féminins et un choeur pouvant être joués par 2 femmes
3 chansons

La Gaspésie quand on y vit [1981], en collaboration avec Valérie Gasse et Joane Tétreault
Théâtre de Pince-Farine, 1981
L'éloignement, les rigueurs du climat mais aussi les préjugés des Québécois sur la Gaspésie, en font une région difficile à habiter, fragile dans son contexte social et économique. En suivant le rythme des saisons, la pièce illustre, à travers différents personnages, les problèmes que peuvent vivre les Gaspésiens.
Durée : 1 heure 30
Personnage(s) : 13 personnages féminins pouvant être joués par 2 ou 3 femmes
9 chansons

On est d'dans [1981], en collaboration avec Pierre Drolet et Judith Renaud
Théâtre de Quartier, 1981
En suivant, en parallèle, l'histoire de deux prisonniers, un homme et une femme, la pièce fait la critique du système judiciaire et carcéral. Les raisons sociales et économiques de la criminalité y sont clairement identifiées. L'absurdité des méthodes de réhabilitation donne à réfléchir. Le ton

sobre de la pièce lui confère toute son efficacité.
Durée : 30 minutes
Personnage(s) : 4 femmes, 4 hommes
1 chanson

E   **Bouches décousues** [1982-1984] (Éditions Leméac, 1985)
Théâtre de Pince-Farine, 1984
Sans complaisance ni sensationnalisme, mais avec circonspection, la pièce traite des agressions
sexuelles dont les enfants peuvent être victimes et a pour but d'inciter ceux-ci à en parler.
Durée : 50 minutes
Personnage(s) : 6 personnages (2 femmes, 4 hommes) pouvant être joués par 2 femmes et 3
hommes
3 chansons

J   **Sortie de secours** [1984], en collaboration avec Louise Bombardier, Marie-France Bruyère,
François Camirand, Normand Canac-Marquis, René Richard Cyr, Louis-Dominique Lavigne, David
Lonergan et Claude Poissant (VLB Éditeur, 1987)
Théâtre Petit à Petit, 3 octobre 1984
Cinq adolescents ont fui, s'apprêtent à le faire, ou vivent les problèmes reliés à leur fugue. Réunis
à la « Maison des jeunes », ils souhaitent réaliser une murale sur l'un des murs de l'établissement.
Ils trouvent dans ce projet une tribune inespérée pour se faire entendre et s'écouter les uns les
autres.
Durée : 1 heure 30
Personnage(s) : 23 personnages (13 femmes, 10 hommes) pouvant être joués par 3 femmes et 2
hommes
8 chansons

E   **Manon, Sophie, Ibid et les autres... ou Si j'étais moi** [1985], en collaboration avec François
Camirand
Atelier-Théâtre les Mains, septembre 1985
Poussés par les relations qu'ils établissent entre eux et avec leurs supérieurs, Manon, Sophie et
Ibid tentent d'imaginer ce qu'ils feraient s'ils étaient à la place de leurs parents, de leur professeur
et de leur directeur d'école. Ils se questionnent également sur leur avenir et leurs études
secondaires. Spectacle suivi d'une période d'animation et d'improvisation.
Durée : 50 minutes
Personnage(s) : 10 personnages (6 femmes, 4 hommes) pouvant être joués par 2 femmes et 1
homme

Ça tourne autour du lit [1986-1987]
Théâtre de Pince-Farine, été 1987
Madeleine et Pierre, sans travail et sans argent, vivent dans un petit logement à Montréal. Un jour,
Madeleine hérite de la maison de son oncle de Gaspésie. Le couple décide d'aller vivre là-bas et
organise un bazar afin de vendre ce qu'il possède. Mais des surprises l'attendent : une maison vide,
un testament contesté et un Stradivarius... Comédie où se mélangent rêve et réalité et où défilent
une multitude de personnages colorés typiques de la ville et de la campagne.
Durée : 1 heure 30
Personnage(s) : 14 personnages (4 femmes, 10 hommes) et une voix, pouvant être joués par 1
femme et 2 hommes

EJ   **Des livres et Zoé : Chou bidou woua** [1987] (Éditions Leméac, 1988)
Théâtre Entre Chien et Loup, 10 octobre 1987
Zoé aime beaucoup trop regarder la télévision d'après ses parents, qui préféreraient la voir étudier
davantage. Un jour, Zoé en a assez et s'enfuit. Elle se réfugie à la bibliothèque : c'est bien le
dernier endroit où ses parents penseront la trouver. Croyant jouer un bon tour à ses parents et

à madame Bouquinerie, la bibliothécaire, Zoé se retrouve prisonnière dans la bibliothèque. Les livres sont là, espiègles, vivants et ils ont bien des choses à raconter...
Durée : 1 heure
Personnage(s) : 4 femmes, 4 hommes et 1 marionnette
Public visé : les enfants de 6 à 12 ans
3 chansons et des chœurs

E   **Le Mot de passe** [1987], d'après un conte de l'auteure (album publié aux Éditions Pierre Tisseyre, 1988)
Spectacle-animation. Avec la collaboration de Jean Gagnon Doré pour la musique de la chanson.
Adapté pour la télévision par l'auteure (Productions SDA Ltée, juin 1990 ; diffusé au Canal Famille)
Théâtre Bouches Décousues, 8 décembre 1987
À travers la quête d'autonomie de Chapeau, un petit loup gentil, l'enfant apprend à reconnaître différents codes qui régissent la vie en société. Il apprend aussi à détecter les tentatives d'abus sexuels de certains adultes, tant étrangers que de son entourage immédiat.
Durée : 40 minutes
Personnage(s) : 2 femmes ou 1 femme et 1 homme et 3 marionnettes manipulées par les interprètes
Public visé : les enfants de 3 à 8 ans
1 chanson

EJ   **Au bout de mon crayon** [1988] (Leméac Éditeur, 1990)
Théâtre Entre Chien et Loup, 9 mars 1989
Elzie, enfant active et autonome à l'imaginaire débordant, a un petit coin à elle où elle garde son crayon « magique » et un cahier pour écrire ses histoires. Une nouvelle voisine, Noémie, enfant imaginative et curieuse s'exprimant surtout par le dessin, s'aventure dans le jardin secret d'Elzie. La rencontre des deux futures amies ne se fait pas sans heurts, mais elles en viennent, en bout de course, à partager leurs talents respectifs pour la création de nouvelles histoires.
Durée : 55 minutes
Personnage(s) : 2 femmes
Public visé : les enfants de 6 à 12 ans

Marie-Western [1987-1988]
Théâtre de Pince-Farine, juillet 1988
On ne peut pas s'appeler Marie Caron, avoir gagné tous les concours de chansons westerns et imaginer mettre fin à cette passion lorsque l'on se retrouve mariée et mère. Aussi, avec l'aide de son amie Louise Gagnon, alias Loulou Colorado, Marie Caron deviendra Marie Western et dupera son mari Robert. Mais pour combien de temps ?
Durée : 1 heure 30
Personnage(s) : 3 femmes, 3 hommes
5 chansons

E   **Jouons avec les livres** [1989]
Coproduction du Théâtre Bouches Décousues et de Communication-Jeunesse, novembre 1990
Ratonne est une rate de bibliothèque qui ne quitte jamais son toutou Ratatouille. Elle cherche des amis pour ses livres qu'elle adore. Elle laisse vagabonder son imagination et fait surgir ici et là des personnages et des illustrations de la littérature jeunesse québécoise, ainsi que des chansons. Ratonne invite les petits et les plus grands à la fête des livres.
Durée : 35 minutes
Personnage(s) : 1 femme et 1 marionnette
Public visé : les enfants de 3 à 6 ans
1 chanson originale et des extraits de chansons connues

E **Petit Monstre** [1992] (Leméac Éditeur, 1993)
Théâtre Bouches Décousues, 24 mai 1992
Traduit en anglais par Maureen LaBonté sous le titre de **Little Monster** [1994]
Centre Saidye Bronfman (Festival Famille/Family Festival), 14 décembre 1994
Un samedi matin très tôt. Trop tôt. Maman n'est pas là. Un petit garçon arrive dans la chambre de son père. Il aimerait bien jouer... mais papa aimerait bien dormir encore. Une histoire de tendresse au masculin entre un papa et son jeune enfant.
Durée : 50 minutes
Personnage(s) : 2 hommes

E **Pierrette Pan, ministre de l'enfance et des produits dérivés** [1992-1994]
Théâtre Bouches Désousues, mai 1994
Sorcière moderne qui a troqué ses pouvoirs contre LE pouvoir, Pierrette Pan déteste les enfants mais adore leurs dérivés. Perturbée par la présence, au ministère, de l'enfant de Marie Darling, son attachée politique, Pierrette Pan se verra confrontée à l'enfant blessée qui sommeille en elle.
Durée : 1 heure
Personnage(s) : 2 femmes et 2 voix (1 adulte, 1 enfant) et 1 neutre, un rat, pouvant être représenté par une marionnette, un jeu de lumière, une voix d'homme ou de femme
Public visé : 6 ans et plus

DUBÉ, Marcel

Né à Montréal, Marcel Dubé étudie au Collège Sainte-Marie où il prend goût au théâtre, fréquentant assidûment la Salle du Gesù. Il s'inscrit ensuite en lettres à l'Université de Montréal, et les oeuvres qu'il écrit alors obtiennent un tel succès qu'il opte pour le métier d'auteur dramatique. Il fonde la troupe de la Jeune Scène, qui remporte de nombreux prix au Festival national d'art dramatique de 1953 avec **Zone**. En cinq ans, Radio-Canada diffuse, à la radio, 14 de ses dramatiques et, de 1952 à 1972, présente à la télévision 23 téléthéâtres, deux feuilletons et un quatuor. L'oeuvre de Dubé est immense : plus de 300 titres. Mais ce travail titanesque ne l'a pas empêché de s'engager dans d'autres domaines. Il a été secrétaire, puis président du Conseil de la langue française, président-directeur général des Rencontres francophones du Québec et cofondateur et directeur général du Secrétariat permanent des peuples francophones (dont il est toujours administrateur et conseiller). Membre de l'Académie canadienne-française, il en a reçu la médaille en 1987. Lui ont été également décernés le prix Athanase-David, le prix Victor-Morin, le prix Molson, un doctorat honorifique de l'Université de Moncton, et il a été reçu de l'Ordre des Francophones d'Amérique. En 1990, Marcel Dubé signait un téléfilm **Les Naufragés du Labrador**, réalisé par François Floquet.

photo: Michel Gravel

De l'autre côté du mur [1952] (suivi de **Rendez-vous du lendemain, Le Visiteur, L'Aiguillage, Le Père idéal, Les Frères ennemis**, Éditions Leméac, 1973)
La Jeune Scène, Salle du Gesù, 1952

Fred est le chef des trois « Ascarbis ». Dépeignant à Robert, son second, le monde de l'autre côté du mur, il lui confie qu'il peut le traverser et l'exhorte à le suivre. Mais Robert refuse. Robert devient alors le chef désigné par Fred. Ce dernier saute le mur. Tous croient que Fred ne reviendra pas et que, de loin, il restera le chef. Mais il revient, ce qu'il n'avait pas le « droit » de faire et Robert l'étrangle afin de ne pas détruire son image de chef auprès des autres.
Durée : 30 minutes
Personnage(s) : 1 femme, 4 hommes

Zone [1953] (Éditions Leméac, 1968)
Théâtre des Compagnons, 23 janvier 1953
Passe-Partout voudrait remplacer Tarzan à la tête d'un groupe de contrebandiers. Sa trahison entraîne la condamnation de Tarzan pour le meurtre d'un douanier. Après son évasion, que fera Tarzan ? Reprendre la direction de la bande ou fuir à l'étranger ?
Durée : 1 heure 30
Personnage(s) : 1 femme, 8 hommes

Octobre [1954] (Les Écrits du Canada français, vol 17, 1964 ; Éditions Leméac, 1977), créé à la radio de Radio-Canada, 5 décembre 1954
Théâtre des Auteurs, 1960
Hélène est invitée à une réception chez Mme Johansen. Après un an d'absence, elle y retrouve son amant Simon, en compagnie de Christine, la fille de son hôtesse. De souvenir en souvenir, Simon et Hélène rebâtissent leur amour d'il y a un an. Mais il est soudainement brisé par la mort de Christine. Simon disparaît et Hélène se retrouve seule, une fois de plus.
Durée : 30 minutes
Personnage(s) : 3 femmes, 1 homme

Le Naufragé [1955] (Éditions Leméac, 1971), nouvelle version de **Le Chant des cigales**
Théâtre-Club, Montréal, 1955
Curly est tourmenté par le malaise qu'il ressent devant la saleté de la vie. Il doit lutter contre l'amour de Cigale et les supplications de la *gang* afin de s'embarquer avec Homard dans une affaire louche qui lui rapportera. Mais, apprenant qu'il n'est qu'un instrument dans les pinces de Homard, il décide de ne plus partir. Renié, Homard reçoit l'ordre de son chef de le liquider.
Durée : 2 heures
Personnage(s) : 2 femmes, 10 hommes et des figurants

Florence [1957] (Éditions Leméac, 1970), créé à la télévision de Radio-Canada, 14 mars 1957
Comédie Canadienne, 20 octobre 1980
Prenant conscience de la médiocrité et du vide de son existence, et constatant les limites de l'avenir qui l'attend, Florence décide de rompre avec son fiancé, qu'elle n'aime pas. Elle choisit plutôt de se donner à son patron, qui ne l'aime pas vraiment, et elle quitte sa famille. S'ensuit une mise à nue, dure et réaliste.
Durée : 1 heure 40
Personnage(s) : 4 femmes, 4 hommes et quelques figurants

Un simple soldat [1957] (Éditions de l'Homme, 1967, épuisé ; Éditions Quinze, 1980), créé à la télévision de Radio-Canada, 10 décembre 1957
Comédie Canadienne, 31 mai 1958
Joseph est un garçon franc, souvent trop, à qui l'on ne peut se fier parce que, mal adapté à la société, il refuse le travail dur et routinier et vit pour l'aventure. À la suite de plusieurs frasques, il se fait renvoyer de la maison par son père qui meurt peu de temps après. Puis, on comprend que le comportement de Joseph découle du fait qu'il n'a jamais accepté le remariage de son père. À la fin de la pièce, Fleurette, qu'il aimait beaucoup, apprend qu'il s'est fait tuer à la guerre de Corée.
Durée : 2 heures

Personnage(s) : 6 femmes, 13 hommes et des figurants

Le Temps des lilas [1958] (Éditions Leméac, 1969)
Théâtre du Nouveau Monde, 25 février 1958
Traduit en anglais par Ken Johnstone sous le titre de **Time of the Lilacs** (traduction non disponible au Cead)
Théâtre du Nouveau Monde, 1958
Dans une vieille pension de famille, habitent des personnes simples et heureuses : Blanche et Virgile, propriétaires, Marguerite et Horace, célibataires dans la trentaine avancée qui doivent s'épouser, et Johanne, jeune fille naïve qui aime un voyou. L'arrivée d'un étranger bouleverse le cours de leur vie ; un même destin semble les frapper.
Durée : 2 heures
Personnage(s) : 6 femmes, 6 hommes et un choeur de fillettes

Le Paradis perdu [1958] (Éditions Leméac, 1972), triptyque sur l'histoire d'une maison à travers les âges : 1900 (pièce d'André Laurendeau), 1930 (pièce de Françoise Loranger) et 1940 (pièce de Marcel Dubé), non produit à la scène
Créé à la télévision de Radio-Canada, 18 mars 1958 sous le titre de ; **Une maison dans la ville**
La maison a été transformée en hôtel de troisième ordre et l'hôtelier a épousé une ancienne danseuse exotique. Tous deux ont un pensionnaire, Jimmy, qui joue de la guitare et chante. Survient un *gunman* chargé de tuer Jimmy. On lui raconte qu'il est parti mais, comme le *gunman* s'en va, Jimmy revient. Il est attiré dehors et tué.
Durée : 1 heure 30
Personnage(s) : 2 femmes, 3 hommes

Équation à deux inconnus [1959 et 1967], créé à la télévision de Radio-Canada, 27 septembre 1959
Théâtre de l'Égrégore, automne 1967
Histoire simple, sans intrigue, d'un couple pendant ses premières années de mariage : d'abord la conquête de l'homme sur la femme ; ensuite la prise de possession de la femme par l'homme ; puis la révolte de la femme et la séparation ; et enfin les retrouvailles.
Durée : 45 minutes
Personnage(s) : 1 femme, 1 homme

L'Aiguillage [1959] (avec **De l'autre côté du mur**, **Rendez-vous du lendemain**, **Le Visiteur**, **Le Père idéal** et **Les Frères ennemis**, Éditions Leméac, 1973), non produit à la scène
Créé à la télévision de Radio-Canada, 1959
Avec sa femme et ses enfants, Normand est en route pour Regina, où sa compagnie l'a muté. Mais, malgré ses mutations successives, il ne reste qu'un petit commis de bureau. Il se rend bien compte de sa faillite même s'il crâne et prétend que tout ira mieux. Sa femme, elle, feint de le croire, mais elle sait que ses enthousiasmes, il ne les trouve que dans l'alcool, source de tous ses déboires.
Durée : 20 minutes
Personnage(s) : 2 femmes, 3 hommes et des figurants

Les Frères ennemis [1960] (avec **De l'autre côté du mur**, **Rendez-vous du lendemain**, **Le Visiteur**, **L'Aiguillage** et **Le Père idéal**, Éditions Leméac, 1973), non produit à la scène
Créé à la télévision de Radio-Canada, 19 juin 1960
Depuis son enfance, Fred est jaloux de son frère aîné Roland. Ce sentiment se développe jusqu'à se transformer en haine, puis en rage, et il déclenche chez lui des comportements paranoïaques. Il finit par aller vers son destin de bon à rien, laissant à Roland ce qu'il croyait posséder pour se mesurer à lui, soit sa fiancée.
Durée : 40 minutes
Personnage(s) : 3 femmes, 3 hommes et des figurants

Le Visiteur [1960] (avec **De l'autre côté du mur, Rendez-vous du lendemain, L'Aiguillage, Le Père idéal** et **Les Frères ennemis**, Éditions Leméac, 1973), non produit à la scène
Créé à la télévision de Radio-Canada, 1er janvier 1960
Le 31 décembre, Julien, orphelin, se rend dans la famille de son oncle pour y fêter le Nouvel An. Il n'y trouve que Brigitte, la gardienne, qui le reçoit gentiment et l'installe pour la nuit. Au matin, l'accueil est si froid qu'il décide de plier bagages et d'aller retrouver Brigitte à l'auberge où elle travaille, même le jour de l'An.
Durée : 30 minutes
Personnage(s) : 3 femmes, 4 hommes et un bébé

Bilan [1960] (Éditions Leméac, 1968), créé à la télévision de Radio-Canada, 1er décembre 1960
Théâtre du Nouveau Monde, 4 octobre 1968
Un père de famille, nouveau bourgeois qui a réussi dans les affaires, veut s'engager dans la politique, consécration suprême de sa réussite. Mais à cause d'événements familiaux, il constate qu'il a, en fait, raté sa vie.
Durée : 1 heure 40
Personnage(s) : 6 femmes, 9 hommes

Les Beaux Dimanches [1965] (Éditions Leméac, 1968)
Comédie Canadienne, 1965
Traduit en anglais par Marcelle Leclerc et Edward Jolliffe sous le titre de **O Day of Rest and Gladness !**
Lendemain de veille dans une maison chic de la banlieue de Montréal, par un beau dimanche de l'été de 1965. Malgré le refus d'Hélène, Victor a invité les fêtards de la veille pour le deuxième round de leur beuverie. À mesure que ces couples blasés, d'âge moyen, cherchent des façons de passer l'après-midi, émerge le portrait d'une société perdue, privée d'espoir et de désir de changer le monde. Au contraire, un couple de jeunes se permet de rêver et entrevoit son futur malgré la dépression complaisante des parents.
Durée : 2 heures
Personnage(s) : 5 femmes, 6 hommes

Au retour des oies blanches [1966] (Éditions Leméac, 1969)
Comédie Canadienne, 21 octobre 1966
Traduit en anglais par Jean Remple sous le titre de **The White Geese** (New Press, Toronto, 1972)
Les membres d'une famille bourgeoise de Québec se livrent à un jeu de la vérité au cours duquel on apprend qu'Achille, le père, a commis un viol il y a plusieurs années. Son demi-frère, Thomas, a séduit sa femme et sa fille. Ainsi, Geneviève qui croyait être la fille d'Achille, est-elle issue de l'aventure entre sa mère et Thomas.
Durée : 2 heures
Personnage(s) : 3 femmes, 5 hommes

La Vie quotidienne d'Antoine X [1968], variante de **Il est minuit Georges**, devenu par la suite **Le Coup de l'étrier**
Théâtre du Rideau Vert, 5 novembre 1969
Voir le résumé à **Le Coup de l'étrier**

Pauvre amour [1968] (Éditions Leméac, 1969)
Comédie Canadienne, 15 novembre 1968
Georges et Françoise, après 20 ans de mariage, tentent par un voyage en Europe de renouer avec eux-mêmes, de refaire leur amour laissé à l'abandon dans le champ de l'habitude. Au cours de ce voyage, tous deux auront des aventures. À leur retour, l'abcès sera crevé et Françoise préférera la solitude à la vie interminable de deux êtres qui n'ont plus rien en commun.
Durée : 2 heures
Personnage(s) : 2 femmes, 3 hommes

Virginie [1968] (Éditions Leméac, 1974), non produit à la scène
Créé à la télévision de Radio-Canada, 1968
Virginie, 38 ans, a passé sa vie à soigner son père. Elle travaille pour Charles, homme riche, peu cultivé, profitant des femmes et dont la vie conjugale a été gâchée par son égoïsme. Tous deux s'attacheront l'un à l'autre, mais leurs routes ne se croiseront jamais car, si Charles ne sait pas aimer, Virginie ne sait pas accepter l'amour.
Durée : 2 heures
Personnage(s) : 3 femmes, 7 hommes

Un matin comme les autres [1968] (Éditions Leméac, 1971)
Comédie Canadienne, 23 février 1968
Madeleine et Max ont invité leurs voisins, Claudia et Stanislas, à partager leur repas. À minuit, ils boivent encore. Ils discutent et se déchirent entre eux. Reproches, amertume, infidélité, confidences et faux espoirs... les personnages finiront-ils par accepter leur sort ?
Durée : 2 heures
Personnage(s) : 2 femmes, 2 hommes

Hold-up ! [1969], en collaboration avec Louis-Georges Carrier (Éditions Leméac, 1969)
Théâtre de Marjolaine, 27 juin 1969
Madeleine, 36 ans, ramène deux jeunes inconnus à l'appartement vide de son ancien amant. Fouillée, déshabillée, menacée, elle est forcée de les conduire chez sa mère pour leur remettre de l'argent. Grâce à un subterfuge, les deux femmes finissent par tuer les jeunes gens.
Durée : 2 heures
Personnage(s) : 3 femmes, 3 hommes

Le Coup de l'étrier [1969] (Éditions Leméac, 1970), variante de **Il est minuit Georges** et de **La Vie quotidienne d'Antoine X**
Théâtre du Rideau Vert, 5 novembre 1969
Malheureux en ménage, un homme passe ses soirées dans un bar à parler de sa jeunesse et de sa vie conjugale qui le dégoûte. Un soir, en rentrant à la maison, il trouve Anne-Marie, la gardienne. Cette rencontre lui permet de redevenir ce qu'il est, un enfant. Mais, au retour de sa femme, sa vie s'obscurcit à nouveau. Le lendemain, il est accoudé à son bar habituel.
Durée : 45 minutes
Personnage(s) : 2 femmes, 2 hommes

Avant de t'en aller [1969] (Éditions Leméac, 1970)
Théâtre du Rideau Vert, 5 novembre 1969
Carla, 20 ans, a été la maîtresse d'un étudiant un peu plus âgé, Marco. Pour se libérer de l'emprise qu'il a sur elle, elle devient l'amante d'un professeur de 40 ans, avec qui elle doit partir en voyage. Au moment du départ, Marco arrive, accompagné d'une enseignante. Tous deux se liguent pour détruire l'image du professeur. Carla se retrouve toute seule avec Marco qui va la reposséder fatalement.
Durée : 45 minutes
Personnage(s) : 2 femmes, 2 hommes

Rendez-vous du lendemain [1972] (Éditions Leméac, 1972]
Manuel, ami et ex-bras droit du chef révolutionnaire Machetta, a suivi celui-ci qui promettait au peuple la liberté, la prospérité et la paix. Mais après le succès de la révolution, il se rend compte que son chef, devenu président de la république, a remplacé la liberté par la peur, la prospérité par la faillite et la paix par la terreur. Il se retourne donc contre Machetta. Condamné par les tribunaux révolutionnaires, il refuse de trahir ses nouveaux chefs, et passe devant le peloton d'exécution.
Durée : 30 minutes
Personnage(s) : 8 hommes

Le Père idéal [1972] (Éditions Leméac, 1973), non produit à la scène
Créé à la télévision de Radio-Canada, 3 avril 1973
Vincent, écrivain, aime la solitude mais sa femme l'oblige à une vie sociale intense. Face à de nombreux comptes impayés, il change d'aiguillage et devient un homme d'affaires riche et recherché pour ses talents d'organisateur. Il délaisse sa famille. Mais il est seul et sa conscience entend des voix : son fils, sa fille, sa maîtresse, son épouse et un ami lui font des reproches ou le rassurent.
Durée : 30 minutes
Personnage(s) : 3 femmes, 3 hommes

L'Impromptu de Québec ou le Testament [1974], d'après **Le Légataire universel** de Jean-François Regnard (Éditions Leméac, 1974), présenté à la télévision de Radio-Canada sous le titre de **Qui perd gagne**, 1975. Musique originale de Cyrille Beaulieu.
Théâtre de Marjolaine, 22 juin 1974 ; sous le titre de **Le Testament**
Comédie en quatre tableaux, la pièce raconte les événements qui ont marqué les derniers jours de la vie de Jérôme Dessureaux. Au moment de son inhumation, celui-ci se dresse subitement dans son cercueil et jette sa malédiction sur l'assistance. Un retour en arrière fait découvrir toutes les combines que les gens de son entourage ont imaginées pour mettre la main sur son héritage.
Durée : 2 heures 30
Personnage(s) : 3 femmes, 7 hommes dont un narrateur
16 chansons

L'été s'appelle Julie [1975] (Éditions Leméac, 1975)
Théâtre de l'Escale, 24 juin 1975
Ludovic, écrivain angoissé bientôt quinquagénaire, regarde le monde avec l'espoir inquiet de ses projets. Comme le dit Hélène, sa seule amie, il s'accorde aussi mal avec l'évolution du monde qu'avec le vertige de ses sentiments. Seul, en quête d'un absolu qui lui a échappé toute sa vie, saura-t-il, grâce à Julie, trouver le printemps après l'été ?...
Durée : 2 heures 30
Personnage(s) : 3 femmes, 3 hommes

Dites-le avec des fleurs [1976], en collaboration avec Jean Barbeau (Éditions Leméac, 1976)
Bateau-Théâtre l'Escale, 18 juin 1976
Dans une commune de la fin des années 1970, pousse un immense lierre, Parthénocisse, véritable baromètre de la vie du groupe. À la fin, il aura perdu toutes ses feuilles ; on comprendra que le rêve du mariage communautaire se sera cassé la gueule. Chacun des partenaires repartira de son côté, une fois dressé le bilan fiancier de l'opération !
Durée : 2 heures 30
Personnage(s) : 4 femmes, 4 hommes
4 chansons

Le Réformiste ou l'Honneur des hommes [1977]
Théâtre du Nouveau Monde, 4 février 1977
Régis, à 55 ans, est l'homme de plusieurs vies. Idéaliste radical, orgueilleux, autoritaire, il tente d'apporter des réformes dans une super-polyvalente, mais ses vues se butent à celles de ses « ennemis » qui le forcent à adopter la ligne dure.
Durée : 2 heures
Personnage(s) : 3 femmes, 8 hommes

Le Trou [1985] (dans **20 ans**, VLB Éditeur, 1985)
Des habitués d'un bar discutent des fameux trous : ceux du dehors comme ceux du dedans. L'un d'eux s'enfuit. De peur d'y tomber ?
Durée : 20 minutes
Personnage(s) : 1 femme, 3 hommes

L'Amérique à sec [1966] (Éditions Leméac, 1986)
Théâtre de l'Écluse, 20 juin 1986
Une histoire de contrebande à l'époque des princes du *bootlegging*, une histoire d'amour, de *bagosse* et de vin de messe. Des situations loufoques et irrésistibles... C'est la mode des années vingt ; c'est aussi la prohibition...
Durée : 3 heures
Personnage(s) : 10 personnages (2 femmes, 8 hommes) pouvant être joués par 2 femmes et 5 hommes

DUCHARME, André

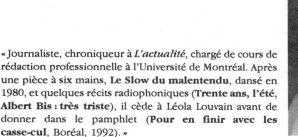

photo: Suzanne Langevin

« Journaliste, chroniqueur à *L'actualité*, chargé de cours de rédaction professionnelle à l'Université de Montréal. Après une pièce à six mains, **Le Slow du malentendu**, dansé en 1980, et quelques récits radiophoniques (**Trente ans, l'été, Albert Bis : très triste**), il cède à Léola Louvain avant de donner dans le pamphlet (**Pour en finir avec les casse-cul**, Boréal, 1992). »

Léola Louvain, écrivaine [1987]
Ce texte a été présenté en lecture publique par le Cead, le 28 février 1988.
Théâtre de Quat'Sous, 16 janvier 1989
Femme avec petits crayons pointus, imagination décorsetée et fêlure. Léola Louvain, écrivaine de genres - pas un ne lui résiste, surtout pas le masculin -, s'écrie, se crée. Et se croit. Dans sa déparole, il y a un coeur qui saigne. Au bout de ses crayons taillés à vif, il y a des lambeaux de chair. Oh ! elle déraille bien un peu parfois, quand l'inspiration la cueille, là, au milieu d'une phrase badine et qu'elle l'échevelle en lui dictant marguerites bleues, licences poétiques et autres heurts littéraires. Mais n'est-il point de meilleure leçon pour qui veut écrire que de voir la littérature à l'oeuvre, posséder son égérie ? Léola Louvain est un personnage en quête de hauteur.
Durée : 1 heure 30
Personnage(s) : 1 femme

Dialogue au thé, noir [1993]
Ce texte a été présenté en lecture publique par le Cead, avec des textes d'autres auteurs, sous le titre de L'Humour au noir, le 9 avril 1993.
Elle a assassiné son mari et raconte, dans le menu détail, le meurtre à sa voisine, histoire de lui donner le courage de passer aux actes.
Durée : 10 minutes
Personnage(s) : 2 femmes

DUCHARME, Réjean

C'est un fait connu de toute la francophonie, Réjean Ducharme aime se tenir à l'écart et rester « l'écrivain sans visage », ce qui explique la photo de collégien apparaissant ci-contre et le mystère sous-jacent à la photo de couverture du présent répertoire... Né à Saint-Félix de Valois, il exerce plusieurs métiers avant d'écrire son premier roman **L'Avalée des avalés** [1966], mis en candidature pour le prix Goncourt, et qui remporte en 1967 le Prix du gouverneur général du Canada. Son deuxième roman, **Le Nez qui voque** [1967], lui mérite le Prix littéraire de la Province de Québec en 1967. Il écrit par la suite **L'Océantume** [1968], **La Fille de Christophe Colomb** [1969], **L'Hiver de force** (prix Belgique-Canada, 1973) et **Les Enfantômes** (prix France-Canada, 1976) et **Dévadé** [1990] (le premier prix Alexandre-Vialatte en 1991). Réjean Ducharme est également l'auteur des scénarios **Les Bons Débarras** [1978] et **Les Beaux Souvenirs** [1981], films réalisés par Francis Mankiewicz. Il a en outre écrit les paroles de plusieurs chansons de Robert Charlebois. **HA ha !...**, qui lui a valu le Prix du gouverneur général en 1982 et le prix littéraire du *Journal de Montréal* en 1983 connaissait une nouvelle production fort remarquée sur la scène du Théâtre du Nouveau Monde en 1990. Une nouvelle production de sa seconde pièce, **Ines Pérée et Inat Tendu**, devenait l'année suivante ce que la critique a appelé « un grand coup de théâtre au TNM ».

Le Cid maghané [1968]
Festival de Sainte-Agathe, 27 juin 1968
Réécriture en langue québécoise du *Cid* de Corneille que l'auteur dédicace ainsi : « À celle qu'un soir j'ai appelée *petite bête puante verte* (de) Celui que le même soir elle appela : *gros crocodile plein de bouette*. » Pièce que l'auteur décrit ainsi : « Parodie en 14 rideaux écrite pour être jouée en costumes d'époque dans des meubles 1967. »
Durée : 2 heures

Le marquis qui perdit [1969]
Théâtre du Nouveau Monde, 17 janvier 1970
Vaudreuil, Montcalm, Bigot, les courtisanes de la Nouvelle-France, ridiculisés avec férocité. Le marquis qui perdit c'est Montcalm bien sûr mais tout ce beau monde est ici sorti du livre d'histoire enjolivé. Du colonialisme français au colonialisme anglais en route pour celui des É.U.
Durée : 2 heures
Personnage(s) : 5 femmes, 5 hommes et des voix pour chanter **Happy Birthday !**

Ines Pérée et Inat Tendu [1976] (Éditions Leméac, 1976)
Nouvelle Compagnie Théâtrale, 20 octobre 1976
Transcendante et « délirante épopée enfantine ». Deux adultes-enfants, ou deux adolescents attardés, parcourent le monde à la recherche d'une hospitalité prédestinée et ne la trouvent ni chez une vétérinaire directrice d'un hôpital pour chiens et chats, ni chez un psychiatre cleptomane, ni chez Soeur Saint-New-York-des-ronds-d'eau, ni chez Aidez-moi Lussier-Voucru et Pierre-Pierre Pierre qu'ils menacent d'un revolver. D'avoir parcouru ce monde absurde où ils sont

arrivés par hasard, ils auront épuisé leurs forces de vie.
Durée : 2 heures
Personnage(s) : 5 femmes, 3 hommes

HA ha !... [1978] (Éditions Lacombe et Éditions Gallimard, 1982)
Ce texte a été présenté en lecture publique par le Cead, les 17, 22 et 27 janvier 1982,
respectivement au Théâtre de l'Est Parisien, au Théâtre les Ateliers de Lyon et au Théâtre
Populaire Romand (La Chaux-de-Fonds, Suisse).
Théâtre du Nouveau Monde, 10 mars 1978
Traduit en anglais par David Homel sous le titre de **HA ! HA !...** (Exile Editions, Toronto, 1986)
Dans un grand appartement agressivement confortable, c'est-à-dire d'une laideur ultra-moderne,
se réunissent quatre personnages : Sophie la rousse, Roger, son amant gras et mou, Bernard,
l'élégant taré alcoolique et sa toute jeune épouse Mimi, passive et coupable de naissance. Ils vont
se jouer à eux-mêmes, autant qu'aux autres, un show d'une truculence désespérée qui est le
procès de toute existence.
Durée : 2 heures 30
Personnage(s) : 2 femmes, 2 hommes

DUCHESNE, Jacques

Né à Québec, Jacques Duchesne complète une maîtrise en
sciences commerciales à l'Université Laval, où il fonde la
Troupe des Treizes. Il dirige ensuite, pendant deux ans, la
Troupe des Remparts. Après un exil volontaire, au cours
duquel il se considère comme un expulsé psychologique,
sinon politique, il rentre au pays au début des années
soixante et devient directeur du Théâtre de la Place. Il
amorce alors avec le juge Édouard G. Rinfret une réflexion
sur le fonctionnement des organismes de création théâtrale
au Canada anglais et aux États-Unis. Il est l'instigateur d'un
regroupement spontané qui a mené à la fondation du
Centre d'essai des auteurs dramatiques. Plus de 500
représentations du **Quadrillé** ont été données, dont 60 à
Paris et plus de 200 en Europe francophone. Producteur,
réalisateur et scripteur à la télévision et à la radio, directeur
de tournées, professeur, poète (il a publié trois recueils aux
Éditions du Plateau : **13 poèmes laminés, Les Poèmes de**
l'endos et **Poèmes de l'endos**), polyglotte et grand
voyageur, il est depuis peu revenu au théâtre après un long
silence.

Les Mort-nés [1958-1959] (Éditions Leméac, 1985, après réécriture sous le titre de **Ici reposent**
en paix)
Théâtre Parabole, février 1963
Sous un cimetière, deux vieux amis découvrent un monde étrange où perdurent les morts. C'est
là l'autre monde, celui où l'on va. Les péripéties loufoques s'enchaînent et ils décident finalement
de regagner ce monde qui semble receler tant de délices. Se tissent alors des liens entre la vie et
la mort. Et s'il nous était donné de choisir entre ces deux réalités absolues ?
Durée : 2 heures
Personnage(s) : 6 femmes, 11 hommes

Le Quadrillé [1963] (Cercle du Livre de France, 1966, épuisé ; Éditions Leméac, 1975)
Théâtre de la Place, printemps 1974
Rétrospective de la vie d'une femme, de son enfance à sa mort, la pièce montre comment les femmes sont utilisées comme des objets afin de permettre aux hommes d'affirmer leur puissance et de justifier la validité de leur existence. La femme, en s'appliquant à bien faire, par générosité, est happée dans une ronde étourdissante et sacrificielle. Le titre symbolise le papier sur lequel s'inscrit la courbe de la vie qui, avec ses hauts et ses bas, va d'un extrême à l'autre, impitoyablement.
Durée : 2 heures
Personnage(s) : 35 personnages pouvant être joués par 1 femme et 2 hommes
7 chansons

Les Nouveaux Dieux [1963 et 1983] (Éditions du Plateau, 1987)
Théâtre de la Place, 1er avril 1965
L'Eskabel, 2 avril 1987
Théorème dramatique dans lequel s'inscrit l'humour, la pièce met les nouveaux dieux en opposition aux anciens. En 1965, les anciens dieux représentaient la société de consommation et les nouveaux, les valeurs spirituelles. Aujourd'hui, certains ex-hippies vaguement zen sont devenus de féroces yuppies. Pour eux, les anciens dieux sont les nouveaux. Paradoxe des valeurs qui changent, tout en restant les mêmes.
Durée : 1 heure 20
Personnage(s) : 8 personnages (3 femmes, 5 hommes) et une voix de femme pouvant être joués par 1 femme et 5 hommes
La pièce nécessite l'utilisation d'un écran de tulle pour l'exécution d'un ballet pour lampes de poche dont la chorégraphie est incluse dans le texte.

Les Bébelles [1974]
Café-théâtre Quartier Latin, 25 novembre 1984 ; créé sous le titre de **Le Grand Bonheur**
Arthur est économiquement défavorisé mais heureux. Raymond, prototype du consommateur, le convainc du contraire : pour accéder au Grand Bonheur, il faut posséder des bébelles. Il lui donne donc tout ce qu'il a et prend sa place ; libéré du stress de la société, il peut laisser libre cours à sa sensibilité. Mais Arthur se rend compte qu'il s'est fait jouer ; tout ça n'est qu'un faux rêve. À son tour, il convainc Raymond... et reprend sa place.
Durée : 2 heures
Personnage(s) : 2 hommes

DUFRESNE, Guy

Guy Dufresne a signé, entre 1947 et 1955, près de 200 textes radiophoniques sur l'histoire religieuse du Québec avant d'entreprendre une triple carrière d'auteur : le téléroman, le théâtre à la télévision et à la scène, et le cinéma. Une année de gel pousse le pomiculteur à soumettre un texte au premier concours de textes dramatiques de Radio-Canada, **Le Contrebandier**, qui lui vaut le premier prix. Suit un éventail saisissant de réalisations, incluant : une série radio, **Le Ciel par-dessus les toits** ; quatre téléromans **Cap-aux-Sorciers** (dont les textes de 9 émissions paraissaient chez Leméac en 1969), **Kanawio**, **Septième-Nord** et **Les Forges du Saint-Maurice**. Il signe ensuite les dialogues du film **Les Ordres** ; la traduction et l'adaptation pour la télévision de l'oeuvre de Steinbeck **Des souris et des hommes**, sûrement une des plus belles pages de l'histoire de la télévision québécoise ; un téléfilm, **Johanne et ses vieux**, qui lui vaut le prix Anik ; le scénario du film **Le Frère André**. Guy Dufresne est décédé le 29 juillet 1993, encore tout jeune homme malgré ses 75 ans.

photo: Jules Blouin

Le Cri de l'engoulevent [1959] (Éditions Leméac, 1969)
Comédie Canadienne, février 1960
Dans une famille où plane un soupçon d'inceste, un père d'une autorité monstrueuse finit par perdre sa fille préférée en voulant l'éloigner d'un prétendant.
Durée : 2 heures
Personnage(s) : 3 femmes, 3 hommes

Les Traitants [1959] (Éditions Leméac, 1969)
Créé à la télévision de Radio-Canada, 15 janvier 1961
Théâtre du Nouveau Monde, 2 mars 1969
En 1665, Quentin Moral, procureur du roy au Cap-de-la-Madeleine, est appelé à présider une enquête préliminaire servant à identifier des traitants ayant pour pratique d'échanger aux Indiens, de l'alcool contre des biens. L'exercice a pour but de faire cesser ce troc qui cause un immense tort aux autochtones. L'enquête, où la délation est à l'honneur, se transforme progressivement en échauffourée.
Durée : 2 heures 50
Personnage(s) : 6 femmes, 14 hommes

Docile [1968] (Éditions Leméac, 1972)
Comédie Canadienne, mai 1968
Comédie. Une jeune fille volage a recours au savoir d'un étrange diseur de bonne aventure qui lit dans les orteils et les gras de jambes pour sonder l'avenir que lui promet une vie commune avec son prétendant.
Durée : 1 heure 40
Personnage(s) : 2 femmes, 3 hommes

Ce maudit Lardier [1975] (Éditions Leméac, 1975)
Pièce tirée du téléroman du même auteur **Les Forges du Saint-Maurice**, Radio-Canada 1972-1973
Dans le Québec historique de 1837, Véronique Godard, fille de contrebandiers, s'amourache du

fondeur Lardier venu d'Europe. Amante tragique, elle mettra sa vie en péril pour sauver le fondeur des magouilles et des guet-apens organisés par son frère François, et les menaces du maître des forges, De Vézin.

Durée : 2 heures 30
Personnage(s) : 4 femmes, 7 hommes et plusieurs figurants

Alexis [1990] ; « drame expressionniste » librement inspiré de la vie d'Alexis « le Trotteur » Lapointe.

Coproduction de Tess Imaginaire et du Carré-Théâtre, 19 avril 1990

En hiver 1924, Alexis Lapointe dit le Trotteur est frappé par un train. Dans son délire fiévreux de mourant, celui que l'on disait l'homme-cheval perçoit une lumière qui, croit-il, le mènera au ciel. Cette lumière de l'au-delà devient une intersection où la mort et le fantôme de sa mère hantent et dominent son impossible quête de Delphine, femme sauvage et mystérieuse. Le voici, tel un noyé, plongé dans le film de sa vie. Le souvenir des jours sombres sur le bateau maudit du contrebandier Zac lui rappellera cruellement que les simples d'esprit ne sont pas nés pour vivre dans la réalité.

Durée : 2 heures
Personnage(s) : 14 personnages (6 femmes, 8 hommes) pouvant être joués par 3 femmes et 4 hommes

DUPUIS, Gilbert

Comédien et dramaturge, Gilbert Dupuis a étudié au Conservatoire d'art dramatique de Montréal et à l'Université du Québec à Montréal. En 1975, il fonde, avec des camarades de travail, le Théâtre de Quartier où il agit près de dix ans en tant qu'auteur, comédien, metteur en scène et animateur. Sa pièce, **Les Transporteurs de monde**, parue aux éditions de la Mêlée, fut mise en nomination pour le Prix du gouverneur général du Canada et son roman jeunesse, **La Déconfiture du docteur Croche**, paru aux éditions Saint-Martin, pour le Prix de la littérature jeunesse du Conseil des Arts du Canada. En 1992, il reçoit pour sa pièce **Mon oncle Marcel qui vague, vague près du métro Berri**, le Prix du gouverneur général. Sa dernière oeuvre **Kushapatshikan** fut en nomination pour le même prix et remporta Le Signet d'or de Radio-Québec. Gilbert Dupuis est également l'auteur du « parcours dramatique » du spectacle sans paroles **Déséquilibre - le Défi** produit par la troupe Dynamo-théâtre, acclamé à l'étranger depuis sa création en 1990.

E   **Un jeu d'enfants** [1979], en collaboration avec Lise Gionet, Louis-Dominique Lavigne et Jean-Guy Leduc (Éditions Québec/Amérique, 1980)

Théâtre de Quartier, 1979

Deux amis, Nicole et François, veulent s'amuser. Dans leur quartier, ils n'ont pas de place à eux et, de la cuisine au balcon, à la rue, le monde des adultes confine leur aire d'amusement à une cour d'école où sont stationnées des automobiles. Nicole et François organisent une manifestation pour obtenir un espace de jeu.

Durée : 45 minutes
Personnage(s) : 9 personnages (1 femme, 8 hommes) pouvant être joués par 1 femme et 2

hommes, plus une voix de femme
3 chansons

Les Transporteurs de monde [1982] (Éditions coopératives de la Mêlée, 1984 ; épuisé, copie pour prêt disponible)
Ce texte a été présenté en lecture publique par le Cead, le 29 novembre 1982.
Trois époques constituent chacune un point tournant dans l'histoire du taxi. 1950 : Diamond Taxi Cab engage des femmes et Émilie participe à la naissance d'un syndicat. 1970 : fondation du Mouvement de libération du taxi, dont Émile partage les espoirs et les déboires. 1980 : lors d'un accident, Émilio apprend que la voiture achetée à son ancien patron a été volée.
Durée : 1 heure 30
Personnage(s) : 22 personnages (6 femmes, 15 hommes, 1 taxi) pouvant être joués par 3 femmes et 3 hommes

Mon oncle Marcel qui vague vague près du métro Berri [1983-1989] (Éditions de l'Hexagone, 1990)
Coproduction du Théâtre du Sang Neuf et de la Compagnie des Gens d'en bas, automne 1989
Dans le milieu des clochards et des sans-abris, à Montréal, un travailleur social tue Dollar, le *skylock*, l'abuseur. Retours en arrière, enquête, témoignages. « Dans la mélasse d'un faubourg où les gens s'épuisent à vivre l'illusoire beauté qui stagne au fond des canettes de bière vides, avec un cri coincé au fond de la gorge... »
Durée : 2 heures
Personnage(s) : 2 femmes, 5 hommes et 1 voix de femme

E   **La Déconfiture du docteur Croche** [1984], d'après le roman du même titre et du même auteur (roman publié aux Éditions coopératives Albert Saint-Martin, 1983)
La Compagnie de théâtre du Docteur Croche, juin 1984
En 1909, dans le quartier Saint-Henri de Montréal, plusieurs enfants meurent d'une maladie terrible. La soeur du jeune Antonin en est atteinte. Avec l'aide de ses amis, Antonin réussit à découvrir l'origine du mal, dénonçant ainsi l'injustice sociale maintenue volontairement par le docteur Croche. L'écriture de la pièce permet une certaine forme d'animation auprès du public.
Durée : 30 minutes
Personnage(s) : 14 personnages (4 femmes, 10 hommes) pouvant être joués par 1 interprète

Smack [1984]
Département de Toxicologie de l'Hôpital Saint-Luc, 1984
Carole et Michel entrent dans le cercle infernal de la drogue, son usage, la dépendance qu'elle crée et le va-et-vient incessant de l'achat et de la vente. Le rythme de la pièce est rapide et sa montée vertigineuse entraîne une fin extrême et dramatique : la mort de Carole.
Durée : 30 minutes
Personnage(s) : 1 femme, 1 homme

E   **L'histoire du boeuf qui a perdu son « B »** [1988]
Coproduction de la Compagnie des Gens d'en bas et de la Compagnie de théâtre du Docteur Croche, 1988
Paulette est malade et veut se coucher. Mais arrive Paul qui tient à jouer avec les cubes géants de l'alphabet de Paulette. Grâce à des trouvailles surprenantes avec les lettres, Paul invente des mots, des jeux et des personnages. Bref, il tourne la langue à l'envers et joue des mots comme d'autres jouent des tours. Paulette en oublie son rhume et remonte avec Paul le cours du temps pour découvrir chez les Phéniciens (3 000 ans av. J.C.) l'origine du « B » de boeuf et la signification des homophones. Mais cela ne se fera pas sans peine et sans rire, car entre-temps, il y aura des maux de tête et... des mots d'esprit.
Durée : 55 minutes
Personnage(s) : 1 femme, 1 homme

Chaud lapin [1989]

La Compagnie des Gens d'en bas, juin 1989

Comédie. En six ans, il n'y a eu que six naissances dans le village de Sainte-Perpétue. Où sont passés les chauds lapins ? Le maire décide de partir à leur recherche. Sa femme n'est pas du voyage et lui réserve une surprise qui lui fera presque faire une crise d'apoplexie. Il interroge le pharmacien célibataire et Céline, la zoologue spécialiste de la reproduction chez le lapin. Il saura pourquoi il n'y a plus d'enfants.

Durée : 1 heure 40

Personnage(s) : 2 femmes, 2 hommes

Kushapatshikan [1989-1992] (VLB Éditeur, 1993)

Carré Théâtre, 30 octobre 1992

Partie dans le Nord à la recherche d'une ville perdue, Lou rencontre un homme qui lui parle de la tente tremblante qui abolit l'espace et le temps et permet de communiquer avec ceux qui sont disparus. Il lui fait boire l'eau d'un lac étrange. Bayersville émerge. Nous sommes en 1966. Il y a grève... les ouvriers blancs et montagnais découvrent leurs intérêts. Une bombe saute, un avion s'écrase. Un monstre surgit dans les fumées d'une cuve. Ce monstre c'est *Atshen*. La lutte pour le pouvoir sera terrible. Lou deviendra *Kakushapatak* (l'Officiante), vaincra *Atshen* au-dessus du corps inerte de son amant et trouvera, à la suite de ces événements, en ses rêves, peu à peu, les traces de sa mort...

Durée : 1 heure 30

Personnage(s) : 2 femmes, 7 hommes

E   **Histoire de la jeune fille qui voulait toucher aux étoiles** [1992-1993]

Coproduction de La Grosse Valise et de La Chamade, automne 1993

Brisée par les difficultés qu'elle rencontre à l'école et dans la vie, Magalie, 9 ans, décroche. Elle ira au fond d'elle-même pour y découvrir que les livres que l'on dévore ont le don de dissiper la grisaille du monde. À partir de là tout est possible, y compris l'impossible : réapprendre à aimer l'école et... la vie.

Durée : 55 minutes

Personnage(s) : 1 femme, 1 homme

Public visé : 2e cycle du primaire

E   **Le Train de minuit** [1992-1993]

Production André Legault, automne 1994

À la suite d'un accident de voiture, Maxime Crakovski voit la mort de près. Des souvenirs refont surface. Il a neuf ans et, à la recherche d'une balle égarée, trouve son amie Laurie sur le quai d'une gare désaffectée. La jeune fille est aux prises avec une « Face à claque » et une « Tête fêlée ». N'écoutant que son courage, Maxime prend sa défense et engage le combat, mais un train entre en gare. Les ennemis de Maxime et de Laurie s'avèrent être des employés de ce train où d'étranges voyageurs s'apprêtent à monter. C'est le train du grand voyage. Malgré les protestations de Maxime, Laurie monte à bord. Le départ de la jeune fille transformera la vie de Maxime.

Durée : 50 minutes

Personnage(s) : 1 homme

Public visé : les enfants du 1er et 2e cycle du primaire

La musique prend un part importante

DUPUIS, Hervé

Professeur titulaire à l'Université de Sherbrooke, fondateur et responsable de 1972 à 1985 de l'Option-théâtre de cet établissement, Hervé Dupuis travaille depuis une quinzaine d'années en théâtre universitaire en Estrie. Auteur de douze pièces de théâtre produites et coauteur d'autant de créations collectives, il a, entre 1971 et 1985, fait près de 40 mises en scène. Formé en sciences humaines (il détient un doctorat en latin de l'Université d'Aix-en-Provence), il a commencé, vers la fin de la vingtaine, à s'orienter vers le théâtre et l'animation. Il a fondé et dirigé la Troupe du Sablé (en activité de 1970 à 1973), rattachée à l'Université de Sherbrooke. Il a travaillé comme animateur dans les milieux du théâtre francophone hors du Québec. Il est l'auteur de **L'Animateur de théâtre et sa formation** (épuisé), des **Rôles de l'animateur et de l'animatrice de théâtre** et de **L'Auto-animation dans une troupe de jeune théâtre** publiés par le Service de Recherche de l'Université de Sherbrooke. Il enseigne la littérature dramatique québécoise en Asie, notamment en Thaïlande, en Indonésie et en Inde, en tant que professeur invité.

photo: Yan Giguère

En spécial cette semaine seulement... [1976], en collaboration avec Georges Comtois, Myriam Grondin, Rollande Laveau, Yves Masson, Rodrig Mathieu, Mario Morin et Micheline Poulin
Théâtre du Sang Neuf, 1976
Comédie critique en dix-huit tableaux sur la société de consommation. La secrétaire qui rêve d'épouser son patron, la consommatrice aveugle de « spéciaux de la semaine », le gars gêné avec les filles, l'homme d'affaires pas très scrupuleux, tous sont floués par des politiciens véreux. Mais trois d'entre eux, prenant conscience de la situation, voudront changer les choses...
Durée : 1 heure 30
Personnage(s) : 36 personnages, une voix et un choeur pouvant être joués par 3 femmes et 5 hommes
1 chanson

J'veux faire mon show [1984], avec la collaboration de Michel Côté pour la musique
Théâtre Entre Chien et Loup, été 1984
La troupe de théâtre d'Antoine Robert, à quatre heures d'une première : il reste des scènes à répéter, des costumes à essayer, des accessoires à trouver et toutes sortes de petits problèmes à régler, mais pas seulement des problèmes techniques... hélas ! Des imprévus inimaginables, pour ne pas dire des coups de théâtre, viennent encore compliquer la situation, la rendant à la fois plus dramatique et plus cocasse.
Durée : 1 heure 45
Personnage(s) : 2 femmes, 3 hommes
5 chansons
Chorégraphies

Fugues pour un cheval et un piano [1986-1988] (VLB Éditeur, 1988)
Théâtre d'Aujourd'hui, 27 avril 1988
Traduit en anglais par Jean Vigneault sous le titre de **Return of the Young Hippolytus** [1989] (Ubu Repertory Theater Publications, New York, 1989)
Traduit en italien par Eva Franchi sous le titre de **Fuga per un cavallo e un pianoforte** [1992]

(dans *Hystrio*, no 2, 1992, Milan)

La rencontre d'un père et d'un fils. Michel, qui a aujourd'hui dix-huit ans, vient trouver Benoît, son père, pianiste de concert célèbre, qu'il n'a pour ainsi dire pas vu depuis six ans. Il veut savoir pourquoi il l'a quitté alors qu'ils avaient été si proches ; il veut renouer, revivre avec lui. Benoît fuit les questions de son fils mais petit à petit, coincé par un adolescent qui veut savoir la vérité, il se révèle. Benoît n'aimait plus la mère de Michel. Oui, mais pourquoi l'avoir abandonné, lui ? Benoît se voit obligé de lui avouer son homosexualité. Au coeur du conflit : le désir incestueux d'un père incapable de dissocier amour et sexualité.

Durée : 1 heure 50

Personnage(s) : 2 hommes

Dédales [1987-1989]

Jérôme, « un p'tit bum » de bonne famille généralement considéré comme détestable, tourne mal, parce qu'il est coincé entre une vision séculaire trop rigide de la masculinité et une autre trop nouvelle, trop confrontante. En révolte contre son entourage, il s'enferme dans son jeu d'ordinateur et s'y perd.

Durée : 2 heures

Personnage(s) : 6 femmes, 3 hommes

Jeu vidéo créé pour la pièce disponible chez l'auteur

DUSSAULT, Louisette

Depuis sa sortie de l'École nationale de théâtre du Canada comme comédienne, Louisette Dussault consacre surtout ses énergies au théâtre québécois : elle crée Tremblay, Germain, Barbeau, Ducharme, Garneau, Turgeon, Godbout, Lelièvre, Jasmin, Mercier, tant à la scène qu'à la radio et au cinéma. Cofondatrice des Petits Enfants de Chénier (1969-1972), elle sera aussi du collectif **La Nef des Sorcières** (1976) et du controversé **Les fées ont soif** (1978). À la télévision elle a été l'inoubliable **Souris Verte** et, de 1988 à 1990, à Radio-Québec, animatrice, comédienne-improvisatrice et auteure, avec Marcel Sabourin de la série *C'est la vie*. Au cinéma, elle joue entre autres dans **IXE-13, Joe** (1er prix d'Interprétation féminine de Yorkton, 1982), **L'Étau-bus**, d'après son texte théâtral **Moman** (trois prix : le prix Anik de Radio-Canada, Belfort en 1984 et Clermont-Ferrand, en 1985), **Laure Gaudreault**, **Le Dernier Havre**, **Le Grand Jour**. Son cheminement devait inévitablement l'amener à l'écriture. Son premier spectacle solo **Moman** représente le Québec au festival de Nancy en 1980, puis tourne ici et en Europe et gagne deux prix en 1982 : à Sitges (Espagne) et à Alger (Algérie). En 1992 et 1993, elle est mise en nomination aux prix Gémeaux pour son interprétation du rôle éponyme du téléroman quotidien **Marilyn**, diffusé à Radio-Canada.

Moman [1978-1979] (Éditions du Boréal Express, 1981)

Adapté pour le cinéma par l'auteure sous le titre de **L'Étau-bus** produit par l'Association coopérative de productions audio-visuelles (ACPAV), 1983

Production de l'auteure, 20 mars 1979

Traduit en anglais par Michael Sinelnikoff sous le titre de **Mommy**
Louisette Dussault et Les Productions Dupauvel Inc. Showcase au Factory Theater Lab (Toronto),
le 13 février 1985
Traduit en flamand (traduction non disponible)
Dans un autobus entre Montréal et Québec, une « moman » escortée de ses jumelles de trois ans
- condamnées au silence par la pression exercée par les passagers - balance par la fenêtre son rôle
de mère-police. Une comédie décapant les rôles traditionnels dévolus à la mère. La comédienne
incarne tous les personnages - les deux enfants et les voyageurs.
Durée : 1 heure 30
Personnage(s) : 17 personnages (10 femmes, 7 hommes) joués par 1 femme
5 chansons

Pandora ou Mon p'tit papa [1986-1987]
Théâtre d'Aujourd'hui, 12 mars 1987
Louise, chargée de mission à Paris, se retrouve, par accident, enfermée dans son appartement. Elle
s'énerve, rage, tempête, hystérise pour finalement s'abandonner à une sorte de rêve éveillé où elle
retrouve son père décédé. Ils revivent devant nous leur relation intense, symbiotique, drôle et
touchante. Louise réussira-t-elle enfin à mettre à mort et au repos ce fantôme qu'elle a accroché
au pied de son lit ?
Durée : 1 heure 30
Personnage(s) : 1 femme, 1 homme (et la présence facultative de 2 enfants)

Le Mariage secret [1984], en collaboration avec Roland Laroche, d'après l'opéra bouffe de
Domenico Cimarosa (1749-1801), **Il Matrimonio segreto** (d'après **The Clandestine Marriage** de
Colman)
Les récitatifs ont été retranchés
Ensemble Cantabile de Montréal, décembre 1984
Une dame patronnesse, lors du gala célébrant l'anniversaire de fondation d'une compagnie
lyrique, vient présenter au public l'intrigue de l'opéra de Cimarosa. Voulant simplifier, elle
s'implique dans l'action par de nombreuses interventions bien saugrenues.
Durée : 2 heures
Personnage(s) : 3 femmes, 4 hommes
Partitions musicales disponibles

COLLAGE

Les Nouveaux Rapports... où ça ? ! ? [1983], collage de textes d'auteurs québécois, créé sous le
titre de **Les nouveaux rapports c'est cool, ben cool**
Conservatoire d'art dramatique de Montréal, printemps 1985

FARHOUD, Abla

Née au Liban, Abla Farhoud immigre au Canada au début des années cinquante. Comédienne dès l'âge de 17 ans, elle joue principalement à la télévision de Radio-Canada. En 1965, elle retourne dans son pays d'origine et, en 1969, elle s'installe à Paris. Après des études en théâtre à l'Université de Vincennes, elle revient au Québec en 1973. Elle écrit sa première pièce lors d'un cours de maîtrise en théâtre à l'Université du Québec à Montréal. Elle a été membre du conseil d'administration du Cead en 1989-1990. **Les Filles du 5-10-15¢** a été produite au Festival des francophonies de Limoges en 1992. La même pièce inaugurait le nouveau lieu du Théâtre International de Langue Française le 27 janvier 1993 et était reprise, off-Avignon en juillet 1993. Son texte **La Possession du prince** a été présenté en lecture publique-mise en espace au Festival international des Francophonies en Limousin en octobre 1993 et a obtenu le prix de Théâtre et Liberté de la SACD, France. Abla Farhoud a remporté le prix Arletty de l'Universalité de la langue française, en 1993.

Quand j'étais grande [1982]
Théâtre Expérimental des Femmes, novembre 1983
Traduit en anglais par Jill MacDougall sous le titre de **When I was grown up** [1989]
Une petite fille de sept ans revit ses vies antérieures devant sa soeur aînée qui, après avoir vaincu sa peur, veut en savoir plus. La vision d'une réalité du monde oriental où la femme est victime et dépossédée de son corps et de ses droits.
Durée : 45 minutes
Personnage(s) : 14 personnages pouvant être joués par 4 femmes et 1 homme

Les Filles du 5-10-15¢ [1984-1985] (Lansmann, Belgique, 1993)
Théâtre de Quat'Sous, novembre 1986
Traduit en anglais par Jill MacDougall sous le titre de **The Girls from the 5 and 10¢** [1986] (Ubu Repertory Theater Publications, New York, 1988)
Ce texte a été présenté par le Ubu Repertory Theater lors d'un échange avec le Cead, à New York, en mars 1986.
Deux immigrantes travaillent au magasin de leur père. La plus jeune pousse l'aînée à prendre conscience de leur exploitation, de leur condition d'immigrantes et de filles d'immigrants. Dans cet univers poussiéreux d'objets à vendre, des clients vont et viennent, renvoyant Amira et Kaokab à leur passé, à leur solitude et à la dichotomie entre cultures orientale et occidentale.
Durée : 1 heure 30
Personnage(s) : 10 personnages pouvant être joués par 4 femmes et 2 hommes

Babylone [1988]
Ce texte a été présenté en lecture publique par le Cead, le 9 février 1989, sous le titre de La Camisole rouge, et au Festival international des Francophonies en Limousin, en octobre 1992.
Traduit en anglais par Jill Mac Dougall sous le titre de **Blood Ties** [1990]
Suzanne chorégraphie **Le Possession du Prince**, conte babylonien, histoire de prince et de princesse, d'amour et de haine, de folie et de peur de la folie, où le destin comme un vautour arrache la tête du frère et le coeur de la soeur. Cette histoire ressemble étrangement à ce que vit Suzanne avec son frère Simon depuis presque 35 ans.

Durée : 1 heure 30
Personnage(s) : 2 femmes, 1 homme, 1 danseur-acteur et une danseuse

Jeux de patience [1990-1992]
Ce texte a été présenté en lecture publique par le Cead, le 14 avril 1992.
Théâtre de la Manufacture, 22 février 1994
Traduit en anglais par Jill Mac Dougall(traduction en cours) [1994]
Sur la guerre, la vie et la mort, trois visions de femmes se confrontent : l'une a vécu la guerre, y a perdu sa fille et ne veut pas oublier ; l'autre a vécu la guerre à distance par les médias et veut y répondre en écrivant ; la troisième en est morte et elle en rit.
Durée : 1 heure 30
Personnage(s) : 3 femmes

Apatride [1992-1993]
Ce texte a été présenté en lecture publique par le Cead, le 9 avril 1993.
Au cœur de leur pays détruit, un homme et une femme séparés par l'exil se retrouvent, quarante ans après s'être quittés, au cœur de leur histoire d'amour.
Durée : 1 heure 20
Personnage(s) : 1 femme, 1 homme et des voix de soldats parlant plusieurs langues

La Possession du prince [1993]
Trois jours avant la première, Véronique met en scène la pièce qu'elle a écrite, nous montrant le personnage de son frère fou, quand son vrai frère arrive au théâtre.
Durée : 45 minutes
Personnage(s) : 2 femmes, 2 hommes

FAUCHER, Martin

Martin Faucher étudie l'interprétation à l'Option-théâtre du cégep de Saint-Hyacinthe (1979-1982). Depuis, il joue tant au théâtre qu'à la télévision et danse à l'occasion dans des spectacles de nouvelle danse. En 1988, il fonde les Productions Branle-bas, réalise son premier collage et entreprend une démarche de metteur en scène.

La Fille de Christophe Colomb [1991], adaptation du roman du même titre de Réjean Ducharme (Éditions Gallimard, 1969)
Ce texte a été présenté en lecture publique par le Cead, 13 avril 1992.
Théâtre d'Aujourd'hui, mars 1994
La douce Colombe Colomb, que rien ne destinait à l'héroïsme, recherche désespérément l'amitié.

Désabusée par le genre humain, elle se tourne vers les animaux, qui lui offriront chaleur et réconfort. Une épopée planétaire pleine d'insolence, de fraîcheur et de naïves vérités cruelles.
Durée : 1 heure 20
Personnage(s) : 1 femme

COLLAGE

À quelle heure on meurt ? [1988], d'après l'oeuvre de Réjean Ducharme (**L'Océantume**, 1967 ; **L'Hiver de force**, 1973 ; **L'Avalée des avalés**, Éditions Gallimard, 1966 ; **Le Cid Maghané**, inédit ; **HA ha !...**, Éditions Lacombe, 1982 ; ainsi que trois chansons : **Manche de pelle, Dix ans** et **Fais-toi-z'en pas**)
Productions Branle-bas, novembre 1988

FERRON, Jacques

Dramaturge, conteur, romancier et essayiste, Jacques Ferron est né à Louiseville en 1921 et est décédé à Longueuil en 1985. Diplômé en médecine de l'Université Laval en 1945, il puise dans la pratique de sa profession matière à fabulation. Critique au *Petit Journal* puis à *Maclean* (1966-1970), il a tenu la rubrique « historiette » dans l'*Information médicale*. Il crée son propre parti politique à l'automne 1963, le Parti Rhinocéros. Le théâtre constitue une part importante de son oeuvre. On pourrait diviser cette oeuvre théâtrale en deux parties : les pièces intimes et les pièces nationalistes. En 1964, il reçoit le Prix du gouverneur général du Canada. Ses années d'écriture sont couronnées en 1972 par le prix Victor-Morin de la Société Saint-Jean-Baptiste, en 1973 par le prix France-Amérique et le prix Duvernay, et en 1977 par le prix Athanase-David. En 1993, le département de langue et littérature françaises de l'Université McGill publiait les actes d'un colloque sur son oeuvre et la même année ses contes étaient réédités dans la Bibliothèque québécoise chez Beauchemin et ses textes radiophoniques (**J'ai déserté Saint-Jean-de-Dieu, Les cartes de crédit, Les Yeux** et **La Ligue des bienfaiteurs de l'humanité**) paraissaient chez Vent d'Ouest en 1993.

La Mort de Monsieur Borduas [1949] (Les Herbes rouges, no 1, 1968 ; avec **Le Dodu**, **Le Permis de dramaturge, La Tête du roi** et **L'Impromptu des deux chiens**, Librairie Déom, 1975, sous le titre de **Théâtre 2**)
Borduas a dicté ses volontés : à sa mort, on doit se costumer et endosser la redingote, le plastron, le chapeau haute-forme et les gants. Mousseau, Lefebvre, Gauvreau, Vaillancourt, Ferron-Hamelin et Sullivan préparent la cérémonie en attendant que Murielle ramène le mort. Le mort arrivera... sur ses deux pieds.
Durée : 15 minutes
Personnage(s) : 2 femmes, 6 hommes

Le Dodu [1950] (Éditions d'Orphée, 1956 ; suivi de **La Mort de Monsieur Borduas, Le Permis de dramaturge, La Tête du roi** et **L'Impromptu des deux chiens**, Librairie Déom, 1975, sous

le titre de **Théâtre 2**)
Troupe de l'Errant canadien, Théâtre-Club, 24 juin 1958
Deux filles, deux soeurs : Célia et Agnès ; l'une est mariée, l'autre voudrait l'être. La première demande à la seconde d'échanger sa chambre contre la sienne. De cet échange s'ensuit un quiproquo où l'amant d'Agnès risque d'assassiner Dorante, le mari de Célia.
Durée : 1 heure
Personnage(s) : 2 femmes, 3 hommes et 1 marionnette

Tante Élise ou le Prix de l'amour [1955] (Éditions d'Orphée, 1956 ; avec **Les Grands Soleils** et **Le Don Juan chrétien**, Librairie Déom, 1968, sous le titre de **Théâtre 1**)
Un hôtelier accepte de vendre son auberge mais pas à n'importe qui. Un couple de jeunes mariés s'annonce ; les arrangements ont été faits par la tante de la jeune fille : il n'y aura pas de lit dans la chambre et l'hôtelier devra donner un compte-rendu de l'action. Jeu de vérités et de mensonges, cette entente aboutira à la mort de la vieille tante et à l'achat de l'auberge par les héritiers.
Durée : 1 heure
Personnage(s) : 2 femmes, 2 hommes

Le Cheval de Don Juan [1957] (Première version, Éditions d'Orphée, 1957 ; précédé de **Les Grands Soleils**, **Tante Élise**, **Le Don Juan chrétien**, Librairie Déom, 1968, sous le titre de **Théâtre 1**)
Troupe de l'Albatros, Verdun, 29 janvier 1966
Le commandeur, devenu un peu fou, est amoureux de son cheval Arthur, mais son cheval ne le reconnaît plus. Pendant ce temps, sa femme, Hortense, se laisse courtiser par Don Juan. À la fin, ce dernier s'envolera comme un dieu sur le cheval et le commandeur, comprenant son amour insensé, reviendra à sa femme.
Durée : 3 heures
Personnage(s) : 2 femmes, 4 hommes

Les Grands Soleils [1958] (première version : Éditions d'Orphée, 1958 ; dernière version : suivie de **Tante Élise** et de **Le Don Juan chrétien**, Librairie Déom, 1968, sous le titre de **Théâtre 1**)
Ce texte a été présenté en lecture publique par le Théâtre de la Manufacture, en collaboration avec le Cead, le 26 novembre 1985.
Créé en tournée par le Théâtre du Nouveau Monde, puis à Montréal, le 25 avril 1968
L'ironie et l'humour rythment ce texte épique qui se déroule à la fois au temps de la rébellion de 1837 et de nos jours, au carré Viger, où règne le clochard Mythridate. C'est lui qui mène le jeu où s'entrechoquent un paysan craintif, son fils patriote, un Amérindien sagace, un curé indécis, sa servante anglaise et surtout le célèbre Jean-Olivier Chénier, révolutionnaire vaincu dont il transforme la défaite en victoire.
Durée : 2 heures 45
Personnage(s) : 1 femme, 6 hommes

La Tête du roi [1963] (Cahiers de l'A.G.E.U.M., no 10, 1963 ; avec **Le Dodu**, **La Mort de Monsieur Borduas**, **Le Permis de dramaturge** et **L'Impromptu des deux chiens**, Librairie Déom, 1975, sous le titre de **Théâtre 2**)
Non produit intégralement à la scène
Le procureur de la Couronne d'une petite ville renoue avec la veuve du juge qu'il doit remplacer. Le procureur a élevé ses deux fils selon deux tendances qui luttaient en lui-même : le serviteur de la Couronne et le notable nationaliste. Son fils mettra fin à la « litanie coloniale » et l'obligera à prendre partie en décapitant la statue d'Édouard VII du carré Philip.
Durée : 1 heure 30
Personnage(s) : 2 femmes, 6 hommes

L'Impromptu des deux chiens [sans date] (précédé de **Le Dodu, La Mort de Monsieur Borduas, Le Permis de dramaturge** et **La Tête du roi**, Librairie Déom, 1975, sous le titre de **Théâtre 2**)
Ce texte a été présenté en lecture publique par le Théâtre de la Manufacture, en collaboration avec le Cead, le 26 novembre 1985.
Cette pièce est une conversation mordante sur le théâtre entre le comédien Albert Millaire et Jacques Ferron lui-même.
Durée : 50 minutes
Personnage(s) : 2 hommes

FOURNIER, Alain

photo: Gilles Chartrand

Formé en interprétation au Conservatoire d'art dramatique de Montréal (1973), Alain Fournier a joué sur de nombreuses scènes, et à la télévision, autant dans des téléthéâtres que dans des séries. Il a signé une cinquantaine de mises en scène pour les écoles de théâtre et les compagnies de création. Il détient une maîtrise en art dramatique de l'Université du Québec à Montréal, où il enseigne au département de théâtre depuis 1989. Il s'intéresse plus particulièrement au théâtre multidisciplinaire et au théâtre musical.

E   **L'Incroyable Boîte à musique** [1974]
La Boîte à musique de la Ville de Montréal, été 1974
Initiation à la musique selon la méthode Percustra des Percussions de Strasbourg
Deux enfants recherchent le « la » perdu, afin de vaincre le chaos et de retrouver, grâce à la participation du public, l'harmonie et la paix.
Durée : 50 minutes
Personnage(s) : 2 femmes, 3 hommes
7 chansons
Jeux rythmiques, sons et bruits, musique et chansons

E   **Le Pique-nique** [1980]
Jeanginus et Nicolette, mai 1980
Partition pour deux acrobates-jongleurs. À l'occasion d'un pique-nique dans un parc, deux enfants se livrent à divers jeux d'adresse ponctués de considérations humoristiques sur leurs amis respectifs, de même que sur leurs parents.
Durée : 45 minutes
Personnage(s) : 1 femme, 1 homme
1 chanson

E   **Quasiment** [1981], d'après les contes **Les Quatre Saisons de Piquot** et **Quelques pas dans l'univers d'Éva** de Gilles Vigneault
Découverte du monde, de l'amitié et de la poésie.
Durée : 35 minutes
Personnage(s) : 1 femme, 2 hommes

Les Veuves [1981]
Quatre femmes de l'âge d'or se retrouvent dans un petit hôtel de province, à la suite de problèmes d'automobile. Un voyageur de commerce qui les courtise réveille désirs, angoisse et frustration.
Durée : 1 heure 45
Personnage(s) : 5 femmes, 2 hommes

J   **Circuit fermé** [1986] (VLB Éditeur, 1987)
Théâtre de l'Atrium, 6 novembre 1986
Deux jeunes prostitués (une fille et un garçon) se lient d'amitié au hasard de leur vie tumultueuse. Ils partagent un intense besoin d'autonomie et de liberté qu'ils ne savent comment assumer dans cette société de consommation et de compétition. Leur amitié leur apprend à réunir leur vie divisée.
Durée : 1 heure
Personnage(s) : 6 personnages (4 femmes, 2 hommes) pouvant être joués par 2 femmes et 2 hommes
Public visé : le second cycle du secondaire

Privé/Public [1988]
Option-théâtre du cégep Lionel-Groulx, juin 1988
Autour d'un groupe de jeunes de cégep et d'un groupe rock se tissent des relations amoureuses, amicales et quelquefois « utilitaires ». Martine, professeur, se cherche un « père géniteur » afin d'avoir et d'élever seule un enfant. Rosemarie, après un avortement, devient mère porteuse. Un couple homosexuel cherche un moyen d'avoir un enfant. Histoires d'amour et de reproduction dans le contexte moderne des bébés-éprouvettes, des banques de sperme, de femmes qui refusent de porter des enfants ou les portent pour les autres. Mutation sociale ? Les choix privés discutés sur la voie publique ? La famille et le couple vont-ils survivre ? Tout cela avec humour et chansons.
Durée : 1 heure 30
Personnage(s) : 3 femmes, 5 hommes et 1 choeur pouvant être joués par 3 femmes et 3 hommes
9 chansons et musique
Utilisation de diapositives

Petit-Tchaïkovski ou la Liquéfaction de la lumière [1989] (Les Herbes Rouges, 1990), opéra ; avec la collaboration de Michel Gonneville pour la musique
Ce texte a été présenté en lecture publique chantée par le Cead, le 10 février 1990.
Librement inspiré de Claude Vivier, compositeur, ce texte parle de création et de sublimation. Durant les répétitions de son opéra, qui raconte son enfance à l'orphelinat, un compositeur se livre à toutes sortes de manipulations et de processus compensatoires en vue de réaliser son oeuvre qui le mène à une mort brutale.
Durée : 2 heures
Personnage(s) : 2 acteurs, 1 soprano, 1 mezzo, un enfant soprano, un baryton, un choeur d'enfants et un orchestre de 6 musiciens
Partitions disponibles

E   **La petite fille qui avait mis ses parents dans ses poches** [1992] (VLB Éditeur, 1994)
Théâtre de l'Avant-Pays, octobre 1992
Une petite fille qui veut un bébé se met à le chercher dans la ville où elle sera grande. Une première fugue la ramène désemparée. Mais la lune exauce son voeu et ses parents deviennent

si petits qu'elle les met dans ses poches pour profiter de leurs conseils. C'est ainsi qu'elle se retrouve dans cette ville où tout est compté. Elle y trouve un ami qui l'aide à trouver son bébé, après de nombreuses aventures.
Durée : 55 minutes
Personnage(s) : 1 femme, 1 homme et 2 marionnettes
Public visé : le premier cycle du primaire

J   **Jusqu'aux os** [1993] (VLB Éditeur, 1994)
Théâtre Le Clou, octobre 1993
Durant l'absence de ses parents, un adolescent invite deux amies à vivre chez lui. Ensemble, ils apprennent la tolérance et la vie commune. Pendant qu'il définit le genre d'homme qu'il veut devenir, une de ses amies combat son insécurité et son matérialisme alors que l'autre, Québécoise d'adoption, recherche ses géniteurs pour les remercier de leur choix.
Durée : 1 heure
Personnage(s) : 2 femmes, 1 homme
3 chansons sur des musiques de Sylvain Scott
Utilisation de vidéo *live*

COLLAGE

Faust performance [1982], collage à partir du **Faust** de Goethe et de ceux de Durrell, Eisler, Ghelderode, Marlowe, Pousseur et Valéry
Productions Germaine Larose, 17 janvier 1986

TRADUCTIONS

Portrait de la vie quotidienne [1987], en collaboration avec Marie-Élizabeth Morf, traduction de **Mensch meier** de Franz-Xaver Kroetz (VLB Éditeur, 1991)
Théâtre de la Corvée, janvier 1988

Ligne 1 [1988], en collaboration avec Marie-Élizabeth Morf, traduction de **Linie 1** de Volker Ludwig
Option-théâtre du cégep de Saint-Hyacinthe, juin 1988

FRÉCHETTE, Carole

Après avoir obtenu, en 1973, un diplôme en interprétation à l'École nationale de théâtre du Canada, Carole Fréchette fait partie du Théâtre des Cuisines de 1974 à 1981. Parallèlement, elle est responsable du théâtre au Service des activités culturelles de l'Université de Montréal, de 1976 à 1987. Elle y crée, entre autres, le Festival québécois de théâtre universitaire, manifestation dont elle sera la codirectrice jusqu'en 1987. De 1984 à 1988, elle fait partie du comité de rédaction des *Cahiers de théâtre Jeu*. À l'Université du Québec à Montréal, elle complète, en 1987, une maîtrise en art dramatique ; c'est dans le cadre de ces études qu'elle amorce l'écriture de sa première pièce solo **Baby Blues**. De 1990 à 1993, elle est agente au Service du théâtre du Conseil des Arts du Canada. Elle se consacre maintenant à l'écriture.

photo: Jean Tremblay

Môman travaille pas, a trop d'ouvrage ! [1975], en collaboration avec Solange Collin, Denise Fortier, Véronique O'Leary et Pierrette Savard (Les Éditions du Remue-ménage, 1976)
Théâtre des Cuisines, 8 mars 1975
Trois femmes de milieux modestes ressentent au quotidien l'essoufflement de la vie de ménagère et de travailleuse : répétition à l'infini des tâches domestiques, course effrénée, difficile éducation des enfants, etc. Un beau matin, épuisées par ce tourbillon, elles décident de s'arrêter et de faire grève. Leur geste, bientôt imité par des centaines de femmes, secoue non seulement les maris, mais aussi les employeurs et même le pouvoir politique. Le travail invisible qu'elles accomplissaient devient tout à coup d'une terrible évidence...
Durée : 1 heure 30
Personnage(s) : 31 personnages pouvant être interprétés par 3 femmes et 3 hommes
6 chansons

As-tu vu ? Les maisons s'emportent ! [1980], en collaboration avec Marie-Claude Barey, Solange Collin, Johanne Doré, Luce Harnois, Suzanne Lemire, Johanne Melanson et Albanie Morin (Les Éditions du Remue-ménage, 1981)
Théâtre des Cuisines, mai 1980
Louise, Jacinthe, Marie, Hélène, Josée sont des « battantes » qui mènent une vie active et bien remplie, des femmes autonomes, articulées, conscientes de leurs droits, etc. En apparence, on peut croire que tout va bien pour elles, mais, dans le secret de leurs maisons, éclate la difficulté de vivre au jour le jour les tiraillements de cette nouvelle condition : la solitude, les tensions avec le partenaire, l'épuisement, etc. À travers différents sketches, la pièce lève le voile sur le combat intime de ces femmes en mouvement.
Durée : 1 heure 15
Personnage(s) : Une vingtaine de personnages pouvant être joués par 5 femmes et 2 hommes
4 chansons

Baby Blues [1988] (Éditions Les Herbes rouges, 1990)
Ce texte a été présenté en lecture publique par le Cead, le 27 février 1988.
Radio de Radio-Canada, émission *Théâtre du Lundi*, 16 mai 1988.
Théâtre d'Aujourd'hui, 15 mars 1991
Dans une maison ordinaire d'une ville moyenne, vivent une jeune femme pâle nommée Alice et un bébé rose nommé Amélie. La grande a presque trente ans, la petite à peine quarante jours...

Cette nuit-là, Alice ne dort pas ; cela fait maintenant quarante jours et quarante nuits qu'elle n'a pas dormi. Dans la torpeur de l'insomnie, surviennent les visiteuses de la nuit : sa mère, toujours inquiète, sa soeur aînée, qui ne doute jamais, sa tante des « États », qui a fait des choses défendues, et sa grand-mère, naïve et délicate comme une jeune fille… À travers ces femmes de sa lignée, Alice cherche à recoller les morceaux de sa propre existence, marquée par le doute et le tourment.

Durée : 1 heure 30
Personnage(s) : 5 femmes

Les Quatre Morts de Marie [1991]

Ce texte a été présenté en lecture publique par le Cead, le 7 février 1991. Il a également été présenté en lecture publique par le Cead, en coproduction avec le Festival de Théâtre des Amériques, lors de l'événement **Quatre mondes en lecture,** *le 7 juin 1993.*

Elle voulait écrire les aventures de Mary Simpson, elle voulait élever quatre garçons et quatre filles, elle voulait marcher jusqu'à la Terre de Feu, elle voulait découvrir un continent. Elle voulait… Mais, elle a vendu des souliers pas chers sur la rue Mont-Royal, elle a écrit sur les murs des mots enflammés, elle a fait des sourires à la télévision, puis elle a beaucoup dormi. Elle s'appelle Marie, elle est née au milieu du siècle. Un siècle fini. En quatre tableaux, la traversée d'une femme téméraire depuis son départ joyeux pour l'école, un matin de mai ensoleillé, jusqu'à sa fuite effrénée sous la pluie, plusieurs années plus tard, dans une barque dérisoire, sur un océan de solitude.

Durée : 1 heure 45
Personnage(s) : 2 femmes, 3 hommes

GAGNON, Cécile

Auteure et illustratrice, Cécile Gagnon est née à Québec et habite aujourd'hui à Montréal. Après un baccalauréat obtenu à l'Université Laval, elle fréquente la Boston University School of Fine and Applied Arts et l'École nationale supérieure des arts décoratifs, à Paris. En 1988, elle a poursuivi sa formation au certificat en études italiennes à l'Université de Montréal et à la Scuola di Lingua & Cultura à Sienne en Italie. Elle écrit pour la jeunesse depuis 1961, un public auquel elle a livré près d'une centaine d'albums et de romans qui lui ont mérité plusieurs prix. C'est à la suite d'une adaptation pour la scène, par l'Avant-Pays, de son conte **Le Roi de Novilande** (Éditions Pierre Tisseyre) que Cécile Gagnon a décidé d'écrire pour le théâtre. Très engagée dans la promotion de la littérature pour la jeunesse, elle a été présidente de Communication-Jeunesse et maintenant présidente de l'Association des écrivaines et écrivains québécois pour la jeunesse. Elle a été rédactrice en chef des cahiers *Passe-Partout*, au ministère de l'Éducation du Québec, puis de la revue *Coulicou* et a signé de nombreux articles dans divers magazines (dont *Québec Français, Liberté, Livre d'ici, Hibou*). Fondatrice des Productions Plumeneige, elle produit des spectacles de conteurs depuis 1990.

photo: Kéro

E   **Jules Tempête** [1990], d'après un conte de l'auteur intitulé **La Maison Miousse** (Éditions de l'Amitié, France, 1983)

Théâtre de l'Oeil, mars 1991
Une célébration de l'hiver. La tempête du siècle fait rage sur Saint-Arsène. Farineige s'amuse et fait le bonheur de Jules, le conducteur de la souffleuse. Chez les Lépinard une autre tempête ébranle la paix familiale.
Durée : 50 minutes
Personnage(s) : 4 marionnettistes
Public visé : les enfants de 5 à 12 ans

E   **Le Pays du Septdouze** [1992]
Pièce en dix scènes conçue pour être jouée par des enfants
Au village de *Humanobs* (ou l'anagramme du nom du lieu où la pièce est jouée) les parents pleurent l'étrange disparition de leurs enfants. Ceux-ci, dont Nadine, se la coulent douce au pays du Septdouze. Bien que merveilleux, ce pays, auquel on accède par un passage secret, a cependant un horrible travers : passé l'âge de douze ans, on y est changé en chèvre ! Nadine va avoir douze ans. Pour fuir le sort de la métamorphose et avec l'aide de son jeune frère Nicola et de son amie Cécile, venus la rejoindre, elle trouvera le moyen de sortir du Septdouze. Ils rentreront glorieux à Humanobs.
Durée : 1 heure
Personnage(s) : 8 filles, 8 garçons et de nombreux figurants filles et garçons si possible

E   **Coeurs battants** [1993] (à paraître aux Éditions Québec-Amérique Jeunesse, 1995), pièce originale écrite par l'auteure en italien, 1990, sous le titre de **Batticuore** (version italienne également disponible)
Pièce en dix scènes pour être jouée par des enfants et conçue à partir d'ateliers d'écriture avec des enfants
L'histoire de Paméla, une fillette qui a un coeur malade. Son ami, Romain, décide de trouver la source de son mal. Il la conduit à travers trois « épreuves » qui la mènent à la guérison. Cette pièce est en fait une histoire d'amour entre un enfant et... un arbre.
Durée : 1 heure
Personnage(s) : 18 personnages parlants pouvant être joués indifféremment par des filles et des garçons, nombreux figurants

GAGNON, Siegfried

Bachelier en théâtre de l'Université du Québec à Montréal, Siegfried Gagnon obtient, en 1986, son diplôme en Écriture dramatique de l'École nationale de théâtre du Canada. Son premier texte **Gilles Vachon incendiaire !** est créé à la Licorne en 1987. En 1988, il est boursier du Conseil des Arts du Canada, il signe de plus différents monologues pour des humoristes se produisant aux *Lundis Juste Pour Rire*. Il est également scénariste pour la radio : son adaptation intitulée **Les Beaux Moments** a représenté la radio de Radio-Canada au concours international de Monaco en juin 1989.

Beam me up Mister Spock [1985]
École nationale de théâtre, avril 1985
Gilles Tremblay a 35 ans. Abandonné par sa femme et solitaire, il est en passe de devenir un déchet de la société. Il est obsédé par les aventures de *Star Trek* et mélange l'évocation de ses souvenirs personnels à ses fantasmes jusqu'à entrer totalement dans l'univers de son émission de télévision favorite.
Durée : 30 minutes
Personnage(s) : 1 homme

Gilles Vachon incendiaire ! [1987]
Tess Imaginaire, août 1987
Gilles Vachon vit dans un *shack* à proximité de la maison de ses parents. Il s'y enferme à longueur de journée et y reçoit des amis inquiétants. Gilles a ceci de particulier : il ne se lave plus ! Cloîtré dans un univers qui se situe entre le fanatisme religieux de sa belle-mère, les projets pyromaniaques de son frère Julien et la solitude de son cercle d'amis restreint, il rêve d'un monde meilleur.
Durée : 1 heure 20
Personnage(s) : 2 femmes, 4 hommes
Accompagnement sonore nécessaire

GARNEAU, Michel

photo: Robert Laliberté

« Poète, dramaturge. **Héliotropes**, au printemps 94, sera la vingt-sixième pièce publiée et le trente-troisième livre. »

La Chanson d'amour de cul [1971] (Éditions de l'Aurore, 1974)
Première version sous forme de monologue non disponible au Cead
Théâtre-midi du Théâtre du Nouveau Monde, mars 1974
Maurice Faribeau : le sexe est une joie qui lui monte à la tête. Jean-Pierre Baribeau : le sexe est une misère qui le paralyse. Ils s'en parlent.
Durée : 50 minutes
Personnage(s) : 2 hommes
1 chanson

Sur le matelas [1972] (Éditions de l'Aurore 1974, épuisé ; VLB Éditeur, 1981)
Théâtre Le Galendor (Île d'Orléans), juin 1972
Une comédie écrite pour que des acteurs s'amusent. En confrontant la fragilité de l'amour à la vitalité menaçante de la folie ordinaire.
Durée : 1 heure 30
Personnage(s) : 2 femmes, 2 hommes et 1 musicien-acteur
5 chansons

Strauss et Pesant (et Rosa) [1969] (Éditions de l'Aurore, 1974)
Théâtre d'Aujourd'hui, septembre 1974
Traduit en anglais par Aviva Ravel sous le titre de **Strauss and Pesant (and Rosa)** [1975]
Les personnages, Joseph-Albert Strauss, capitaine de police, et Monseigneur Émilien Pesant, évêque, démontrent symboliquement la collusion de l'Église et de l'État et leur pouvoir misogyne.
Durée : 1 heure 30
Personnage(s) : 1 femme, 2 hommes

J   **Petitpetant et le monde** [1972 et 1975] (VLB, Éditeur, 1982)
Une première version de ce texte a été écrit pour l'École nationale de théâtre du Canada en 1972 sous le titre de **17**
Théâtre de l'Université de Montréal, janvier 1975
Petitpetant, le chien, présente quelques beaux spécimens de la race humaine, drôlement, colériquement, tendrement.
Durée : 1 heure 30
Personnage(s) : 10 personnages (2 femmes, 5 hommes et 3 femmes ou hommes)
5 chansons

Quatre à quatre [1973] (Éditions de l'Aurore, 1974 ; VLB, Éditeur, 1979)
Commande de l'Option-théâtre du cégep Lionel-Groulx, 1973
Théâtre de Quat'Sous, novembre 1974
Traduit en anglais par Christian Bédard et Keith Turnbull sous le titre de **Four to Four** (Éditions Simon and Pierre, Toronto, 1978) [1974]
Tarragon Theatre (Toronto), 30 mars 1974
Traduit en portuguais par Teresa Garcia Fernandez et Jose Antonio Miranda sous le titre de **Quatro para quatro** [1985] (traduction non disponible au Cead)
Théâtre A Communa (Lisbonne), 26 avril 1985
Quatre femmes de la même lignée, quatre générations se confrontent et unissent leurs soliloques en un dialogue. Elles occupent l'espace intérieur de la plus jeune, qui, irritée par la lourdeur de l'hérédité veut tuer ses fantômes et refaire l'amour.
Durée : 1 heure 30
Personnage(s) : 4 femmes
3 chansons

Le Bonhomme Sept-Heures [1974] (précédé de **Les Neiges**, VLB Éditeur, 1984)
Commande de l'École nationale de théâtre du Canada, 1974 ; texte mis en musique par André Angélini
Théâtre de Quat'Sous, novembre 1975
Comment dénouer la peur, comment mettre le Bonhomme Sept-Heures tout nu.
Durée : 1 heure 30
Personnage(s) : 3 femmes, 4 hommes
28 chansons

Gilgamesh [1974] (VLB, Éditeur, 1976)
Commande de l'École nationale de théâtre, avril 1974 ; musique d'André Angélini
Version « plus légère », non publiée, également disponible

École nationale de théâtre, avril 1974
Adaptation de l'épopée de Gilgamesh, la plus ancienne, la plus jeune réflexion sur l'irréductibilité de la vie, l'irréductibilité de la mort.
Durée : 2 heures
Personnage(s) : 24 personnages (11 femmes, 13 hommes) pouvant être joués par une dizaine d'interpètes
18 chansons

Les Voyagements [1975] (suivi de **Rien que la mémoire**, VLB Éditeur, 1977)
Théâtre des Voyagements, février 1975
Quatre voyageurs sur des exercycles vont dans le monde du dedans et du dehors, enlèvent des masques à force d'expériences et cherchent dans l'action comment se débarrasser de la prison du je-me-moi.
Durée : 1 heure 20
Personnage(s) : 1 femme, 3 hommes
3 chansons

L'Usage du coeur dans le domaine réel [1975] (précédé de **Abriés, désabriées**, VLB Éditeur, 1979)
La Rallonge, septembre 1975
« Je l'auteur me fait vous dire par ma bouche à moi l'acteur qu'on vous propose une manière d'objet dramatique pour vous parler de l'utopie pour au moins en glisser un mot. »
Durée : 1 heure 30
Personnage(s) : 6 interprètes
5 chansons

Abriés, désabriées [1975] (suivi de **L'Usage du coeur dans le domaine réel**, VLB Éditeur, 1979)
Commande de l'École nationale de théâtre du Canada, 1975
Théâtre de la Manufacture, octobre 1977
Une danse carrée : l'ange à droite, le diable à gauche, traversée par des scènes et la chanson des amants qui s'abrillent et se désabrillent. Pour dénoncer le narcissisme amoureux.
Durée : 1 heure 30
Personnage(s) : 4 femmes, 4 hommes
Plusieurs chansons
Un violoneux, un accompagnateur

Rien que la mémoire [1976] (précédé de **Les Voyagements**, VLB Éditeur, 1977)
Théâtre des Voyagements, mars 1976
On peut vivre sa vie ou la subir. On peut devenir « rien que la mémoire » des mystères de l'anecdote, une addition de consommations. Et en sentir confusément la rage et la frustration, tout en mourant tranquillement.
Durée : 1 heure 30
Personnage(s) : 2 femmes, 3 hommes

Les Célébrations [1976] (suivi de **Adidou Adidouce**, VLB Éditeur, 1977)
Théâtre du Horla, août 1976
Moments drôles, durs et tendres de la vie de couple de Margo, psychologue, et Paul-Émile, professeur de philosophie. Une pièce sur les transferts dans les couples : « Tu me donnes ton angoisse, je t'offre ma manie... »
Durée : 1 heure 30
Personnage(s) : 1 femme, 1 homme
13 (courtes) chansons

J   **Joséphine la pas fine et Itoff le toffe** [1976]
Théâtre de la Marmaille, opération-théâtre de la Nouvelle Compagnie Théâtrale, 23 octobre 1976 ;
Créé sous le titre de **Pourquoi tu dis ça ?**, avec **Qu'est-ce que tu vas faire quand tu vas être grand(e) ?** de Marie-Francine Hébert, ; **Quand on était petit** de Claire Leroux et **Qu'est-ce qu'on fait astheure ?** de Claude Roussin
Les retrouvailles d'une adolescente et d'un adolescent amis d'enfance dont la vie est difficile et qui se rapprochent et voudraient rapprocher leurs parents, veuf et veuve, pour adoucir leurs vies.
Durée : 20 minutes
Personnage(s) : 2 femmes, 2 hommes

Adidou Adidouce [1976] (précédé de **Les Célébrations**, VLB Éditeur, 1977)
Théâtre des Voyagements, 4 février 1977
Un baptême, l'école, les confessions, une mortalité, l'amour fou, un enterrement de vie de garçon, rituels d'un autre temps ou d'aujourd'hui qu'évoquent une kyrielle de personnages drolatiques, dans un langage qui procède à la fois de la bande dessinée et de la poésie.
Durée : 1 heure
Personnage(s) : 1 femme, 4 hommes

De la poussière d'étoile dans les os [1976] (avec **Jeux de force ou les Derniers Neveux, Libre entre les morts**, et **Le Travail de la mémoire et du désir**, sous le titre de **De la poussière d'étoile dans les os**, VLB Éditeur, 1991), écrit à la suite d'un atelier d'écriture
Option-théâtre du Collège Lionel-Groulx, avril 1976
Le quotidien robotisé, la liberté de la nuit qui rêve, la recherche de la plénitude : « Tu veux être un humain complet, total et réalisé dans toutes les dimensions de l'humain, naturel et social à la fois, spontané et réfléchi, conscientisé et plein d'humour ? »
Durée : 1 heure 30
Personnage(s) : 2 femmes, 1 homme
3 chansons

Les Neiges [1977] (suivi de **Le Bonhomme Sept-Heures**, VLB Éditeur, 1984)
Commande de l'École nationale de théâtre du Canada, novembre 1978
Théâtre de la Vieille 17, novembre 1980
Traduit en anglais par Ken Brown sous le titre de **The Snows** [1981]
Coproduction de The First Snow et Workshop West (Edmonton), 27 août 1981
Une pièce en 8 tableaux dont le personnage principal est l'hiver.
Durée : 1 heure 30
Personnage(s) : 19 personnages pouvant être joués par 3 femmes et 3 hommes
1 chanson

Libre entre les morts (L'Apichimon) [1980] (avec **De la poussière d'étoile dans les os, Jeux de force ou les Derniers Neveux**, et **Le Travail de la mémoire et du désir**, sous le titre de **De la poussière d'étoile dans les os**, VLB Éditeur, 1991), écrit à la suite d'un atelier d'écriture.
Commande du Conservatoire d'art dramatique de Montréal
Conservatoire d'art dramatique de Montréal, mars 1980
Une proposition de fragile connivence, tout près du conte et du poème, une tentative de transmettre de l'expérience réelle, de la vérité, en équilibre sur le moment, de ce genre de vérité dont on ne sait même pas si elle sert à quelque chose, comme la vie ne sert à rien et qu'en sentir le joyeux vertige nous rend *inter mortuos liber* (le titre vient d'un madrigal religieux de Gesualdo, le grand compositeur assassin) libre entre les morts.
Durée : 1 heure 30
Personnage(s) : 4 femmes, 6 hommes

Jeux de forces (ou Les Derniers Neveux) [1980] [1982] (avec **De la poussière d'étoile dans les os, Libre entre les morts**, et **Le Travail de la mémoire et du désir**, sous le titre de **De la poussière d'étoile dans les os**, VLB Éditeur, 1991)
Production les Gants d'or, 12 novembre 1980 ; 2e version Théâtre d'Aujourd'hui, novembre 1982
Combat de boxe post-référendaire entre l'aspirant et le champion. Un règlement de comptes en plein milieu du silence.
Durée : 1 heure 30
Personnage(s) : 2 hommes
1 chanson

Émilie ne sera plus jamais cueillie par l'anémone [1981] (VLB Éditeur, 1981)
Café de la Place, 21 octobre 1981
Traduit en anglais par Linda Gaboriau sous le titre de **émilie will never again feel the breath of the delphinium** [1985]
Traduit en allemand par Eva Schonfeld sous le titre de **Emily wird nie wieder von der anemone gepfluckt werden** [1982] (Bonn, 1982, hors commerce)
Traduit en espagnol par Alberto Kurapel sous le titre de **Emilie ya no sera nunca mas sorprendida por la anemona** [1985]
Suggérée par la vie et l'oeuvre d'Emily Dickinson, ce n'est pas une pièce biographique ou historique mais un texte sur le langage et la musique. Émilie de son jardin dont elle est à la fois la fleur et la jardinière veille sur la lente mort sommeilleuse de sa mère en visitant avec sa soeur Uranie, à la seule force des paroles, le monde et le divin et l'absence et le temps caresseur.
Durée : 1 heure 30
Personnage(s) : 2 femmes

Avant la nuit... Offenbach [1983]
Commande de l'École nationale de théâtre du Canada, 1983
Centre national des Arts, 1984
Texte autour d'extraits d'oeuvres de Jacques Offenbach (**La Périchole, Orphée aux enfers, La Vie parisienne** et **Les Contes d'Hoffmann**). Hommage à un artisan.
Durée : 2 heures
Personnage(s) : 25 personnages (12 femmes, 13 hommes) et un choeur pouvant être joués par 4 femmes et 5 hommes
9 airs extraits d'opérettes

Le Travail de la mémoire et du désir [1985] (avec **De la poussière d'étoile dans les os, Libre entre les morts**, et **Jeux de force ou les Derniers Neveux**, sous le titre de **De la poussière d'étoile dans les os**, VLB Éditeur, 1991)
Commande du Centre québécois de l'I.I.T., pour le XXIIIe Congrès mondial de l'I.I.T., 1er juin 1985
Six comédiens, de trois générations différentes, évoquent leur parcours de comédien et leur raison de faire du théâtre.
Durée : 1 heure
Personnage(s) : 3 femmes, 3 hommes

Une fête [1985] (dans **20 ans**, VLB Éditeur, 1985)
La tragédie de l'inattention, le gâchis de l'indifférence.
Durée : 20 minutes
Personnage(s) : 5 hommes

Le Groupe [1973 et 1981] (précédé de **Petitpetant et le monde**, VLB Éditeur, 1982)
Productions Germaine Larose, avril 1981
Les idées reçues, la fuite dans l'action symbolique, la paralysie dans la jouissance de ses névroses. Une comédie agressive, une satire acérée.

Durée : 1 heure 30
Personnage(s) : 4 femmes, 3 hommes

Le Jeu de l'inventaire (Quarante et une images du Refus global) [1981] (texte publié dans **Poésies complètes**, 1955-1987, Guérin Littérature/L'Âge d'homme, 1988)
Théâtre musical, musique de Michel Longtin
L'Histoire en passant par les métaphores du **Refus Global.**
Durée : 2 heures
Personnage(s) : 1 homme
Pour quintette à vents et un acteur

L'Enfant Aurore [1982]
Théâtre de la Bordée, novembre 1982
Tentative de passer de l'anecdote au mythe, du mélodrame à la tragédie, il s'agit d'un texte pour marionnettes.
Durée : 1 heure 30
Personnage(s) : 20 marionnettes (15 femmes, 5 hommes)
1 chanson

Les Guerriers [1989] (VLB, Éditeur, 1989)
Ce texte a été présenté en lecture publique par le Cead, au 4e Festival des francophonies à Limoges, les 5 et 10 octobre 1987.
Coproduction du Théâtre d'Aujourd'hui et du Centre national des Arts, avril 1989
Traduit en anglais par Linda Gaboriau sous le titre de **Warriors** [1989] (Éditions Talonbooks, Vancouver, 1990)
Cette traduction a été présentée en lecture publique par le Factory Theatre, en coproduction avec le Cead, à Toronto, le 22 novembre 1989.
Alberta Theatre Projects, janvier 1990
La Guerre, la Publicité, la Propagande, la Créativité et la Business, en duel. Impuissants, nous sommes tous militaristes. Impuissants, nous sommes tous des guerriers.
Durée : 1 heure 40
Personnage(s) : 2 hommes

E   **Mademoiselle Rouge** [1989] (VLB Éditeur, 1989)
Ce texte a été présenté en lecture publique par le Cead, le 8 février 1990.
Théâtre Am Stram Gram (Genève), 1er novembre 1989
Traduit en anglais par Linda Gaboriau sous le titre de **Miss Red and the Wolves** [1992]
Cette traduction a été présentée en lecture publique par le Factory Theatre et le Cead lors d'un projet commun Interact 92-93, conjointement avec Young People's Theatre et Theatre Direct, à Toronto, le 27 novembre 1992.
Mademoiselle Rouge, c'est le chaperon en train de devenir adulte et qui veut comprendre ce qui lui est arrivé quand elle était petite. Elle revient dans la forêt, dans la maison de sa grand-mère pour y vivre la confrontation et la réconciliation avec l'animalité et les mystères naturels.
Durée : 1 heure 15
Personnage(s) : 3 femmes, 4 hommes

E   **La Petite Marchande** [1990], d'après **La Petite Fille aux allumettes** de Hans Christian Anderson ; avec la collaboration de Catherine Gadouas pour la musique
L'Illusion, théâtre de marionnettes, 19 décembre 1990
« Une ville. Un coin de rue. Là où un quartier résidentiel commence... Au crépuscule. Bleu froid. Il neige. Au loin les lumières brillent... La petite marchande entre... » (M.G.) Un poème visuel et musical.
Durée : 50 minutes
Personnage(s) : 3 marionnettistes

Public visé : les enfants de 5 ans et plus

Shakespeare : un monde qu'on peut apprendre par coeur [1991]
Nouvelle Compagnie Théâtrale, 15 avril 1991
Un vieux monsieur essuie soigneusement ses lunettes ; il sera bientôt aveugle et avant de ne plus voir tout à fait, il apprend par coeur l'oeuvre de Shakespeare. Surgissent auprès de lui, deux êtres. Sont-ils les personnages des trente-sept pièces de Shakespeare ? Des acteurs ? Des journalistes ? Des esprits ? Des anges ? Des spectateurs ? Tout cela à la fois.
Durée : 1 heure
Personnage(s) : Une galerie de personnages devant être joués par 1 femme et 2 hommes

E   **Les Grenouilles piégées** [1992]
Sur le racisme. Pièce **dure** pour enfants. De toutes les sortes.
Durée : 1 heure 15
Personnage(s) : 7 personnages pouvant être joués par 2 femmes et 1 homme
Lasthénie (le personnage central) est une jeune femme métissée « en tout cas pas blonde et bleue »

La Première Internationale de narration [1992]
Ce texte a été présenté en lecture publique par le Cead, le 18 avril 1992. Il a également été présenté en lecture publique par le Cead, lors du premier volet de l'événement international Quatre Mondes en lecture, au Festival de Théâtre des Amériques, le 7 juin 1993.
Fable contemporaine sur la violence de la parole. On voit la réalité différente partout et rien ne peut être dit en dehors d'une vision du monde. La machine information fait semblant de pouvoir le faire et meurt chaque soir dans l'anecdote. Pour dire quelque chose, est-ce la fiction qui reste ? ou la philosophie, quand elle est cet indéfinissable travail sur une vision du monde et qu'elle est poésie ? Ou vice versa. Et puis une vision du monde peut-elle exister en dehors de l'action ? Telles sont quelques-unes seulement des questions auxquelles ce texte ne répond pas.
Durée : 2 heures
Personnage(s) : 18 personnages pouvant être joués par 14 interprètes (4 femmes, 10 hommes)

L'Épreuve du merveilleux [1993]
Ce texte a été présenté en lecture publique par le Théâtre du Sang Neuf, en coproduction avec le Cead, à Sherbrooke, le 4 octobre 1993.
Quelle tête lucide est la tête qui, pour devenir libre, a subi l'épreuve du merveilleux. (Maurice Blanchot) Pour parler de l'être et du paraître, d'être ou de faire.
Durée : 1 heure 20
Personnage(s) : 1 femme, 4 hommes

Héliotropes [1993] (VLB Éditeur, 1994)
Théâtre du Rideau Vert, 8 mars 1994
Martha Jane dit:/ *je n'ai jamais rien choisi/ et je n'ai jamais rien voulu/ d'autre que la liberté/ quelle farce !/ je l'ai eue moi ma liberté/ et je suis bien empêtrée dedans !/* Est-ce qu'on choisit qui on est ? Non.
Durée : 1 heure 20
Personnage(s) : 2 femmes, 1 homme (une actrice blanche, un acteur noir et une pianiste blanche qui joue du *ragtime*)

TRADUCTIONS

La Tempête [1973], traduction de **The Tempest** de Shakespeare. Commande de l'École nationale de théâtre du Canada, 1973 (première version non disponible) ; deuxième version (VLB Éditeur, 1989)
Théâtre du Trident, mars 1975

Macbeth [1978], traduction de la pièce de Shakespeare (VLB Éditeur, 1978)
Théâtre de la Manufacture, octobre 1978

La Résurrection de Lady Lester [1987], traduction de **The Resurrection of Lady Lester**
d'OyamO
Cette traduction a été présentée en lecture publique par le Cead, dans le cadre d'un échange avec
le New Dramatists, lors du Festival de Théâtre des Amériques, les 3 et 6 juin 1987.

La Vie après le hockey [1987], traduction de **Life after Hockey** de Ken Brown
Théâtre Français d'Edmonton, 1987

Affamée [1988], en collaboration avec Isabelle Cauchy, traduction de **Affamée/Want** de Jo Lechay
et Eugene Lion [1987]
Création Isis, novembre 1988

Coriolan [1989], traduction de la pièce de Shakespeare. Commande de l'École nationale de
théâtre du Canada (VLB Éditeur, 1989)
École nationale de théâtre du Canada, 1989

Zéro absolu [1992], en collaboration avec Isabelle Cauchy, traduction de **Absolute Zero** de
Eugene Lion ; musique de Connie Kaldor [1991]
Coproduction de Création Isis et du Théâtre d'Aujourd'hui, avril 1992

GAUTHIER, Gabriel

Formé en lettres à l'Université de Sherbrooke, Gabriel
Gauthier a enseigné le français au secondaire, à Iberville, y
animant les activités théâtrales et y écrivant des textes
(canevas, collages) pour ses étudiants. En 1980, il s'établit
à Vancouver, où il enseigne le français langue seconde, et
où il travaille avec la Troupe de la Seizième comme auteur,
comédien et metteur en scène. Il monte **Les fées ont soif**
(1981) et **La Nef des Sorcières** (1983) pour le Centre
culturel colombien, joue dans des dramatiques pour la
télévision, écrit, sur commande, des textes radiophoniques
pour Radio-Canada dont **Last Call**, avec Thérèse
Champagne, une traduction et adaptation de la pièce de
Morris Panych et diffusée à l'émission **Premières**, en 1986.
Il a également élaboré **Prévert**, un spectacle de poésie dans
lequel il jouait. De retour au Québec depuis 1987, il a écrit
trois autres spectacles de commande pour la polyvalente où
il enseigne.

E   **Un Noël à colorer** [1980]
Troupe de la Seizième (Vancouver), novembre 1980
Après un combat de boules de neige, quelques différends et de nombreux émois, une ourse jaune,
un bonhomme de neige noir, une taupe rouge et un petit garçon qui aime la guerre finissent par
s'entendre et fêter Noël ensemble, en toute amitié, dans la bonne humeur.
Durée : 1 heure
Personnage(s) : 2 femmes, 2 hommes
1 chanson

Violette en avril [1981], en collaboration avec Odette Brassard, Thérèse Champagne, Denis Chouinard, Neil Duffy et Nicole-Marie Rhéault

Troupe de la Seizième (Vancouver), 1981

Avec sa fille âgée de quelques mois, une Québécoise dans la trentaine décide d'aller refaire sa vie à Vancouver. Elle est aux prises avec la culture canadienne-anglaise, mais aussi avec les valeurs nouvelles des gens avec qui elle se lie d'amitié et qui lui redonnent confiance en elle.

Durée : 1 heure 30

Personnage(s) : 15 personnages (8 femmes, 7 hommes) pouvant être joués par 3 femmes et 3 hommes

5 chansons

JA **Toxines** [1988]

Commande pour enseignants du niveau secondaire.

Un enseignant dans une école secondaire souffre de burn-out. Ses proches lui offrent toutes sortes de solutions (la psychologie ; la pyramide régénératrice et autres accessoires Nouvel-âge de sa femme ; le trop gros bon sens de son ami, vendeur d'auto retraité à 45 ans, etc.) Il devra trouver la solution en lui-même.

Durée : 1 heure 20

Personnage(s) : 19 personnages (9 femmes, 10 hommes ou 13 femmes, 6 hommes), dont 5 figurants, pouvant être joués par 8 comédiens

Pièce écrite pour être jouée par des professeurs et des élèves.

J **Drôles de rôles** [1989]

Commande pour étudiants du niveau secondaire

Manon, qui ne veut pas du rôle qu'on lui a attribué dans le spectacle d'étudiants, sèche ses cours et se cache dans l'auditorium où a lieu la répétition générale. Entre la présentation des numéros -- qui utilisent diverses approches scéniques -- on parle aussi de la rébellion de Steve, le décrocheur. Une soixantaine de rôles à distribuer de façon variable et quelques voix-off d'adultes : le prof de théâtre, le directeur...

Durée : 1 heure 30

Personnage(s) : 37 personnages (16 femmes- 21 hommes) joués par autant d'étudiants ou moins

GAUTHIER, Gilles

photo: Pierre Charbonneau

Diplômé en lettres et en éducation, Gilles Gauthier est professeur à l'Université de Montréal et a collaboré à de nombreux ouvrages, vidéos et disques pour l'enseignement du français. Comme auteur dramatique, il a écrit, à partir de 1979, des pièces pour enfants qui ont été présentées dans divers festivals internationaux. Il a également publié des contes et plusieurs romans pour les jeunes dont **Ne touchez pas à ma Babouche**, prix Alvine-Bélisle 1989 et **Le Gros Problème du petit Marcus**, prix M. Christie 1992. Il est le concepteur et l'auteur principal de **L'Aventure de l'écriture**, une série de dessins animés pour la télévision produite par Radio-Québec.

E   **On n'est pas des enfants d'école** [1979], en collaboration avec le Théâtre de la Marmaille (Éditions Québec/Amérique et Centre de diffusion, P.P.M.F. primaire, Université de Montréal, 1984)
Théâtre de la Marmaille, avril 1979
Traduit en anglais par Jack Zipes, en collaboration avec Gilles Gauthier et Christopher Hopper sous le titre de **School's no place for kids**
Traduit en allemand par Ragna Jeckle et Karl Heinz Schersling sous le titre de **Wir sind nicht Kinder des Schule** [1982] (traduction allemande non disponible au Cead) Également aménagé pour la production française (Annecy)
Les difficultés d'apprentissage d'une petite fille imaginative à laquelle un professeur grincheux ne prête pas l'attention souhaitée deviennent ici le prétexte d'une brillante réflexion sur l'importance des sentiments et des relations humaines basées sur le respect mutuel et l'affection dans le rapport quotidien de maître à élève(s). Conçue pour pouvoir être jouée dans une classe, la pièce fait se côtoyer poésie, émotion et humour.
Durée : 50 minutes
Personnage(s) : personnages humains et marionnettes, ou personnages-accessoires joués par 1 femme, 1 homme et 1 musicien

E   **Je suis un ours** [1982], d'après **Un ours, je suis pourtant un ours !**, album de Jörg Steiner inspiré de l'oeuvre de Frank Tashlin
L'Arrière Scène, 25 octobre 1982
Traduit en anglais par Linda Gaboriau sous le titre de **I am a bear !**
L'Arrière Scène, 1984
Pendant l'hibernation d'un ours, une usine se construit autour de sa caverne. Prenant l'ours pour un employé paresseux, le personnel de l'usine, du surveillant au président, l'entraîne dans l'univers cauchemardesque du travail mécanique. Sentant l'appel de la nature, à l'automne, l'ours se révolte et retourne à sa forêt.
Durée : 45 minutes
Personnage(s) : 8 personnages masculins pouvant être joués par 3 hommes
1 chanson

E   **Comment devenir parfait en trois jours** [1986], d'après **Be a perfect person in just three days** de Stephen Manes
Théâtre des Confettis, 3 décembre 1986
Traduit en anglais par Maureen LaBonté sous le titre de **How to be a perfect person in just three days** [1988] ; la traduction a été créée par la distribution originale
Théâtre des Confettis, 1988
Annick, dix ans, a toujours les pieds dans les plats. Un jour, elle découvre le livre du docteur Bonenfant, *Comment devenir parfait en trois jours*. Pleine d'espoir, elle décide de suivre ce curieux programme de perfectionnement. Après trois épreuves insolites, elle est enfin devenue... Annick ! La pièce traite avec humour de la recherche de son identité face aux pressions sociales.
Durée : 1 heure 10
Personnage(s) : 6 personnages (1 femme, 5 hommes) pouvant être joués par 1 femme et 1 homme
Ombres chinoises

GAUVREAU, Claude

Poète, dramaturge et polémiste, Claude Gauvreau est né à Montréal en 1925. Après des études classiques au Collège Sainte-Marie, il étudie la philosophie à l'Université de Montréal. Il découvre l'art moderne grâce à son frère Pierre, inscrit à l'École des beaux-arts et fait la connaissance de Borduas. En 1947, Gauvreau crée sa pièce, **Bien-être**, avec la comédienne Muriel Guilbault, « la muse incomparable ». Militant inconditionnel de la grande bataille automatiste, il signe, en 1948, le manifeste de Borduas, **Refus global**. À la suite du suicide de Muriel Guilbault, son équilibre fragile le mène à plusieurs reprises dans des institution psychiatriques. Cependant, il continue d'écrire : le roman de la vie de Muriel Guilbault, **Beauté baroque** [1952] (Éditions de l'Hexagone, 1992). Il écrit aussi plusieurs textes pour la radio, entre 1952 et 1969. Il organise, en 1954, la dernière exposition collective automatiste, « La matière chante ». En 1956, alors qu'il croyait mourir, il écrit **La Charge de l'orignal épormyable** qui ne sera créée qu'en 1974, au Théâtre du Nouveau Monde. En 1958, Janou Saint-Denis monte à l'École des beaux-arts, deux de ses courtes pièces, **La Jeune Fille et la Lune** et **Les Grappes lucides**. Gauvreau écrit ensuite son oeuvre maîtresse, **Les oranges sont vertes**, qui sera présentée au TNM en 1972. Il meurt tragiquement en mettant fin à ses jours en 1971. L'oeuvre immense que nous laisse Gauvreau, poète de la cruauté et de la liberté, reflète son engagement total pour son art, sa lutte et sa vision de l'existence. En 1992, Jean Salvy signait une adaptation pour la scène du roman de Gauvreau, **Beauté baroque**, adaptation que publiait VLB Éditeur la même année. La correspondance de Gauvreau avec Jean-Claude Dussault (1949-1950) paraissait aux éditions de l'Hexagone en 1993.

photo: La Presse

Les Entrailles 1944-1946] (Éditions Parti Pris, **Gauvreau - Oeuvres créatrices complètes**, p.17-173, 1977)
Bien-être, Au coeur des quenouilles et **L'Ombre sur le cerceau** ont paru dans **Refus global**, p. 49-83, 1948
Les Reflets de la nuit, La Prière pour l'indulgence, Le Rêve du pont et **Le Prophète dans la mer** ont été regroupés pour constituer **Sur fil métamorphose** (Éditions Erta, 1956)
Apolnixède entre le ciel et la terre, Instinct semi-palpé et **La Jeune Fille et la Lune** ont paru dans la Barre du Jour, nos 17, 18, 19 et 20, 1969
Plusieurs de ces textes ont été joués dont entre autres:
Traduit en anglais par Ray Ellenwood sous le titre de **Entrails** (Éditions Coach Press, Toronto, 1981)
Les Grappes lucides, Les Satellites, avril 1959 ; et Radio-Canada, série *Nouveautés dramatiques*, 16 janvier 1954 et 12 août 1955
La Jeune Fille et la Lune, Les Satellites, avril 1959, et au Patriote, 1976
Apolnixède entre le ciel et la terre et **Les Reflets de la nuit**, Le Groupe Zéro, 1972
Au coeur des quenouilles et **Le Prophète dans la mer**, au Patriote, 1976

Vingt-six textes de une à seize pages comprenant dans l'ordre chronologique : **Les Reflets de la nuit, La Jeune Fille et la Lune, La Prière pour l'indulgence, La statue qui pleure, Le Drame des quêteux-disloqués, Bien-être, Pétrouchka, Le Rêve du pont, Au coeur des quenouilles, Nostalgie sourire, Le Soldat Claude, La Nymphe, Apolnixède entre le ciel et la terre, Les Grappes lucides, Le Prophète dans la mer, Amère, Le Gigot creator, Instinct semi-palpé, L'Hélid-Monde, La Mayonnaise ovale et le Dossier de chaise médiéval, Fatigue et réalité sans soupçon, L'Ombre sur le cerceau, Le Cornet à dés du curé, Le Corps terni et sublimé, L'Enfant nuage au sourire chatoyant** et **Le carrefour des chats qui deviennent hommes.**
Durée : variées
Personnage(s) : variées

Le Vampire et la nymphomane [1949] (Éditions Parti Pris, **Gauvreau - oeuvres créatrices complètes**, p.175-209, 1977)
Opéra dont la musique ne fut jamais composée
La Rallonge, 21 janvier 1988, extraits joués dans un spectacle intitulé **Gauvreau**

L'Asile de la pureté [1953] (Éditions Parti Pris, **Gauvreau - oeuvres créatrices complètes**, p.501-608, 1977)
École Nationale de théâtre du Canada, 1988
Drame en cinq actes. Pour garder intactes la mémoire et la dignité de la femme qu'il aimait et qui vient de mourir, un jeune poète s'astreint à un jeûne qu'il entend poursuivre jusqu'à l'épuisement final. Entrent alors en jeu une galerie de personnages qui se donnent pour mission, pour des motifs d'ordre personnel, soit de dissuader, soit d'encourager le poète dans son projet. Étude sur la mesquinerie, la lâcheté, la manipulation, l'intégrité de la passion, les jeux de la bourgeoisie bien-pensante. Comment aller au bout de son idéal sans dévier.
Durée : 2 heures 30
Personnage(s) : 7 femmes, 20 hommes

La Charge de l'orignal épormyable [1956] (50 exemplaires édités par la Fondation du TNM, 1973, hors commerce ; Éditions Parti Pris, **Gauvreau - oeuvres créatrices complètes**, p.637-653, 1977 ; et L'Hexagone, 1993)
Ce texte a été présenté en lecture publique par le Cead, le 12 février 1968.
Diffusé à la télévision de Radio-Canada, 5 décembre 1992
Le Groupe Zéro, au Gesù, 1970 ; Théâtre du Nouveau Monde, 8 mars 1974
Fiction dramatique en quatre actes. À la mort de la femme qui était tout pour lui, Mycroft, personnage pur et naïf, à la carrure de géant, s'est retiré du monde pour entrer au service de quatre pseudo-analystes du comportement humain. Ces derniers s'en servent comme d'un cobaye, se livrant à des jeux cruels aux seules fins d'illustrer leurs théories fumeuses. La destruction devient alors le seul moyen d'assouvir leur soif de manipulation.
Durée : 2 heures 30
Personnage(s) : 3 femmes, 4 hommes

Faisceau d'épingles de verre [1961-1970] (Éditions Parti Pris, **Gauvreau - oeuvres créatrices complètes**, p.837-862)
Quatre textes intitulés **Anamazarude, Logeradeuilhoc, Orveholtwewe** et **Voltégrahatahazine** dans lesquels des personnages aux noms tout aussi étonnants que les titres tiennent des discours entièrement composés de mots « exploréens ».
Durée : variées
Personnage(s) : distributions variées

Automatisme pour la radio [1961] (Éditions Parti Pris, **Gauvreau - oeuvres créatrices complètes**, p.897-1050, 1977)
La Rallonge, 21 janvier 1988, extraits joués dans un spectacle intitulé **Gauvreau**
Treize textes à quatre voix : « déroulement verbal homogène à partir du libre jeu de l'inconscient. »

Durée : variées
Personnage(s) : 4 comédiens

L'Étalon fait de l'équitation [1965] (Éditions Parti Pris, **Gauvreau - oeuvres créatrices complètes**, p.1197-1223, 1977)
Simoncyre de Fuginagle, jeune fille à deux bouches parlantes ; Kostumunialf, l'Étalon ; Hugo Hallebarde, poète sans bras ; Centre-Droit, soutane rouge ; le mannequin du Révérend Père Torquemada, soutane noire ; Babana et Bifilo, deux jeunes garçons travestis et le dompteur d'ours Cerveau d'Éponge, se manifestent dans un « climat de paroxysme silicieux entre ciel et terre ».
Durée : 1 heure
Personnage(s) : 1 femme, 7 hommes

La Reprise [1958-1967] (Éditions Parti Pris, **Gauvreau - oeuvres créatrices complètes**, p.1263-1361, 1977)
Ce texte a été présenté en lecture publique par le Théâtre Petit à Petit, en collaboration avec le Cead, le 17 mars 1986.
Alors même qu'elle meurt dans ses bras, après une représentation, Loret Laujiaul promet à Dolma Irritrak, sa partenaire et maîtresse, qu'ils se retrouveront sur scène une dernière fois. Il se barricade alors dans son atelier pour réaliser son projet insensé. Pendant ce temps, le petit monde mesquin qui gravitait autour de ces deux acteurs se perd en suppositions et méchancetés gratuites et n'attend qu'un faux pas de Loret. Mais ce dernier tiendra sa promesse...
Durée : 2 heures
Personnage(s) : 3 femmes, 7 hommes et quelques figurants

Les oranges sont vertes [1958-1970] (50 exemplaires édités par la Fondation du TNM, juillet 1971, hors commerce ; Éditions Parti Pris, **Gauvreau - oeuvres créatrices complètes**, p.1363-1487, 1977 ; et L'Hexagone, 1994)
Théâtre du Nouveau Monde, janvier 1972
Pièce en quatre actes. Yvirnig est l'inventeur du « langage exploréen », critique d'art réputé pour sa plume acerbe, ami et défenseur de plusieurs peintres. Il semble jouir du respect et de l'amitié de ses protégés jusqu'au jour où Cégestelle, jeune actrice et maîtresse d Yvirnig, dans un élan de jalousie, se pend. Profondément diminué par cette tragédie, il assiste alors en spectateur impuissant au volte-face radical de ses amis qui vont jusqu'à prétendre qu'il nuit à la reconnaissance publique de leur travail et qu'il serait préférable de l'éliminer.
Durée : 2 heures 30
Personnage(s) : 4 femmes, 6 hommes

GÉLINAS, Gratien

Premier auteur du théâtre québécois, né à Saint-Tite-de-Champlain, Gratien Gélinas est un autodidacte. Il fait du théâtre amateur avec la section française du Montreal Repertory Theatre, puis avec une troupe qu'il fonde avec les anciens du Collège de Montréal. En mai 1936, il amorce sa carrière de comédien professionnel dans une revue de Louis Francoeur et Jean Béraud. Il crée à la radio le personnage de Fridolin, qui monte sur la scène du Monument National le 3 mars 1938 et devient, jusqu'en 1946, le personnage central des revues **Fridolinons** rassemblées et publiées sous le titre de **Les Fridolinades**. Pendant la guerre, il fonde la compagnie de cinéma Excelsior puis, en 1957, la Comédie Canadienne, qu'il dirige jusqu'en 1972. De 1969 à 1978, il est président de la Société de développement cinématographique. En plus de ses pièces, jouées dans plusieurs pays, il a écrit pour la télévision (**Les Quatre fers en l'air**). Nous avons pu le voir au cinéma (**Les Tisserands du pouvoir**) et à la scène dans sa toute dernière pièce **La Passion de Narcisse Mondoux** dont il a donné au delà de 300 représentations. Membre de la Société royale du Canada depuis 1958, il s'est vu décerner plusieurs doctorats honorifiques. Il a reçu, en 1967, le prix Victor-Morin et la médaille de l'Ordre du Canada, celle de l'Académie canadienne-française et le prix international de l'Écriture qu'accordait pour la première fois à un écrivain la maison Dupont de Paris en 1989. En 1990, le titre de personnalité de l'année lui était décerné par le journal *La Presse*. SRC/Stanké publiait, en 1993, **Gratien, Tit-Coq, Fridolin, Bousille et les autres** des entretiens entre Gélinas et Victor-Lévy Beaulieu. En 1991, le Centre des auteurs dramatiques créait le Fonds Gratien Gélinas pour promouvoir la dramaturgie québécoise.

photo: André Le Coz

Les Fridolinades [1938-1946] (1938-1939 et 1940 ; 1941-1942 et 1943-1944, Éditions Quinze, 1981 ; 1945-1946, Éditions Quinze, 1980, 1990)
Monument National, 3 mars 1938 (création de la première scène)
Suite de tableaux, de monologues et de chansons inspirés de l'actualité politique, la revue met en scène un personnage central, Fridolin, gamin des rues vêtu d'un chandail troué des Canadiens, de culottes courtes et armé d'un *slingshot*. Satire mordante doublée d'une indulgence souriante, elle brosse des tableaux percutants d'une époque pas si lointaine et donne une nouvelle perspective à notre histoire.
Durée : sketches de durées variées
Personnage(s) : sketches à distributions variées
Plusieurs chansons

Tit-Coq [1948] (Éditions Beauchemin, 1950, épuisé ; Éditions Quinze, 1990)
Adapté pour le cinéma ; produit par l'auteur, 1952
Monument National, 22 mai 1948
Traduit en anglais par Kenneth Johnson sous le même titre [1950] (Clarke & Irwin, Toronto, 1967)

Tournée canadienne et américaine, 1950-1951
Au cours de la Seconde Guerre mondiale, un orphelin découvre les joies de la famille et établit des plans d'avenir avec la fille de la maison. Il part pour le front et, à son retour, il apprend qu'elle n'a pas eu le courage de l'attendre.
Durée : 2 heures
Personnage(s) : 5 femmes, 5 hommes

Bousille et les justes [1959] (Institut littéraire du Québec, 1960, épuisé ; Éditions de l'Homme, 1967 ; Éditions Quinze, 1990)
Comédie Canadienne, 17 août 1959
Traduit en anglais par Kenneth Johnson sous le titre de **Bousille and the Just** (Clarke & Irwin, Toronto, 1961)
Satire mettant en scène la famille Grenon, venue à Montréal pour assister au procès d'un des fils, Aimé, accusé de meurtre. Dans une chambre banale d'un hôtel de deuxième ordre, la tension monte et les membres de la famille, apparemment honnêtes et bien-pensants, se montrent sous leur vrai jour : fourbes et impitoyables. Ils poussent Bousille, le simple d'esprit, à se parjurer. Il ne survivra pas à cette souillure.
Durée : 2 heures
Personnage(s) : 4 femmes, 6 hommes

Hier les enfants dansaient [1966] (Éditions Quinze 1990)
Comédie Canadienne, 11 avril 1966
Traduit en anglais par Kenneth Johnson sous le titre de **Yesterday, the children were dancing** (Clarke & Irwin, Toronto, 1967)
Festival de Charlottetown (I.P.E.), 1967
Un conflit de nature politique oppose deux générations et détruit une famille jusque-là très unie. Les fils, séparatistes, sont engagés dans un grave complot où il est question de bombes et le père doit renoncer au poste important qu'on vient de lui proposer au gouvernement. Sa femme le convaincra de continuer à défendre ses idées.
Durée : 2 heures
Personnage(s) : 3 femmes, 5 hommes

La Passion de Narcisse Mondoux [1985-1986] (Éditions Leméac, 1987)
Théâtre du Rideau Vert, 2 octobre 1986
Traduit en anglais par Linda Gaboriau, en collaboration avec Gratien Gélinas sous le titre de **The Passion of Narcisse Mondoux** [1986] (Éditions Anansi, 1991)
Gesser Entreprises, tournée canadienne et américaine, juillet 1988
Un retraité, veuf depuis peu, tente de conquérir une femme qu'il a aimée dans sa jeunesse. Après un séjour en Floride, d'où il lui envoie des cartes postales, il lui demande de l'aider à se présenter comme maire du village. Cependant, Laurentienne a aussi posé sa candidature. Aux prises avec le féminisme, il doit remettre en question ses valeurs et faire des concessions pour gagner le coeur de celle qu'il aime.
Durée : 1 heure 40
Personnage(s) : 1 femme, 1 homme

GERMAIN, Jean-Claude

Animateur, auteur, metteur en scène, professeur, directeur de théâtre, Jean-Claude Germain a étudié l'histoire et a été épicier avant de devenir journaliste et critique dramatique. Après quatre ans au *Petit Journal*, il a fondé en 1969 le Théâtre du Même Nom, qui s'est installé au Centre du Théâtre d'Aujourd'hui ; il en a assumé la direction artistique pendant dix ans (1972-1982) et en a fait l'un des moteurs principaux du théâtre québécois des années 1970. Professeur à l'École nationale de théâtre du Canada à partir de 1972 (il y est à l'origine de la création de la section d'écriture dramatique), il a en outre été pendant quelques années chroniqueur au magazine *Maclean*, puis à l'émission radiophonique *La Vie quotidienne*, et a fait partie du conseil d'administration de l'Association des directeurs de théâtre. Il a été secrétaire exécutif du Cead de 1968 à 1971. En 1977, il obtenait le prix Victor-Morin de la Société Saint-Jean-Baptiste « pour son importante contribution au théâtre québécois ». Il a également été directeur et rédacteur en chef de la revue *Le Québec littéraire*. En 1993, la Société Saint-Jean-Baptiste de Montréal le nommait Patriote de l'année. Pendant la saison 1993-1994, il reprenait, seul en scène au Théâtre d'Aujourd'hui, son histoire de Montréal racontée d'abord à la radio de Radio-Canada, qu'il intitulait cette fois **Le Feuilleton de Montréal, un bal-à-gueule** et qui paraissait en janvier 1994 chez Stanké. Jean-Claude Germain est vice-président du Conseil des arts et des lettres du Québec.

photo: Daniel Kieffer

Diguidi, diguidi, ha ! ha ! ha ! [1969] (suivi de **Si les Sansoucis s'en soucient, ces Sansoucis-ci s'en soucieront-ils ? Bien parler, c'est se respecter !**, Éditions Leméac, 1972)
Théâtre du Même Nom, 26 novembre 1969
Ce texte dramatique exorcise les atavismes familiaux et culturels canadiens-français et constitue une sorte de manifeste théâtral : les membres d'une famille nucléaire - le Père, la Mère, le Fils - se débattent avec leurs réflexes de colonisés et exposent crûment les turpitudes de leur réalité aliénée.
Durée : 2 heures
Personnage(s) : 1 femme, 2 hommes

Si Aurore m'était contée deux fois * [1970] (à paraître chez VLB Éditeur)
Théâtre du Même Nom, 30 juin 1970

Rodéo et Juliette * [1970] (à paraître chez VLB Éditeur)
Théâtre du Même Nom, 30 juin 1970

Les Tourtereaux ou La vieillesse frappe à l'aube [1970] (Éditions de l'Aurore, 1974)
Théâtre du Même Nom, 30 novembre 1970
Ginette et Gaspard, la quarantaine avancée, animent depuis vingt ans une émission radiophonique entre 4 et 5 heures du matin : *Les Tourtereaux*. Condamnés au silence endormi de leur public et aveuglés par leur propre mensonge, les animateurs déballent tous les clichés qui sont le lot de la culture officielle.

Durée : 1 heure 30
Personnage(s) : 1 femme, 1 homme
5 chansons

Le Pays dans l'pays * [1971]
Théâtre du Même Nom, 2 mars 1971

Si les Sansoucis s'en soucient, ces Sansoucis-ci s'en soucieront-ils ? Bien parler c'est se respecter ! [1971] (précédé de **Diguidi, diguidi, ha ! ha ! ha !**, Éditions Leméac, 1972)
Théâtre du Même Nom, 2 mars 1971
Satire de la justice, de l'histoire, du théâtre, de l'actualité, « sous la forme d'une plaidoirie faite par des acteurs-avocats, pendant un procès qui est d'abord un spectacle, devant un juge qui est surtout un banc ! »
Durée : 1 heure 30
Personnage(s) : 3 femmes, 1 homme et 1 musicien(ne)
Plusieurs chansons

Le Roi des mises à bas prix [1971] (Éditions Leméac, 1972)
Théâtre du Même Nom, 3 juin 1971
Une critique acerbe et tonitruante de la société, qui passe par un rire aussi énorme que bienfaisant et récupère les lamentations d'Aurore et les vociférations de Duplessis, les Bérets blancs, le Père Noël, les cow-boys de Saint-Tite et les grands frères scouts.
Durée : 1 heure 30
Personnage(s) : 2 hommes et 11 voix
Plusieurs chansons

Dédé Mesure * [1972] (à paraître chez VLB Éditeur)
Les P'tits Enfants Laliberté, 27 avril 1972

La Charlotte électrique ou Un conte de Noël tropical pour toutes les filles pardues dans a'brume, dans a'neige ou dans l'vice * [1972] (à paraître chez VLB Éditeur)
Les P'tits Enfants Laliberté, 21 décembre 1972

L'Affront commun * [1973] (à paraître chez VLB Éditeur)
Théâtre d'Aujourd'hui, 8 novembre 1973

Les Hauts et les bas dla vie d'une diva : Sarah Ménard par eux-mêmes [1974] (VLB Éditeur, 1976)
Théâtre d'Aujourd'hui, 6 novembre 1974
Des extraits ont été traduits en anglais par Townsend Brewster sous le titre de **The Ups and Downs in the Life of the Diva, Sarah Menard - in Their Own Words**
Ces extraits ont été présentés en lecture publique par le Ubu Repertory Theater, en coproduction avec le Cead, à New York, le 18 novembre 1986.
Une chanteuse arrivée au faîte de sa gloire et au déclin de sa carrière nous livre ses réflexions sur la musique, les relations amoureuses, sa vie et son métier. Comédie bouffe, pleine de fantaisie, qui emploie plusieurs genres musicaux, passant aussi bien de la chanson populaire qu'aux grands airs de l'opéra.
Durée : 2 heures
Personnage(s) : 1 femme, 1 homme (pianiste) et 2 voix (1 femme, 1 homme)
11 chansons avec partitions musicales pour piano et 12 partitions musicales pour piano seulement

Beau, bon, pas cher ou la Transe du bon Boulé * [1975] (à paraître chez VLB Éditeur)
Théâtre d'Aujourd'hui, 30 avril 1975

La Reine des chanteuses de pomme * [1975] (à paraître chez VLB Éditeur)
Théâtre populaire du Québec, 31 janvier 1976
Comédie caricaturale. Réflexion sur la télévision par le biais des mésaventures d'un personnage classique de taverne.
Durée : 1 heure 30
Personnage(s) : 1 femme et 1 homme et des voix
6 chansons

Un pays dont la devise est je m'oublie [1976] (VLB Éditeur, 1976)
Théâtre d'Aujourd'hui, 25 mars 1976
Deux comédiens ambulants jouent l'histoire à leur façon, c'est-à-dire en déjouant notre Histoire officielle. Sur un ton ironique, avec la verve du conteur épique, les comédiens retracent, du coureur des bois à Maurice Richard, les marques d'une liberté qui paraît cruellement manquer au pays réel.
Durée : 2 heures
Personnage(s) : 2 hommes

Les Faux Brillants de Félix-Gabriel Marchand [1977] (VLB Éditeur, 1980)
Théâtre d'Aujourd'hui, 24 mars 1977
Hilarante réécriture de la pièce de Félix-Gabriel Marchand. Par-delà la fascination qu'exerce une - fausse - aristocratie européenne sur la petite bourgeoisie québécoise du dix-neuvième siècle, c'est un genre théâtral (la comédie de moeurs aux allures vaudevillesques) qui est parodié.
Durée : 2 heures
Personnage(s) : 12 personnages (3 femmes, 9 hommes) pouvant être joués par 3 femmes et 5 hommes

L'École des rêves [1977] (VLB Éditeur, 1979)
Théâtre d'Aujourd'hui, 6 avril 1978 ; (avec **Le cheval de Wellie est-il nu-pieds dans ses sabots ?** de Roch Carrier, sous le titre de **La Clef des songes**)
Après une représentation, Épisode Surprenant attend le retour de son compagnon de scène, parti fêter avec la patronne de l'hôtel. Une jeune fille qui rêve de faire du théâtre lui demande de partir avec eux. Cette attente et cette rencontre entraînent Épisode Surprenant dans une rêverie, où s'entrecroisent des personnages du monde théâtral et de la réalité.
Durée : 1 heure 30
Personnage(s) : 1 femme, 2 hommes et 1 musicien
4 chansons

Mamours et conjugat [1978] (VLB Éditeur, 1979)
Théâtre d'Aujourd'hui, 9 novembre 1978
Sous les auspices d'un Cupidon polymorphe, des personnages « à la Germain », oscillant entre l'espoir et la déception, illustrent avec fantaisie quelques aspects de la vie amoureuse québécoise, dans une suite de tableaux allant de la colonie à nos jours.
Durée : 1 heure 45
Personnage(s) : 16 personnages (6 femmes, 10 hommes) pouvant être joués par 1 femme et 2 hommes
8 chansons

A Canadian Play/Une plaie canadienne [1979] (VLB Éditeur, 1983)
Théâtre d'Aujourd'hui, 26 avril 1979
Conçue comme un complément québécois au rapatriement canadien de la Constitution, la pièce met en scène une commission d'enquête aux rites étranges, qui, avec causticité, fait comparaître Lord Durham et trois de ses héritiers spirituels, Sir Wilfrid Laurier, Louis Stephen Saint-Laurent et Pierre Elliott Trudeau, chacun de ces premiers ministres ayant sanctionné à sa manière la vision du Canada contenue dans ce fameux Rapport.

Durée : 2 heures
Personnage(s) : 17 personnages (3 femmes, 14 hommes) pouvant être joués par 1 femme et 4 hommes
5 chansons

Les Nuits de l'Indiva [1979] (VLB Éditeur, 1983)
Théâtre d'Aujourd'hui, 10 janvier 1980
Grisée par la gloire et le champagne, une illustre cantatrice autochtone de réputation internationale profite de son passage à Montréal, à l'occasion de l'inauguration du nouvel opéra, pour dépoussiérer ses souvenirs exotiques, exorciser ses aliénations et revendiquer l'immortalité par le ridicule.
Durée : 1 heure 30
Personnage(s) : 1 femme, 2 hommes (musiciens)

Le Sot d'Ostie * [1981] (à paraître chez VLB Éditeur), avec la collaboration d'André Angélini pour la musique
Théâtre d'Aujourd'hui, 24 septembre 1981
La société d'Ostie, petite ville balnéaire près de Rome, est profondément divisée entre les Ovides, tenant de la préséance de l'oeuf sur la poule, et les Gallinaces, tenant du contraire. Cette danse de pouvoir rappelle le désabusement de la souveraineté-association. Notre histoire nous est ici restituée dans les saunas romains et les calendes grecques.
Durée : 1 heure 30
Personnage(s) : 1 femme, 4 hommes
Plusieurs chansons

COLLAGE

Un théâtre d'auteurs ou l'Isle des cent cinquante * [1986], collage de textes québécois incluant un texte inédit de l'auteur
Théâtre du Rideau Vert, 25 septembre 1986
* Les textes non publiés de Jean-Claude Germain, disponibles au Cead, ne peuvent être consultés que sur place.

GERVAIS, Luc

Originaire du Lac-St-Jean, Luc Gervais est diplômé en sociologie de l'Université Laval, en 1980. En 1985, son premier texte dramatique **Pas pire qu'les autres** est produit par le Théâtre Repère. En 1986, il obtient une bourse du Conseil des Arts du Canada. En 1987, le Théâtre de la Manufacture produit **V.S.O.P.** dont une nouvelle version sera mise en scène, en 1990, par le Théâtre Dappertutto. En 1990, il est cofondateur du Théâtre Dappertutto avec Pierre-Philippe Guay, comédien et metteur en scène de Québec. En octobre 1991, son nouveau texte **Dracula** est monté à Québec sur la scène du Restaurant-Théâtre Le Chat Grippé. À l'automne 1992, **Dracula** est de nouveau joué au Théâtre de l'Anglicane de Lévis. Cette même année, il obtient une bourse du ministère des Affaires culturelles du Québec.

J   **Pas pire qu'les autres** [1985]
Théâtre Repère, 15 octobre 1985
Délinquants et éducateurs : deux univers où chacun, tour à tour victime et agresseur, veut se prouver qu'il n'est pas pire que les autres. Dans ce monde où drogue, sexualité et révoltes sourdes tissent la toile de fond du quotidien, toutes les valeurs s'effondrent.
Durée : 1 heure 30
Personnage(s) : 13 personnages masculins pouvant être joués par 6 hommes

V.S.O.P. [1987] [1990]
Théâtre de la Manufacture, 9 octobre 1987, et nouvelle version, Théâtre Dapertutto, 26 mars 1990 Paris. Dix ans après leur séparation, Bernard croit retrouver, sous le pseudonyme de Cléo, sa femme Christine. Devant lui, Cléo artiste peintre affirme ne pas le connaître. Bernard est sous le choc. Cette rencontre réveille une douleur ancienne mal cicatrisée. Un événement fatal a déchiré sa vie de couple dix ans plus tôt. Depuis ce temps, il n'a jamais revu sa femme. Maintenant, face à face avec Christine ou Cléo, Bernard a l'inévitable occasion de liquider son passé.
Durée : 1 heure 20
Personnage(s) : 1 femme, 1 homme

Dracula [1991]
Théâtre Dapertutto, 6 octobre 1991
Victime de son libertinage, Dracula est rongé par une terrible maladie qui a contaminé son sang. C'est la première fois depuis 500 ans qu'il est menacé de perdre la vie éternelle. Il invite, pour se faire soigner, une jeune infirmière du nom de Lucie dont il est sûr qu'elle a tout pour le sauver. Mais Dracula n'est pas au bout de ses peines.
Durée : 1 heure 40
Personnage(s) : 1 femme, 2 hommes

GINGRAS, René

René Gingras est diplômé en interprétation de l'École nationale de théâtre du Canada. De 1979 à 1983, il fait le circuit des théâtres et des compagnies montréalais, quelques tournées de l'Atlantique au Pacifique et quelques incursions sur les plateaux de cinéma et de télévision. En 1983, il reçoit le Prix du gouverneur général du Canada pour sa première pièce, **Syncope**. Il en a écrit quatre depuis, et met actuellement la dernière touche à un triptyque intitulé... **Triptyque**. Il a traduit un certain nombre de dramaturges anglo-saxons de l'Australie à la Grande-Bretagne en passant par l'Amérique du Nord... ainsi que deux russes. À l'occasion conseiller en scénarisation et dialoguiste pour le cinéma et la télévision, boursier du Conseil des Arts du Canada et du ministère de la Culture du Québec, auteur en résidence au Théâtre du Nouveau Monde de Montréal et à la Chartreuse de Villeneuve-lez-Avignon en France, professeur d'écriture à l'École nationale de théâtre, dont il est titulaire de la section d'Écriture dramatique depuis 1990, il fut également président du Centre des auteurs dramatiques en 1991 et 1992.

photo: Suzanne Langevin

Syncope [1982] (Éditions Leméac, 1983)
Adapté pour la télévision (Radio-Canada, 30 janvier 1994)
Médium médium, 7 janvier 1983
Traduit en anglais par Linda Gaboriau sous le titre de **Breaks**
Cette traduction a été présentée en lecture publique par le Ubu Repertory Theater, en coproduction avec le Cead, à New York, le 10 octobre 1984.
(dans *Quebec Voices, Three Plays*,Coach House Press, Toronto, 1986)
The Acting Company (Toronto), 1988
Trois jours, trois hommes, trois générations : affrontements et rapprochements. Pit, musicien-compositeur dans la trentaine, voit débarquer chez lui un jeune épileptique agressif et provocant dont il ne parvient pas à se débarrasser. Non plus que de son propriétaire d'ailleurs, homme d'affaires prospère, dans la cinquantaine, philosophe de salon et mécène par « vocation », qui entre chez lui comme dans un moulin. Insolite, intense et farfelue, la chimie qui s'opère entre les trois êtres oscille entre tendresse et violence et trouve une résolution dans l'oeuvre musicale de Pit.
Durée : 1 heure 30
Personnage(s) : 3 hommes

Le Facteur réalité [1984-1985] (Éditions Leméac, 1985)
Théâtre d'Aujourd'hui, 14 mars 1985
Écrite en hommage au romancier Hubert Aquin, cette pièce à la structure séquentielle et aux accents pirandelliens est à la fois enquête policière et réflexion sur la fonction de l'art et de l'artiste. Alain est un jeune étudiant en lettres qui rêve de devenir écrivain. Obsédé par l'oeuvre et la mort d'Aquin, s'imaginant une époque où les poètes avaient un rôle, il abandonne à sa compagne, Sybil, jeune chanteuse rock, la tâche de la survie dans un monde où il n'y a de repères que matériels. Une tâche qui pèse lourd sur les esprits, et sur la relation.
Durée : 2 heures 30
Personnage(s) : 3 femmes, 2 hommes
1 chanson
Cette pièce exige l'utilisation de séquences et de moniteurs vidéographiques.

La Compagnie des animaux [1988-1989]
Théâtre d'Aujourd'hui, février 1990
Dans une société confinée et étouffante, partition panique incestueuse mettant en scène Félixe, romancière, son éditeur d'ex-mari, son agente de fille, son pique-assiette d'amant, et l'Avocate, lors d'un cocktail de lancement. Le matin même, l'éditeur a reçu une mise en demeure de la part d'un stand-up comic vedette de télé, accusant Félixe, dans sa dernière bouture romanesque, de plagier sa vie. Tragi-comédie de terreurs intimes et d'amours secrètes qui voudraient survivre au cataclysme des fulgurations médiatiques et des bobards de petits fours. « Sommes seulement vus », se demande Beckett ? Et si nous ne l'étions que trop ?
Durée : 1 heure 45
Personnage(s) : 3 femmes, 3 hommes et des figurants

L'Enfant fondateur [1989-1991] (Une publication de La Chartreuse, 1991)
Ce texte a été présenté en lecture publique par le Cead, en avril 1994. Des extraits de ce texte avaient été présentés en lecture publique par le Cead, sous le titre de Adolescents dans le siècle, le 9 février 1990.
Fable poétique d'anticipation. Une femme de science très très savante et son époux, homme d'affaires très très riche, complotent de juguler à tout jamais hasard et destinée en téléguidant le coup de foudre d'une étudiante en lettres sans avenir et d'un faux Amérindien, pour saisir le fruit de leur embrasement. Malheureusement, une téléspectatrice compulsive fera échouer le baleinier sur lequel ce beau monde est embarqué.
Durée : 1 heure 15
Personnage(s) : 2 femmes, 3 hommes et 1 ombre (femme ou homme)

TRADUCTIONS ET TRANSPOSITIONS

L'Abdication [1980], traduction de **The Abdication** de Ruth Wolf
École nationale de théâtre du Canada, décembre 1980

Zone d'ombres [1980], traduction et transposition de **The Shadow Box** de Michael Cristopher

La Transfiguration de Benno Blimpie [1982], traduction de **The Transfiguration of Benno Blimpie** d'Albert Innaurato
Productions Germaine Larose, 17 novembre 1982

Les Difficultés d'élocution de Benjamin Franklin [1982], traduction et transposition de **The Elocution of Benjamin Franklin** de Steve J. Spears
Centre national des Arts, 10 janvier 1983

Vu du pont [1985], traduction de **A View from the Bridge** d'Arthur Miller
Nouvelle Compagnie Théâtrale, 20 janvier 1986

La Vérité des choses [1985], traduction de **The Real Thing** de Tom Stoppard
Coproduction du Théâtre du Trident et du Théâtre du Rideau Vert, 25 février 1986

Zastrozzi, maître de discipline [1986], traduction de **Zastrozzi, Master of Discipline** de George Walker
Cette traduction a été présentée en lecture publique par le Cead, dans le cadre d'un échange avec le Playwrights' Workshop Montreal, le 19 février 1986; au Toronto Free Theatre, le 23 février 1986, et en collaboration avec le Centre national des Arts, à Ottawa, le 1er mars 1986.
Zastrozzi est le maître criminel de toute l'Europe. Pour lui, le monde est laid et l'humanité faible. Le seul moyen de les sauver l'un de l'autre : les détruire tous les deux. Zastrozzi pourchasse donc l'artiste Verezzi, au sourire doux et paisible et qui est l'incarnation de la sainteté. Le combat fait beaucoup de victimes.
Durée : 1 heure 30
Personnage(s) : 2 femmes, 4 hommes

La Ménagerie de verre [1987], traduction de **The Glass Menagery** de Tennessee Williams
Nouvelle Compagnie Théâtrale, 21 janvier 1988

Oncle Vania [1991], d'après la traduction de Michael Frayn
Théâtre populaire du Québec, 7 mars 1991

Comme une histoire d'amour [1993], traduction de **Some Kind of Love Story** d'Arthur Miller
Espace Go, avril 1993

Les Bas-Fonds [1993], traduction de la pièce de Maxime Gorki
Théâtre du Nouveau Monde, 18 janvier 1994

GURIK, Robert

Scénariste pour la télévision (**Jeune Délinquant**, **La Pépinière**) et pour le cinéma (**Les Vautours**, **Les Années de rêve**), et romancier (**Spirales**, **Jeune Délinquant**, **Être ou ne pas être**), Robert Gurik est avant tout l'auteur d'une vingtaine de textes dramatiques. Ses pièces ont été traduites en anglais, en italien, en grec, en hollandais, en tchèque et en arménien. En 1967 et 1969, il a obtenu le Prix du Gouverneur général du Canada pour **Le Pendu** et **Les Louis d'or**. Il a été, entre autres, un des fondateurs du Centre des auteurs dramatiques, gouverneur du Festival d'art dramatique du Canada, directeur du jury du concours de la Nouvelle Compagnie Théâtrale, président de la Société des auteurs recherchistes documentalistes et compositeurs (SARDeC), président le l'Association québécoise des auteurs dramatiques (Aqad). Il a enseigné à l'Université de Montréal et est présentement chargé de cours à l'Université du Québec à Montréal.

Api 2967 [1965] (suivi de **La Palissade**, Éditions Leméac, 1971)
Théâtre de la Mandragore, 1967
Traduit en anglais par Marc F. Gélinas sous le même titre (Playwrights Co-op, 1973 ; Éditions Talonbooks, Vancouver, 1974)
Citadel Theatre (Edmonton)
Également traduit en grec, en hollandais et en tchèque (non disponibles au Cead) (seule la traduction anglaise est disponible au Cead)
À une époque indéterminée, les habitants d'une planète ne vivent que de science ; ce sont des numéros. Un professeur se livre à des recherches sur une pomme, qu'il nomme Api, ainsi que sur nombre de documents qui proviennent de la civilisation « Terre », disparue depuis longtemps. Avec l'aide de son assistante, E 3253, il tâche de redécouvrir cette civilisation.
Durée : 1 heure
Personnage(s) : 1 femme, 1 homme

Les Louis d'or [1966] (**Théâtre vivant**, no 1, Cead et Holt, Rinehart et Winston Ltée, 1966, épuisé)
Ce texte a été présenté en lecture publique par le Cead, le 31 janvier 1966.
Théâtre des Saltimbanques, 1967
Cette pièce met en scène trois personnages changeant continuellement d'identité. Tranches de vie, bribes de souvenirs jouées dans différents styles (boulevard, jeu distancié, commedia dell'arte). Une pièce se termine et une autre, la même, sous une forme différente, commence.
Durée : 1 heure
Personnage(s) : 1 femme, 2 hommes

Le Pendu [1967] (Éditions Leméac, 1970 ; aussi disponible dans une édition scolaire annotée par Lucie Desaulniers, Éditions Leméac, 1974)
Ce texte a été présenté en lecture publique par le Cead, le 19 décembre 1966 à Montréal, et à Paris, le 27 avril 1970.
Théâtre de la Mandragore, 24 mars 1967
Traduit en anglais par Philip London et Laurence Bérard sous le titre de **The Hanged Man** (New Press, Toronto, 1972)
Kingston (Ontario), 1973

Également traduit en arménien par M. Faziar (non disponible au Cead)
Centre Arménien de Montréal
Également traduit en grec, en italien et en tchèque (non disponibles au Cead)
Un jeune homme et son père trouvent un moyen pour se sortir de la misère dans laquelle ils vivent. Yonel, le fils, joue au pendu et vend des bouts de sa corde comme porte-bonheur. Il soulage même ses compagnons d'infortune : le bègue ne bégaie plus ; le bossu se sent plus libre ; son vieux père marche. Mais quand Yonel veut leur enseigner comment amoindrir la misère, ils ne comprennent rien, crient à l'imposture, et le pendent.
Durée : 1 heure
Personnage(s) : 12 personnages (12 hommes) pouvant être joués par 10 hommes
5 chansons

Hamlet, prince du Québec [1968] (Éditions Leméac, 1977)
Théâtre de l'Escale, 17 janvier 1968
Traduit en anglais par Marc F. Gélinas sous le titre de **Hamlet, Prince of Quebec** [1968] (Playwrights Co-op, 1973 ; Éditions Talonbooks, Vancouver, 1974)
London Little Theatre (Ontario), 1968
Allégorie politique écrite à partir de la pièce de Shakespeare dans laquelle les personnages symbolisent le Québec, les partisans de la langue anglaise, l'Église, Pearson, Lesage, Trudeau, Lévesque, Marchand, Pelletier, De Gaulle et Bourgault. Un Québec écartelé entre deux tendances : le fédéralisme et l'indépendantisme.
Durée : 2 heures
Personnage(s) : 15 hommes
3 chansons
Masques

La Palissade [1968] (précédé de **Api 2967**, Éditions Leméac, 1971)
Ce texte a été présenté en lecture publique par le Cead, le 9 décembre 1968.
Une palissade a été élevée ; intrigués, les gens désirent ardemment savoir ce qui se passe de l'autre côté, mais la police arrête tous ceux qui tentent de l'escalader. Eugène et Jean reçoivent un message de 353, un homme de l'autre côté de la palissade. Présents lors de son escalade, ils l'accueillent et se laissent convaincre de s'aventurer de l'autre côté.
Durée : 1 heure
Personnage(s) : 1 femme, 8 hommes

À coeur ouvert [1969] (Éditions Leméac, 1969)
Ce texte a été présenté en lecture publique par le Cead, le 22 septembre 1969.
Théâtre de Quat'Sous, 14 novembre 1969
Traduit en anglais par Marc F. Gélinas sous le titre de **Hearts** [1969]
Le conseil d'administration d'une clinique médicale a voté à l'unanimité « que la banque du coeur est autorisée à prélever des coeurs sur des citoyens de situation sociale condamnable ». Vue transposée des conditions politiques et sociales du monde moderne confrontant l'individu.
Durée : 1 heure 45
Personnage(s) : 4 femmes, 17 hommes
1 chanson

Les Fourberies de Scapin [1970], d'après la pièce de Molière
Atelier de théâtre du Collège Lionel-Groulx, 16 mai 1970
Texte de Molière, adapté dans une langue dépouillée du vocabulaire d'époque et de ses régionalismes, pour apprécier ce classique dans un contexte plus familier et contemporain.
Durée : 1 heure 45
Personnage(s) : 3 femmes, 8 hommes

Allô...Police [1970 et 1974], en collaboration avec Jean Morin (Éditions Leméac, 1974)
Coproduction de la Nouvelle Compagnie Théâtrale et du Centre d'essai des auteurs dramatiques, 23 mars 1970
Comédie musicale présentant, sur le ton d'une très vive satire socio-politique, les différents visages du policier québécois. Une contestation qui va loin, entrecoupée de chansons drues qui constituent autant de charges rondement menées.
Durée : 1 heure 50
Personnage(s) : 4 femmes, 8 hommes et des danseurs et des musiciens
15 chansons

Les Tas de sièges [1970] (comprenant **D'un séant à l'autre, J'écoute** et **Face à face**, Éditions Leméac, 1971)
D'un séant à l'autre
Pierre et Roberte ont tous deux fait appel aux services d'une agence de rencontre qui prétend former le couple idéal de « Main de fer dans un gant de velours » et de « Chaussure à son pied ». C'est leur premier rendez-vous. Malgré quelques divergences, ils se découvrent peu à peu des goûts identiques. Ils sont d'ailleurs tellement faits l'un pour l'autre qu'ils finissent par s'étrangler sauvagement.
Durée : 20 minutes
Personnage(s) : 1 femme, 1 homme
J'écoute
Mariés depuis un an, Louise et Jean-Guy travaillent à un poste d'écoute du gouvernement. Ils ont pour tâche de rapporter à la centrale toute conversation qui leur semble louche. Louise en profitera pour dénoncer un type qui tient un discours révolutionnaire... son mari.
Durée : 20 minutes
Personnage(s) : 1 femme, 1 homme et 10 voix
Face à face
Dans une rue déserte, un soldat accepte les propositions d'une prostituée, qui lui fait l'amour sur place. Elle ramasse ensuite sa mitraillette mais un autre soldat, la voyant armée, tire sur elle et la tue. Le premier récupère les 5 $ qu'il venait de lui donner.
Durée : 20 minutes
Personnage(s) : 1 femme, 1 homme et une voix d'homme

Le Tabernacle à trois étages [1972] (Éditions Leméac, 1972)
Chronique de l'homme qui naît, vit, aime, consomme et meurt. À travers la coupe verticale de cette conciergerie qui représente un peu les différents niveaux du système social, on cherche à éclairer le cheminement des jeunes qui entrent dans cette réalité. Pensant qu'ils peuvent tout changer sans violence, ils s'aperçoivent ensuite qu'ils aboutiront tout simplement à l'assimilation. Leur geste sera venu trop tard.
Durée : 1 heure 40
Personnage(s) : 4 femmes, 5 hommes
9 chansons

Le Procès de Jean-Baptiste M. [1972] (Éditions Leméac, 1972)
Théâtre du Nouveau Monde, 12 octobre 1972
Traduit en anglais par Allan Van Meer sous le titre de **The Trial of Jean-Baptiste M.** (Éditions Talonbooks, Vancouver, 1974)
Vancouver Players, 1974
Obéissant à ses principes, un homme, un Monsieur-Tout-le-Monde qui juge qu'il en a assez, contrevient à la loi et tue ses trois patrons. Problème politique, affaire sociale, drame psychologique. Une situation « courageuse » afin de ne pas tomber dans l'impuissance engendrée par le système. Qui blâmer ?
Durée : 2 heures 20
Personnage(s) : 3 femmes, 10 hommes

Sept courtes pièces [1973-1975] (comprenant **Play-ball**, **Phèdre**, **La Sainte et le Truand**, **Un plus un égale zéro**, « **63** », **Le Signe du cancer**, **Le Trou**, Éditions Leméac, 1974)
Créations diverses
Sept moments dramatiques de tempo, d'intensité et d'originalité variables. Puisant délibérément dans le grand sac des faits divers et recourant à des gadgets qui meublent la vie d'ici, ces pièces mettent en scène des personnages apparemment banals et sans force, mais dont l'originalité et la personnalité surprennent après coup.
Durée : variable : de 5 à 20 minutes
Personnage(s) : variable : au plus 2 femmes, 3 hommes

Lénine [1975] (Éditions Leméac, 1975)
Théâtre de l'Arc-en-ciel, 1978
La pièce, présentée comme « matériaux pour un jeu dramatique et didactique sur la révolution », met en scène une des plus grandes figures de l'histoire contemporaine. Lénine, pondéré mais enjoué à ses heures, portait sur tout homme et sur toute situation un regard aigu. Joueur d'échecs passionné, les déplacements de son pion politique sur l'échiquier de la Russie ont, en 1927, maté le tsar. L'Occident ne serait-il, aujourd'hui encore, qu'un vaste échiquier ?
Durée : 2 heures
Personnage(s) : 31 personnages (7 femmes, 24 hommes) pouvant être joués par 3 femmes et 14 hommes
8 chansons

La Baie des Jacques [1976], inspirée de **Mahagonny** de Bertolt Brecht (Éditions Leméac, 1978)
Option-théâtre du Collège Lionel-Groulx, 1976
La Baie des Jacques, c'est la terre du Nord où les hommes vont travailler pendant des mois et des années dans des conditions éprouvantes. C'est une terre d'isolement, de privations, où trois personnages, Jacques I, Jacques II et Jacques III, se laissent prendre, à leurs risques, par le mirage de la vie facile.
Durée : 2 heures 50
Personnage(s) : 3 femmes, 5 hommes

Le Champion [1977] (Éditions Leméac, 1977)
Traduit en anglais par Allan Van Meer sous le titre de **The Champion** (Playwrights Canada, sans date)
Recréant l'univers et les tensions des vedettes de la boxe, la pièce, au-delà des confidences de Monsieur Tout-le-Monde, saisit dans Muhammad Ali l'angoisse désespérée et la vision apocalyptique qu'un héros déchiré a de son avenir. Elle nous les exprime d'une façon profondément lucide, à travers une description du tragique de notre destin commun.
Durée : 1 heure 40
Personnage(s) : 34 personnages (3 femmes, 31 hommes) pouvant être joués par 1 femme et 11 hommes
1 chanson

Vingt ans [1985] (dans **20 ans**, VLB Éditeur, 1985)
L'auteur s'interroge, non sans amertume, sur la survie de l'écriture dramatique québécoise en l'an 2000.
Durée : 20 minutes
Personnage(s) : 4 femmes, 5 hommes, 3 voix et 6 figurants

On s'est trompé de boulevard [1992]
Tout commence comme une pièce de boulevard. Mais un jeune Africain affamé sort d'un tableau. Il est invisible aux yeux des protagonistes de la pièce mais pas pour les spectateurs. Pièce piège pour parler autrement du problème Nord-Sud.
Durée : 1 heure 30

Personnage(s) : 1 femme, 3 hommes

La Dernière Cène [1990]
Ce texte a été présenté en lecture publique par le Cead, le 29 mars 1994.
Cela se passe de nos jours à New York, au pied de la statue de la Liberté, mais aussi à Jérusalem dans la cuisine où on prépare le repas de la Cène, dans la prison d'Athènes où Socrate s'apprête à boire la ciguë et à Montréal dans le théâtre où la pièce se joue. Six personnages traversent le temps et l'espace pour parler de la vie, de la mort, de l'amour et de demain.
Durée : 2 heures
Personnage(s) : 2 femmes, 4 hommes et 2 ou 3 figurants si possible

HÉBERT, Marie-Francine

Diplômée en lettres de l'Université de Montréal, Marie-Francine Hébert devient rapidement une auteure et une scénariste reconnue dans le secteur de l'enfance et de la jeunesse. En quinze ans, elle collabore à pas moins d'une douzaine de séries télévisées et radiophoniques, tout en travaillant à la conception de bandes dessinées, contes, disques, etc. ; ses scénarios pour la télévision, particulièrement pour les séries **Klimbo** et **Iniminimagimo**, lui valent de nombreux prix nationaux et internationaux. Auteure attitrée du Théâtre de la Marmaille de 1973 à 1976, elle y signe des pièces marquantes. Elle assume la présidence du conseil d'administration du Cead en 1974. En 1975, elle est l'une des six auteurs invités par le Cead à représenter le Québec pour l'événement Théâtre-Québec au Théâtre de l'Est Parisien avec **Cé tellement « cute » des enfants**. Créée par le Théâtre de Carton, en 1986, sa pièce **Oui ou Non** en est à sa quatrième année de tournées au Québec, en France, en Suisse et en Belgique et s'achemine vers sa 500e représentation. Actuellement, elle consacre beaucoup de temps à l'écriture de romans-jeunesse et de livres-jeux dont **Venir au monde** qui est rapidement devenu un succès international et qui lui a valu le prix Aveline-Bélisle, entre autres. Plusieurs de ses livres sont traduits en anglais, en allemand, en espagnol, en italien, en polonais, en grec et bientôt en islandais, en arabe et en chinois.

photo: Pierre Charbonneau

E **Une ligne blanche au jambon** [1970] (Éditions Leméac, 1974), d'après une idée de l'auteure et de Bernard Tanguay
Théâtre des Lutins, 1970
Le vol d'un chemin par le voleur de grands chemins Bandit Bandeau déclenche un feu roulant de péripéties comiques et de quiproquos impliquant des personnages fantaisistes et fabuleux.
Durée : 1 heure
Personnage(s) : 7 personnages pouvant être joués par 3 interprètes dont au moins 1 homme

E **Alexis le trotteur** [1972], d'après une idée de l'auteure et de Bernard Tanguay
Théâtre de la Commune, 1973
Prêt à relever les défis les plus farfelus, Alexis devient ici le prétexte à une succession de compétitions cocasses menées à un rythme trépidant, auxquelles participent des personnages

d'une surprenante drôlerie.

Durée : 50 minutes

Personnage(s) : 8 personnages (hommes ou femmes, sauf pour Alexis) pouvant être joués par 2 femmes et 1 homme, ou 2 hommes

E   **Cé tellement « cute » des enfants** [1975] (Éditions Québec/Amérique, 1980)
Théâtre de la Marmaille, printemps 1975
Sur le mode réaliste, en treize tableaux, la pièce met en scène des enfants et leurs parents pris par les détails du quotidien. Au grand désespoir de ceux-ci, les enfants tissent, au cours d'une journée de congé, nombre de petites guerres, conflits mille fois répétés autour d'objets et de marques d'amour que chacun tente de s'approprier. « Une comédie pour les enfants, une tragédie pour les parents. »

Durée : 1 heure 30

Personnage(s) : 10 personnages (6 femmes, 4 hommes) pouvant être joués par 4 femmes et 2 hommes, ou 3 femmes et 3 hommes

8 chansons dont 6 courts refrains

J   **Qu'est-ce que tu vas faire quand tu vas être grand(e) ?** [1976]
Théâtre de la Marmaille, opération-théâtre de la Nouvelle Compagnie Théâtrale, 23 octobre 1976 ; sous le titre de **Pourquoi tu dis ça ?**, avec **Joséphine la pas fine et Itoff le toffe** de Michel Garneau, **Quand on était petit** de Claire Leroux, e
Quatre jeunes s'interrogent sur ce qu'il vont faire plus tard et jouent leurs ambitions qui se traduisent tour à tour par avoir un appartement, une auto, de l'argent et... être au gouvernement !

Durée : 20 minutes

Personnage(s) : 1 femme et 3 hommes, ou 2 femmes et 2 hommes, ou 3 femmes et 1 homme

E   **Oui ou non** [1986] (VLB Éditeur, 1988)
Théâtre de Carton, 22 septembre 1986
Traduit en anglais par Linda Gaboriau sous le titre de **Yes or No** [1990]
Théâtre de Carton, 1990
Sorte de petit manuel d'autodéfense pour enfants, la pièce a pour principal objectif la présentation de toute forme d'agression, sexuelle ou autre. On y fait appel à tous ces petits et grands moyens qui sont à la portée de tous et qui permettent de prendre soin de soi, y compris l'habileté à reconnaître ses sentiments, ses émotions.

Durée : 1 heure

Personnage(s) : une trentaine de personnages pouvant être joués par 2 femmes et 2 hommes

HERBIET, Hedwige

Hedwige Herbiet est devenue un des piliers du théâtre dans la capitale nationale, jouant au cours d'une fructueuse carrière plus d'une centaine de rôles (la plupart au théâtre et quelques-uns à la radio) et signant quarante-et-une mises en scène. Elle a surtout écrit pour les enfants et les adolescents mais est également l'auteure de deux pièces pour public adulte, toutes deux créées au Centre national des Arts. En outre, elle a signé de multiples spectacles-collages, des textes dramatiques pour la radio et plusieurs adaptations. Elle dirige régulièrement des ateliers de formation et de perfectionnement professionnel pour jeunes interprètes.

E   **C'était une fois** [1974]
     L'Hexagone, 1974
     Écrite à partir d'un conte québécois **Le Serpent vert** lui-même inspiré de **La Belle et la Bête**, la pièce regroupe des personnages issus de 4 contes différents.
     Durée : 1 heure
     Personnage(s) : 12 personnages pouvant être joués par 2 femmes et 3 hommes

E   **La Poubelle à Pimpim** [1974-1975]
     L'Hexagone, 1975
     Porte-parole des matières premières exaspérées de se faire exploiter sans discernement, Canette, Chaussette, Crayonnet et Disquette forcent le jeune Pimpim à sensibiliser les humains à la sauvegarde de l'environnement. À la recherche de solutions, Pimpim est assisté de Bonne Idée, de... Mauvaise Idée et de Snoopy, Tarzan et Tintin.
     Durée : 1 heure 30
     Personnage(s) : 10 personnages pouvant être joués par 6 interprètes
     Public visé : les 2 cycles du primaire

E   **Lirelon... lisons** [1980]
     Théâtre des Lutins, 1981
     Durant leurs vacances d'été, deux enfants qui s'ennuient s'initient aux plaisirs de la lecture en jouant avec entrain et humour les histoires qu'ils découvrent tour à tour, soit deux fables de La Fontaine et un conte québécois.
     Durée : 1 heure
     Personnage(s) : 15 personnages (dont obligatoirement 3 femmes et 8 hommes) pouvant être joués par 1 femme et 3 hommes, ou 2 femmes et 2 hommes
     Public visé : les 2 cycles du primaire
     7 chansons

J   **As-tu un miroir à m'passer ?** [1981] avec la collaboration de Claude, Naubert pour la musique
     Théâtre des Lutins, 1981
     En quatre tableaux, cette fable réaliste explore le vécu des adolescents souvent soumis à des influences qui les amènent à avoir des comportements type dans lesquels se perd leur identité

propre.

Durée : 1 heure

Personnage(s) : une vingtaine de personnages pouvant être joués par 2 femmes et 2 hommes

Public visé : les 2 cycles du secondaire

Certains tableaux sont accompagnés de chansons

E   **Bonjour Mozart** [1981], en collaboration avec Claude Naubert et Louise Naubert

Centre national des Arts, 1981

Louise fait la rencontre de Claude, un musicien qui, grâce à un petit air de Mozart, l'initie à la musique. La pièce enseigne, d'une manière claire et simple, les premières notions musicales et fait une introduction à la vie et à l'époque de Mozart. Le public est invité à participer.

Durée : 45 minutes

Personnage(s) : 1 femme, 1 homme

Public visé : les 2 cycles du primaire

2 chansons

La comédienne dit savoir jouer du piano et de la flûte à bec et le comédien du piano et de la guitare

E   **Quand ma cour est un jardin** [1981]

Théâtre des Lutins, janvier 1982

Deux adultes consentent de bon gré à partager les jeux de trois enfants. Du jardin du grand-père, ils embarquent sur un radeau parcourant les vastes mers. Au cours du voyage, ils font la connaissance d'une mouette qui leur révèle l'existence d'un Pierrot lunaire ne visitant que ceux qui l'appellent en rêve. Ils se transportent par la suite sur une place publique d'autrefois, où se joue l'histoire de deux pères avares qui ne veulent pas marier leur enfant. Finalement, ils accostent une île habitée par deux magiciens de la vérité. Au retour de leur périple, les enfants sont surpris d'apprendre que leurs jeux ressemblent étrangement au théâtre.

Durée : 50 minutes

Personnage(s) : 2 femmes, 3 hommes jouant plusieurs personnages

Public visé : le premier cycle du primaire

6 chansons

La Douce Folie de Margot, la douce [1987]

Radio-Canada (émission *Premières*, 21 décembre 1984)

Centre national des Arts, mars 1990

Traduit en anglais par Linda Gaboriau sous le titre de **The Dandelion Days Are Over** [1991]

Margot, 68 ans, est dotée d'une indestructible vocation du bonheur. Le malheur, elle l'écarte ; le bonheur, elle le crée et lui fait la fête. La trouvant suspecte, certains la classent parmi les marginaux. Mais elle tient tête. George, son mari..., son amour... meurt. Il en faut plus pour les séparer. Chaque soir, George revient de l'au-delà pour passer quelques heures avec sa bien-aimée. Mais ses visites se font soudain de plus en plus rares. Dans son « ailleurs », il a maintenant autre chose à faire. Margot comprend et n'insiste pas. Elle se laisse glisser doucement dans la mort pour aller le rejoindre.

Durée : 2 heures

Personnage(s) : 5 femmes, 3 hommes

E   **Notre île est à l'an vert** [1984]

Théâtre des Lutins, 1984

Cette fantaisie sentimentale se déroule dans une île dominée par les Verts, le jour où ceux-ci s'apprêtent à commémorer le centenaire de leur victoire sur les autres ethnies maintenant colonisées. Or, un Vert s'éprend d'une Rouge et, l'amour triomphant de l'adversité, ils rêveront d'une famille multicolore.

Durée : 1 heure

Personnage(s) : 5 personnages (3 femmes, 2 hommes) pouvant être joués par 2 femmes et 2

hommes
Public visé : le second cycle du primaire
2 chansons

Albert N., ni homme ni femme [1985], d'après une nouvelle de George Moore tirée de son recueil **Celibate Lives** (Londres, 1927)
Centre national des Arts, 2 mai 1985
Basée sur un fait réel, la pièce raconte la vie faite de solitude et de frustrations d'Albert N., garçon d'hôtel au luxueux Morrisson de Dublin. Au moment de faire sa toilette mortuaire, on découvre qu'Albert est une femme. Celle-ci a choisi de changer de clan social car en cette époque victorienne, les hommes sont mieux payés. Mais sa nouvelle identité devient vite un carcan : amours, enfants et rêves lui sont interdits.
Durée : 2 heures
Personnage(s) : 6 femmes, 2 hommes

E   **Copains-copains** [1991]
Théâtre des Lutins, 1992
Un jeune habitant de la planète Crapouf atterrit en catastrophe et se retrouve nez à nez avec un clown et son camion tombé en panne. Les deux personnages s'apprivoisent puis, au cours de la journée qu'ils passent ensemble, croisent des personnages colorés (un policier, une vache, un pépère, un homme-grenouille et un fantôme) qui tentent de réparer les engins en panne de nos deux « copains-copains » qui auront beaucoup de mal à se quitter.
Durée : 45 minutes
Personnage(s) : 10 personnages pouvant être joués par 3 hommes
Public visé : le premier cycle du primaire
3 chansons

TRADUCTIONS ET TRANSPOSITIONS

Pierre-Jacques à Jos Marchand [1976], transposition de **L'Ours** d'Anton Tchekhov
Théâtre de l'Île (Hull) 1976

Tintin et l'Île Noire [1984], traduction d'une pièce de Geoffrey Case [1983], d'après l'album de Hergé
Théâtre de l'Île (Hull), décembre 1984

Damien [1988], traduction de la pièce du même titre de Aldyth Morris

Le Soldat de chocolat [1990], traduction de **Arms and the Man** de George Bernard Shaw
Théâtre de l'Île (Hull), 1990

Des étoiles dans le ciel du matin [1991], d'après une traduction littérale de Daniel Roy d'une pièce d'Alexandre Galine [1987]
Théâtre du Trillium (Ottawa) 1991

JACQUES, Stéphane

Stéphane Jacques est à la fois comédien et poète. Accepté par les deux sections (écriture et interprétation) de l'École nationale de théâtre du Canada, il choisit le jeu et obtient son diplôme en interprétation au printemps 1991. Au théâtre, il a joué dans **Marco chaussait des dix** du Théâtre Petit à Petit, dans **Ubu roi** à la Nouvelle Compagnie Théâtrale et dans **Histoires à mourir d'amour**, entre autres. Il a tenu quelques rôles à la télévision dans **Les Débrouillards, Livrofolie,** et **Au nom du père**. Après un premier collage de contes et de légendes en 1989, **Il était une fois '89**, qu'il a joué à travers le Québec, il signe en 1991 **Contes urbains** et coécrit **Nez à nez** avec Benoît Brière. Stéphane Jacques est cofondateur du Théâtre Urbi et Orbi.

Nez à nez ou Duel de naïfs [1992], en collaboration avec Benoît Brière
Théâtre de Quat'Sous, 23 novembre 1992
Un clown désirant devenir acteur se présente à une audition avec diverses scènes tirées du **Cid,** d'**Athalie** et d'**À toi pour toujours, ta Marie-Lou** et un poème, **Le Pélican**. Il est accompagné de sa famille, venue lui donner la réplique et qui ne manque pas de déranger sa prestation. Sa vieille mère qui porte une couche et traîne son soluté à roulettes se prétend ancienne vedette de la scène. Son frère, timide et alcoolique, reçoit bien des coups. Clownesque.
Durée : 1 heure 30
Personnage(s) : 1 femme, 2 hommes
1 chanson
Slapstick, nombreux lazzi et trucages essentiels.

COLLAGE

Contes urbains [1991], montage de contes de Honoré Beaugrand, Yvan Bienvenue, Charles-Marie Ducharme, Jacques Ferron et Stéphane Jacques, d'un poème de Gatien Lapointe et de chansons de Jean-Pierre Ferland et de Pink Floyd
Théâtre Urbi et Orbi, 4 décembre 1991

JEAN, André

Diplômé en littérature, André Jean a suivi une formation en mise en scène au Conservatoire d'art dramatique de Québec. En 1981, il collabore à l'écriture des spectacles du Théâtre Repère. La même année, **Altius, Citius, Fortius** lui vaut le premier prix du concours d'écriture dramatique du Grand Théâtre de Québec. Professeur de littérature, animateur d'ateliers d'écriture et de théâtre, il a signé quelques mises en scène. Il a aussi écrit des dramatiques pour la radio et la télévision tout en étant coscénariste de plusieurs séries pour enfants (**Félix et Ciboulette, Kim et Clip, La Ribambelle**). En 1992, il fonde le Théâtre Paragraphe, dont il assume la direction artistique.

photo: Gilles Savard

Martin, l'enfant martyr [1980]
Grand Théâtre de Québec, janvier 1981
Martin, enfant turbulent, a sept ans. Ses parents, influencés par les théories modernes d'éducation, tentent désespérément de le comprendre. Entre l'écoute active et l'analyse transactionnelle, le charmant bambin s'invente un ami imaginaire pour les manipuler et les faire craquer.
Durée : 25 minutes
Personnage(s) : 1 femme, 2 hommes

E   **À vol d'oiseau** [1982]
Marionnettes du Grand Théâtre de Québec, mars 1983
Jacquin a été très impressionné par le retour des oies et, à défaut de pouvoir voler, il se fabrique un cerf-volant. Malheureusement, celui-ci est rapidement emporté par le vent. Commence alors un voyage imaginaire qui conduira Jacquin, à la recherche de son cerf-volant, sur terre, dans les airs et sous l'eau.
Durée : 40 minutes
Personnage(s) : des marionnettes nécessitant 4 manipulateurs
2 chansons

Cris et crise [1982]
Sur un mode épique, à travers des tableaux et des récitatifs, on évoque la crise économique des années trente tout en faisant des parallèles avec notre situation actuelle. Les faits relatés sont tous réels et se sont déroulés au Québec à cette époque. Entre la jeune fille forcée d'offrir ses faveurs à l'inspecteur du gouvernement jusqu'aux fermiers volant la nourriture de leurs animaux, il y a une même crise : celle de l'émotion.
Durée : 1 heure 45
Personnage(s) : 108 personnages différents pouvant être joués par un minimum de 4 femmes et 4 hommes

À propos de la demoiselle qui pleurait [1984]
Une version télévisuelle a été présentée à Radio-Canada (émission *Les Beaux Dimanches*, 27 janvier 1991)
Coproduction du Théâtre Repère et du Théâtre du Trident, 1985

Geneviève ne se présente pas à son travail. Personne ne sait où elle est. Pourtant, il y a des signes : une armoire de la pharmacie a été ouverte ; dans une bijouterie, une dame achète une chaîne ; un ami d'enfance tient à faire agrandir une mystérieuse photo. Les personnages se rencontrent et nous font découvrir l'histoire d'une jeune fille à la recherche de sa mère naturelle.
Durée : 1 heure 45
Personnage(s) : 11 personnages (5 femmes, 1 petite fille, 5 hommes) pouvant être joués par 3 femmes, 1 petite fille et 3 hommes

Le Lac Langlois [1985]
Théâtre de la Fenière, 1985
Alors qu'ils ont fait croire à leur entourage qu'ils allaient à un congrès, Gérard et Roger se rendent pour une partie de pêche au lac Langlois. La quiétude espérée est rapidement rompue par la présence d'un garde pointilleux et l'arrivée imprévue de leurs compagnes.
Durée : 2 heures
Personnage(s) : 2 femmes, 3 hommes

À frais virés [1986-1987]
Théâtre de la Fenière, 1987
Nancy, étudiante en techniques policières, et Gaétan, passionné d'électronique, vivent ensemble depuis quelques mois, mais n'ont pas osé en informer leurs parents. Leur situation se complique davantage car le père de Nancy croit que sa fille embrassera la médecine et la mère de Gaétan est convaincue que son fils a reçu la vocation. Pourvu que tout ce monde ne se rencontre pas en même temps !
Durée : 2 heures
Personnage(s) : 2 femmes, 3 hommes

Le Futur antérieur [1986-1987]
Coproduction du Théâtre Repère et du Théâtre de la Bordée, février 1988
Ce texte a été présenté en lecture publique par le Cead, le 26 février 1988.
Quatre personnages terminent leurs études universitaires dans des domaines connexes. Animés du même désir de réussite et d'excellence, ils voient leurs premières années de carrière semées d'espoirs, de projets, de rêves déçus, perdus et retrouvés.
Durée : 2 heures
Personnage(s) : 2 femmes, 2 hommes

E ### L'Ornithorynque [1987]
Conservatoire d'art dramatique de Québec, mars 1987
Avec sa fourrure de marmotte, sa queue de castor et son bec de canard, l'ornithorynque est un animal très spécial. Lors d'un incendie qui menace leur forêt, tous les animaux, chacun à leur façon, s'affairent à combattre les flammes. L'ornithorynque ne sait pas comment se rendre utile, mais c'est quand même lui qui réussira à sauver la forêt.
Durée : 30 minutes
Personnage(s) : 5 personnages (animaux) pouvant être joués par 2 interprètes
Ce texte est conçu pour être joué dans une classe

Le Train [1989]
Lors d'une amicale scolaire, un groupe d'anciens amis se retrouve. À travers des temps et des espaces éclatés, ils se souviennent de ce qu'ils étaient et essaient d'inventer ce qu'ils vont devenir. Tout ça « pour mesurer l'écart entre ce que furent nos rêves et ce que sont nos vies. » Chaque personnage est présenté à 16, 24 et 32 ans.
Durée : 1 heure 45
Personnage(s) : 2 femmes, 3 hommes

Pour le meilleur et pour le pire [1991]
Théâtre de la Fenière, été 1991
Une jeune femme et un jeune homme, ne se connaissant que depuis quelques heures, frappent à la porte d'un presbytère et demandent à être mariés sur le champ. C'est Michel, un prêtre aux allures de rocker, qui les reçoit. Il veut les inscrire à un cours de préparation au mariage.
Durée : 1 heure 45
Personnage(s) : 2 femmes, 3 hommes

LABBÉ, Jérôme

Titulaire d'un baccalauréat en littérature française et d'une maîtrise en art dramatique, Jérôme Labbé s'intéresse depuis toujours au phénomène de l'écriture. D'abord attiré par le cinéma, il collabore à la scénarisation et à la réalisation de trois courts métrages : **Jean-Daniel, Le Cheeseburger antéchrist** et **Plastic, chair et tournevis**. En 1986, il publie, à compte d'auteur, un recueil de nouvelles intitulé **La Marginale orthodoxe**. D'autres textes paraîtront ensuite à l'intérieur de revues (**Stop**, nos 4, 5, 116 et 125 ; **La Tordeuse d'Épinal**, nos 2 et 4) ou de collectifs (**Complicités**, **Rêves** et **Djabe** chez PAJE Éditeur). Également passionné de théâtre, il oeuvre autant à titre de comédien que de metteur en scène dans le cadre de plusieurs productions universitaires et participe à de nombreux stages de formation et ateliers d'expérimentations. Depuis 1990, plus précisément depuis la rédaction de son mémoire portant sur les différentes techniques de l'écriture en fragments, il décide de s'investir plus à fond dans la création de textes dramatiques.

photo: Sylvain Lafleur

Manipulations [1990], en collaboration avec Mario Boivin
Premier volet d'un diptyque sur la génétique et le pouvoir
Tess Imaginaire, novembre 1991
Suspense d'anticipation. Regard incisif sur l'utilisation abusive de la génétique par les pouvoirs financiers et militaires. Un éminent scientifique effectue des recherches en génétique pour le compte d'une organisation paramilitaire. Les projets d'une nouvelle venue, Maria, risquent d'ébranler toute la structure de l'occulte « Organisation ».
Durée : 1 heure 20
Personnage(s) : 2 femmes, 4 hommes

Rêver comme on respire [1992]
Ce texte a été présenté en lecture publique par le Cead, le 5 avril 1993.
Marco, jeune prostitué, est trouvé mort, le corps couvert de bleus. Sa mère, ses deux frères et son amant, en deuil, doivent vivre. Comment échapper à ces cauchemars qui nous étouffent ?
Durée : 1 heure 30
Personnage(s) : 2 femmes, 4 hommes

Métamorphoses [1992], avec la collaboration de Mario Boivin et Michel Leroux
Deuxième volet d'un diptyque sur la génétique et le pouvoir
Tess Imaginaire, mars 1993
Un colonel psychopathe exerce son contrôle sur un tueur humanoïde du nom de César, une

créature conçue en laboratoire par un généticien qui a mis au point des êtres hybrides appelés à servir d'armes vivantes pour l'armée américaine.
Durée : 1 heure 30
Personnage(s) : 2 femmes, 5 hommes
Spectacle multimédia (vidéo, diapo, effets spéciaux)

LABERGE, Marie

À l'Université Laval, où elle s'inscrit à l'École de journalisme et d'information, Marie Laberge participe à de nombreuses créations collectives avec la Troupe des Treize. Ayant quitté l'université pour le Conservatoire d'art dramatique de Québec (1972-1975), elle exerce par la suite son métier de comédienne à Québec avant d'aborder la mise en scène et l'enseignement en art dramatique. Scénariste pour divers cinéastes, elle a été administratrice du Théâtre du Trident (1977-1980), du Cead (1978-1981) dont elle fut présidente de 1987 à 1989 et membre du comité organisateur des États généraux du théâtre professionnel au Québec. De 1983 à 1986, elle a été vice-présidente du Conseil québécois du théâtre. En 1981, elle a obtenu le deuxième prix, catégorie court métrage, de la Communauté radiophonique des programmes de langue française pour **Éva et Évelyne** et le Prix du gouverneur général du Canada pour **C'était avant la guerre à l'Anse à Gilles**. **L'Homme gris**, en France, lui a valu la croix de Chevalier de l'ordre des Arts et des Lettres en 1989. Marie Laberge a écrit et réalisé un long métrage de fiction pour la télévision (1989) **Les Heures précieuses**. En 1989, elle publiait un premier roman chez Boréal **Juillet**, suivi en 1992 de **Quelques adieux** qui lui a valu le Prix des lectrices de *Elle-Québec*. Membre du conseil d'administration du Conseil des arts et des lettres du Québec, elle dirige la collection théâtre chez Boréal, depuis 1991.

photo: Louis Ducharme

Profession : je l'aime [1977] (cinq courtes pièces non publiées à l'exception de **Éva et Évelyne** précédé de **L'Homme gris**, VLB Éditeur,1986)
Ce texte a été présenté en lecture publique par le Cead, le 8 mars 1978.
Théâtre du Vieux Québec, 10 janvier 1979
Traitées sur un mode réaliste non dénué d'humour, cinq variations sur la vie affective, le couple, le désir et la difficulté de dire pouvant être jouées isolément.
On a ben failli s'comprendre
Doris éprouve de sérieux problèmes de communication. D'une part, son *chum* interprète ses paroles, y cherchant des sous-entendus là où il n'y en a pas ; d'autre part, sa mère, hospitalisée, lui reproche de ne pas être assez présente.
Durée : 10 minutes
Personnage(s) : 2 femmes, 2 hommes
T'sais veux dire
Deux filles, deux gars, un bar. La misère affective des piliers de bar. Les filles attendent le bon vouloir des gars en prétextant ne rien espérer, pendant que les gars font le tour de ce qui s'offre à eux avant de daigner leur accorder une attention particulière.

Durée : 20 minutes
Personnage(s) : 2 femmes, 2 hommes
Profession : je l'aime
Claire, célibataire, visite deux de ses amies, Françoise et Monique, qui vivent leur état d'épouse au foyer de façons fort différentes.
Durée : 30 minutes
Personnage(s) : 3 femmes et 1 voix d'homme
1 chanson
Éva et Évelyne
Sur la vieille galerie d'une vieille maison à la campagne, deux femmes dans la soixantaine, deux sœurs, se racontent pour la première fois l'aventure amoureuse qui aurait pu, il y a longtemps, les délivrer du piège de leur chaise berçante.
Durée : 30 minutes
Personnage(s) : 2 femmes
La Fille fuckeuse de gars
Une fille se raconte à travers l'aventure qu'elle a vécue avec « un gars différent des autres ». Cette fois-là ses trucs habituels de séductrice n'ont apparemment pas fonctionné.
Durée : 10 minutes
Personnage(s) : 1 femme

Ils étaient venus pour... [1978] (VLB, Éditeur, 1982)
Ce texte a été présenté en lecture publique par le Cead, à Montréal, le 7 avril 1980, ainsi que les 12, 21, 29 janvier et 1er février 1982, respectivement au Théâtre de l'Est Parisien, au Théâtre les Ateliers de Lyon, au Théâtre de Carouge (Genève) et au Théâtre Populaire Romand (La Chaux-de-Fonds, Suisse).
Théâtre du Bois de Coulonge, août 1981
En six tableaux, cette fresque villageoise fait revivre le quotidien de ces hommes et de ces femmes venus de partout au Québec et qui, de 1902 à 1928, ont entrepris de s'établir à Val-Jalbert. Hélas ! ils ont dû renoncer à leurs rêves à la suite de la fermeture de l'usine estimée non rentable par ses promoteurs.
Durée : 1 heure 45
Personnage(s) : 43 personnages (24 femmes, 19 hommes) pouvant être joués par 5 femmes et 4 hommes
6 chansons

Avec l'hiver qui s'en vient [1978] (VLB Éditeur, 1981)
Ce texte a été présenté en lecture publique par la Nouvelle Compagnie Théâtrale, en collaboration avec le Cead, le 9 décembre 1985.
La Commune à Marie, 3 septembre 1980
Par-delà la révolte d'une femme contre son mari qui a sombré dans un état de muette prostration dès le premier jour de sa retraite, la pièce ausculte le tragique échec d'un couple et fait le procès d'une génération pour qui les convenances ont tenu lieu de sincérité.
Durée : 2 heures
Personnage(s) : 4 femmes, 2 hommes

Jocelyne Trudelle, trouvée morte dans ses larmes [1980] (VLB Éditeur, 1983, épuisé ; Boréal, 1992)
Ce texte a été présenté en lecture publique par le Cead, le 9 mars 1981.
La Commune à Marie, 8 octobre 1986
Dans un hôpital défilent, plus ou moins conscients de leur responsabilité, parents et amis d'une jeune fille sensible qui vient de tenter de se suicider et qu'une infirmière compréhensive tente de ramener à la vie dans l'indifférence générale.
Durée : 2 heures
Personnage(s) : 5 femmes, 2 hommes et 1 pianiste

9 chansons

C'était avant la guerre à l'Anse à Gilles [1980] (VLB Éditeur, 1981)
L'Atelier de la Nouvelle Compagnie Théâtrale, 15 janvier 1981
Traduit en anglais par Alan Brown sous le titre de **Before the War, Down at l'Anse à Gilles**
Cette traduction a été présentée en lecture publique par le Cead, en coproduction avec Playwrights'Workshop Montréal, le 9 février 1986 ; au Toronto Free Theatre, le 23 février 1986 et à l'Atelier du Centre national des Arts, le 1er mars 1986.
Également traduit en anglais par John Murrell
Une chronique de la vie quotidienne au Québec, dans les années trente. L'amitié entre deux jeunes femmes, l'amour d'un jardinier pour une jeune veuve, les campagnes politiques, jusqu'à la prise de conscience de l'aliénation dont les femmes sont victimes à travers le drame d'une orpheline.
Durée : 2 heures
Personnage(s) : 3 femmes, 1 homme

Le Banc [1981] (VLB Éditeur, 1989, épuisé ; Boréal, 1994)
La Commune à Marie, mars 1983
Les drames et drôleries, grandeurs et petitesses du quotidien illustrés avec humour, cynisme et compassion, par une vingtaine de personnages d'âges, de conditions et de tempéraments différents, venant tour à tour, un jour de printemps, passer quelques instants sur un même banc de parc.
Durée : 2 heures
Personnage(s) : 21 personnages (11 femmes, 10 hommes) pouvant être joués par 3 femmes et 3 hommes

L'Homme gris [1982] (suivi de **Éva et Évelyne**, VLB Éditeur, 1981 ; également publié dans la version québécoise avec une version aménagée pour la France de Jacques de Decker dans l'Avant-Scène no 785, Paris, 1986)
Coproduction de l'auteure et du Théâtre du Vieux Québec, créée à Montréal, septembre 1984
Traduit en anglais par Rina Fraticelli sous le titre de **Night** [1985] (Éditions Methuen, 1988)
Cette traduction a été présentée en lecture publique par le Ubu Repertory Theater en coproduction avec le Cead, à New York, le 19 novembre 1986.
Toronto Free Theatre, 2 mars 1988
Texte aménagé pour la production française par Jacques de Decker sous le même titre
Coproduction MC 93 Bobigny et Théâtre international de langue française, à Bobigny, le 12 février 1986
Également traduit en allemand, en italien, en néerlandais et en letton (Seule la traduction anglaise est disponible au Cead)
Dans le motel où ils font halte pour la nuit, l'impossible communication entre un homme, alcoolique verbomoteur, et sa fille introvertie, qu'il vient de soustraire des mains d'un mari violent. Mais le geste du père est plus commandé par le sens du devoir que par une véritable affection.
Durée : 1 heure 30
Personnage(s) : 1 femme, 1 homme

Deux tangos pour toute une vie [1982] (VLB Éditeur, 1985, épuisé ; Boréal, 1993)
La Commune à Marie, 6 novembre 1984
Une passion violente déchire le quotidien jusque-là sans surprise de Suzanne, figée entre un mari aimant mais sans relief et une mère avec qui elle communique mal. Bref mais fulgurant, cet emballement nouveau donne un caractère d'urgence aux questions qu'elle se posait déjà et lui permet, ainsi qu'à ceux qui l'entourent, de les exprimer, sur un ton familier tour à tour tendre, buté et pathétique.
Durée : 2 heure 15
Personnage(s) : 2 femmes, 2 hommes

Au bord de la nuit [1983]
Manon, en proie à un violent dérapage psychologique, s'est enfuie chez sa tante, une exilée de la famille, qu'elle n'a pas vue depuis des années. Celle-ci la défendra contre les efforts de son frère et de sa belle-soeur pour protéger (c'est-à-dire enfermer) sa nièce. Une pièce sur la folie, la peur qu'elle provoque et la violence des gens dits normaux.
Durée : 2 heures
Personnage(s) : 3 femmes, 3 hommes ou 3 femmes, 2 hommes

Le Cadeau [1985]
Créé à la radio (Radio-Canada, 31 janvier 1986)
Théâtre de la Dame de Coeur, été 1988, avec des extraits d'autres pièces de la même auteure.
À l'hôpital depuis des mois, Benoit décide d'appeler madame Bérubé (une compagne « d'étage » qui avait subi une amputation) juste pour jaser. Celle-ci, apprenant qu'il va célébrer son anniversaire à l'hôpital, lui fait parvenir un baladeur qui enregistre. C'est par l'entremise de ce cadeau, la nuit de son anniversaire, que Benoit avoue à cette femme qu'il va mourir d'un cancer dans les semaines qui suivent. C'est la première fois qu'il le dit, n'ayant jamais eu personne à qui se confier. Une pièce sur la solitude, la souffrance et la compassion.
Durée : 45 minutes
Personnage(s) : 1 femme, 1 homme

La Réparation [1985] (dans **20 ans**, VLB Éditeur, 1985), non produit à la scène
Créé à la radio (Radio-Canada, 1986)
Une femme retrouve son père des années après qu'il fut sorti de prison pendant que la mère monologue sa frustration.
Durée : 20 minutes
Personnage(s) : 2 femmes, 1 homme

Le Night Cap Bar [1985] (VLB Éditeur, 1987)
Théâtre de la Manufacture, 3 avril 1987
Un bar sordide de Valleyfield. Un matin, trois femmes qui y ont déjà travaillé comme *barmaid* s'y rencontrent. Chacune à son époque a été la maîtresse du propriétaire. Elles ont en commun cet homme, ce bar, et quelques griefs. Au cours de la discussion, Raymond est trouvé mort dans son appartement du haut. Toutes ces femmes auraient pu le tuer, chacune avait ses raisons. Leurs versions respectives se succèdent.
Durée : 2 heures 15
Personnage(s) : 3 femmes, 1 homme

Oublier [1986] (VLB, Éditeur, 1987, épuisé ; Boréal, 1993)
Théâtre National de Belgique (Bruxelles), 12 octobre 1987, et Compagnie Jean Duceppe, 28 octobre 1987
Traduit en anglais par Rina Fraticelli sous le titre de **Forgetting** [1988]
Au cours de la tempête « du siècle », à trois jours de Noël, les quatre filles de Juliette se réunissent dans la maison maternelle pour tenir un conseil de famille. Juliette, la mère adorée et haïe, est en phase terminale de la maladie d'Alzheimer. Micheline, la plus jeune, souffre des séquelles d'un accident. Les quatre soeurs ne se sont pas vues ensemble depuis quinze ans. Cette nuit où tout se bouscule, les rancunes, les regrets, les désirs, les griefs, les attachements, cette passion qu'elles ont toutes éprouvée chacune à leur façon pour cette mère distante et froide, cette nuit les trouvera plus acharnées que jamais à nier. Mais quand une mère meurt, certaines questions doivent trouver des réponses, sinon on risque de devoir se renier soi-même.
Durée : 2 heures 15
Personnage(s) : 4 femmes, 1 homme

Aurélie, ma soeur [1986-1987] (VLB Éditeur, 1988, épuisé ; Boréal, 1992)
Théâtre du Trident, 1er novembre 1988
Traduit en anglais par Rina Fraticelli sous le titre de **Aurélie, my sister** [1989]
Centaur Theatre, avril 1993
Aurélie a élevé Charlotte qu'elle appelle la Chatte. Pourtant, celle-ci n'est pas sa fille mais celle de sa soeur, exilée en Italie. Au cours de ces années, des liens de grande complicité, de tendresse, de confiance et d'amitié profonde se sont tissés entre Aurélie et la Chatte. En cinq nuits, la pièce relate cinq grands moments dans la vie de ces deux femmes, moments drôles ou durs, mais toujours intenses et remplis de cet amour qui fait toute la différence et permet d'échapper au désespoir et à l'amertume. Cinq nuits sur trois ans où la Chatte atteint ses 25 ans et où Aurélie, par le biais de sa correspondance, nous permet d'en apprendre un peu plus sur la « vraie » mère qui est aussi sa soeur.
Durée : 2 heures 10
Personnage(s) : 2 femmes

Le Faucon [1988] (Boréal, 1991)
Ce texte a été présenté en lecture publique par le Cead, le 7 février 1990.
Double création au Théâtre du Trident (Québec) et la Compagnie Jean Duceppe (Montréal), 30 octobre 1991
Steve, 17 ans, est soupçonné du meurtre de son beau-père. Aline, une ex-religieuse, psychologue en milieu carcéral, est chargée d'éclaircir les faits. Le père de Steve revient des États-Unis, après douze ans d'absence pour « sauver » et retrouver son fils.
Durée : 2 heures
Personnage(s) : 1 femme, 2 hommes

Pierre ou la Consolation [1989] (Boréal, 1992)
Ce texte a été présenté en lecture publique par le Cead, le 8 février 1991.
Théâtre du Café de la Place, 25 mars 1992
Une nuit de novembre 1141, le corps de Pierre Abélard est remis à Héloïse dans l'abbaye où elle est devenue abbesse. Cette nuit d'adieu d'une femme, qui a détourné le désir et la passion vers un Dieu dont elle doute, est celle de la remise en question du désir charnel dans l'ordre divin.
Durée : 1 heure 45
Personnage(s) : 2 femmes, 1 homme

LAHAYE, Louise

Formée en interprétation au cégep de Saint-Hyacinthe, Louise LaHaye travaille d'abord comme comédienne avant d'entreprendre, en 1976, une carrière d'auteure. Longtemps tournée exclusivement vers le jeune public - elle a écrit autant pour la télévision que pour le théâtre, elle a été directrice artistique du Festival québécois de théâtre pour enfants, en plus d'être cofondatrice du Théâtre le Gyroscope - elle s'est ensuite consacrée à l'écriture et à la mise en scène. En 1989 et 1990, elle était directrice artistique et générale du Théâtre de la Ville (Longueuil). Elle a reçu de nombreuses bourses du ministère des Affaires culturelles du Québec et du Conseil des Arts du Canada, et a de plus participé à de nombreux comités et groupes de travail. Louise LaHaye est décédée le 12 juin 1992. Elle avait 40 ans.

photo: Louise Oligny

J   **Impromptu chez Monsieur Pantalon** [1976], en collaboration avec La Rallonge
La Rallonge, opération-théâtre de la Nouvelle Compagnie Théâtrale, 29 mars 1977
Trois Sméraldine et trois Arlequin forment la troupe de monsieur Pantalon. Sans emploi et désoeuvrés, les comédiens occupent leur temps à se jouer des tours, à se déguiser et à faire des pirouettes. Leurs personnages sont typés : ils sont amoureux, ambitieux ou paresseux. L'esprit de la pièce relève bien sûr de la commedia dell'arte.
Durée : 1 heure
Personnage(s) : 3 femmes, 3 hommes
4 chansons

J   **Chu pas ben dans mes culottes** [1978], en collaboration avec La Rallonge
La Rallonge, 18 février 1978
Gilles et Pierre, s'apercevant qu'à quinze ans, ils n'ont pas « contemplé de corps féminin dans toute sa splendeur », vont forcer la porte du vestiaire des filles et se rincer l'oeil. Martine et Isabelle, se remettant du choc, font en sorte que tous ensemble, ils s'interrogent sur les modèles sexuels que garçons et filles se croient souvent obligés d'adopter.
Durée : 1 heure 20
Personnage(s) : 2 femmes, 2 hommes
4 chansons

E   **Trois petits contes** [1978], en collaboration avec Lisette Dufour et Marcel Leboeuf (Éditions Québec/Amérique, 1981)
Le Gyroscope, février 1979
Pour les tout-petits, trois courtes histoires entrecoupées de jeux : le mille-pattes qui prend conscience de son corps, de ses limites et de ses capacités ; Bouboule qui doit faire des compromis afin de s'adapter à un milieu donné ; Cube, Sphère et Polyèdre qui découvrent leur identité et qui s'apprivoisent malgré leurs différences.
Durée : 1 heure
Personnage(s) : 2 interprètes (1 femme, 1 homme) ou plus

La Scouine [1980], en collaboration avec Pierre Moreau et Lorraine Pintal, d'après le roman du même titre d'Albert Laberge (roman publié aux Éditions de l'Actuelle, 1972)
La Rallonge, 29 septembre 1979
Sur un mode qui, en dépit du réalisme des dialogues, appelle un traitement stylisé, la pièce dépeint, en une succession de tableaux aux diverses ambiances, la difficile existence des membres d'une famille de paysans dans un Québec du 19e siècle qui, à bien des égards, rappelle le Moyen Âge européen.
Durée : 2 heures
Personnage(s) : 46 personnages (16 femmes, 30 hommes) pouvant être joués par 3 femmes et 4 hommes
5 chansons

E   **Peur bleue** [1981]
Le Gyroscope, novembre 1981
Chaque nuit, avant de s'endormir, Framboise s'invente une amie. Les deux fillettes, déconcertantes comme l'enfance, se tricotent des histoires sans queue ni tête, insolites comme les rêves. Leur imagination passe du coq-à-l'âne et leur langage chatouille les mots au pied de la lettre.
Durée : 30 minutes
Personnage(s) : 2 femmes

J   **Court-circuit** [1981]
Le Gyroscope, 18 février 1982
Quatre adolescents subissent un entraînement où tous les coups sont bons pour les pousser à aller jusqu'au bout d'eux-mêmes. Dans ce jeu qui ressemble à une immense machine à boules,

l'entraîneur dépassera cependant la mesure et ses joueurs feront « tilter » la machine.
Durée : 1 heure 20
Personnage(s) : 2 femmes, 2 hommes

E   **Le Cocodrille** [1984]
Coproduction de L'Arrière Scène et des Productions du Cocodrille, décembre 1985
Traduit en anglais par Hugh Ballem sous le titre de **The Cocodrile**
Version anglaise coproduite par L'Arrière Scène et les Productions du Cocodrille, novembre 1986
Ella, 30 ans, attend son premier bébé et se rappelle son enfance. Ainsi retrouve-t-elle Cocodrille, qu'elle avait rangé dans un des tiroirs de sa mémoire. Tous les deux ont vieilli : lui aussi a un emploi et un associé, le serpent Gator. Mais ils prendront le temps de remettre en jeu leurs souvenirs et impressions d'autrefois, à la lumière de ce qu'ils sont aujourd'hui.
Durée : 55 minutes
Personnage(s) : 1 femme, 2 comédiens-manipulateurs et 2 marionnettes

E   **Polaroïde** [1984]
Ce texte a été présenté en lecture publique par L'Arrière Scène, en collaboration avec le Cead, le 17 février 1986.
L'Arrière Scène, saison 1988-1989
Phil est venu dans la jungle pour travailler à l'abri des indiscrets. Mais à peine est-il arrivé que Sophie-Clara tombe sur Édith Giraf, reporter. Celle-ci, flairant quelque chose de louche, ouvre une enquête, secondée par Hubert-Lulu, le « sinze » qui veut apprendre à lire. Véritable polar, la pièce met en jeu des signes que les personnages devront décoder.
Durée : 1 heure 10
Personnage(s) : 2 femmes, 2 hommes

E   **À temps perdu** [1985] (dans **20 ans**, VLB Éditeur, 1985)
Une jeune mère, débordée de travail, est visitée par un étrange personnage qui lui offre de suspendre le temps.
Durée : 20 minutes
Personnage(s) : 1 femme, 1 homme et 1 voix de femme

E   **Le Manège** [1985-1986]
Marionnettes du Grand Théâtre de Québec, 9 novembre 1986
Dans un manège, des chevaux se sentent prisonniers ; leur vie tourne en rond. Un à un, ils vont s'échapper vers leur passé ou leur avenir. Mais, là aussi, les jours se suivent et se ressemblent souvent... Pourtant, ils découvriront que les choses ne se répètent pas vraiment ; joies et chagrins jettent un éclairage différent sur chaque journée, brisant l'impression d'un cercle sans fin.
Durée : 50 minutes
Personnage(s) : une quinzaine de marionnettes et accessoires requérant 4 manipulateurs
5 comptines

LANDRIAULT, Martine

Dans les années soixante, Martine Landriault a travaillé comme comédienne sous le pseudonyme de Martine Simon et méritait, en 1963, le prix de la meilleure jeune interprète de l'année. Elle a joué au Théâtre du Rideau Vert, à la Comédie Canadienne pour le Théâtre-Club, à la Poudrière, à l'Anjou et au Mountain Playhouse, entre autres. On l'a aussi vue dans des émissions pour enfants et des téléromans, dont **Le Pain du jour**, où elle tenait le rôle de Laura Deguire. Elle a ensuite fait des études en ethnolinguistique à la Sorbonne et à l'École pratique des Hautes Études de Paris, puis à l'Université de Montréal.

photo: Aline Lévesque

Air céleste [1984-1985]
Les Productions l'Épivarde, 15 avril 1987
Dans une atmosphère où fantastique et baroque se côtoient, une dame âgée voue un culte bizarre aux morts et organise des banquets anniversaires pour commémorer les événements ayant marqué la vie de ses chers disparus. Au cours d'une réception, ses petits-enfants apprennent qu'elle a décidé qu'il était temps pour elle d'aller rejoindre ceux qu'elle aime.
Durée : 1 heure 15
Personnage(s) : 2 femmes, 1 homme

Nos agrumes ne sont plus ce qu'ils étaient [1985]
À la fois conte, farce, commedia dell'arte. Trois femmes pêchent sans succès au bord d'un lac lorsque l'une d'elles tombe dans un état second. Une série d'apparitions et de révélations s'ensuivent. Pourquoi Agrume réagit-elle toujours à Napoléon ? De quelle façon Agrume a-t-elle tué son père ? Détachée de son amante, que fait Agrume de sa liberté ?
Durée : 1 heure 30
Personnage(s) : 5 femmes, 1 homme
2 chansons connues et musique de Schubert

Le Désir du désir de l'autre [1988]
Elle travaille dans une galerie d'art et vit dans l'imaginaire. Un jour, elle porte un tableau chez une cliente et vit avec cette dernière une aventure troublante.
Durée : 1 heure 15
Personnage(s) : 2 femmes

LANGUIRAND, Jacques

Né à Montréal en 1931, Jacques Languirand va étudier le théâtre à Paris chez Charles Dullin et travailler à la Radio-Télévision française (1949-1953). Ainsi, dès l'âge de dix-huit ans, commence-t-il une double carrière d'homme de théâtre et d'animateur jamais interrompue depuis. Comédien, metteur en scène, scénariste, adaptateur (il a adapté le **Hamlet** de Thomas Kyd et **Une lettre perdue** de Ion Luca Caragiale, entre autres, pour la télévision), directeur de troupe, il est également l'auteur de nombreux ouvrages de connaissance générale, dont **La Voie initiatique** aux Éditions René Ferron, en 1978, et **Vivre ici et maintenant** aux Productions Minos, en 1981. Son ouvrage **Prévenir le burn-out**, paru aux Éditions de l'Héritage, a été repris en 1989 en France sous le titre de **Vaincre le mal-être : prévenir le burn-out**, aux Éditions Albin Michel. Jacques Languirand a été secrétaire général de la Comédie Canadienne (1958-1959), adjoint du directeur artistique et écrivain en résidence au Théâtre du Nouveau Monde (1964-1966), professeur invité à l'École nationale de théâtre du Canada (1971-1972) et a enseigné pendant douze ans au département de communication de l'Université McGill. Le 1er septembre 1971, il crée et anime une nouvelle émission de radio qui continue toujours d'être une grande aventure de communication, **Par quatre chemins**. En 1993, à l'invitation du metteur en scène Robert Lepage, il a fait un retour remarqué comme comédien dans les trois pièces du cycle Shakespeare, traduites par Michel Garneau, et présentées en tournée par le Théâtre Repère (Amsterdam, Zurich, Brême, Chalon-sur-Saône, Tokyo et Nottingham) : rôles de Duncan et du portier dans **Macbeth**, de Ménénius dans **Coriolan** et de Prospéro dans **La Tempête**. En 1993 également, sous la direction artistique de Michel Lemieux et de Victor Pilon, il a collaboré au scénario et rédigé les textes d'une fresque historique multimédia, **Feux sacrés**, présentée dans la basilique-cathédrale de Québec deux fois par jour pendant l'été.

photo: Jean-Pierre Karsenty

Les Insolites [1956] (suivi de **Les Violons de l'automne**, Le Cercle du Livre de France, 1962 ; 1974)
Compagnie de Montréal, Festival d'art dramatique du Québec, 9 mars 1956
Dans un bar sont réunis des personnages insolites dialoguant sans vraiment s'écouter, personne n'étant capable de soutenir le poids d'une conversation normale. Un personnage étrange, se disant radiesthésiste, prédit la mort d'une des personnes présentes. Panne d'électricité. Un coup de feu est tiré. Une vieille femme a été tuée. La police enquête.
Durée : 2 heures 30
Personnage(s) : 2 femmes, 8 hommes

Le Roi ivre [1956] (Les Presses de l'Université du Québec, « Voix et images du pays III », no 22, 1970)
Troupe Les Insolites, 1er novembre 1956
Farce en deux tableaux. Un roi cruel nommé Coeur-de-fer règne en maître absolu et incontesté sur son peuple. Sa seule préoccupation est de vaincre l'ennui provoqué par cette soumission de tous envers lui. Mais le tyran finira par être écrasé et le faible bouffon par devenir maître de la situation.
Durée : 1 heure 30
Personnage(s) : 1 femme, 5 hommes

Les Grands Départs [1957] (Le Cercle du Livre de France, 1958 ; Éditions du Renouveau Pédagogique, 1970)
Créé à la télévision de Radio-Canada, 1er octobre 1957
Théâtre de Percé, 8 juillet 1958
Traduit en anglais par Albert Bermel sous le titre de **The Departures** (Gambit, no 5, Londres, 1964)
Drame. Jour de déménagement. Hector, auteur raté, vivant aux crochets de sa belle famille, philosophe amèrement au milieu des boîtes et des meubles. Ce déménagement avive l'espoir de Margot, sa femme, qui souhaite commencer une nouvelle vie. La belle-soeur d'Hector, Eulalie, qui vit cachée dans le noir de sa chambre, voit revenir, vingt ans plus tard, son prétendant qui vient la chercher. Sophie, fille d'Hector et de Margot, sous le prétexte d'aller au cinéma, sort de la maison, espérant ne plus jamais revenir. Les deux fugues échoueront. Le beau-père paralytique, spectateur muet, quittera lui aussi ce huis-clos. Sera-t-il le seul à effectuer un départ sans retour ?
Durée : 2 heures 30
Personnage(s) : 3 femmes, 3 hommes

Le Gibet [1957] (Le Cercle du Livre de France, 1960)
Comédie Canadienne, 15 novembre 1960
Traduit en anglais par Albert Bermel sous le titre de **The Gallows**
Un homme, juché sur un poteau, tente de battre un record d'endurance. De sa « tour » il observe les gens qui vont et viennent en bas. Témoin de leurs problèmes, de leurs bonheurs ou de leurs malheurs, il en viendra à conclure que le vrai record c'est de porter son destin à terme.
Durée : 2 heures 30
Personnage(s) : 4 femmes, 11 hommes

Diogène [1958] (« La Barre du Jour », vol. 1, 3, 4,5, juillet-décembre 1965)
Théâtre de Percé, 12 juillet 1958
Fantaisie en un acte. Exercice de style proche de la commedia dell'arte. Monsieur Colomb veut marier sa fille Colombe à un vieillard qui a le don de le faire rire. Colombe, amoureuse du jeune Pierre, parvient à persuader son père que ce dernier est aussi irrésistiblement drôle afin de pouvoir l'épouser.
Durée : 50 minutes
Personnage(s) : 3 femmes, 5 hommes

L'École du rire [1958] (publié dans **Languirand et l'absurde** de Monique Genuist, Éditions Pierre Tisseyre, 1982)
Théâtre de Percé, 12 juillet 1958
Voir le résumé à **L'École du rire**.
Durée : 40 minutes
Personnage(s) : 1 femme, 4 hommes

Les Violons de l'automne [1960] (précédé de **Les Insolites**, Le Cercle du Livre de France, 1962 ; 1974)
Ce texte a été présenté en lecture publique par le Cead, le 5 février 1989.
Théâtre-Club, 5 mai 1961
Pièce volontairement loufoque sur un sujet grave : l'amour chez les sexagénaires. Un couple âgé, uni par une agence de rencontre, revient à son appartement pour sa nuit de noces. Celle-ci sera perturbée par l'arrivée d'un homme qui prétendra être le véritable Eugène proposé par l'agence.
Durée : 2 heures
Personnage(s) : 1 femme, 2 hommes

Les Cloisons [1962] (Les Écrits du Canada français, vol. 22, 1966)
Option-théâtre du Collège Lionel-Groulx, février 1975 ; dans un spectacle intitulé **La Sollicitation**
Traduit en anglais par Albert Bermel sous le titre de **The Partition**
Instant Theatre de Mary Morter, 10 novembre 1965
Une jeune femme et un jeune homme, chacun dans leur chambre d'hôtel, sont séparés par une cloison si mince que chacun entend les petits bruits de la vie de son voisin. À partir de ces bruits, ils émettent mutuellement des hypothèses au sujet de leur voisin et tentent un rapprochement.
Durée : 30 minutes
Personnage(s) : 1 femme, 1 homme

Klondyke [1963-1964 et 1969] (Le Cercle du Livre de France, 1971)
Théâtre du Nouveau Monde, 16 février 1965
Traduit en anglais par Albert Bermel sous le même titre
Fresque dramatique en douze tableaux. Klondyke, Yukon, fin du siècle dernier. L'aventure de la ruée vers l'or, vécue par des Canadiens français épris de liberté, rêvant à de vastes espaces et à une richesse facilement acquise. Ils devront faire face à la dure réalité climatique du Yukon, à la lâcheté et à la rapacité de l'humain placé dans un contexte extrême de survie où la seule loi qui tienne est celle du chacun pour soi.
Durée : 2 heures 30
Personnage(s) : 5 femmes, 10 hommes ; des figurants et un quatuor vocal
15 chansons et récitatifs

L'Âge de pierre [1966-1970]
Non produit dans la version originale française
Traduit en anglais sous le titre de **Man Inc.**
St-Lawrence Center (Toronto), 26 février 1970
Spectacle multimédia. Pierre, jeune cadre moyen vivant en banlieue, se sent piégé dans ses rôles de bon père de famille, de mari-amant et d'instrument efficace et obéissant du pouvoir. Comment retrouver une liberté permettant de vivre intensément, de s'inscrire dans l'histoire ? La fuite dans l'imaginaire ne réussissant pas à combler ses envies, Pierre passera alors de la cause à défendre au retour aux sources, pour finalement revenir seconder sa femme dans l'accouchement de leur deuxième enfant.
Durée : 2 heures
Personnage(s) : 2 femmes, 1 homme ; 7 danseurs/danseuses et un trio vocal
9 chansons

LAVIGNE, Louis-Dominique

Codirecteur artistique du Théâtre de Quartier, Louis-Dominique Lavigne n'est pas qu'un auteur prolifique. Armé d'un baccalauréat spécialisé en art dramatique de l'Université du Québec à Montréal, d'une formation en interprétation du Conservatoire d'art dramatique de Montréal (1972-1975), de stages avec Giovanni Poli et Augusto Boal (commedia dell'arte et théâtre-forum), il a été actif, comme membre fondateur, au sein de plusieurs troupes dont le Théâtre Parminou et le Théâtre de Quartier. Scénariste, metteur en scène, comédien, membre du conseil d'administration du Cead à deux reprises, il a participé à de nombreuses créations collectives et a animé divers ateliers de formation théâtrale. Depuis quelques années, il anime des ateliers d'écriture à l'Université du Québec à Montréal. Il collabore à plusieurs séries télévisées pour l'enfance et la jeunesse. En 1992, sa pièce **Les Petits Orteils** obtient le Prix du gouverneur général du Canada.

photo: Les Paparazzi

Charleston [1970]
Théâtre de la Rubrique, 20 février 1986
Deux hommes et deux femmes sont assis dans une salle d'attente. Ils essaient de se parler. Du coq-à-l'âne, ils parlent d'auto, de psychiatre, de chien et de charleston que l'un d'eux voudra même danser sur place... Ils décident de rester ensemble toute leur vie dans cette salle d'attente... mais... ils n'ont plus rien à se dire.
Durée : 45 minutes
Personnage(s) : 2 femmes, 2 hommes
1 chanson

Patapom patapom pouett pouett [1971]
Théâtre du Demain Québécois, 1971
Quatre comédiens tracent avec humour différents tableaux représentant la femme et l'homme québécois à l'aube des années soixante-dix.
Durée : 1 heure 15
Personnage(s) : 2 femmes, 2 hommes jouant une dizaine de personnages autant féminins que masculins

As-tu peur des voleurs ? [1974] (Éditions de l'Intrinsèque, 1977, épuisé)
Le Patriote-en-Haut, 1975
Traduit en anglais par Henry Beissel sous le titre de **Are you afraid of thieves ?** (Éditions Simon and Pierre, Toronto, 1978)
Partition polyphonique où s'expriment avec humour les phantasmes de trois couples identiques et portant le même nom, qui agrémentent la monotonie de leur existence en s'inventant une vie aventureuse et en élaborant, chaque jour davantage, une histoire rocambolesque de gentleman-cambrioleur.
Durée : 1 heure 45
Personnage(s) : 3 femmes, 3 hommes
4 chansons

J   **Demain il fera congé** [1976], en collaboration avec Lise Gionet, Danielle Hotte et Claude Poissant
Les Puces, mai 1977
Par le biais de l'humour et de la caricature, la pièce critique le système scolaire et les problèmes inhérents à l'apprentissage dans les différentes institutions, de la maternelle à l'université. Dans cette remise en cause de toute une société qui mise sur la productivité, percent des solutions qui permettent d'espérer que demain, il fera congé...
Durée : 1 heure 20
Personnage(s) : 4 interprètes (2 femmes, 2 hommes) ou plus
1 chanson

La Vie à trois étages [1977], en collaboration avec Gilbert David, Odette Gagnon, Jeanne Leroux, Daniel Meilleur, France Mercille et Monique Rioux (VLB Éditeur, 1980)
Théâtre de la Marmaille, 15 octobre 1977
À travers le microcosme d'une maison de trois étages, au rythme proprement urbain de vies éclatées, la pièce met en présence les habitants de trois logements d'une même maison aux prises avec leur quotidien et qui doivent faire face à un avis d'expulsion, vu la spéculation immobilière dont leur quartier fait l'objet.
Durée : 1 heure 30
Personnage(s) : 12 personnages (6 femmes, 6 hommes) pouvant être joués par 3 femmes et 3 hommes
5 chansons

Tout l'monde s'endette [1977], en collaboration avec Lise Gionet, Pierre Rousseau et le Théâtre de Quartier (revue **Offensives**, 1978, épuisé ; copies disponibles pour prêts)
Théâtre de Quartier, été 1978
La pièce traite du problème de l'endettement, en allant au-delà des apparences et des préjugés entretenus autour de cette situation. Grâce à des scènes rapides, des situations diverses, le texte illustre de manière divertissante et instructive l'historique et les causes de l'endettement, incitant à une prise de conscience collective face à cette question.
Durée : 25 minutes
Personnage(s) : 34 personnages (9 femmes, 25 hommes) pouvant être joués par 1 femme et 2 hommes
1 chanson

E   **On est capable** [1977-1980] (Éditions Québec/Amérique, 1981)
La Cannerie, novembre 1980
Des adultes explorent leur mémoire et revivent les diverses étapes de l'enfance : naissance, premiers mots, premiers pas... Par ce voyage dans leurs souvenirs, ils revoient leur quête vers l'autonomie à travers les interdits et les relations parents-enfants pour se rappeler comment les petits sont capables, seuls ou en groupe, de réaliser, d'affronter et de comprendre bien des choses.
Durée : 1 heure 30
Personnage(s) : 5 personnages et 9 personnages-objets pouvant être joués par 2 femmes et 3 hommes ou, dans une seconde version, par 2 femmes et 2 hommes

E   **Un jeu d'enfants** [1979], en collaboration avec Gilbert Dupuis, Lise Gionet et Jean-Guy Leduc (Éditions Québec/Amérique, 1980)
Théâtre de Quartier, 1979
Deux amis, Nicole et François, veulent s'amuser. Dans leur quartier, ils n'ont pas de place à eux et, de la cuisine au balcon, à la rue, le monde des adultes confine leur aire d'amusement à une cour d'école où sont stationnées des automobiles. Nicole et François organisent une manifestation pour obtenir un espace de jeu.
Durée : 45 minutes

Personnage(s) : 9 personnages (1 femme, 8 hommes) pouvant être joués par 1 femme et 2 hommes, plus une voix de femme
3 chansons

J   **Où est-ce qu'elle est ma gang ?** [1979] (Éditions Québec/Amérique, 1984)
Ce texte a été présenté en lecture publique par le Cead, le 14 février 1981.
Théâtre Petit à Petit, janvier 1982
En dix-huit tableaux, la pièce présente de façon humoristique deux adolescents, Richard et Monique, aux prises avec leur famille respective et les différentes *gangs* de leur polyvalente (*freaks*, discos, *punks*, *new waves*, chromés, etc.). Malgré ces obstacles, ils parviennent à affirmer leur individualité.
Durée : 1 heure 30
Personnage(s) : 16 personnages (8 femmes, 8 hommes) et un choeur, pouvant être joués par 3 femmes et 3 hommes
6 chansons

E   **La Petite Poucette** [1980]
École nationale de théâtre du Canada, 1980
Sept enfants forcés par leur parents d'aller « jouer dehors » refont à leur manière l'histoire du Petit Poucet et vont se perdre dans la jungle de la ville.
Durée : 25 minutes
Personnage(s) : 7 interprètes (femmes ou hommes)

E   **Un vrai conte de fées** [1981-1982]
Théâtre de Quartier, 1982
Demeurés seuls à la maison durant la première journée de travail à l'extérieur de leur mère, deux enfants y découvrent l'étendue des tâches qu'elle accomplit quotidiennement en tant que « fée du logis ». Malgré les réticences du père, ils conviennent qu'une nouvelle distribution des responsabilités domestiques s'impose pour le mieux-être de tous. Cette thématique réaliste est traitée de façon fantaisiste.
Durée : 1 heure
Personnage(s) : 10 personnages (6 femmes, 3 hommes et 1 personnage allégorique) pouvant être joués par 2 femmes et 1 homme
4 chansons

     Les Beaux Côté [1983], en collaboration avec Claude Poissant
Production de l'Association québécoise du jeune théâtre, 19 mai 1983
Une journée ordinaire dans la vie d'une famille banale, les Côté. Mais les apparences sont trompeuses. Les personnages transgressent les principes, la bienséance, poussant les limites du permis en diffusant tout haut ce qu'ils pensent tout bas, dans un langage subversif. Impatients, exaspérés et cyniques, ils révèlent leur vision absurde et désespérée de la vie.
Durée : 1 heure
Personnage(s) : 9 personnages (3 femmes, 6 hommes) pouvant être joués par 3 femmes et 3 hommes
5 chansons

E   **Qui a raison ?** [1983], en collaboration avec Richard Gendron, Lise Gionet et Jean-Guy Leduc (Éditions coopératives de la Mêlée, 1984)
Théâtre de Quartier, 1983
Cette comédie réaliste confronte en deux parties la version des parents puis celle des enfants face aux événements d'une journée familiale. La pièce montre avec humour et tendresse les faits et gestes d'un couple qui fait l'apprentissage de l'éducation de ses enfants, alors que ceux-ci explorent leur entourage et révèlent d'une manière parfois insolite les habitudes qui les conditionnent.

Durée : 1 heure 30
Personnage(s) : 4 personnages (2 femmes, 2 hommes) joués par 1 femme et 1 homme

E   **Cartes sur table** [1983], en collaboration avec Lise Gionet
La Cannerie, 1984
Parabole sociale sur le droit à la différence et sur l'affirmation de l'identité. Conviés à une fête, Pourquoi Pas, Pour Toujours, et Tout à Coup pénètrent dans une pièce où il n'y a aucune apparence de fête. Survient S'il Vous Plaît, que les trois autres rejettent parce qu'il est le seul à ne pas avoir de carton d'invitation. Celui-là finit par les chasser tous, puisqu'il est l'hôte qui les avait convoqués...
Durée : 50 minutes
Personnage(s) : 2 femmes, 2 hommes

E   **M. Perdu** [1984]
Production de l'Association québécoise du jeune théâtre, juin 1984
Ce spectacle d'animation, divisé en trois parties entre lesquelles s'organisent des jeux d'expression dramatique, propose aux jeunes un voyage au pays des arts. Tout en retraçant l'histoire d'un monsieur Perdu qui part à la recherche de lui-même, la pièce invite les enfants à une véritable fête de l'imaginaire pendant laquelle ils sont amenés à découvrir un peu d'eux-mêmes à travers l'art, ce moyen privilégié de recherche de soi.
Durée : 50 minutes
Personnage(s) : une douzaine de personnages

J   **Partir** [1984]
Théâtre Sans Détour, septembre 1984
Ce texte de théâtre-forum expose la difficile situation d'un adolescent qui, pour subvenir à son besoin d'argent et d'autonomie, vend de la drogue à d'autres adolescents et doit bientôt faire face à la répression policière, puis à l'incompréhension d'une travailleuse sociale.
Durée : 30 minutes
Personnage(s) : 1 femme, 3 hommes

J   **Le Décrocheur** [1984] (texte intégré depuis à **Sortie de secours**, VLB Éditeur, 1987 ; mais disponible à part en version manuscrite)
Théâtre Petit à Petit, 3 octobre 1984
Michel est l'adolescent type. Avec de rares joies et d'innombrables détresses, il traîne son âge d'un spleen à l'autre et voit ses parents comme d'absurdes dresseurs. Il leur apprend, au petit déjeuner, qu'il n'ira plus à l'école...
Durée : 20 minutes
Personnage(s) : 2 femmes, 2 hommes

J   **Sortie de secours** [1984], en collaboration avec Louise Bombardier, Marie-France Bruyère, François Camirand, Normand Canac-Marquis, René Richard Cyr, Jasmine Dubé, David Lonergan et Claude Poissant (VLB Éditeur, 1987)
Théâtre Petit à Petit, 3 octobre 1984
Cinq adolescents ont fui, s'apprêtent à le faire, ou vivent les problèmes reliés à leur fugue. Réunis à la « Maison des jeunes », ils souhaitent réaliser une murale sur l'un des murs de l'établissement. Ils trouvent dans ce projet une tribune inespérée pour se faire entendre et s'écouter les uns les autres.
Durée : 1 heure 30
Personnage(s) : 23 personnages (13 femmes, 10 hommes) pouvant être joués par 3 femmes et 2 hommes
8 chansons

J **Le Sous-sol des anges** [1984] (VLB Éditeur, 1989)
Théâtre de Carton, novembre 1984
Line, une adolescente, écrit dans son journal : « Quel avenir m'attend ? Quel projet m'est offert ? À quelle promesse puis-je encore croire ? » Elle et sa bande n'attendent plus rien... jusqu'à l'arrivée de Gabriel, qui leur fera découvrir un nouveau jeu *thrillant*...
Durée : 1 heure 40
Personnage(s) : 3 femmes, 4 hommes
Il existe une autre version (non publiée) à distribution plus nombreuse

J **Boum !** [1984]
Farce contemporaine absurde. Robert, un adolescent, est convoqué à une réunion dans le but explicite de l'orienter « dans le droit chemin ». À cette rencontre, il y a le père, la mère, une psychologue, un professeur et un orienteur qui parlent à coups de phrases « toutes faites ». Plusieurs portes se présentent à lui. Robert choisit celle de la liberté.
Durée : 1 heure
Personnage(s) : 3 femmes, 5 hommes et 1 voix

Les Purs [1985]
Ce texte a été présenté en lecture publique par le Théâtre de Quartier et le Théâtre Sans Détour, en collaboration avec le Cead, le 11 novembre 1985.
Coproduction du Théâtre de Quartier et du Théâtre Sans Détour, 22 mai 1985
Théâtre-forum. Pierre Dubuc, dramaturge, cherche encore à véhiculer les grands idéaux des années soixante-dix. Mais le contexte de la crise des idéologies l'oblige à revoir ses choix esthétiques et une foule d'épreuves dans sa vie privée l'incitent à se poser une question fondamentale : afin de vivre de son art, quels compromis un artiste peut-il faire et ne pas faire ?
Durée : modèle : 1 heure ; forum : 1 heure
Personnage(s) : 3 femmes, 3 hommes ou 2 femmes, 4 hommes

AJ **La Grande Visite** [1985] (dans **20 ans**, VLB Éditeur, 1985)
Ce texte a été présenté en lecture publique par le Cead, avec des textes d'autres auteurs, sous le titre de L'Humour au noir, le 9 avril 1993.
Radio de France-Culture (France), 1988
Deux couples se rencontrent et la folie des conventions sociales réussit à les embrouiller jusqu'à l'absurde.
Durée : 20 minutes
Personnage(s) : 2 femmes, 2 hommes

J **Khilalo** [1986]
Texte de commande
Théâtre Mille Tours, 1986
Deux adolescents partent en voyage en Afrique pour un projet et se rendent compte sur place des différences et des ressemblances qui existent entre les jeunes d'ici et de là-bas.
Durée : 1 heure
Personnage(s) : 1 femme, 1 homme jouant une dizaine de personnages

J **Maximum 30 km/h** [1986]
Théâtre de Quartier, novembre 1986
Marc, Catherine et Simon forment un solide trio d'amis. Partageant les mêmes jeux, ils rêvent de créer un groupe : « les Inséparables ». Tout se gâte quand Catherine écrit un mot d'amour à Marc. Ce dernier, malgré l'appui de son père, ne répond cependant pas à ses attentes. Elle jette alors son dévolu sur Simon, situation qui entraîne inévitablement la rupture du trio. Mais, à la suite d'un accident dans lequel Simon frôle la mort, la jalousie laissera place à l'inquiétude et à la réconciliation. Le nouveau trio, « les Réconciliés », ne pourra cependant pas voir le jour : Catherine devant déménager dans une autre ville.

Durée : 1 heure 10
Personnage(s) : 1 femme, 3 hommes
5 chansons

Et maintenant mesdames et messieurs, place au prochain numéro [1986]
Inclus dans le spectacle intitulé **Cabaret bleu**
Théâtre du Trident, 15 avril 1986
Dans un cabaret, un maître de cérémonie vient présenter un numéro d'un spectacle de variétés.
Une crise de hoquet l'en empêche. Il fait appel à quelqu'un du public pour l'aider à exécuter sa
présentation.
Durée : 10 minutes
Personnage(s) : 1 homme

Est-ce que je vous dérange ? [1986]
Les Gens d'en Bas, été 1986
Cabaret. Cinq comédiens racontent les mésaventures d'un jeune homme qui doit quitter son coin
de pays et s'exiler dans la grande ville pour trouver du travail.
Durée : 1 heure 30
Personnage(s) : 2 femmes, 3 hommes
Plusieurs chansons

EJ   **Parasols** [1988], en collaboration avec Daniel Meilleur (VLB Éditeur, 1988)
Théâtre de la Marmaille, 1988
Traduit en anglais par Linda Gaboriau sous le même titre [1988]
Théâtre de la Marmaille, 1989
Un jour, dans une république imaginaire, un boeuf qui a le don de la parole vient perturber le
travail d'une famille de paysans, les Libertad. Simon, dont c'est le dixième anniversaire, est chargé
par ses parents de ramener le boeuf au roi. Simon se retrouve ainsi projeté dans une série de
situations entre un roi qui a perdu son rire, un colonel assoiffé de pouvoir et une princesse qui
est forcée de découvrir le « vrai monde ». Cette pièce donne aux jeunes l'occasion de réfléchir à
la réalité des enfants vivant dans des pays où la liberté est aussi rare que...la nourriture.
Durée : 1 heure 30
Personnage(s) : 2 femmes et 2 hommes
1 chanson
Le texte est accompagné d'un cahier pédagogique conçu par Monique Rioux du Théâtre de la
Marmaille.

J   **Voir loin** [1988]
Théâtre de Quartier, mars 1988
Texte de sensibilisation. Vingt ans après leur création, où en sommes-nous avec les collèges
d'enseignement général et professionnel (cégeps) ? Par le biais de courtes scènes, l'auteur nous
met en présence des problèmes quotidiens vécus par les étudiants, les professeurs, les employés
de soutien et... l'administration. Dans ce contexte, peut-on encore voir loin... ?
Durée : 1 heure
Personnage(s) : 27 personnages (6 femmes, 9 hommes et 12 femmes ou hommes) pouvant être
joués par 2 femmes et 2 hommes
2 chansons

E   **Nous sommes les portes du rêve** [1989]
Quatre petites pièces, avec plusieurs personnages insolites : Numéro un, Numéro deux, une tortue
volante, deux enfants tannants, un pêcheur au fond des mers, un voleur de temps. Plein de petits
êtres fantaisistes qui s'ouvrent aux jeunes publics comme les portes du rêve.
Durée : 1 heure
Personnage(s) : 15 interprètes

E Le Matin de Francis [1990]
Théâtre Populaire d'Acadie, automne 1990
Francis se lève comme tous les matins, mais rien de ce qui fait son quotidien ne fonctionne comme d'habitude. On se rendra compte que Francis rêve. Dans son rêve, ses parents se chicanent, mais le tout se termine par des petits mots d'amour.
Durée : 1 heure
Personnage(s) : 1 femme, 2 hommes
Public visé : les enfants de 4 à 8 ans

J Tu peux toujours danser [1990] (VLB Éditeur, 1991)
Théâtre Le Clou, 16 octobre 1990
Traduit en anglais par Maurice Roy sous le titre de **Still Dance** [1994]
Traduit en catalan par Anthony Navarro Amoros [1994]
Chronique des jeunes d'aujourd'hui abordant des thèmes universels : l'amour, la sexualité, la vie, la mort. Des jeunes vivent leurs 18 ans dans l'insouciance de ceux que la vie a toujours un peu choyés, jusqu'au jour où le sida... Ils découvrent, mais un peu tard, que cette maladie fatale n'est pas « juste pour les autres ».
Durée : 1 heure
Personnage(s) : 6 femmes, 4 hommes pouvant être joués par 4 femmes et 2 hommes

E Les Petits Orteils [1991] (VLB Éditeur, 1991)
Théâtre de Quartier, 30 septembre 1991
Traduit en anglais par Maurice Roy sous le titre de **Tiny Toes** [1993]
Théâtre de Quartier, avril 1994
Deux comédiens-conteurs racontent aux enfants une histoire teintée d'humour et de poésie : une journée dans la vie de Mathilde, qui apprivoise les heures, les minutes, les secondes, en attendant un événement extraordinaire qui viendra bouleverser sa vie. Bientôt de nouveaux petits orteils arriveront. Gardée par son grand-père, elle fait avec lui un voyage dans le temps et apprend que tous ceux qu'elle connaît ont aussi été de tout petits bébés.
Durée : 45 minutes
Personnage(s) : 2 hommes
Public visé : les enfants de 4 à 8 ans

E Parcours de nuit [1992]
Festival « Coups de théâtre », été 1992 au Centre canadien d'architecture
Meurtre et mystère pour enfants, dans les corridors d'un musée. Le guide disparaît ! Qui est coupable de cet enlèvement ? À travers une visite guidée conçue comme une enquête policière, le jeune public finit par trouver la solution de l'énigme.
Durée : 1 heure
Personnage(s) : 4 femmes, 4 hommes

E Le Roi triste [1992]
Théâtre Populaire d'Acadie, automne 1992
Mi-spectacle-solo mi-stand-up comic, c'est l'histoire d'un petit roi qui possède tout ce que les enfants ont de nos jours : baladeur, super-jeu *Nintendo*, patins à roulettes, etc. Mais le roi s'ennuie tout de même, parce qu'il lui manque l'essentiel : la poésie.
Durée : 1 heure
Personnage(s) : 1 homme
Public visé : les 7 à 12 ans

Le Sous-sol des anges [1993]
Autre version non publiée de la pièce du même titre écrite en 1984
Voir le résumé à **Le Sous-sol des anges**. Version à distribution plus nombreuse.
Durée : 2 heures

Personnage(s) : 11 femmes, 11 hommes
Public visé : le second cycle du secondaire
Quelques chansons

TRANSPOSITIONS

J   **La Peau de l'autre** [1988], transposition de **Ewig und drei Tage** de Leoni Ossowski, d'après une traduction de Nicole Peters (VLB Éditeur, 1989)
Théâtre de Quartier, 11 octobre 1988

LEBEAU, Suzanne

Diplômée en lettres et en pédagogie, Suzanne Lebeau a aussi reçu une formation de comédienne. De 1970 à 1973, elle étudie à Montréal avec Gilles Maheu et Jacques Crête, à Paris avec Étienne Decroux, puis en Pologne au Théâtre de Pantomime et au Théâtre de marionnettes de Wroclaw. Cofondatrice et codirectrice du Carrousel, elle a joué et écrit principalement pour cette compagnie depuis 1974. Engagée dans l'écriture et l'animation depuis vingt ans, elle poursuit sans relâche sa recherche sur l'univers des enfants, tentant de repousser à l'infini les limites du permis, du moral, du possible. La plupart de ses textes ont été traduits, certains en plusieurs langues et ont connu des productions dans le monde entier. Suzanne Lebeau est récipiendaire du prix Chalmer 1986 pour **Les Petits Pouvoirs** (traduit en anglais par Maureen LaBonté) ; du Prix du spectacle jeunes publics 1987-1988 de l'Association québécoise des critiques de théâtre pour **Gil** ; du même prix, saison 1992-1993, pour **Contes d'enfants réels** ; et du Grand Prix de théâtre du *Journal de Montréal*/Union des écrivains et écrivaines du Québec pour **Conte du jour et de la nuit** (1991). Elle enseigne à l'École nationale de théâtre du Canada depuis 1990. De novembre 1993 à février 1994, elle a participé à la première résidence d'écriture pour le jeune public organisée par La Chartreuse de Villeneuve-lez-Avignon, l'un des plus importants centres de recherche et de création dramatique en Europe.

E   **Ti-Jean voudrait ben s'marier mais...** [1975] (Éditions Leméac, 1985)
Le Carrousel, janvier 1975
Cette histoire à connotation folklorique se déroule dans un village québécois de la fin du dix-huitième siècle où un jeune homme débrouillard parvient à s'acquitter de trois épreuves pour épouser celle qu'il aime, grâce à la participation des enfants spectateurs.
Durée : 50 minutes
Personnage(s) : 2 femmes, 2 hommes
Public visé : les enfants de 9 à 12 ans
5 chansons

E   **Chut ! Chut ! Pas si fort !** [1977]
Le Carrousel, septembre 1977
En complicité avec les enfants, amenés à participer durant le spectacle, des comédiens rejouent avec humour l'histoire du brave Ti-Jean qui triomphera d'une bête-à-sept-têtes tirée de la tradition orale québécoise dont la pièce retrouve le langage coloré.
Durée : 50 minutes
Personnage(s) : 4 interprètes (2 femmes, 2 hommes ou 1 femme, 3 hommes ou 3 femmes, 1 homme)

E   **Petite ville deviendra grande** [1978]
Le Carrousel, 10 décembre 1979
Traduit en anglais par Maureen LaBonté sous le titre de **A City in the Making**
Penguin Theatre, 1981
Pet-Bretelles a de grandes ambitions. La ville qu'il veut construire, à l'image de celles qu'il connaît, sera immense, pleine d'usines et de magasins ; on y travaillera à un rythme effréné et la circulation y sera dense. Framboisine, Vertelette et Gros-Bidon se rendent compte de l'absurdité du projet ; ils ont d'autres aspirations qui finiront par se manifester et se concrétiser.
Durée : 1 heure
Personnage(s) : 2 femmes, 2 hommes
1 chanson

E   **Une lune entre deux maisons** [1979] (Éditions Québec/Amérique, 1980)
Le Carrousel, octobre 1979
Traduit en anglais par Dorothy Jordan sous le titre de **A Moon Between Two Houses** [1981]
Le Carrousel, décembre 1982
Traduit en catalan par Augustina Sole sous le titre de **Una lluna entre dues cases**
Traduit en espagnol sous le titre de **Una luna entre dos casas**
Traduit en flamand par Dennis Meyer sous le titre de **Een maan tussen twee huizen**
Le Beursschouwburg (Belgique flamande), 1986
Traduit en portugais sous le titre de **Una luna entre duas casas**
Centro cultural de Evora (Portugal), 1985
(seule la traduction anglaise est disponible au Cead)
Plume est vif, joyeux, bavard ; Taciturne est réfléchi, silencieux, musicien. Installant leurs maisons l'une à côté de l'autre, ils apprennent à se découvrir, à apprivoiser leurs différences et, unis dans une peur commune de la nuit et de ses mystères, à devenir amis - sur un mode complice et réconfortant, et dans un environnement poétiquement imagé.
Durée : 35 minutes
Personnage(s) : 2 femmes (ou 2 hommes)
Public visé : les enfants de 3 à 5 ans

La couleur chante un pays [1981], en collaboration avec Diane Bouchard, Raymond Plante et Michèle Poirier (Éditions Québec/Amérique, 1981)
Théâtre de l'Avant-Pays, 21 avril 1981
La nuit, au musée, les personnages des tableaux s'évadent de leur cadre et cessent d'être sages comme des images. Ils racontent, chacun à sa manière, l'histoire d'un pays, le Québec, de sa vie quotidienne et politique, à travers l'histoire de son art pictural, du 17e siècle jusqu'à l'époque contemporaine.
Durée : 1 heure 15
Personnage(s) : 24 marionnettes pouvant être manipulées par 2 femmes et 3 hommes
10 chansons

E   **Les Petits Pouvoirs** [1981] (Éditions Leméac, 1983)
Le Carrousel, 24 avril 1982
Traduit en anglais par Maureen LaBonté sous le titre de **Little Victories** [1985]
Young People's Theatre (Toronto), 1985
Avec réalisme et espièglerie, la pièce observe quatre enfants de neuf à douze ans à divers moments de leur journée (réveil, école, ménage, commissions, souper, punitions, coucher), et scrute leur relation avec leur parents. Cette négociation constante, mêlée de tendresse, pour des « petits pouvoirs », entre parents et enfants, est une occasion pour tous de prendre conscience de leurs rôles.
Durée : 1 heure 15
Personnage(s) : 11 personnages et 2 choeurs pouvant être joués par 2 femmes et 2 hommes
Public visé : pour tout public dès 6 ans

E   **La Marelle** [1984] (Éditions Leméac, 1984)
Le Carrousel, décembre 1984
Traduit en anglais par Maureen LaBonté sous le titre de **Hopscotch** [1985]
Le Carrousel, décembre 1986
Empreints de tendresse mais aussi de drôlerie, divers moments dans la vie d'un petit garçon que sa grand-mère garde parce qu'il est un peu malade. Chacun de ces instants lui est rappelé par une image qu'il découvre au hasard d'une comptine, d'un jeu ou de l'impulsion du moment, de ces images qui flottent dans la tête d'un enfant de quatre ans, juste un peu malade.
Durée : 45 minutes
Personnage(s) : 1 femme, 1 homme
Public visé : les enfants de 4 à 8 ans

EJA Gil [1986-1987], d'après le roman **Quand j'avais cinq ans je m'ai tué** de Howard Buten, traduit par Jean-Pierre Carasso (Éditions du Seuil, coll. « Point-Virgule », 1984)
Le Carrousel, juin 1987
Traduit en anglais par Maureen LaBonté sous le titre de **Burt** [1989]
Le Carrousel, février 1990
Un petit garçon de huit ans, Gilbert Rembrand, a été placé en institution psychiatrique pour avoir transgressé les règles de la société. Dans cette solitude immense qui lui tient lieu de quotidien, Gilbert fait basculer le récit du passé au présent et du présent au passé dans un ultime effort pour comprendre comment son amour pour Jessica a pu l'amener à la Résidence d'enfants.
Durée : 1 heure 20
Personnage(s) : 2 femmes, 3 hommes
Public visé : pour tout public dès 9 ans

EJA **Comment vivre avec les hommes quand on est un géant** [1989] (Leméac Éditeur, 1990)
Le Carrousel, novembre 1989
Traduit en anglais par Shelley Tepperman sous le titre de **A Giant in the Land of Men** [1992]
Qui croira ce qui s'est passé ce jour-là ? La terre s'est arrêtée de tourner, le soleil de briller et les hommes de courir après la fortune ? Tout ça pour soigner un petit rat malade ? Pas un rat de laboratoire...Erreur... un rat d'égout, le *rattus rattus* le plus banal. Celui qui vide votre poubelle. Il y est question de vie et de mort et de gaspillage, de l'information aussi qui forme et déforme la tête et le coeur, de marginalité et de normalité, du jour et de la nuit... Un conte pour adultes, de la philosophie pour enfants ?
Durée : 55 minutes
Personnage(s) : 2 hommes
Public visé : pour tout public dès 9 ans

E **Conte du jour et de la nuit** [1990] (Leméac Éditeur, 1991)
Le Carrousel, 14 janvier 1994
Traduit en anglais par John Van Burek sous le titre de **A Tale of Day and Night** [1992]
Le Carrousel, 1994
Réécriture pour les tout-petits de **Comment vivre avec les hommes quand on est un géant.** Cette fois l'histoire passe par une conteuse.
Durée : 50 minutes
Personnage(s) : 1 femme, 2 hommes
Public visé : les enfants de 4 à 8 ans

EJA **Contes d'enfants réels** [1992] (à paraître chez Leméac Éditeur)
Ce texte a été présenté en lecture publique par le Cead, le 17 avril 1992.
Le Carrousel, mai 1993
Traduit en anlgais par Maureen LaBonté sous le titre de **Tales of Real Children** [1993]
Traduit en espagnol par Cecilia Iris Fasola sous le titre de **Cuentos de niños reales** [1993]
L'enfant qu'on a, qu'on a été, qu'on est encore. L'enfance, l'âge tendre de la vie traversé par des adultes qui s'opposent, cèdent, s'objectent, absolvent. Être adulte et avoir des enfants, être enfant et avoir des adultes, c'est connaître la joie, la peine, la tendresse, la colère, le compromis... Huit contes où des enfants et des adultes sont face à face, dos à dos, dans des situations qui oscillent entre le ludique et le dramatique, l'insolite et le quotidien, le rêve et la réalité, la poésie et le théâtre...
Durée : 1 heure 10
Personnage(s) : 1 femme, 1 homme
Public visé : pour tout public dès 8 ans

EJA **Salvador** [1994] (La Chartreuse/Premières Impressions, 1994)
Ce texte a été présenté en lecture publique par le Cead, le 1er avril 1994.
Le Carrousel, 1994
L'histoire de Salvador, un enfant sud-américain qui grandit sous l'oeil protecteur de sa mère et à l'ombre de la montagne qui lui a volé son père. L'espoir et le rêve, ses seuls héritages, lui permettront de connaître un destin exceptionnel et de devenir écrivain.
Durée : 1 heure 10
Personnage(s) : 11 personnages (6 femmes, 5 hommes) pouvant être joués par 2 femmes et 2 hommes
Public visé : pour tout public dès 8 ans

TRADUCTION

E **La Révolte** [1991], en collaboration avec Manuel Aranguiz d'une pièce de José Orégon Morales **El Motin** (Lluvia Edotores, 1988)
Le Carrousel, 1991

Bertrand B. Leblanc est né à Lac-au-Saumon, dans le comté de Matapédia, en 1928. Après son cours classique au Séminaire de Rimouski et des études universitaires en sciences sociales et aux Hautes Études commerciales, il s'associe à son père dans l'industrie forestière et la construction et prend sa retraite, en 1981, pour se consacrer à l'écriture. Il a publié, aux Éditions du Jour, **Baseball Montréal, Le Guide du chasseur** ; chez Leméac, **Moi, Ovide Leblanc, j'ai pour mon dire**, roman (1976) ; **Les Trottoirs de bois** (1978) ; **Horace, ou l'Art de porter la redingote** ; **Y sont fous, le grand monde !** (1979) ; **La Butte aux anges** (1982) et **Variations sur un thème anathème** (1983) ; et **La Révolte des jupons**, roman (1985).

Faut divorcer [1981] (Éditions Leméac, 1981)
La Commune à Marie, 29 septembre 1981
Un cheminot s'adapte très mal à la retraite qu'il a été forcé de prendre depuis deux ans. Il se sent inutile, rejeté, paria dans une société qui déclasse les hommes comme des machines démodées. Il boit, se néglige, jusqu'à rendre la vie complètement impossible à sa femme. Après lui avoir fait ravaler les injustices qu'il lui a fait subir, elle le quitte. Peut-être que cela le fera réagir.
Durée : 1 heure 40
Personnage(s) : 1 femme, 2 hommes

Tit-Cul Lavoie, journalier [1982][1991], (première version sous forme de monologue pour un homme publiée chez Leméac, en 1982 ; la version à plusieurs personnages n'est pas publiée)
Théâtre des Femmes Collin, été 1992
L'histoire de notre survie, racontée non pas à la manière des historiens mais à celle des conteurs de notre tradition populaire. On se moque de Conrad Lavoie à cause de sa petite taille. Cet écorché vif nous raconte sa vie en sécheresse d'affection.
Durée : 1 heure 30
Personnage(s) : 1 femme, 3 hommes

Faut s'marier pour... [1985] (Éditions Leméac, 1985)
Théâtre de l'Île (Île d'Orléans), 18 juin 1985
Dialogues drus, colorés, éclatants de verve et de bonne santé. Des parents aux prises avec la vie sentimentale de leur fille. Un regard plein d'humour sur le conflit des générations.
Durée : 1 heure 40
Personnage(s) : 2 femmes, 1 homme

Faut placer pépère [1986] (Éditions Leméac, 1986)
Théâtre des Femmes Collin, été 1986
À 90 ans, Harold est sourd comme un pot, grincheux et radoteur. Sa fille a passé sa vie à se dévouer, mais n'en peut plus. On tient conseil : il faut le placer.
Durée : 1 heure 40
Personnage(s) : 2 femmes, 2 hommes

Faut faire chambre à part [1987] (Guérin littérature, 1987)
Un père de famille qui approche la cinquantaine voit sa maîtresse le quitter. Ne le prenant pas, il tombe dans une dépression qu'il entretient au gros gin. Sa femme, qui l'aime malgré tout, compte le récupérer en lui rendant (de connivence avec celle-ci) sa maîtresse absolument odieuse. Les enfants, n'y comprenant rien, expriment leur dégoût sans aucune retenue aussi bien au père qu'à la mère.
Durée : 2 heures
Personnage(s) : 3 femmes, 3 hommes

Au dernier vivant les biens [1987] (Guérin, 1987)
Un homme se croyant faussement atteint d'un mal incurable essaie de parler testament à sa femme. Son ami, le médecin coupable de la méprise, en prendra pour son rhume.
Durée : 1 heure 50
Personnage(s) : 1 femme, 2 hommes

Comme ça, tu te sépares [1988]
Théâtre Pont-Château, été 1988
Une jeune mariée découvre que son mari la trompe. Une seule solution : le divorce. Elle retourne chez ses parents. La mère préconise la patience : « le temps étant un grand guérisseur ». Le père, lui, n'a pas d'objection surtout quand il s'agit d'un mariage civil qui n'a aucune valeur à ses yeux. Par contre quand la fille, enceinte, parle d'avortement, le père s'y refuse violemment, la mère aussi, mais plus intelligemment. Le jeune mari se défendra du mieux qu'il pourra contre le beau-père déchaîné et une femme écoeurée.
Durée : 1 heure 45
Personnage(s) : 2 femmes, 2 hommes

Faut s'brancher [1988]
Hôtel des Gouverneurs, Québec, avril 1988 (dans une première version à 2 personnages)
Un mari fidèle, une femme qui se croit trompée. L'enquête, la discussion. Un serveur est témoin et confident des deux. Dans sa colère, la femme aimerait se venger avec le serveur qui est d'une délicatesse exquise, mais...
Durée : 1 heure 30
Personnage(s) : 1 femme, 2 hommes

Juste une p'tite différence [1990]
Théâtre Pont-Château, été 1990
Un couple et les fréquentations de sa fille. Encore un autre ami, quoi d'étonnant ? La p'tite différence c'est que cette fois-ci l'ami a la peau noire. Alors le père, rempli de préjugés, est durement secoué.
Durée : 1 heure 40
Personnage(s) : 2 femmes, 2 hommes

Oh ! mes vieux [1991]
Théâtre Pont-Château, été 1991
Un centre d'accueil pour personnes âgés. Les drames de quatre vieux amis : un notaire, un marchand général, un ancien « jobber » en forêt et son ex-employé. Tous veufs, ils parlent, en conséquence, beaucoup de leurs femmes, des femmes, de la femme. Le marchand est atteint d'un cancer qu'il cache. Seul le notaire est au courant.
Durée : 1 heure 30
Personnage(s) : 4 hommes

Mais qu'est-ce qu'on va faire avec? [1992]
Théâtre Pont-Château, été 1992
Un fils dans la vingtaine colle à la maison paternelle. Un beau jour d'été, il tente de manipuler sa mère pour qu'elle annonce à son père que premièrement, il veut une auto ; deuxièmement, il ne veut pas aller à l'université et que troisièmement, il veut se marier. Les plans du père pour son fils sont quelque peu modifiés.
1 heure 45
Durée : 1 femme, 2 hommes

Charmants voisins [1993]
Théâtre Aragon, été 1993
Mireille est une femme d'affaires qui réussit très bien dans sa carrière. Elle a un mari retraité qui est aux petits soins avec elle. Tout serait pour le mieux dans le meilleur des mondes s'il n'y avait pas l'épais, le gluant, l'envahissant, l'emmerdant voisin qu'elle ne peut sentir à cent pieds...
Durée : 1 heure 40
Personnage(s) : 1 femme, 2 hommes

Attends un peu tit-gars [1993]
Théâtre Pont-Château, été 1993 ; sous le titre de **Attends tit-gars, on est encore là !**
C'est l'histoire d'un fils, dentiste de son état, terriblement « à la piasse » et qui arrive à rouler son père, malgré que ce dernier soit très circonspect, pour qu'il lui prête le comptant nécessaire à l'achat d'une maison. Le père n'est pas dupe, mais accusé de mesquinerie par sa femme et son fils à la fois, il « crachera » l'argent en se disant roulé.
Durée : 1 heure 45
Personnage(s) : 1 femme, 2 hommes

Maudite vieillesse [1994]
Théâtre Pont-Château, été 1994
Le mari de Paule est à la retraite depuis deux ans. Sa femme et lui font de beaux projets de voyage mais, du jour au lendemain, tout bascule. Cet homme qui a toujours été aux petits soins avec sa femme devient soudainement grognon et distrait. Petit à petit, il s'éloigne de sa famille et s'enferme dans sa coquille. Que lui arrive-t-il? Inquiets, sa femme et ses enfants cherchent à comprendre.
Durée : 1 heure 45
Personnage(s) : 2 femmes, 2 hommes

LECLERC, Félix

Poète, chansonnier, conteur, auteur radiophonique et dramaturge, Félix Leclerc est né à La Tuque en 1914. Après des études classiques à Ottawa, il devient annonceur à la radio. Il participe, à titre de comédien, à plusieurs émissions et fait partie de la troupe du Père Émile Legault, « Les Compagnons de Saint-Laurent ». En 1941, il écrit une série d'émissions, **Je me souviens**, qui lui confère une solide réputation d'auteur dramatique. Mais il s'intéresse davantage à la chanson. Rapidement consacré « vedette internationale » après son premier tour de chant à Paris, en 1950, il reçoit en 1951, 1958 et en 1973, le Grand Prix du Disque de l'Académie Charles Cros. Il a vécu plusieurs années en France mais il est revenu s'installer au Québec, à l'Île d'Orléans où il a fini ses jours. Il a publié plusieurs recueils de poésie, de contes, de fables et de chansons. Ses pièces, écrites dans une langue imagée, s'inspirent du milieu québécois et tracent des portraits satiriques de l'humanité. Félix Leclerc est décédé le 8 août 1988.

photo: Claude Delorme

Le P'tit Bonheur [1948] (suivi de **Sonnez les matines**, Éditions Beauchemin, 1959 ; Éditions Beauchemin, 1964 ; 1975)
Compagnie V.L.M. (Vien, Leclerc, Maufette), au Théâtre Gesù, 23 octobre 1948
Revue composée de 12 saynètes, chacune en 1 acte, comprenant :

L'Affaire décourageante
Traduit en anglais par Aviva Ravel sous le titre de **A Depressing Solution**
Un jeune qui veut mettre fin à ses jours à cause d'une déception amoureuse rencontre un vieil homme qui lui propose un marché qui le fera réfléchir.
Durée : 20 minutes
Personnage(s) : 2 hommes

La Muette
La visite que la cadette d'une famille rend à sa soeur aînée qui vit à la campagne va compromettre le mariage prochain de celle-ci avec un jeune homme du village.
Durée : 20 minutes
Personnage(s) : 2 femmes, 2 hommes

La Visite à l'hôpital
Un ouvrier vient visiter son ami à l'hôpital. Présumant de sa mort prochaine, il nous fait part de ses réflexions plutôt morbides et échange avec l'infirmière des propos étonnants. Il mourra lui-même pendant cette visite.
Durée : 15 minutes
Personnage(s) : 1 femme, 2 hommes

La Veuve
Une future veuve fait les préparatifs d'usage : service funèbre, embaumeur, réception, car son mari agonise. Puis, elle et son amant préparent leur avenir. Mais le mourant n'a pas dit son dernier mot.
Durée : 20 minutes
Personnage(s) : 2 femmes, 4 hommes

Le Banc sur la route
Un homme assis sur un banc est dépouillé de tout ce qu'il possède par un étranger qui, en se faisant passer pour un guérisseur, abuse de sa crédulité.
Durée : 15 minutes

Personnage(s) : 2 hommes

Le Héros

Une grosse femme au sale caractère est frustrée de la petite vie qu'elle mène avec son petit mari qu'elle ne cesse d'humilier. Un jour, celui-ci fait un geste de bravoure qui lui rapporte beaucoup d'argent et qui lui permet enfin de partir loin d'elle.

Durée : 15 minutes

Personnage(s) : 2 femmes, 6 hommes

Le Passant charitable

Un passant accepte d'aider une femme qui vient de s'enfermer involontairement à l'extérieur de sa maison. Il paiera bien cher sa bonne action au retour du mari jaloux.

Durée : 15 minutes

Personnage(s) : 1 femme, 2 hommes

La Geneviève et le Vendeur

Un jeune colporteur, qui n'aime pas son métier, se présente chez un couple formé d'un vieil homme et de sa toute jeune femme. Le vieux, lui-même ancien vendeur, se met à donner un cours de vente au jeune pendant lequel ce dernier s'intéresse davantage à la jeune épouse.

Durée : 15 minutes

Personnage(s) : 1 femme, 2 hommes

Voyages de noces

Un couple de campagnards est en voyage de noces à la ville chez le cousin Fortunat. Les comparaisons entre la ville et la campagne entraînent une chicane.

Durée : 15 minutes

Personnage(s) : 1 femme, 2 hommes

Nuit d'homme

Un couple, la nuit. L'homme se plaint de sa petite vie limitée. Trois personnages lui apparaissant dans un miroir lui feront accepter son sort.

Durée : 10 minutes

Personnage(s) : 1 femme, 4 hommes

Nuit de fête

Un homme et une femme se préparent à aller à une soirée. Ils sortent peu. La belle-mère, qui habite avec eux, les culpabilise afin de les retenir : elle pressent quelque malheur. Révolté, l'homme partira seul et le drame arrivera.

Durée : 20 à 30 minutes

Personnage(s) : 3 femmes, 1 homme

Opinions

Deux spectateurs donnent leur avis au sujet d'un spectacle qu'ils viennent de voir. Incapables d'employer le mot juste, ils utilisent des sons et des signes - souvent les mêmes - pour exprimer des opinions pourtant opposées.

Durée : 10 minutes

Personnage(s) : 3 femmes ou hommes

Sonnez les matines [1954] (précédé de **Le P'tit Bonheur**, Éditions Beauchemin, 1959 ; Éditions Beauchemin, 1963)

Troupe du Rideau Vert, Monument National, 1954

Comédie. Un jeune curé ayant du mal à préparer une conférence au sujet de la mère de famille, accepte de garder temporairement les cinq enfants d'un paroissien, croyant que cette expérience lui fournira les idées supplémentaires dont il a besoin. Le séjour des enfants se prolongera et, en plus du presbytère, perturbera toute la paroisse.

Durée : 2 heures

Personnage(s) : 4 femmes, 11 hommes

L'Auberge des morts subites [1959] (Éditions Beauchemin, 1964 ; 1983)
Troupe Théâtre Québec au Théâtre Gesù, 24 janvier 1963
Un homme d'affaires de Toronto, une comédienne prétentieuse, un « habitant » goinfre et un intellectuel... intellectuel meurent subitement et se retrouvent dans une auberge à mi-chemin entre le ciel et la terre. Ils tentent de convaincre le portier et deux anges de les laisser revenir sur terre.
Durée : 3 heures
Personnage(s) : 2 femmes, 7 hommes

Qui est le père ? [1973] (Éditions Leméac, 1977)
Théâtre Le Galendor, 7 août 1973
Cette oeuvre allégorique nous montre le réveil de Jean-Baptiste (le Québécois) qui se rend compte que Uncle Sam (l'Américain) et John Bull (l'Anglais) l'ont dépossédé du Québec. À la naissance d'un fils (le Québec nouveau), Jean-Baptiste doit défendre sa paternité face à Uncle Sam et John Bull qui se prétendent aussi le père. Jean-Baptiste trouvera-t-il l'énergie de briser ses chaînes ?
Durée : 1 heure 45
Personnage(s) : 5 hommes

LEGAULT, Anne

photo: Stéphane Dumais

Comédienne issue du Conservatoire d'art dramatique de Montréal en 1981, Anne Legault se consacre d'abord à ce métier, qu'elle pratique auprès du jeune public entre autres, tant à la scène qu'à la télévision. Ses goûts et son tempérament l'amènent rapidement à l'écriture dramatique, et de 1984 à 1994, elle aura vu six de ses textes portés à la scène, sans compter une adaptation de **La République des animaux** de George Orwell, et diverses participations à des collectifs. Récipiendaire en 1986 du Prix du gouverneur général pour **La Visite des sauvages**, elle s'oriente complètement vers l'écriture après un séjour au Studio du Québec à New York en 1989. En marge d'activités pédagogiques (coaching, lectorat) et scripturales (recherche, rédaction), elle vient de terminer un premier recueil de nouvelles.

Les Ailes ou la Maison cassée [1982] (Cead, collection « Dramaturgies nouvelles », 1983, épuisé)
La Rallonge, 6 février 1985
Trois soeurs reviennent dans la grande maison, maintenant vide, de leur enfance. Au milieu des boîtes de vieux souvenirs, elles évoquent la figure de leur mère, chargée, pour chacune, d'émotions fort diverses. Ce rappel du passé se fait en une suite de réflexions mi-nostalgiques, mi-rebelles, dites sur un ton à la fois réaliste et métaphorique.
Durée : 1 heure
Personnage(s) : 3 femmes

La Visite des sauvages ou l'Île en forme de tête de vache [1984] (VLB Éditeur, 1986)
Compagnie Jean Duceppe, 9 avril 1986
Traduit en anglais par Jill MacDougall sous le titre de **Visit from the Wild or The Island-Shaped-Like-a-Cow's-Head**

Cette traduction a été présentée en lecture publique par le New Dramatists dans le cadre d'un échange avec le Cead, à New York, le 28 mai 1987, puis, à Montréal, en coproduction avec le Festival de Théâtre des Amériques, les 3 et 6 juin 1987.

Guidée par un ange, Viviane, qui se meurt à l'hôpital, arrive sur un cap rocheux où des gens s'apprêtent à vivre l'été dramatique qui a précédé sa naissance. Elle voit enfin son père, une grand-mère un peu sorcière, son mystérieux petit oncle, et un ami dont le retour inopiné bouleverse ses parents. Au fil de cette fable à la fois jouée, narrée et commentée, elle reconstitue ce passé qu'elle ignorait.

Durée : 1 heure 30

Personnage(s) : 3 femmes, 4 hommes

O'Neill [1986-1987]

Ce texte a été présenté en lecture publique par le Cead, le 25 février 1988.

Coproduction du Théâtre du Rideau Vert et du Centre national des Arts, printemps 1990

Traduit en anglais par Daniel Libman sous le titre même titre [1992]

En juillet 1940, Eugene O'Neill écrivait *Long Day's Journey into Night*, la plus autobiographique de ses pièces. *O'Neill* est une fable à partir de ce fait : quand les hasards de la fiction autobiographique et les méandres des relations familiales se fondent, au point où les morts et les vivants se mêlent, au point où la fiction devient réalité...

Durée : 2 heures

Personnage(s) : 3 femmes, 6 hommes

Signer [1988], montage de textes de Claude Gauvreau et de textes d'Anne Legault

Conservatoire d'art dramatique de Montréal, 15 mars 1988

En 1948, 15 personnes, 7 femmes et 8 hommes cosignaient **Refus Global**, un manifeste dont les principes, d'ordre artistique, s'élargissaient jusqu'à proposer une nouvelle vision de la société du Québec des années d'après-guerre. *Signer* relate une réunion imaginaire de ces cosignataires parmi lesquels se trouvait Claude Gauvreau. À cette occasion, son entourage lui servant de modèle, des extraits de l'oeuvre du poète se mêlent à cette rencontre fictive, comme s'il avait pu avoir la prescience de son oeuvre entière en 1948.

Durée : 2 heures

Personnage(s) : 7 femmes, 8 hommes

Conte d'hiver '70 [1990-1991] (VLB Éditeur, 1992)

Coproduction du Théâtre populaire du Québec et du Théâtre d'Aujourd'hui, 16 janvier 1992

Traduit en anglais par John Van Burek sous le titre de **A Winter's Tale '70**

Cette traduction a été présentée dans une lecture publique coproduite par le Cead et le Factory Theatre, dans un projet intitulé Interact '92, le 28 février 1992.

Les événements d'octobre 70 vus de l'arrière-boutique d'une épicerie de campagne en décembre, alors que Noël arrive et que jeunes et vieux, fous et sages se débattent pour changer la vie, et qu'une fillette de douze ans pressent que dans sa vie, rien ne sera plus jamais comme avant...

Durée : 2 heures

Personnage(s) : 4 femmes, 5 hommes

La Mémoire de Rhéa [1993]

Théâtre du Trident, 1er mars 1994

Une femme a perdu la mémoire et ne la retrouvera jamais. Une fille arrive, qui a déjà été la fille de cette femme et qui est prête à tout pour traquer cette mémoire. En une semaine, la fille aura donné la mort, renoncé à l'amour, appris la vie ; deux frères ennemis se haïront pour de bon, un vieillard en exil quittera ce monde. Mais le masque des apparences restera intact et la mémoire de Rhéa sera bien emmurée... dans le souvenir des autres.

Durée : 1 heure 30

Personnage(s) : 2 femmes, 3 hommes

LEMIEUX, Pierre-Yves

« Pierre-Yves Lemieux a été formé en littérature et en interprétation, deux passions qu'il s'applique à conjuguer. D'abord au Théâtre de l'Opsis dont il est membre depuis sa fondation, ensuite auprès des compagnies diverses qui n'ont pas tardé à se rendre compte du génie particulier avec lequel il réinvestit les grands textes du répertoire (...) Pierre-Yves Lemieux a joué dans plusieurs productions de divers théâtres, il a donc un regard d'acteur qui le rend sensible au style des auteurs abordés ainsi qu'un intérêt marqué pour la fragmentation des conventions scéniques, particulièrement celles qui balisent l'échange entre la scène et le public. » Diane Pavlovic

photo: Monic Richard

Rosemary's boutchoux ou Un cadavre à l'entracte [1986]
La Troupe à Wilfrid, 1986
Dans un théâtre où vient d'avoir lieu la représentation d'une comédie policière un meurtre est commis. Quelques personnes enfermées dans le théâtre tenteront de découvrir sur les lieux du crime des poupées Boutchoux ! Un pastiche d'Agatha Christie faisant alterner le rire et la peur.
Durée : 1 heure 30
Personnage(s) : 2 femmes, 2 hommes

En attendant bébé [1987]
La Troupe à Wilfrid, été 1987
La découverte d'un bébé sur le pas de sa porte oblige Pierre, un pauvre professeur de géographie, à s'empêtrer de plus en plus dans les méandres du mensonge.
Durée : 1 heure 30
Personnage(s) : 2 femmes, 3 hommes

À propos de Roméo et Juliette [1989], d'après **Roméo et Juliette** de Shakespeare
Théâtre de l'Opsis, février 1989
Vérone 16e siècle. Un **Roméo et Juliette** différent, relu et réécrit. Tout Shakespeare demeure et pourtant... Des dialogues inversés, des répliques redistribuées, des scènes inventées. Un regard cruel sur l'amour et sur une cité qui brûle.
Durée : 3 heures
Personnage(s) : 4 femmes, 3 hommes

J **À propos de la Demande en mariage** [1989], pour être joué en introduction à **La Demande en mariage** de Tchekhov
Nouvelle Compagnie Théâtrale, octobre 1989
Nous sommes en 1904, dans un petit théâtre de Moscou. Constantin Stanislavski est en pleine répétition de *La Demande en mariage*. Il parle de l'art de jouer, de l'importance des mots, du génie de Tchekhov. Sa passion éloigne tout didactisme de son discours et se communique bientôt à ses partenaires qui sous nos yeux deviennent les personnages. Lorsqu'ils enchaînent *La Demande en mariage*, le petit théâtre s'illumine du merveilleux rire de Tchekhov.
Durée : 1 heure 10

Personnage(s) : 1 femme, 2 hommes

L'Honneur perdu de Katharina Blum [1990]; adaptation de l'oeuvre de Heinrich Böll
Théâtre de l'Opsis, 9 octobre 1990
Une femme quitte son appartement pour se rendre à une réception. Quatre jours plus tard elle abat un journaliste. Pourquoi ? C'est que, devenue la proie de ce journaliste, Katharina fait l'apprentissage de la révolte. Procès d'un type de journalisme, et celui du lecteur complice.
Durée : 1 heure 30
Personnage(s) : 2 femmes, 3 hommes

À propos des Williams [1992]
Théâtre de la Rallonge, 24 novembre 1992
À l'article de la mort, seul dans une chambre d'hôtel, Tennessee Williams se confronte aux personnages qui ont marqué son existence. Fictifs ou réels ces derniers lui feront franchir les portes de l'éternité. Une fiction sur un auteur et son univers théâtral.
Durée : 1 heure 30
Personnage(s) : 2 femmes, 3 hommes

À propos de cent millions qui tombent [1992], d'après la pièce de Georges Feydeau
Théâtre du Bois de Coulonge, été 1992
Le quotidien d'un groupe de bourgeois parisiens est bouleversé par la nouvelle d'un héritage inattendu. Que se passe-t-il lorsque votre domestique hérite soudainement d'une fortune ? Cocottes, amants, boniches et nobles déchus sont au rendez-vous... Les deux premiers actes menant à une impasse, Feydeau n'a jamais terminé l'écriture de sa pièce. En voici une réécriture, finale en prime.
Durée : 2 heures
Personnage(s) : 3 femmes, 6 hommes

Comédie russe [1993], réécriture du **Platonov** d'Anton Tchekhov
Théâtre de l'Opsis, 30 mai 1993
Voïnitsevka, Russie, 1900. Ils sont onze. Ils s'étourdissent de jeux, de fêtes, d'alcool et de plaisirs. Chacun est le personnage d'une comédie dont il ignore la fin. Sous la folle exubérance d'un été à la campagne se dissimule leur angoisse. Celle de pantins oubliés au fond d'un castelet... Un vaudeville existentiel ? Pourquoi pas ?
Durée : 3 heures
Personnage(s) : 4 femmes, 7 hommes

Claude ou les Désarrois amoureux [1994] ; premier volet d'une trilogie
Producteur anonyme pour le moment, 7 septembre 1994
L'harmonie d'une famille se trouve perturbée par la maladie du père et la révélation d'un secret caché depuis vingt ans.
Durée : 1 heure 30
Personnage(s) : 4 femmes, 3 hommes

LEPAGE, Roland

Détenteur à l'âge de vingt ans d'une licence en lettres de l'Université Laval, Roland Lepage fait ses premières armes en théâtre à Québec, avec Pierre Boucher et Paul Hébert. Après avoir étudié et travaillé en théâtre en France, il poursuit au Québec pendant plusieurs années une carrière d'acteur à la scène, à la radio et à la télévision, surtout dans des émissions pour la jeunesse ; il joue notamment les rôles de Nimus dans **Ouragan**, et Monsieur Bedondaine dans **La Ribouldingue**. Outre ses pièces, il a écrit pour la télévision les séries **Marie-Quatre-Poches** et **La Ribouldingue**, a collaboré à **Coeur aux poings**, à **Marcus** et à **Nic et Pic**, et il a signé des traductions et des transpositions de textes classiques et contemporains. Il enseigne à l'École nationale de théâtre du Canada. Il a été, de 1989 à 1993, le directeur artistique du Théâtre du Trident.

photo: Christian Lacroix

E   **La Toilette de gala** [1969]
Théâtre pour enfants de Québec, 1969
Monsieur Tartempion, gros bonhomme pingre et vaniteux, invite madame Églantine, une ancienne cantatrice, à l'accompagner à une soirée d'opéra. Il lui offre pour l'occasion une toilette de gala somptueuse mais désespérément laide. Ne pouvant se décider à la porter, elle la donne à Citronnette, une brave fillette un peu naïve, qui l'utilise pour jouer avec son ami le gros Pantaplouf. Mais le pendard de Maringouin voit l'occasion d'accomplir un de ses coups. Il se fera prendre lui-même au piège. Courses, danses et chansons dans la tradition des farces de guignol.
Durée : 1 heure
Personnage(s) : 2 femmes, 3 hommes
9 chansons

Le Temps d'une vie [1973] (Éditions Leméac, 1974)
Ce texte a été présenté en lecture publique par le Théâtre populaire du Québec, en collaboration avec le Cead, le 3 février 1986.
Commande et création de l'École nationale de théâtre du Canada, le 27 février 1974
Théâtre d'Aujourd'hui, 11 septembre 1975
Traduit en anglais par Sheila Fishman sous le titre de **In a Lifetime**
Tarragon Theatre (Toronto), mai 1978
Chronique intime de la vie campagnarde de Rosana Guillemette et sa soumission aux valeurs traditionnelles ; les joies et misères de son existence, de sa naissance vers 1900 à sa mort dans les années soixante. Plus que le destin d'un personnage, c'est la condition d'un peuple qui est mise en lumière.
Durée : 2 heures
Personnage(s) : 15 personnages (8 femmes, 7 hommes) et un choeur, pouvant être joués par 1 femme et 6 hommes, ou par 1 femme et 2 hommes
1 chanson reprise entre chaque scène

La Pétaudière [1974] (Éditions Leméac, 1975)
Théâtre Sans Nom, 11 octobre 1975
Deux communautés se disputent le droit de manger leur soupe préférée : l'une aux pois, l'autre au *barley*. Transposition allégorique de la vie politique au Québec, en 1974, année où le

gouvernement promulguait une loi sur le statut linguistique. Cette fable joyeuse et satirique, rythmée par de nombreuses chansons, rappelle en un clin d'oeil moqueur les styles d'Aristophane et de Brecht réunis.
Durée : 2 heures
Personnage(s) : 4 femmes, 5 hommes
16 chansons

La Complainte des hivers rouges [1974] (Leméac, 1974, épuisé ; réédition 1984)
École nationale de théâtre du Canada, 27 mars 1974
Empruntant sa forme à la complainte, la pièce illustre les événements aussi bien politiques que privés de la rébellion des Patriotes durant les années 1837-1839. Saga épique dont le ton revendicateur exprime la persévérance des Patriotes dans la défense de leurs idées.
Durée : 1 heure 45
Personnage(s) : une quarantaine de personnages et des choeurs pouvant être joués par 4 femmes et 5 hommes
1 chanson

E   **Icare** [1979] (Éditions Leméac, 1979)
Les Pissenlits, 26 décembre 1979
Faisant appel à plusieurs procédés scéniques, cette fantaisie mythologique illustre la légende d'Icare et sa fuite du Labyrinthe, sa rencontre avec le Soleil, ses aventures océanes, sa découverte du monde et ses retrouvailles avec son père, Dédale.
Durée : 1 heure 15
Personnage(s) : une vingtaine de personnages humains et allégoriques pouvant être joués par 3 femmes, 3 hommes et 2 machinistes manipulateurs
Accompagnement sonore (plusieurs textes peuvent être chantés)

TRADUCTIONS ET TRANSPOSITIONS

La Folle du Quartier latin [1976], transposition de **La Folle de Chaillot** de Jean Giraudoux
Théâtre du Trident, octobre 1976

Une journée particulière [1976], traduction de **Una giornata particolare** d'Ettore Scola
Théâtre du Trident, 1985

La Cerisaie [1987], traduction de la pièce d'Anton Tchekhov
Coproduction du Théâtre du Trident et du Théâtre du Rideau Vert, 3 novembre 1987

Cendres [1988], traduction de **Ashes** de David Rudkin
Théâtre du Trident, 13 septembre 1988

La Belle Aubergiste [1988], traduction de **La Locandiera** de Carlo Goldoni
Théâtre populaire du Québec, 8 février 1989

Samedi, dimanche et lundi [1990], traduction de la pièce d'Edouardo de Filippo
Théâtre du Rideau Vert, 18 avril 1990

La Maison de Bernarda Alba [1991], traduction de **La Casa de Bernarda Alba** de Federico Garcia Lorca
Théâtre du Trident, 14 juin 1992

LORANGER, Françoise

Dramaturge et romancière, Françoise Loranger est née à Saint-Hilaire en 1913. Elle écrit dès son tout jeune âge. En 1939, sous l'égide de Robert Choquette, elle compose d'abord des textes radiophoniques diffusés en de nombreux épisodes. Puis, en 1949, elle publie un roman, **Mathieu**, bien accueilli par la critique, qui sera réédité par Boréal, en 1990. Elle écrit ensuite des téléthéâtres et deux feuilletons télévisés dont **Sous le signe du lion** qui est paru chez Leméac Éditeur, en 1993. En 1965, le Théâtre du Rideau Vert présente **Une maison... un jour** en tournée en France et en Russie. Puis, en 1968, l'auteure rompt avec le théâtre traditionnel et écrit trois pièces contestataires qui donnent lieu à de nombreuses controverses. Françoise Loranger refuse désormais le théâtre psychologique et fait de fréquentes références à des événements historiques et politiques. Elle reçoit le Prix du gouverneur général cette même année. Depuis plusieurs années, elle s'est retirée du théâtre afin de poursuivre une démarche personnelle axée sur la vie intérieure.

Georges... oh ! Georges [1958] (Les Écrits du Canada français, no 20, 1965)
Créé à la télévision de Radio-Canada sous le titre de **Jour après jour**, 18 mars 1958
Option-théâtre du Collège Lionel-Groulx, 1971
L'action se passe en 1930. Une grande maison est habitée par une mère et ses trois filles à qui elle veut faire partager sa haine des hommes et du mariage. Tour à tour elle tourne celles-ci en ridicule, ainsi que leur seul ami, Georges. Désormais, elles resteront seules.
Durée : 30 minutes
Personnage(s) : 4 femmes, 1 homme

Une maison... un jour [1963] (Le Cercle du Livre de France, 1965 ; C.L.F. (Poche), 1968 ; Éditions du Renouveau Pédagogique, 1970)
Télévision de Radio-Canada, émission *Les Beaux Dimanches*, 4 octobre 1970
Théâtre du Rideau Vert, 15 février 1965
La vie, la mort, la jeunesse, la vieillesse sont présentées à travers les problèmes d'un vieillard qui glisse lentement vers sa fin, non sans se battre avec sa famille. Dominique, la mère, constitue le pilier de la pièce ; elle voit s'effondrer tout ce à quoi son père tient et elle assiste au drame de ses enfants qui se déchirent l'un l'autre.
Durée : 2 heures
Personnage(s) : 3 femmes, 4 hommes

Encore cinq minutes [1966] (suivi de **Un cri qui vient de loin**, Le Cercle du Livre de France, 1967)
Télévision de Radio-Canada, émission *Les Beaux Dimanches*, 4 avril 1971
Théâtre du Rideau Vert, 15 janvier 1967
Dans une pièce blanche et vide, Gertrude tourne en rond... Depuis trois semaines elle vit là, à essayer de recréer son univers, son monde à elle. Elle ne veut plus des idées des autres. Elle s'arrachera de son mari, de son fils, de sa fille et aura finalement le courage de partir.
Durée : 2 heures
Personnage(s) : 2 femmes, 2 hommes

Le Chemin du Roy [1967-1978], en collaboration avec Claude Levac (Éditions Leméac, 1969)
Compagnie de l'Égrégore, 29 avril 1968
Cette pièce est une rétrospective fantaisiste et satirique sur la venue du général de Gaulle au Québec et sur les répercussions qu'a eues cette visite tant sur les francophones que sur les anglophones ; le tout transposé en une joute de hockey.
Durée : 1 heure 20
Personnage(s) : 4 femmes, 10 hommes

Double jeu [1967] (Éditions Leméac, 1969)
Comédie Canadienne, 17 janvier 1969
Psychodrame individuel et collectif, drame sur la scène et dans la salle, toute la pièce est construite autour d'un test de comportement psychologique. Il y a un meneur de jeu et les comédiens sont prêts à aider ceux qui montent sur la scène pour improviser une partie du jeu qui prend l'allure d'une révélation.
Durée : 2 heures 30
Personnage(s) : 6 femmes, 8 hommes
5 chansons
Des notes détaillées sur la mise en scène d'André Brassard sont incluses dans le texte.

Médium saignant [1969] (Éditions Leméac, 1970)
Comédie Canadienne, 16 janvier 1970
Sorte de psychodrame collectif, la pièce met en scène une assemblée du conseil municipal d'une banlieue montréalaise où habite une importante communauté italophone qui a choisi l'anglais comme langue seconde. Les passions des différents groupes sociaux et ethniques présents à l'assemblée se déchaînent quand un conseiller propose que les délibérations ne se fassent dorénavant qu'en français.
Durée : 2 heures 45
Personnage(s) : 4 femmes, 17 hommes

MAGNY, Michèle

Née à Montréal, finissante en interprétation de l'École nationale de théâtre du Canada vers la fin des années soixante, Michèle Magny participe à la vie théâtrale montréalaise depuis maintenant une bonne vingtaine d'années d'abord comme comédienne jouant sur la plupart des scènes de Montréal des rôles de premier plan ainsi qu'à la télévision et au cinéma. Depuis maintenant treize ans, elle se consacre presque exclusivement à l'enseignement du jeu et à la mise en scène (**Célimène et le Cardinal** de Jacques Rampal, **Le Pain dur** de Paul Claudel, **Sarah et le cri de la langouste** de John Murrell et George Wilson, **Fool for Love** de Sam Shepard dont elle fit la traduction et **Anaïs dans la queue de la comète** de Jovette Marchessault, pour n'en citer que quelques-unes.) Elle prépare actuellement la mise en scène d'une pièce inédite de Claude Gauvreau, **La Reprise**. À la suite de la lecture de la poésie de Marina Tsvétaéva, profondément bouleversée par la vie et l'oeuvre de l'auteure, elle propose pour l'émission radiophonique *L'Aventure* à Radio-Canada de faire le portrait du poète qui sera en effet diffusée sur ses ondes et dont elle assuma la rédaction et l'animation. Sa pièce **Marina, le dernier rose aux joues** sera jouée en France, vraisemblablement en octobre 1994.

photo: Robert Laliberté

Marina, le dernier rose aux joues [1991-1993]
Créé à la radio de Radio-Canada, émission *L'Aventure*
Théâtre d'Aujourd'hui, 2 avril 1993
Marina Tsétaéva, poète russe, à la veille de son départ pour Moscou en 1939, après un exil de dix-sept ans, se remémore, dans un long flash-back, sa rencontre amoureuse avec des acteurs et une actrice pendant la Révolution russe. C'est un hommage à l'amour et à l'amitié dans un monde, dramatiquement, en changement. Sonne l'heure des départs pour une destination dont on ne revient pas.
Durée : 2 heures 30
Personnage(s) : 2 femmes, 1 homme

MAILLET, Antonine

Originaire du Nouveau-Brunswick, Antonine Maillet a reçu, depuis le début de sa carrière d'écrivain et de dramaturge, une douzaine de prix littéraires dont le Prix du gouverneur général du Canada (1972), le prix France-Canada (1975), le prix Goncourt (1979) et le Grand Prix de la Ville de Montréal (1975). Boursière du ministère des Affaires culturelles du Québec (1972-1973) et du Conseil des Arts du Canada (1974-1975 et 1977), elle détient, en plus d'un doctorat ès lettres (Université Laval, 1970), une vingtaine de doctorats honorifiques. Elle est compagnon de l'Ordre du Canada, officier des Palmes académiques françaises, des Arts et des Lettres de France, membre de la Société Royale du Canada et de l'Académie canadienne-française, entre autres. Outre des pièces et des monologues pour le théâtre, elle écrit des contes et plus particulièrement des romans.

photo: Guy Dubois

Les Crasseux [1968] (Éditions Leméac, 1973, épuisé ; réédition, 1993)
Ce texte a été présenté en lecture publique par le Cead, le 21 juillet 1968.
Compagnie Jean Duceppe, 23 novembre 1974
Une barrière divise une société en deux groupes : les gens d'En Haut et les gens d'En Bas. Un jeune homme d'En Bas tente, au prix de sa vie, de réconcilier ces deux mondes. Malgré ce drame, c'est la moralité des gens d'En Bas, ces personnages de gueux au langage savoureux, qui remporte la victoire, avec ruse et vivacité.
Durée : 2 heures
Personnage(s) : 6 femmes, 13 hommes, dont 1 guitariste et 1 accordéoniste
1 chanson

La Sagouine [1973-1974] (Éditions Leméac, 1971-1973 ; Leméac, collection Poche-Québec, 1986 ; Grasset, 1976)
Ce texte a été présenté en lecture publique par le Cead, le 20 février 1971.
Théâtre du Rideau Vert, 9 octobre 1972 ; (2e version, 19 décembre 1975)
Traduit en anglais par Luis de Cespedes sous le même titre (Éditions Simon and Pierre, Toronto, 1979)
Saidye Bronfman Centre, 1979
Née au bord de l'eau, fille de pêcheur de morue, fille à matelots, femme de pêcheur d'éperlans, la Sagouine emprunte à la mer et à son pays, l'Acadie, les images et la richesse de son langage. À soixante-douze ans, devenue femme de ménage, au-dessus de son eau sale, elle livre ses souvenirs et sa philosophie de la vie.
Durée : 16 monologues de 15 minutes chacun
Personnage(s) : 1 femme

La Contrebandière [1974 et 1980] (Éditions Leméac, 1981)
Théâtre du Rideau Vert, 16 mai 1974 (sous le titre de **Mariaagélas**, d'après son roman du même titre (2e version sous le titre de **La Contrebandière**, Théâtre du Rideau Vert, 30 avril 1981)
Mariaagélas, comme toute sa famille avant elle, fait de la contrebande d'alcool au moment de la prohibition. Prise entre son grand-père qui aurait préféré des garçons, la veuve à Calixte, les braconniers-pêcheux et le nouveau connestable - qui est assez beau garçon - elle réussit tout de même à mener sa barque. L'histoire se déroule sous l'oeil de Sarah Bidoche, la tireuse de cartes,

véritable voix du destin.
Durée : 2 heures
Personnage(s) : 3 femmes, 6 hommes

Évangéline Deusse [1975] (Éditions Leméac, 1975)
Théâtre du Rideau Vert, 4 mars 1976 ; et télévision de Radio-Canada, émission *Les Beaux Dimanches*
Traduit en anglais par Luis de Cespedes sous le titre de **Evangeline the second** (Simon and Pierre, 1979)
Télévision de CBC
Dans un parc public montréalais, trois exilés assez âgés se rencontrent : une Acadienne, Évangéline, un Breton et un rabbin. La parole du pays acadien résiste ici à tout déracinement et, à l'image du sapin qu'Évangéline plante en plein cœur de la ville, son âme témoigne de la volonté de durer envers et contre toutes les déportations.
Durée : 2 heures
Personnage(s) : 1 femme, 3 hommes

Gapi [1976] (Éditions Leméac, 1976)
Adapté pour la télévision (Radio-Canada)
Théâtre du Rideau Vert, 25 novembre 1976 ; (2e version, Comédie Nationale, 6 octobre 1981)
Traduit en anglais par Luis de Cespedes sous le titre de **Gapi and Sullivan** [1987]
Époux de la Sagouine, décédée depuis longtemps, Gapi, resté seul sur sa dune, est gardien d'un phare. Il partage ses rêveries avec les mouettes. Avec son ami Sullivan, le marin, il échange des souvenirs. Les deux hommes sont satisfaits de leur sort, mais chacun envie un peu la vie de l'autre.
Durée : 1 heure 30
Personnage(s) : 2 hommes

La Veuve enragée [1977] (Éditions Leméac, 1977)
Théâtre du Rideau Vert, 8 décembre 1977
Une mère et une fille, tout comme leurs tantes à la retraite, sont filles à matelots. Une veuve riche et désagréable tente de les déloger du village pour la sauvegarde de la morale. Comme dans un fabliau auquel la pièce emprunte son langage archaïque, l'amour et la liberté finissent par triompher.
Durée : 2 heures
Personnage(s) : 5 femmes, 1 homme

Le Bourgeois gentleman [1978] (Éditions Leméac, 1978)
Théâtre du Rideau Vert, 28 septembre 1978
Librement inspiré du personnage de Molière, le bourgeois est ici homme d'affaires des années quarante. Parti de rien, il fait fortune dans le domaine de la « claque » de caoutchouc. Évidemment, il veut se faire gentleman, s'exprimer en anglais et adopter le mode de vie des gens de Westmount. Heureusement, Joséphine et Toinette savent le ramener à la réalité.
Durée : 2 heures 30
Personnage(s) : 3 femmes, 5 hommes

Emmanuel à Joseph à Dâvit [1975] (roman, Éditions Leméac, 1975)
Théâtre du Rideau Vert, 21 décembre 1978, dans une adaptation de l'auteure
Anne, la sage-femme, tireuse de cartes, vieille femme attachante, raconte, à sa manière, l'histoire de la nativité en Acadie. Tous les personnages de la crèche sont là, même les trois Rois mages, devenus, pour la circonstance, commissaires-enquêteurs nommés par le gouverneur...
Durée : 2 heures
Personnage(s) : 1 femme

La Joyeuse Criée [1982]
Théâtre du Rideau Vert, 9 décembre 1982
Dans une série de monologues, des femmes du Nouveau-Brunswick viennent tour à tour critiquer leur univers de laissées-pour-compte. La première, dans une criée endiablée, veut nous vendre de tout. La seconde, la défunte Barbe, passe ses commentaires colorés sur les gens qui viennent lui rendre un dernier hommage. La Piroune, prostituée du village, se soulage le coeur dans une chanson. Vient le tour de Marichette de nous livrer ses récriminations durant le bingo de l'année. Une autre trouve le temps de guerre bien avantageux pour les pauvres. La Sainte peste contre le gouvernement et surtout contre la Sagouine qui prend sa place à l'église. Patience termine la pièce par un récit sur l'encan des vieux et des orphelins en bas de la butte des Cordes-de-bois.
Durée : 2 heures
Personnage(s) : 1 femme jouant plusieurs personnages (7 femmes), 1 joueur d'harmonica et des voix
1 chanson
Ces monologues peuvent être présentés séparément.

Les Drolatiques, Horrifiques et Épouvantables Aventures de Panurge, ami de Pantagruel [1982-1983], d'après Rabelais (Éditions Leméac, 1983)
Coproduction du Théâtre du Rideau Vert et du Théâtre du Trident, 17 mars 1983
Librement inspirée de Rabelais, cette sotie met en scène de nombreux personnages, dont Pantagruel et son ami Panurge, lequel hésite à se marier par peur du cocufiage. Ses appréhensions s'envolent au contact d'une cousine de lointain pays dont la langue antique n'est pas sans rappeler au spectateur d'aujourd'hui le langage de la Sagouine.
Durée : 2 heures
Personnage(s) : 45 personnages (12 femmes, 33 hommes) et un choeur pouvant être joués par 2 femmes et 6 hommes
10 chansons

Monologue de Don l'Orignal [1985] (dans **20 ans**, VLB Éditeur, 1985)
Ce texte a été présenté en lecture publique par le Théâtre du Rideau Vert, en collaboration avec le Cead, le 10 février 1986.
Ce monologue de vingt minutes a ensuite été intégré à **Garrochés en paradis**.

Garrochés en paradis [1986] (Éditions Leméac, 1986)
Théâtre du Rideau Vert, 1er octobre 1986
Que se passera-t-il dans cet espace entre le ciel et la terre, entre l'ici-bas et l'au-delà, où doit se décider le sort éternel de chacun ? Le soir de Noël, l'explosion d'un poêle à gaz propulse les personnages chers à l'auteure dans cette situation que nous serons tous appelés à connaître et qu'ils vivent dans un adieu à la fois touchant et comique.
Durée : 2 heures
Personnage(s) : 4 femmes, 3 hommes

Margot la folle [1987] (Éditions Leméac, 1987)
Théâtre du Rideau Vert, 30 septembre 1987
Au début du siècle, cinq personnes veulent apprivoiser leur destin sur l'Île d'Anticosti en tentant de s'approprier les pouvoirs que confère le phare pourtant porte-malheur. Seule Margot, personnage troublant et énigmatique, semble échapper à la réalité, envoûtant les gens et les entraînant dans une grande mystification. Tous les trésors et tous les rêves du monde ne sauraient tromper le destin.
Durée : 2 heures
Personnage(s) : 2 femmes, 3 hommes

William S [1991] (Leméac Éditeur, 1991)
Théâtre du Rideau Vert, 16 avril 1991
Coup d'oeil unique sur l'oeuvre de Shakespeare. L'auteure fournit à quelques personnages emblématiques de Shakespeare l'occasion idéale de se venger de cet homme « coupable de paternité ». Hamlet proclame : « Shakespeare peut-il s'imaginer qu'une seule de ses créatures soit contente de lui ? » tandis que Lady Macbeth accuse William d'être « injuste, arbitraire, misogyne »...
Durée : 2 heures
Personnage(s) : 4 femmes, 5 hommes

TRADUCTIONS

Les Fantastiques [1988], traduction de **The Fantastiks** de Tom Jones [1960], musique de Harvey Schmidt
Coproduction du Théâtre du Rideau Vert et du Centre national des Arts, 21 octobre 1988

Valentine [1989-1990], traduction de **Shirley Valentine** de Willy Russel
Théâtre du Rideau Vert, 17 janvier 1990

Richard III [1989], traduction de la pièce de Shakespeare (Leméac Éditeur, 1989)
Coproduction du Centre national des Arts et du Théâtre du Rideau Vert, 4 octobre 1989

La Nuit des rois [1993] (Leméac Éditeur, 1993), traduction de **Twelfth Night** de Shakespeare
Théâtre du Rideau Vert, 20 avril 1993

MARCHESSAULT, Jovette

photo: Robert Barzel

« Née à Montréal en 1938, dans un milieu ouvrier. Peintre, sculpteure, romancière et dramaturge, Jovette Marchessault est une autodidacte qui, adolescente, travaille dans une usine de textile où elle rencontre des ouvrières de toutes les langues et de toutes les couleurs. Vers la fin des années cinquante, elle entreprend une quête à travers l'Amérique, à la recherche et de son identité et de ses racines spirituelles. En 1970, assumant sa vocation d'artiste, elle expose des fresques, des masques et des personnages telluriques à la Maison des arts La Sauvegarde à Montréal. Elle fera plus d'une trentaine d'expositions en solo, au Québec, à Toronto, à New York, à Paris et à Bruxelles. En 1975, elle publie le premier volet d'une trilogie romanesque, **Comme une enfant de la terre**, qui recevra le prix France-Québec en 1976. Suivront des monologues dramatiques, de la poésie, sept pièces de théâtre et deux autres romans. » Sa pièce **Le Voyage magnifique d'Emily Carr** a remporté le Prix du gouverneur général du Canada en 1991.

Les Vaches de nuit [1978-1979], monologue dramatique, extrait du **Triptyque lesbien**, (Éditions de la Pleine Lune, 1980, épuisé ; Leméac Éditeur, 1990)
Coproduction de l'Union des écrivains québécois, du Théâtre Expérimental des Femmes, 1979
Traduit en anglais par Yvonne Klein sous le titre de **Night Cows** [1979] (dans **Lesbian Triptych**,

Éditions Women's Press, Toronto, 1985)
Women's Salon de New York, automne 1979
Dans cette pièce, « une mère-vache, mammifère mythique, entreprend l'ultime voyage féminin, la recherche illuminée de la vérité sur ses origines. C'est un texte visionnaire qui célèbre la résurrection spirituelle des femmes. » (Tiré de la postface signée par Gloria Orenstein et traduite par Josée Michaud Leblond)
Durée : 30 minutes
Personnage(s) : 1 femme

Les Faiseuses d'anges [1979], monologue dramatique, extrait du **Triptyque lesbien** Éditions de la Pleine Lune, 1980, épuisé ; Leméac Éditeur, 1990)
Coproduction de Madeleine Arsenault et du Théâtre Expérimental des Femmes, automne 1982
Traduit en anglais par Yvonne Klein sous le titre de **The Angel Makers** [1979] (dans **Lesbian Triptych**, Éditions Women's Press, Toronto, 1985)
Dans ce monologue, « l'avortement est considéré comme une forme élevée de renaissance spirituelle dans un monde où la maternité mène à l'oppression. La Faiseuse d'anges devient une nouvelle image révolutionnaire de la Sage-Femme spirituelle qui aide les femmes à donner naissance à leurs nouvelles identités de femme qui font consciemment un choix en faveur de la liberté personnelle et de la survivance planétaire. » (Tiré de la postface que signe Gloria Orenstein.)
Durée : 20 minutes
Personnage(s) : 1 femme

La Saga des poules mouillées [1979] (Éditions de la Pleine Lune, 1981, épuisé ; Leméac Éditeur, 1989)
Théâtre du Nouveau Monde, 24 avril 1981
Traduit en anglais par Linda Gaboriau sous le titre de **Saga of the Wet Hens** [1983] (Éditions Talonbooks, Vancouver, 1983)
Tarragon Theatre (Toronto), 18 février 1982
Sur la terre promise de l'Amérique vers le nord, au coeur d'un vortex fabuleux, quatre femmes se rencontrent : elles se nomment Laure Conan, l'Ancêtre, Germaine Guèvremont, la Paroissienne, Gabrielle Roy, Petite corneille, et Anne Hébert, Tête nuageuse. C'est une pièce sur la créativité des femmes. Dans cette rencontre en dehors du temps chronologique, chacune des protagonistes apporte avec elle son savoir, sa connaissance, sa fabuleuse mémoire et aussi des peurs secrètes.
Durée : 2 heures
Personnage(s) : 4 femmes

La terre est trop courte, Violette Leduc [1981] (Éditions de la Pleine Lune, 1982)
Théâtre Expérimental des Femmes, 5 novembre 1981
Traduit en anglais par Susanne de Lotbinière-Harwood sous le titre de **The Edge of Earth is Too Near, Violette Leduc** [1985]
Cette traduction a été présentée en lecture publique par le Ubu Repertory Theater, en coproduction avec le Cead, à New York, le 16 octobre 1984.
Nightwood Theatre (Toronto), avril 1985
Pour Violette Leduc, femme laide, bâtarde, pleureuse chronique, assoiffée de luxe, voleuse à l'étalage, trafiquante durant l'Occupation, vestale des homosexuels littéraires, mendiante, humiliée, passionnée, le vampire est toujours à son poste. Le vampire qui l'ampute de sa chair, refuse ses manuscrits. Violette Leduc est écrivaine. Sa route croisera celle de Jean Genet, de Maurice Sachs, d'un mari castrant, d'un psychanalyste, de travestis, d'un racoleur. Sa route croisera celle de Clara Malraux, de Nathalie Sarraute et surtout celle dont elle est affamée, qui l'encourage, Simone de Beauvoir. Violette Leduc qui écrira jusqu'à la fin car elle a fait le serment d'avoir la passion de l'impossible.
Durée : 2 heures
Personnage(s) : 21 en tout (9 femmes, 12 hommes) pouvant être joués par 4 femmes et 3 hommes

Alice & Gertrude, Natalie & Renée et ce cher Ernest [1983] (Éditions de la Pleine Lune, 1984)
Productions Vermeilles, 24 octobre 1984
Nous sommes à Paris, à l'automne de 1939, les armées d'Hitler sont sur le point d'envahir la Pologne. Natalie Barney, amazone et salonnière, convie mystérieusement ses amies les plus intimes. Sont au rendez-vous Renée Vivien, Alice Toklas et Gertrude Stein. Survient à l'improviste, un invité de la onzième heure, Ernest Hemingway... C'est une pièce qui parle de l'art, de l'inspiration et de la grande dette que nous avons les uns, les unes, envers les autres.
Durée : 2 heures
Personnage(s) : 4 femmes, 1 homme

Le Repos des pluies [1985] (dans **20 ans**, VLB Éditeur, 1985)
Deux femmes échangent paroles et tendresses tout en retrouvant le sens profond de l'acte d'écrire.
Durée : 20 minutes
Personnage(s) : 2 femmes

Anaïs dans la queue de la comète [1984-1985] (Éditions de la Pleine Lune, 1985)
Théâtre de Quat'Sous, septembre 1985
Traduit en anglais par Susanne de Lotbinière-Harwood sous le titre de **Anaïs in the Comet's Wake** [1987] (extrait publié dans *6 Plays/Playwrights from Quebec*, Cead, 1987)
Traduit en hindi par Sheela Puri
Cette pièce en douze tableaux raconte la quête d'identité d'une femme d'une humanité, d'un talent et d'une beauté dont le vingtième siècle littéraire a peu d'exemples. Une femme qui n'avait qu'une patrie : l'art et les artistes. Auprès d'elle, ces comètes que furent Artaud, Henry Miller et sa femme June, Otto Rank et leurs doubles. Vers la fin de la pièce, Anaïs Nin demande à son analyste « Qui suis-je ? » Et celle-ci répond : « Cela porte un très beau nom : Civilisation. »
Durée : 2 heures
Personnage(s) : 2 femmes, 3 hommes

Demande de travail sur les nébuleuses [1986-1987] (Leméac Éditeur, 1988)
Théâtre d'Aujourd'hui, 2 novembre 1988
La pièce « situe son propos dans le ciel d'une maison d'Amérique, au seuil du XXIe siècle, au coeur d'une famille universelle qui regroupe quatre enfants de la Terre : le père, chasseur de canards et de femmes, travailleur de la Onzième heure ; la mère, qui écrit une lettre d'amour aux étoiles ; le fils, barman à New York et chômeur spirituel ; la fille, médecin dans les Andes, désireuse de mettre au monde des enfants révolutionnaires qui viendront embellir la terre et la rendre plus juste, plus habitable ».(Extrait de la préface de Pierre Filion)
Durée : 1 heure 45
Personnage(s) : 2 femmes, 2 hommes

Le Voyage magnifique d'Emily Carr [1990] (Leméac Éditeur, 1990)
Théâtre d'Aujourd'hui, 21 septembre 1990
Traduit en anglais par Linda Gaboriau sous le titre de **The Magnificent Voyage of Emily Carr** [1992] (Éditions Talonbooks, Vancouver, 1992)
Belfry Theatre, Victoria, 1er décembre 1992
Emily Carr (1871-1945), peintre de la côte ouest canadienne, habitait un lieu magique qu'elle avait baptisé *La Maison de toutes les espèces*. Dans cette maison, elle accueillait les visiteurs de la planète : sa soeur Lizzie, avec des cris de guerre et des rebuffades, car Lizzie est l'adversaire, au même titre que la société victorienne ; son amie amérindienne Sophie, qui apporte les messages et les devoirs et les leçons de l'existence ; son jeune ami peintre, Lawren Harris du Groupe des Sept, qui veut débarrasser la peinture de ses dogmes et révolutionner l'art au Canada ; celui qui répond à ses pensées de compassion, l'Accordeur d'âmes ; et enfin celle qui viendra à sa rencontre, la Déesse-Mère du vieux monde des légendes, la D'Sonoqua...
Durée : 2 heures

Personnage(s) : 3 femmes, 1 homme

Le Lion de Bangor [1992] (Leméac Éditeur, 1993)
Ce texte a été présenté en lecture publique par le Cead, le 15 avril 1992.
L'Aire de Jeu, Sherbrooke, 7 avril 1993
Cette nuit-là, dans les Appalaches, le Ku Klux Klan répand sa littérature haineuse et le Lion de Bangor, chercheur de notre temps, veille sur l'agonie de Noria, sa fille, pendant que Jeanne pratique son art magique de la guérison : l'écriture.
Durée : 2 heures
Personnage(s) : 3 femmes, 2 hommes

MARCOUX, Jean-Raymond

Spécialiste en gestion à l'École d'administration publique, Jean-Raymond Marcoux ne commence à écrire qu'à l'âge de trente-huit ans alors qu'on lui demande de faire le scénario d'un film didactique pour ses élèves. Sa maîtrise en lettres de l'Université de Montréal et son rêve de devenir journaliste sont loin derrière, mais il rédige deux scénarios du coup. Depuis 1977, il ne cesse d'écrire : fables, poèmes, contes, scénarios de film et pièces ; façon, pour lui, de faire ses gammes. En 1984, le Théâtre de l'Escale lui commande un texte : **La Grande Opération**, première d'une longue série de productions dans le circuit des théâtres d'été.

Bienvenue aux dames, Ladies Welcome ! [1980] (VLB Éditeur, 1985)
Ce texte a été présenté en lecture publique par le Cead, le 13 octobre 1980.
Théâtre d'Aujourd'hui, 15 septembre 1983
Traduit en anglais par John Van Burek sous le titre de **Ladies and Escorts** [1987] (extrait publié dans *6 Plays/Playwrights from Quebec*, Cead, 1987)
Réunis dans l'hôtel de Sept-Îles où ils logent, quatre chauffeurs de *bulls* boivent et blaguent pour tromper leur ennui. Dans un langage sans robe du soir, ils discutent de leur *job*, des femmes, de leur vie et de leurs rêves, sous l'oeil tantôt amusé, tantôt éberlué de la serveuse.
Durée : 2 heures
Personnage(s) : 2 femmes, 5 hommes

Lâche pas Falardeau [1982]
Théâtre des Filles du Roy, janvier 1983
Cette allégorie musicale célèbre les exploits légendaires de Pierre Falardeau, un « cageux » qui transportait du bois sur des radeaux le long des affluents du Saint-Laurent, avant l'arrivée du chemin de fer. L'évocation de Falardeau se fait dans un va-et-vient entre le passé et le présent, révélant ainsi un ensemble coloré de personnages folkloriques et actuels.
Durée : 2 heures
Personnage(s) : 6 hommes, 3 femmes et une dizaine de figurants

Diogène [1982] (Cead, collection « Dramaturgies nouvelles », 1983, épuisé)
Ce texte a été présenté en lecture publique par le Cead, le 7 mars 1983.
Productions MLC (Marcoux, l'Écuyer et Collin), été 1983
Un homme vieillissant pique-nique dans un cimetière où sont enterrées côte à côte sa femme, sa belle-mère et une voisine qui fut sa maîtresse. Réglant ses comptes avec « ses » femmes, il raconte avec drôlerie ou émotion ce qu'aurait dû être sa vie, sa relation avec chacune d'elles et ce qu'il est advenu de lui depuis leur mort.
Durée : 1 heure 30
Personnage(s) : 1 homme

La Grande Opération [1984] (VLB Éditeur, 1989)
Bateau-Théâtre l'Escale, juin 1988
Cette comédie de moeurs a pour point de départ le refroidissement amoureux de Michelle, la femme de Richard ; par crainte d'une grossesse, elle se refuse aux avances de son mari et lui suggère une vasectomie... Richard se cabre, prend ses cliques et ses claques et se retrouve dans un appartement voisin de celui de Michelle...
Durée : 2 heures 30
Personnage(s) : 2 hommes, 2 femmes

Les Mensonges de papa [1985]
Bateau-Théâtre l'Escale, été 1985
Dans la quarantaine, Julien Thibault contrôle enfin son environnement. Comme le dit son fils, il a tout ce qu'un homme peut désirer : carrière prometteuse, amie jeune et jolie, fils extraordinaire de 14 ans et femme de ménage qui sert à toutes les sauces. Tout à coup, cet univers si bien ordonné s'écroule et Julien en est quitte pour recommencer à zéro.
Durée : 1 heure 45
Personnage(s) : 2 femmes, 2 hommes

Les Baleines [1986]
Théâtre d'Aujourd'hui, 13 mars 1986
Margot Carbonneau, veuve, revit en compagnie de ses « chers disparus » certains événements de sa vie : la mise à la retraite de Roger, son mari, le départ et la séparation de leurs locataires, Bernard et Maria, et d'autres moments plus intimes.
Durée : 1 heure 30
Personnage(s) : 2 femmes, 2 hommes

Les Pingouins [1987]
Bateau-Théâtre l'Escale, 11 juin 1987
Comédie de moeurs. Fatiguée de la routine, Thérèse met la main sur un magazine qui propose un test de 200 questions visant à établir son bilan personnel. Ce petit jeu, en apparence inoffensif, va provoquer un grand remue-ménage chez les Lessard, le seul couple « légalement constitué » de la rue Bernier. Elle acceptera une promotion qui lui permettra de partir ailleurs.
Durée : 1 heure 30
Personnage(s) : 2 femmes, 2 hommes

Cherchez l'homme ! [1990], avec la collaboration spéciale de Paul Hébert
Théâtre Paul Hébert de l'Île d'Orléans, juin 1990
Jean-Claude et Mireille, mariés depuis dix ans, professionnels tous les deux, vivent de leur carrière et pour leur carrière. Le goût d'avoir un enfant s'installe dans la tête et le coeur de Mireille mais un test révèle à Jean-Claude qu'il est stérile. Le couple vacille pendant qu'un couple d'amis homosexuels, sera aux prises avec trois enfants, héritage d'un mariage précédent.
Durée : 1 heure 45
Personnage(s) : 1 femme, 3 hommes

E   **Gaïa** [1991], texte écrit pour être joué par des enfants de 7 à 12 ans
Des humains qui détruisent, polluent et chassent ; des animaux qui succombent d'abord, se mettent à résister ensuite et s'opposent enfin si bien que les deux groupes en viennent aux coups. C'est le moment que choisit Gaïa, l'esprit de la terre, pour faire son apparition.
Durée : 1 heure
Personnage(s) : 13 enfants jouant des animaux et des humains
Pas de décor proprement dit ou stylisé comme les costumes qui peuvent être réalistes ou suggérés.

MARINIER, Robert

Né à Sudbury en Ontario, Robert Marinier a étudié à l'École nationale de théâtre du Canada, à l'Institut Alain Knapp à Paris et à NYU, l'Université de New York. Il a, depuis, travaillé comme comédien et auteur en Ontario, surtout dans la région d'Ottawa.

Lafortune et Lachance [1979]
A été publié sous forme de photothéâtre aux Éditions Prise de Parole, Sudbury, 1982
Théâtre du Nouvel-Ontario, janvier 1980
Rita Lafortune et Jacques Lachance se rencontrent grâce à l'ordinateur d'une agence matrimoniale. De toute évidence, leurs caractères sont incompatibles et ils se détestent franchement. Se fuyant sans cesse l'un et l'autre, ils connaissent diverses mésaventures qui les réunissent contre leur gré.
Durée : 1 heure 30
Personnage(s) : 10 personnages (2 femmes, 3 hommes et 5 femmes ou hommes) pouvant être joués par 2 femmes et 2 hommes

La Tante [1980] (Éditions Prise de Parole, Sudbury, 1981)
Théâtre du Nouvel-Ontario, 4 décembre 1980
Élevés dans des principes dépassés et dans une atmosphère de bondieuseries, deux cousins convoitent l'héritage d'une vieille tante. L'arrivée d'une nouvelle gouvernante ne fait qu'amplifier leur mesquinerie et leur jalousie frôle l'obsession. Les cousins forment un couple inséparable, infernal et ridicule.
Durée : 1 heure 30
Personnage(s) : 1 femme, 2 hommes

L'Inconception [1982] (Éditions Prise de Parole, Sudbury, 1984)
Centre national des Arts, 8 novembre 1983
Comédie. Perturbé par la volonté de sa femme d'avoir un enfant, un homme fait la rencontre,

dans un parc, de son fils - qui n'a pas encore été conçu... Hanté par cet enfant, il se rebiffe encore plus : de père en fils, chacun ne trouve-t-il toujours pas à redire au sujet des rapports que ses parents entendent établir avec lui ?...
Durée : 1 heure 30
Personnage(s) : 1 femme, 3 hommes

Les Rogers [1984-1985], en collaboration avec Robert Bellefeuille et Jean Marc Dalpé (Éditions Prise de Parole, Sudbury, 1985)
Adapté pour la télévision (TVOntario, diffusion juin 1987)
Coproduction du Théâtre du Nouvel-Ontario et du Théâtre de la Vieille 17, 1985
Sous prétexte d'une peine d'amour, trois vieux amis dans la trentaine passent une nuit blanche à parler de relations amoureuses, des femmes, des hommes et de leur amitié. Leurs fantasmes et leurs caprices les entraînent dans un court voyage où se mêlent tendresse et ridicule. Un regard comique sur le nouvel homme aux prises avec son présent et son passé.
Durée : 1 heure 30
Personnage(s) : 3 hommes

En camisoles [1988], en collaboration avec Robert Bellefeuille
Théâtre de la Vieille 17, printemps 1988
Cette comédie de caractère met en scène deux copines, Odette, la grande maigre, et Marjolaine, la petite boulotte. Elles se retrouvent, après un accident d'automobile, dans les limbes en attendant leurs prochaines réincarnations. Elles y revivent les moments burlesques qui ont marqué et cimenté leur relation d'amitié : ruptures, déménagements, cadeaux incongrus, incendie, jalousies et d'homériques discussions autour d'une carte de crédit.
Durée : 1 heure 30
Personnage(s) : 2 femmes

Deuxième souffle [1989], en collaboration avec Daniel Lalande
Théâtre du Nouvel-Ontario, 20 mars 1991
Un homme revient dans sa ville natale après plusieurs années et apprend qu'on le croyait récemment décédé. Mais au lieu de vouloir démêler l'affaire, les gens de la ville lui demandent de continuer à jouer le mort. Il s'ensuit une série de découvertes sur une ville qui a quelque chose à cacher.
Durée : 2 heures
Personnage(s) : 1 femme, 3 hommes

À la gauche de Dieu [1993]
Un homme et une femme, heureux dans leur couple respectif, commencent une relation clandestine. Leurs rencontres dans des chambres à coucher de maisons à vendre (elle est agente d'immeuble) tracent l'évolution de leur relation.
Durée : 1 heure 15
Personnage(s) : 1 femme, 1 homme

L'Insomnie [1994]
Théâtre de la Vieille 17, 4 mars 1994
Traduit en anglais par Robert Marinier sous le titre de **Insomnia** [1994]
Centre national des Arts, 6 avril 1994
Un homme n'a pas dormi depuis six mois. En plus de son insomnie, il souffre de *flash-back* qui lui créent des ennuis au travail et à la maison. Heureusement, il rencontre une mystérieuse thérapeute et son frère qui vont pouvoir l'aider.
Durée : 1 heure 30
Personnage(s) : 1 homme

TRADUCTIONS ET TRANSPOSITIONS

Tanzi [1986], traduction de **Trafford Tanzie** de Claire Luckham
Centre national des Arts d'Ottawa, mai 1986 ; également diffusée à la télévision, Télévision Quatre Saisons, 1986

Péché mortel [1989], traduction de **Sinners** de Norm Foster
Théâtre de l'Île (Hull), 1989

MAROIS, Serge

En vingt-six ans, Serge Marois a créé trente-cinq spectacles autant pour le jeune public que le public adulte, créations qui privilégient le théâtre d'images. Auteur et metteur en scène, il est fondateur de l'Arabesque (1968) et de L'Arrière Scène (1976) compagnie dont il assume toujours la direction artistique. Installée au Centre culturel de Beloeil depuis 1982, L'Arrière Scène avait géré, de 1979 à 1982, le café-théâtre Le Pont Tournant. Certaines des oeuvres de Serge Marois ont remporté des prix (1967-1968-1969), d'autres furent jouées en tournée en France (**Mon ami s'appelle Traguille, Côté cour, Monsieur Léon**) ou invitées au RITEJ (**Train de nuit, Côté cour, Monsieur Léon**). En plus de ses activités d'auteur, de metteur en scène et de directeur artistique, il a enseigné le mouvement au Collège Marie-Victorin ; il est également membre du conseil d'administration (comité artistique) de la Maison-Théâtre. Son travail d'écriture fut soutenu par des bourses du Conseil des Arts du Canada et du ministère de la Culture du Québec.

photo: Jean-Guy Thibodeau

E   **Les Voyageries de Traguille** [1977], en collaboration avec L'Arrière Scène
L'Arrière Scène, 1978
En quête d'amitié et cherchant son pareil, Traguille part à l'autre bout du monde et même sur d'autres planètes, pour constater, une fois revenu à son point de départ, que plusieurs personnes rencontrées auraient pu devenir amies s'il avait pris le temps de les mieux connaître et d'apprivoiser leur différence.
Durée : 45 minutes
Personnage(s) : 12 personnages (dont 1 femme et 2 hommes) pouvant être joués par 2 femmes et 2 hommes
Public visé : les enfants de 5 à 10 ans

E   **Mon ami s'appelle Traguille** [1978], en collaboration avec L'Arrière Scène
L'Arrière Scène, 1979
Méli, Traguille et l'oiseau Cordalinge vont s'amuser dans la forêt où ils décident de construire leur maison. À travers leurs jeux où ils deviennent amoureux, papa, maman et enfant, la compétition et les rapports de force s'instituent jusqu'à ce que Cordalinge se fâche et rappelle qu'ils peuvent être trois amis égaux capables d'inventer de nouveaux jeux.
Durée : 1 heure
Personnage(s) : 3 personnages pouvant être joués par 2 femmes et 1 homme, ou 1 femme et 2

hommes
Public visé : les enfants de 5 à 10 ans
1 chanson

E   **Victoire de mon coeur** [1979], en collaboration avec L'Arrière Scène
L'Arrière Scène, 1980
Victoire, réprimandée par ses parents, va s'isoler sur une montagne. Elle entre en relation avec les éléments naturels et des animaux : le soleil, la lune, un cheval, une chauve-souris... Elle éprouve à leur égard les mêmes problèmes affectifs qu'avec ses parents. Elle revient à la maison, grandie par cette expérience et plus compréhensive.
Durée : 30 minutes
Personnage(s) : 8 personnages (5 féminins, 3 masculins) pouvant être joués par 2 femmes et 1 homme
Public visé : les enfants de 5 à 10 ans

EJA   **Coeur de verre** [1982]
L'Arrière Scène, avril 1983
En une mosaïque de situations symboliques où la singularité d'un être se voit heurtée aux valeurs traditionnelles de la société représentée par un choeur, ce sont les principales étapes du parcours d'une vie qui sont illustrées ici sur un mode poétique, autant par le jeu physique des interprètes que par le langage.
Durée : 1 heure 30
Personnage(s) : 5 personnages (2 femmes, 3 hommes) et un choeur (3 femmes et 4 hommes)
Public visé : les adultes et les jeunes de plus de 9 ans
Accompagnement sonore requis

EJA   **Les Boîtes** [1983], en collaboration avec Paul Livernois
L'Arrière Scène, 1984
Dialoguant avec les objets qui l'entourent et qu'il découvre, un homme fouille un entrepôt, à la recherche d'un soulier... Oscillant entre le reconnaissable et l'insaisissable, le spectacle en est un d'évocation où divers langages (jeu, musique, danse, peinture, mime, poésie, etc.) sollicitent l'imaginaire du spectateur, de façon plus sensorielle que rationnelle.
Durée : 50 minutes
Personnage(s) : 2 hommes (1 comédien, 1 musicien)
Accompagnement sonore requis. Pour toute documentation, communiquer avec l'auteur.

Train de nuit ou le Premier Amour de Roy Rogers [1986]
L'Arrière Scène, mars 1985
Histoire d'amour ? Intrigue policière ? Dans un train, un jeune homme écoute une cassette qui, sous la forme d'un journal parlé, raconte des événements permettant de dénouer son mystère et celui d'un inconnu. Hors du train, les paysages défilent, et Roger et Sarah, pierrots modernes, cow-boys à bicyclette, conquérants de l'amour, l'accompagnent tout en faisant leur propre voyage.
Durée : 1 heure
Personnage(s) : 1 femme, 3 hommes

EJA   **Côté cour** [1988]
Installation-théâtre, avec la collaboration de Paul Livernois pour la conception visuelle
L'Arrière Scène, novembre 1988
L'installation propose au public, à travers un parcours d'une heure, une vision de l'histoire du théâtre, de ses créateurs et des mécanismes de création. Le public est sollicité par un environnement sonore et visuel, tantôt à visiter une exposition, tantôt à devenir voyeur et enfin à faire corps avec une situation théâtrale. On trouve dans l'installation une dramatisation sonore du processus de création d'un auteur ainsi que celle de la scène finale de la pièce de cet auteur.
Durée : 45 minutes

Personnage(s) : 10 voix : 4 femmes, 6 hommes
Public visé : les adultes et les jeunes de plus de 9 ans

E **Monsieur Léon** [1989]
L'Arrière Scène, novembre 1989
Ponctuant les différentes heures du jour, par le rite et le jeu avec le chat Alfredo, et par les souvenirs de sa femme madame Cendrillon, monsieur Léon nous entraîne dans son univers quotidien et onirique. Les éléments visuels et sonores créent un parallèle entre l'univers de l'enfant et celui d'une personne âgée.
Durée : 50 minutes
Personnage(s) : 1 femme, 1 homme et un autre personnage (femme ou homme)
Public visé : les enfants de 5 à 8 ans
La musique constitue une part importante du spectacle.

MARTINEAU, Maureen

Originaire de Hull où elle commence une carrière de comédienne dans les différentes troupes de l'Outaouais, Maureen Martineau poursuit sa formation en théâtre à l'Université du Québec à Montréal. Après avoir cofondé le Théâtre de la Bascule dans le quartier Centre-Sud de Montréal et y avoir milité pendant trois ans, elle s'installe à Victoriaville pour travailler avec le Théâtre Parminou. Depuis quinze ans, elle y mène une carrière parallèle de comédienne, auteure et metteure en scène. Boursière à deux reprises du Conseil des Arts, elle s'est intéressée au théâtre des pays de l'Est en suivant des stages en Allemagne, en Tchécoslovaquie, en Hongrie et en Roumanie. Elle se spécialise depuis plusieurs années en théâtre d'intervention sociale en explorant tous les champs d'expérimentation « hors théâtre ». Actuellement active au Conseil québécois du théâtre, elle y représente les compagnies de théâtre en région.

Pas de vacances pour les anges [1990], avec la collaboration de Nicole-Éva Morin, Louise Proulx et Patrick Saucier
Théâtre Parminou, 1990
Les personnes « aidantes ». Les anges gardiens des personnes en perte d'autonomie. Trois d'entre elles ont décidé de briser leur isolement et viennent nous parler de leur réalité.
Durée : 50 minutes
Personnage(s) : 15 personnages (8 femmes, 7 hommes) pouvant être joués par 2 femmes et 1 homme

La Vie à l'an vert [1990-1991], en collaboration avec Hélène Desperrier
Théâtre Parminou, 1990
Mosaïque de scènes clips. Ni victimes, ni héros, des jeunes tentent de se réapproprier leur pouvoir d'agir sur leur environnement.
Durée : 50 minutes
Personnage(s) : 18 personnages (6 femmes, 8 hommes et 4 neutres) pouvant être joués par 2 femmes, 2 hommes

Dans de beaux draps [1990-1991], avec la collaboration de Hélène Desperrier et François Roux
Théâtre Parminou, 1991
Pourquoi les gens font peu ou pas d'enfants ?
Durée : 1 heure 20
Personnage(s) : 18 personnages (10 femmes, 8 hommes) pouvant être joués par 2 femmes et 2 hommes
2 chansons

Les Pétards à mèche célestes [1991], en collaboration avec Réjean Bédard, Yves Dagenais, Hélène Desperrier, François Roux, Yves Séguin et Sonia Vachon
Avec la collaboration spéciale de Marcel Sabourin
Théâtre Parminou, été 1991
Une troupe itinérante essaie de mener à bien son spectacle en présentant des numéros burlesques de l'illustre Houdini, d'un orchestre de chambre tout à fait désaccordé, d'un surprenant dompteur d'escalopes de veau, d'équilibristes en déséquilibre, tout cela dans une atmosphère de folie indescriptible propre à l'univers clownesque.
Durée : 1 heure 30
Personnage(s) : Une dizaine de personnages pouvant être joués par 3 femmes et 2 hommes
Jeux clownesques. Très peu de paroles.

L'Effet secondaire [1991], en collaboration avec Hélène Desperrier
Théâtre Parminou, automne 1991
Théâtre-clip en couleur et en musique sur le phénomène du décrochage scolaire.
Durée : 1 heure
Personnage(s) : Une vingtaine de personnages pouvant être joués par 2 femmes et 2 hommes et 1 musicien
1 chanson (cassette disponible au Théâtre Parminou)

Silence d'argent, parole d'or [1992], en collaboration avec le Théâtre Parminou
Théâtre Parminou, printemps 1992
Théâtre-forum sur la violence faite aux personnes âgées.
Durée : 1 heure 15
Personnage(s) : 12 personnages pouvant être joués par 1 femme et 2 hommes et 1 meneur ou meneuse de jeu

Chut ! c'est un secret [1992], avec la collaboration de Hélène Desperrier, François Roux, Yves Séguin et Sonia Vachon
Théâtre Parminou, été 1992
La nuit, dans un théâtre désaffecté, des personnages surgissent tout à coup et entraînent le public dans un jeu très étrange qui mêle fiction et réalité.
Durée : 1 heure 30
Personnage(s) : 7 personnages pouvant être joués par 3 femmes et 1 homme

Les Bleus amoureux [1992], avec la collaboration de Réjean Bédard, François Roux et, Yves Séguin
Théâtre Parminou, 1992
À travers quatre saisons, quatre étapes importantes de leur thérapie, Pierre et Mario tenteront de piéger en eux-mêmes leur propre ennemi : l'homme violent.
Durée : 1 heure 20
Personnage(s) : 3 hommes

À temps pour l'Indian Time [1993], avec la collaboration de Réjean Bédard et Hélène Desperrier
Théâtre Parminou, 1993
Théâtre-forum. Pris au milieu des bois, Marc et Pierre s'affrontent sur les préjugés mutuels qu'ils

nourrissent face aux Blancs et aux autochtones.
Durée : 1 heure 30
Personnage(s) : 2 hommes et 1 meneur ou meneuse de jeu
Distribution mixte, un Blanc et un autochtone

MASSON, Yves

Après avoir complété sa formation en animation théâtrale à l'Université de Sherbrooke, Yves Masson s'est joint en 1980 à l'équipe du Théâtre du Sang Neuf. Il y assume actuellement la fonction de directeur artistique et s'adonne principalement à l'écriture de textes dramatiques ainsi qu'à la conception et à la rédaction des cahiers pédagogiques qui accompagnent les spectacles pour adolescents présentés en milieu scolaire. Il a été chargé de cours à l'Option-théâtre de l'Université de Sherbrooke et anime des ateliers de théâtre.

En spécial cette semaine seulement... [1976], en collaboration avec Georges Comtois, Hervé Dupuis, Myriam Grondin, Rollande Laveau, Rodrig Mathieu, Mario Morin et Micheline Poulin
Théâtre du Sang Neuf, 1982
Comédie critique en dix-huit tableaux sur la société de consommation. La secrétaire qui rêve d'épouser son patron, la consommatrice aveugle de « spéciaux de la semaine », le gars gêné avec les filles, l'homme d'affaires pas très scrupuleux, tous sont floués par des politiciens véreux. Mais trois d'entre eux, prenant conscience de la situation, voudront changer les choses...
Durée : 1 heure 30
Personnage(s) : 36 personnages, une voix et un choeur pouvant être joués par 3 femmes et 5 hommes
1 chanson

J   **Pile ou face** [1983]
Théâtre du Sang Neuf, 1983
Court spectacle-animation sur les relations professeurs-élèves qui présente diverses facettes des rapports humains conflictuels vécus à l'école, et qui vise à identifier des causes et à donner des ébauches de solutions possibles.
Durée : 30 minutes
Personnage(s) : Une vingtaine de personnages pouvant être joués par 1 femme et 2 hommes
1 chanson

J   **Couloir 15/25** [1984]
Théâtre du Sang Neuf, 1985
Mireille, jeune peintre de 18 ans en rupture de ban avec sa famille, réorganise sa vie dans une chambre modeste. Autour d'elle, gravitent une adolescente en fugue qui devient sa grande amie, un jeune diplômé qui partage son amour et son frère qui tente de la ramener dans le giron

familial.
Durée : 1 heure 20
Personnage(s) : 2 femmes, 2 hommes

J   **Fais de beaux rêves** [1986] (Éditions Leméac, 1988)
Théâtre du Sang Neuf, printemps 1987
Tranche de vie de la famille Tremblay. L'action se déroule entièrement dans la cellule familiale. La mère cherche à retourner sur le marché du travail, le père aspire à relever de nouveaux défis professionnels et le fils, peu au fait de son potentiel et de ses besoins véritables, veut tout prendre de la vie.
Durée : 1 heure 10
Personnage(s) : 1 femme, 2 hommes

J   **Entre parenthèses** [1987] (Leméac Éditeur, 1989)
Théâtre du Sang Neuf, 27 janvier 1987
François, étudiant à l'université, voit son minuscule appartement envahi par sa jeune soeur de 13 ans en mal de liberté et par le frère cadet de sa blonde aux prises avec un malaise émotif depuis la séparation de ses parents. La situation se corse lorsque tous doivent négocier la place qu'ils doivent occuper les uns par rapport aux autres.
Durée : 1 heure
Personnage(s) : 1 femme, 2 hommes
6 chansons

J   **Faut y croire pour le voir** [1989] (Leméac Éditeur, 1990)
Théâtre du Sang Neuf, 29 janvier 1989
Ariane, 14 ans, veut changer de planète. Cette pseudo-fantaisie adolescente prend une telle proportion que Benoit, son père, s'en trouve alerté. Incapable de la raisonner, de gré ou de force, c'est lui qui finit par terriblement déraisonner. Il faut dire que l'appel lancé par Ariane dans l'espace, pour trouver une planète d'asile, donne un résultat étonnant : Paco, de la planète Opac, vient à sa rencontre pour la ramener chez lui à des années-lumière de la terre. Avec un extraterrestre dans le salon tout est possible et nos deux terriens vont d'étonnements en découvertes.
Durée : 1 heure
Personnage(s) : 1 femme, 2 hommes
6 chansons

J   **L'Ange gardien** [1990] (Leméac Éditeur, 1992)
Théâtre du Sang Neuf, 1991
Abordant la problématique du décrochage social, dont le phénomène du décrochage scolaire, la pièce raconte un mois dans la vie de Philippe. Il a 16 ans, fréquente une décrocheuse de 15 ans, Caroline, sa blonde, et un adolescent marginal, Frédéric, son meilleur ami. Défilent événements et situations qui touchent : rupture inattendue des parents de Philippe ; démission rapide et sans appel de Caroline ; désintéressement général de Philippe ; mort brutale de Frédéric.
Durée : 1 heure 15
Personnage(s) : 2 femmes, 3 hommes

J   **La Grande Ourse** [1993]
Théâtre du Sang Neuf, 1994
La pièce aborde le thème de l'éducation traité sous l'angle de la transparence des rapports entre un père et son fils adolescent. Éduquer un jeune, ce n'est pas uniquement lui inculquer des comportements, c'est aussi et surtout l'aider à se connaître lui-même. C'est cette approche que sera appelé à développer Eugène, 38 ans, quand l'occasion se présente de soutenir son fils de 14 ans dans l'établissement de sa première relation amoureuse avec Jasmine, âgée de 13 ans. Et c'est bien connu : à aider, on finit par s'aider soi-même !

Durée : 1 heure 15
Personnage(s) : 1 femme, 2 hommes
Public visé : les 12 ans et plus

MERCIER, Serge

Après des études en lettres et en linguistique à l'Université de Montréal, Serge Mercier se dirige vers l'enseignement. Professeur de français au cégep de Saint-Jérôme depuis vingt ans, il participe activement à la vie culturelle des Laurentides. Cofondateur du groupe 58 d'Amnistie internationale à Saint-Jérôme, il collabore, comme chroniqueur, à l'hebdo régional de Mirabel. Membre de l'Union des écrivains québécois (il a écrit de nombreuses nouvelles et un recueil de poèmes) et du conseil d'administration du Cead en 1975-1976, il a suivi plusieurs cours avec divers comédiens, dont Luce Guilbeault et Yvan Canuel. En 1979, il a obtenu le prix Germaine-Guèvremont de la Société nationale des Québécois, section Laurentides.

Encore un peu [1967-1968] (Éditions de l'Aurore, 1974, épuisé ; Éditions Leméac, 1985)
Ce texte a été présenté en lecture publique par le Cead, le 8 février 1971.
Le VGCI (Vieux Gros Chat Inquiétant, France), Avignon, juillet 1976 ; création québécoise : l'Atelier de la Nouvelle Compagnie Théâtrale, 24 janvier 1978
Traduit en anglais par Allan van Meer sous le titre de **A Little Bit Left** (Éditions Simon and Pierre, Toronto, 1978)
Un couple âgé. Les trois repas de la journée déterminent les trois actes de la pièce. Vieillesse et solitude entre quatre murs, loin d'un univers qui nous échappe. Il faut durer, il faut s'endurer. Une grande tendresse habite leurs propos et leurs silences. Car ils se sont aimés. Encore un peu de vie, encore un peu d'amour.
Durée : 1 heure 30
Personnage(s) : 1 femme, 1 homme

Elle [1968-1969 et 1973] (Éditions Leméac, 1974)
Coproduction du Cead et du Secrétariat d'État, 1973
Ce monologue d'une femme approchant la quarantaine est l'expression d'une folie douce. Hantée par les figures de rôles tragiques, telles Phèdre et Lady Macbeth, cette femme est une comédienne qui dérive dans le jeu du dédoublement, à la recherche d'une plénitude existentielle.
Durée : 1 heure 30
Personnage(s) : 1 femme
Cette pièce exige l'utilisation de projections

Un jour ce sera notre tour... [1974], en collaboration avec Serge Sirois
Théâtre du Nouveau Monde, avril 1974
Gérard et Claire, maniaques de concours de tous genres, réalisent le rêve de leur vie en gagnant le million à la loto. Mais ils devront payer le prix de leur nouvelle richesse en subissant les assauts frénétiques d'un vendeur et d'une vieille tante qui convoitent leur argent.

Durée : 1 heure
Personnage(s) : 2 femmes, 2 hommes

La Grande Aurore [1976]
Studio-Théâtre de Sainte-Sophie, 30 juin 1976
Chez la Grande Aurore, médium. Une nouvelle cliente rencontre les deux habitués. La Grande
Aurore tarde à arriver. La voici ! Perturbations ! Rien ne va plus. La séance sera mouvementée. Des
masques s'allument, d'autres tombent. Qui exploite qui ?
Durée : 1 heure 30
Personnage(s) : 3 femmes, 1 homme

Après [1977] (Éditions de l'Intrinsèque, 1977, épuisé)
Option-théâtre du Collège Lionel-Groulx, mai 1977
Premier d'une série de trois volets sur la société de consommation. Des destins sont entrevus
comme étant les pièces d'un mobile à la Calder. L'avenir est bloqué. Mouvement d'angoisse
centripète. L'histoire, elle-même, regarde toute cette dérive et décide d'intervenir.
Durée : 2 heures
Personnage(s) : 3 femmes, 4 hommes

J'en veux [1977]
Théâtre du Vieux-Moulin, 3 mai 1978
Deuxième d'une série de trois volets sur la société de consommation. Satire grinçante en tableaux
et chansons. 1950 : quatre enfants rêvent de l'avenir. Aujourd'hui : folies de consommations
matérielles et spirituelles. Personnages excessifs et délirants, toujours frustrés. Que sont les enfants
devenus ?
Durée : 2 heures
Personnage(s) : 22 personnages (12 femmes, 10 hommes) pouvant être joués par 2 femmes et 2
hommes
6 chansons

Dancing Eros [1978]
Présenté à la télévision (Radio-Canada, émission *Les Beaux Dimanches*, 1979)
Théâtre de Coppe, 1980
Troisième volet d'une trilogie sur la société de consommation. Une jeune secrétaire en congé de
maladie nous parle de sa découverte : 1 - elle a failli devenir folle ; 2 - le désir est détourné ; 3 -
elle s'est inventé un lieu imaginaire. Tout ceci en alternance avec un vieux qui se confie à un
narrateur parfait. Ce vieux est un jeune chômeur qui fait le vieux plutôt que de se soûler et parce
qu'il croit qu'il n'aura pas de vieillesse.
Durée : 1 heure 30
Personnage(s) : 1 femme, 2 hommes, 1 figurant et 3 couples de danseurs

Un aller-détour [1980]
Écoeuré, le conducteur d'un autobus municipal s'écarte momentanément de son itinéraire puis
s'arrête. Une femme se met à croire qu'il s'agit d'un détournement d'autobus et, convaincue que
c'est enfin sa chance d'être célèbre, impose sa lecture de l'incident aux deux autres passagers et
au conducteur. Du fascisme ordinaire.
Durée : 1 heure
Personnage(s) : 2 femmes, 2 hommes

Diplômée de la Sorbonne en littérature et en histoire, et du Conservatoire de Versailles en chant, Marthe Mercure a également une formation en interprétation théâtrale et en danse moderne. Aussi est-elle comédienne, metteure en scène, professeure, conférencière, auteure et adaptatrice et directrice de l'Atelier-Studio Kaléidoscope qu'elle a fondé en 1974. Si, depuis 1952, sa principale activité a été d'interpréter les rôles les plus divers, à la scène, à la radio, à la télévision et au cinéma, son travail de comédienne autant que sa formation la conduiront plus particulièrement à un théâtre de création. Parallèlement à l'écriture de sa dernière pièce, **Tu faisais comme un appel**, Marthe Mercure complétait une maîtrise à l'Université du Québec à Montréal où elle enseigne. La même pièce a été finaliste du Prix du gouverneur général du Canada et en nomination pour un prix de l'Association de la critique québécoise. La production de l'Atelier-Studio Kaléidoscope a été l'invitée du Festival International des Francophonies de Limoges en 1993 et a été fortement remarquée par le Journal *Le Monde* et *Libération*. Actuellement en tournée au Québec, une autre production de cette même pièce, coproduite cette fois par le Théâtre du Trillium et le Centre national des Arts, prendra l'affiche au mois de mars 1994.

photo: Suzanne Langevin

Triptyque [1978]
Atelier-Studio Kaléidoscope, 9 mai 1978
Pièce autobiographique. Née d'une mère anglaise venue de l'Ontario et d'un père québécois, Marthe fait surgir de sa mémoire le Big Bang. C'est à la suite d'un tournage chez les Inuit de Povugnituk et d'une expérience d'enseignement, seule Blanche chez les Indiens Cris du Manitoulin Art Foundation, que l'écriture devient la forme de création qui puisse catalyser pour elle la force de ces trois réalités. Surtout lorsque placées en situation de synergie. Dans le troisième volet de la pièce, c'est l'actrice qui, par son interprétation, redonne au spectateur à travers des personnages telles Hécube, Cassandre, Lady Macbeth et Marie-Lou (de Michel Tremblay), la dimension universelle et incantatoire de l'ostracisme. Un leitmotiv, chanté a cappella par la comédienne, réunit les trois volets du triptyque.
Durée : 45 minutes
Personnage(s) : 1 femme
11 chansons

Médée [1979], d'après le **Troisième chant des Argonautiques** d'Apollonios de Rhodes
Atelier-Studio Kaléidoscope, 22 février 1981
Inspirée de la légende de la Toison d'Or de V. Flakus, pièce en trois temps et du 3e chant des Argonautiques d'Apollonius de Rhodes
La révélation à caractère initiatique de la rencontre Jason/Médée, la conquête de la Toison d'Or par l'intermédiaire des pouvoirs magiques de Médée. La fuite des amants. Le meurtre d'Absirthe par Jason pour éviter que Médée subisse le sacrifice expiatoire des filles qui quittent le foyer paternel. Médée chassée de Corinthe par le roi Créon qui la craint. La création tuée par l'amour, c'est Médée amoureuse qui tue ses enfants pour retrouver la création.
Durée : 1 heure
Personnage(s) : 14 personnages (7 femmes, 7 hommes) et un chœur pouvant être joués par 2

femmes et 4 hommes

Tu faisais comme un appel [1989-1991] (Les Herbes Rouges, 1991)
Ce texte a été présenté en lecture publique par le Cead, le 15 mai 1989.
Avec la collaboration de Michel Gonneville pour la musique
Atelier-Studio Kaléidoscope, 19 mars 1991
Traduit en anglais par Maureen LaBonté sous le titre provisoire de **Blood Sisters** [1993]
Cette traduction a été présentée en lecture publique par le Cead lors de Interact '93 coproduit avec le Factory Theatre, à Toronto, le 26 février 1993.
En 1954, l'orphelinat le Mont-Providence devient asile psychiatrique. En échange de son appui financier, le régime Duplessis exige la transformation du dossier de plusieurs adolescents « enfants illégitimes » en celui de retardés mentaux. Dans ce docudrame, quatre femmes se livrent à un magnétophone-témoin et répondent à des questions imaginaires qui pourraient bien être les nôtres.
Durée : 1 heure 20
Personnage(s) : 8 femmes
Les propos des quatre femmes sont structurés comme une partition à huit voix : quatre adolescentes complices ponctuent leurs dires et le non-dit, reprenant en écho, comme une ritournelle obsédante, leurs phrases clés dans un chant a cappella.

MEUNIER, Claude

Claude Meunier, c'est bien sûr Dong du célèbre duo Ding et Dong. Après des études en droit à l'Université de Montréal, il devient en 1973 l'un des Frères Brother, ancêtres de Paul et Paul, eux-mêmes ancêtres de Ding et Dong. En 1974-1975, il fait partie du groupe les 6 Bols, qui écrit les textes de la télésérie pour enfants **La Fricassée**, ainsi que la pièce à sketches **Les Nerfs à l'air.** À compter de 1976, en compagnie de Serge Thériault et Jacques Grisé, il monte trois spectacles du trio Paul et Paul. Parallèlement, avec un vieux copain d'université, Louis Saia, il écrit le moyen métrage de fiction **Voyage de nuit**, puis deux comédies qui connaîtront un énorme succès au théâtre : **Appelez-moi Stéphane** et **Les Voisins**. Il est également coauteur de **Broue**. Au début des années 80, il retrouve Serge Thériault avec qui il crée l'époustouflant duo Ding et Dong qui anime les fameux **Lundis des Ha ! Ha !**, enregistre l'album **Ding et Dong... en vie** puis présente trois spectacles qui remportent tous un succès extraordinaire à Montréal et dans tout le Québec. En 1990, Ding et Dong se lancent dans le cinéma avec **Ding et Dong, le film**, du réalisateur Alain Chartrand, qui connaîtra un succès de salle remarquable. En 1992, le duo présente l'émission à succès **Le Monde merveilleux de Ding et Dong**, diffusée à Radio-Canada. En 1993, Claude Meunier est l'auteur et l'une des principales vedettes de la télésérie **La Petite Vie**, série de 20 épisodes de 30 minutes diffusée à Radio-Canada.

photo: Michel Tremblay

Appelez-moi Stéphane [1979], en collaboration avec Louis Saia (Éditions Leméac, 1981)
Radio-Canada, 1982
Théâtre des Voyagements, février 1980
Drôle mais inquiétant. Cinq personnes de milieux différents s'inscrivent à des cours du soir en théâtre. En montant une pièce où chacun joue un peu son propre rôle, Stéphane va habilement forcer ses élèves à ouvrir les vannes de l'angoisse enfouie en eux. Comme l'apprenti sorcier, il déchaînera des énergies qu'il n'arrivera plus à canaliser par la suite.
Durée : 1 heure 45
Personnage(s) : 3 femmes, 3 hommes

Les Voisins [1980], en collaboration avec Louis Saia (Éditions Leméac, 1982)
Radio-Québec, 1987
Compagnie Jean Duceppe, 17 décembre 1980
Une soirée de diapositives réunit trois couples de banlieusards dans la quarantaine : un jardinier maniaque dont la femme porte la culotte ; un bon vivant et sa moitié déprimée ; un vendeur cardiaque et sa pulpeuse épouse. D'un réalisme saisissant, la pièce, bien que hilarante, jette un éclairage cruel sur la solitude et le vide de nos existences, ainsi que sur la bêtise de nos phrases toutes faites.
Durée : 1 heure 40
Personnage(s) : 4 femmes, 4 hommes

Monogamy [1982], en collaboration avec Louis Saia
Théâtre de Quat'Sous, mai 1982 (version originale non disponible) ; Théâtre de la Bordée, 7 novembre 1984)
Allégorie sur la vie de couple, traitée avec humour sous forme de sketches dans lesquels Jean et Marie vivent des relations amoureuses, chacun avec des partenaires différents. Le jeu de l'amour et du hasard est-il là pour durer ?
Durée : 2 heures
Personnage(s) : 11 personnages (4 femmes, 6 hommes et 1 voix) joués par 2 femmes, 2 hommes

MICONE, Marco

Né en Italie, Marco Micone immigre au Québec avec sa famille en 1958. Il fréquente l'école anglaise, poursuit ses études et dépose un mémoire sur le théâtre de Marcel Dubé à l'Université McGill où il obtient une maîtrise en 1971. Il travaille dans divers médias comme animateur culturel - principalement auprès des immigrés italiens de Montréal - et enseigne au Collège Vanier où il a conçu des cours dans le but de permettre aux étudiants italiens de se réapproprier leur culture, originellement paysanne et axée sur l'expérience migratoire, pour pouvoir prendre en main leur devenir québécois. Son recueil de récits, **Le Figuier enchanté** paraissait en 1992 chez Boréal et lui valait le prix des Arcades de Bologne.

Gens du silence [1979] (Éditions Québec/Amérique, 1982)
Ce texte a été présenté en lecture publique par le Cead, le 4 février 1980.
Théâtre de la Manufacture, novembre 1983
Traduit en anglais par Maurizia Binda sous le titre de **Voiceless People** (in **Two Plays**, Éditions Guernica, Montréal, 1982)
La pièce dénonce l'exploitation que subissent les émigrés italiens. Exposition lucide et juste des préjugés dont les immigrés sont victimes, et qu'ils éprouvent eux-mêmes envers les gens du pays d'adoption. Critique de l'attitude des hommes immigrés qui se réfugient dans un passé nostalgique et refusent de se remettre en question.
Durée : 1 heure 30
Personnage(s) : 8 personnages (2 femmes, 6 hommes) pouvant être joués par 2 femmes et 4 hommes

Addolorata [1982] (Éditions Guernica, 1984, épuisé ; réédition, 1987)
Ce texte a été présenté en lecture publique par le Cead, le 13 mars 1982.
Théâtre de la Manufacture, 16 février 1983
Traduit en anglais par Maurizia Binda sous le même titre (in **Two Plays**, Éditions Guernica, Montréal, 1988)
Cette traduction a été présentée en lecture publique par le Ubu Repertory Theater, en coproduction avec le Cead, à New York, le 11 octobre 1984.
Addolorata et Lolita sont une seule et même femme. D'origine italienne, arrivée très jeune à Montréal, elle a échappé à la tutelle de son père pour tomber sous la coupe de son mari : Giovanni-Johnny. Tous les beaux discours de celui-ci sur l'oppression des ouvriers et plus particulièrement des immigrés ne l'empêchent pas d'imposer sa loi à sa femme et à ses enfants.
Durée : 1 heure 45
Personnage(s) : 2 femmes, 2 hommes
1 chanson

Déjà l'agonie (première version) [1985] (dans **20 ans**, VLB Éditeur, 1985)
Cette courte pièce contient la situation de départ développée plus tard dans **Déjà l'agonie**, telle que publiée aux Éditions de l'Hexagone, 1988
New Play Center (Vancouver), été 1986
Durée : 20 minutes
Personnage(s) : 2 femmes, 3 hommes

Déjà l'agonie [1985-1988] (Éditions de l'Hexagone, 1988)
Théâtre de la Manufacture, 7 novembre 1986 ; créé sous le titre de **Bilico**
Luigi quitte l'Italie très jeune pour venir s'établir au Québec. Il vivra pendant quelques années avec Danielle, militante nationaliste. De leur union naîtra un enfant qui, à l'âge de 15 ans, accompagnera son père dans son village natal. Luigi n'y trouvera que désenchantement, vide et désolation. La pièce met en lumière les effets sur l'être humain de deux sociétés en mutation.
Durée : 1 heure 15
Personnage(s) : 2 femmes, 4 hommes

TRADUCTIONS

Six personnages en quête d'auteur [1993], traduction de la pièce de Luigi Pirandello
Théâtre du Nouveau Monde, octobre 1992

La Locandiera [1993] (Boréal, 1993), traduction de la pièce de Carlo Goldoni
Théâtre du Nouveau Monde, 16 novembre 1993

MONTY, Michel

Après des études en musique, Michel Monty étudie le jeu au Conservatoire d'art dramatique de Montréal. Il mène depuis une carrière d'auteur, de comédien et de metteur en scène. Dès sa sortie du Conservatoire, une bourse d'études lui permet d'aller étudier le jeu shakespearien à Londres. Avec la troupe Momentum, il joue dans **Le Dernier Délire permis** de Jean-Frédéric Messier, en tournée au Québec et en Europe. Il a aussi joué le rôle de Tirésias dans **Antigone** de Sophocle à la Nouvelle Compagnie Théâtrale. En 1993, il a mis en scène **Oedipe Roi** de Sophocle à l'Université de Chicoutimi tout en étant auteur en résidence à la Nouvelle Compagnie Théâtrale. Michel Monty est aussi directeur artistique et cofondateur de Trans-Théâtre.

photo: Ron Levine

Accidents de parcours [1992] (Les Herbes Rouges, 1993)
Trans-Théâtre, 25 mars 1992
Traduit en anglais par Shelley Tepperman sous le titre de **Freak Accidents** [1992]
Dans une gare, une nuit, un homme accompagné d'une poupée gonflable cause avec qui veut bien l'écouter. Autour de lui, des personnages se croisent au hasard des rencontres, sans toujours être conscients des liens qui les unissent, sans savoir qu'ils ont tous à accepter un deuil. Portrait cinglant de la société nord-américaine.
Durée : 1 heure 45
Personnage(s) : 4 femmes, 6 hommes (possible avec 8 comédiens)

Prise de sang [1994]
Ce texte a été présenté en lecture publique par le Cead, le 1er avril 1994.
Trans-Théâtre, septembre 1994
Le jour de leur seizième anniversaire de naissance, les jumeaux Sylvain et Sylvie Lachance connaîtront, chacun de leur côté, les rituels de l'initiation : lui, auprès d'un groupuscule d'extrême-droite, elle, auprès d'un conteur africain, exilé à Montréal. Une fulgurante traversée du réel et du rêve qui met en opposition les cultures africaine, québécoise et française.
Durée : 1 heure 45
Personnage(s) : 2 femmes, 5 hommes

PEDNEAULT, Hélène

Authentique polygraphe (journaliste, essayiste, chroniqueuse, scénariste, prosatrice, parolière et, bien sûr, dramaturge), Hélène Pedneault est originaire du Saguenay où elle a commencé sa carrière de journaliste. À Montréal, elle se fait d'abord connaître par ses interventions à la radio de Radio-Canada et par ses collaborations à différents magazines et surtout, à *La Vie en rose*, où elle signe ses fameuses « Chroniques délinquantes » qui seront publiées en 1988. Intéressée depuis toujours par la chanson, elle s'y engage comme organisatrice de spectacles, agente d'artiste, metteure en scène, attachée de presse, mais ses contributions les plus importantes dans ce domaine sont les textes qu'elle écrit pour Sylvie Tremblay, Richard Séguin, Michel Robert et, surtout, Marie-Claire Séguin. Depuis sa pièce **La Déposition**, elle se consacre de plus en plus aux écritures de fiction, ce qui ne l'empêche pas de signer une biographie de Clémence Desrochers, une autre de Michel Rivard, un pamphlet, **Pour en finir avec l'excellence** et **La Douleur des volcans** un recueil de « mémoires courtes ».

photo: Josée-Gabrielle Morrisset

La Déposition [1987] (VLB Éditeur, 1988 et Actes Sud-Papiers, 1991)
Théâtre Expérimental des Femmes, 20 janvier 1988
Traduit en anglais par Linda Gaboriau sous le titre de **Evidence to the Contrary** [1988] (Éditions NuAge, 1993)
Ubu Repertory Theater et Double Image Theatre, New York, 1989
Traduit en anglais pour la Grande-Bretagne par Mark Ravina sous le titre de **The Statement** [1994]
The Troupe, Brentford, 19 janvier 1993
Traduit en allemand par Barbara Breysach sous le titre de **Das Bekenntnis** [1993] ; traduction adaptée pour la radio et réalisée par Marguerite Gateau
Radio NDR, Hambourg, mars 1993
Traduit en espagnol par Ana Maria Cetti [1994] ; traduction en cours
Traduit en italien [1994] ; traduction en cours
Traduit en néerlandais par Pauline Sarkar-Vangeen sous le titre de **De Bekentenis** [1989]
Les Bureaux Menno Plukker, 17 octobre 1990
Une femme, Léna Fulvi, est accusée du meurtre avec préméditation de sa mère. Contre toute logique, Léna Fulvi défend la thèse « d'un accident causé par la haine », alors qu'un témoin oculaire l'a vue tuer sa mère. L'inspecteur qui reçoit sa déposition ne se contente pas de ses explications nébuleuses. La pièce est un huis clos, une confrontation sans merci entre le policier et l'accusée. Sans même savoir ce qu'il cherche exactement, l'inspecteur amènera Léna Fulvi à traverser les apparences - jusque-là étanches - pour arriver à une vérité que ni l'un ni l'autre n'avait pressentie.
Durée : 1 heure 30
Personnage(s) : 3 femmes, 1 homme
Les rôles des deux soeurs de Léna Fulvi peuvent être enregistrés sur bande vidéo.

PELLETIER, Maryse

À la suite d'un baccalauréat ès arts de l'Université de Moncton et parallèlement à des études en lettres à l'Université Laval, Maryse Pelletier s'inscrit au Conservatoire d'art dramatique de Québec où elle complète sa formation de comédienne en 1971. À la fin des années soixante-dix, elle glisse du jeu à l'écriture, « doucement par goût ». Depuis, elle écrit plusieurs pièces de même que des textes pour la section jeunesse de Radio-Canada (elle est d'ailleurs script-éditrice pour la série **Traboulidon** en 1984-1985 et **Iniminimagimo**) et un scénario pour long métrage. Elle a obtenu, en 1985, le Prix du gouverneur général du Canada pour sa pièce **Duo pour voix obstinées**. En 1987-1988, elle était boursière du ministère des Affaires culturelles du Québec et du Conseil des Arts du Canada pour aller étudier le théâtre au Japon. Depuis août 1992, elle est directrice générale et artistique du Théâtre populaire du Québec.

photo: Monic Richard

À qui le p'tit coeur après neuf heures et demie ? [1979] (VLB Éditeur, 1984)
Théâtre d'Aujourd'hui, 6 mars 1980
Cette comédie dramatique représente l'évolution d'un groupe de femmes, de la fin de leur adolescence à l'âge mûr ; en faisant écho aux courriers du coeur, la pièce reflète les mentalités et les moeurs de trois époques de la société québécoise : les années cinquante, soixante et soixante-dix.
Durée : 1 heure 45
Personnage(s) : 5 femmes, 1 homme
1 chanson

Du poil aux pattes comme les CWAC's [1981] (VLB Éditeur, 1983)
Ce texte a été adapté pour le cinéma et produit par les films Stock, 1986, dans une réalisation de Daniel Roussel (adaptation non disponible au Cead)
Théâtre d'Aujourd'hui, 4 mars 1982
Traduit en anglais par Louise Ringuet sous le titre de **And when the CWAC's Go Marching on**
En 1942, quatre femmes de milieux différents s'enrôlent dans l'armée, chacune avec ses acquis, ses rêves et ses ambitions. Les rires et les larmes alternent au cours de l'entraînement intensif de cinq semaines qui les rendra solidaires dans cette base isolée où parviennent quand même les nouvelles de la guerre qui se joue de l'autre côté de l'Atlantique.
Durée : 2 heures
Personnage(s) : 5 femmes
1 chanson

Léda ou Le cheval qui rêve [1982]
Bateau-Théâtre l'Escale, 15 juin 1982
Après la mort de son mari, Léda emménage dans une résidence pour personnes âgées. Mais Léda n'est pas une vieille femme ordinaire. Elle bouleverse la vie du tranquillle immeuble, se livre à des expériences pour le moins... explosives et perd tous ses sous en misant sur la vieille jument Amélie. Mais qui perd gagne dans cette comédie...
Durée : 2 heures
Personnage(s) : 4 femmes, 2 hommes

Mon homme [1982], en collaboration avec Suzanne Aubry et Elizabeth Bourget
Théâtre d'Aujourd'hui, 16 septembre 1982
Dans une succession de courts tableaux humoristiques, trois jeunes femmes de caractères différents revivent alternativement les épisodes marquants de leur vie amoureuse avec les hommes d'âges et de types divers qu'elles ont fréquentés.
Durée : 1 heure 45
Personnage(s) : 16 personnages (4 femmes, 12 hommes) pouvant être joués par 3 femmes et 2 hommes
2 chansons

Duo pour voix obstinées [1984] (VLB Éditeur, 1985)
Théâtre d'Aujourd'hui, 17 janvier 1985
Traduit en anglais par Louise Ringuet sous le titre de **Duo for Obstinate Voices** (Editions Guernica, 1990)
Ce drame psychologique confronte un homme dans la trentaine et une femme dans la vingtaine, incapables de s'aimer sans se déchirer. Cette relation difficile durera cinq ans, le temps que Catherine gagne en autonomie et que Philippe se brise sur ses contradictions.
Durée : 1 heure 45
Personnage(s) : 1 femme, 2 hommes

Haî-zâââ ! [1985] (dans **20 ans**, VLB Éditeur, 1985)
Exercice pour acteurs ? Spectacle idéal ? Avec quatre répliques, la pièce nous fait assister à un combat entre acteurs, puis entre acteurs et spectateurs. Éternel combat de leurs imaginations respectives qui poussera les personnages-spectateurs à quitter le théâtre.
Durée : variable : de 20 minutes à 1 heure
Personnage(s) : variable : jusqu'à 80 interprètes

Blanc sur noir [1986], avec la collaboration de Robert Léger pour la musique
Productions Virage, 2 juin 1986
En trois parties entrelacées, corollaires et complémentaires, la pièce explique l'histoire des tensions raciales en Afrique du Sud, l'aboutissement actuel de cette histoire, soit la vie sous le régime de l'apartheid, et le racisme au Québec, plus subtil mais présent.
Durée : 1 heure 30
Personnage(s) : 15 personnages (3 femmes, 12 hommes) pouvant être joués par 3 femmes et 3 hommes
6 chansons

La Rupture des eaux [1987] (VLB Éditeur, 1989)
Théâtre d'Aujourd'hui, janvier 1989
Une femme refuse le support de la médecine pour une naissance qui s'annonce difficile en disant : « Si mon enfant doit venir au monde, le meilleur service que je puisse lui rendre, c'est de ne pas l'aider. » Mais peut-être est-ce elle qui, pour faire plus de place à cet enfant, doit accepter de s'abandonner enfin à la vie.
Durée : 1 heure 40
Personnage(s) : 3 femmes, 5 hommes (dont un enfant de 11 ans) et un choeur (facultatif)

Un samouraï amoureux [1989]
Théâtre de la Manufacture, 9 avril 1991
Traduit en anglais par Joel Miller sous le titre de **A Samurai in Love**
Victorine promène son chien Victor (joué par un homme). Elle fait le ménage de sa vie amoureuse. « Faut-il mettre à mort tous les samouraïs du monde, museler les chiens plaignards et partir sur des terres solitaires quand on a le coeur en lambeaux ? » se demande-t-elle. Et si on décide, par esprit pratique, de ne tuer aucun de ses anciens amants ? Comment, après, résister à la tentation de s'asseoir immobile dans son chagrin et de s'y laisser mourir ?

Durée : 2 heures
Personnage(s) : 4 femmes, 4 hommes
Utilisation de la vidéo

TRADUCTIONS

Anatole [1981], traduction de la pièce du même titre d'Arthur Schnitzler
Théâtre du Manoir Saint-Castin, été 1981

Cul-de-sac au septième ciel [1983], traduction de **Cloud Nine** de Caryl Churchill
Théâtre du Nouveau Monde, 24 février 1984

Copie conforme [1989], traduction de **The Secret Rupture** de David Hare
Théâtre populaire du Québec, 1989

La Vie sans mode d'emploi [1993], traduction de **Life Without Instruction** de Sally Clark
Théâtre populaire du Québec, 20 avril 1993

PELLETIER, Pol

Née à Ottawa, en 1947, dans une famille polyglotte.
Maîtrise en lettres de l'Université d'Ottawa. Elle commence
à jouer au théâtre dès l'adolescence. Cofondatrice et
codirectrice du Théâtre Expérimental de Montréal
(1975-1979) et du Théâtre Expérimental des Femmes
(1979-1985) où elle est très active comme comédienne,
auteure, metteure en scène, conceptrice et animatrice
d'ateliers de formation, et organisatrice de conférences et
de festivals. Depuis 1985, elle se consacre à une recherche
approfondie sur l'art de l'acteur. Elle fonde, en 1988, le
Dojo pour acteurs, centre permanent où elle conçoit et
anime des programmes d'entraînement fabriqués
spécifiquement pour les professionnels de la scène. En
1993, elle fonde la Compagnie Pol Pelletier qui assure la
diffusion de son spectacle **Joie** qui remporte un vif succès
au Québec et à l'étranger.

La Nef des Sorcières [1975], en collaboration avec Marthe Blackburn, Marie-Claire Blais, Nicole
Brossard, Odette Gagnon, Luce Guilbeault et France Théoret (Éditions Quinze, 1976, épuisé ;
L'Hexagone, Typo, 1992)
Théâtre du Nouveau Monde, 5 mars 1976
Traduit en anglais par Linda Gaboriau sous le titre de **A Clash of Symbols** (Éditions Coach House
Press, Toronto, 1977)
Firehall Theatre, The Alumni Theatre (Toronto), 1978
Exposant le perpétuel quotidien de la vie refoulée, six femmes de conditions et d'âges différents
étalent en plein jour un aspect de la vie privée, en autant de monologues réalistes ou délirants
écrits par six auteures. Chaque monologue peut être joué individuellement.
Durée : 2 heures
Personnage(s) : 6 personnages féminins pouvant être joués par 1 femme

À ma mère, à ma mère, à ma mère, à ma voisine [1978], en collaboration avec Dominique Gagnon, Louise Laprade et Nicole Lecavalier (Éditions du Remue-ménage, 1979)
Théâtre Expérimental de Montréal, 16 mai 1979
Un bout de chemin dans le labyrinthe du monde des mères et des filles, sans fil, sans Ariane, pour tenter, dans un acte théâtral qui fait appel à l'imaginaire, au mythe, à l'inconnu, de réunifier et de tonifier nos corps, nos émotions, notre pensée et nos amours. Nous rendre la fierté de notre sexe... il est long et difficile d'apprendre à tuer un héritage de honte et d'impuissance, et d'apprendre à ne plus mépriser les femmes, y compris soi-même.
Durée : 1 heure 30
Personnage(s) : 3 femmes ou plus

La Lumière blanche [1980-1981] (Les Herbes Rouges, 1989)
Théâtre d'Aujourd'hui, 9 avril 1981
Traduit en anglais par Yvonne M. Klein sous le titre de **The White Light** [1986]
Cette traduction a été présentée en lecture publique par le Cead, en coproduction avec le Ubu Repertory Theater, à New York, le 13 novembre 1986.
Un désert. Un espace où le mythe de l'éternel féminin sera mis à nu. Torregrossa, femme de tête et de changement, a invité là B.C. Magruge, la femme-objet, et Leude, la femme-faite-mère. S'engage alors un combat dont l'enjeu est la plus grande lucidité possible, fut-elle au prix de la mort. Un théâtre de l'urgence où « par un besoin incommensurable de beauté, de grandeur et de puissance », une femme sera anéantie.
Durée : 2 heure 15
Personnage(s) : 3 femmes

Joie [1990-1992], avec la collaboration de Robbi Sinkel pour la musique
Théâtre d'Aujourd'hui, 9 octobre 1992
Chronique passionnée d'extraits de créations collectives et individuelles. Une réflexion sur l'histoire mirobolante, drôle, mouvementée du Théâtre Expérimental des Femmes, des années soixante-dix à aujourd'hui. Un panorama exubérant de ce qui se passait sur scène et en coulisses. L'auteure performeuse y célèbre le théâtre en toute passion.
Durée : 1 heure 30
Personnage(s) : 1 femme
6 chansons
Chorégraphies, karaté

PERREAULT, Marie

Marie Perreault est coauteure, avec Louise Roy, de textes dramatiques qui ont tous été joués à la scène, sauf le plus récent, **Perdue au milieu de l'océan**. Ce dernier texte sur le thème du père, écrit en 1992, était destiné au théâtre et sera créé à la radio de Radio-Canada. Marie Perreault est également coauteure de **Femmes en chaleur au volant**, créé en avril 1983 au Club Soda, lors des *Lundis des Ha Ha*, et de **Onzième spéciale**, un scénario de long métrage présenté en téléfilm à Radio-Québec, une production de Roger Frappier et une réalisation de Micheline Lanctôt.

La trampoline est à deux pieds du plafond [1982], en collaboration avec Marie-Christine Lussier et Louise Roy
Théâtre d'Aujourd'hui, 21 avril 1983
Cette déconcertante comédie où s'entrechoquent différents styles d'écriture propose notamment une réflexion sur le théâtre de la modernité - dont un surprenant pastiche de kabuki -, les « partys » de bureau, les aléas de la destinée et les langueurs adolescentes, le tout servi par des personnages qu'on dirait tirés d'une bande dessinée de Bretécher.
Durée : 2 heures
Personnage(s) : 25 personnages (17 femmes, 8 hommes) pouvant être joués par 4 femmes et 2 hommes

Quatre tableaux d'une cruauté sans nom [1983], en collaboration avec Louise Roy
Médium médium, 18 mars 1983
Un artiste peintre vient exposer quatre tableaux au Centre culturel et sportif d'une petite ville et raconte l'histoire qui a donné lieu à chacun de ces quatre tableaux d'une cruauté sans nom. Sur le principe du film noir, le destin des personnages de ces tableaux se trouve tragiquement bouleversé par un événement d'apparence anodine.
Durée : 1 heure 45
Personnage(s) : 14 personnages (6 femmes, 8 hommes) pouvant être joués par 1 femme et 1 homme

Perdue au milieu de l'océan [1993], en collaboration avec Louise Roy
Radio de Radio-Canada, 1994
Une femme doit convaincre sa fille de 18 ans de sortir de la cabine d'un voilier, au fond de laquelle elle se terre depuis trois jours, pour aller dîner au *Blue Lagoon*, en compagnie de son futur beau-père.
Durée : 30 minutes
Personnage(s) : 2 femmes, 1 homme

Comédienne diplômée du Conservatoire d'art dramatique de Montréal au début des années soixante-dix, Lorraine Pintal commence sa carrière sur les scènes du Théâtre du Nouveau Monde, du Rideau Vert, du Théâtre de Quat'Sous, de la Nouvelle Compagnie Théâtrale, etc., avant de créer, en 1972, avec des comédiens de sa classe du Conservatoire, une troupe de jeune théâtre, la Braoule, qui deviendra la Rallonge. Au tournant des années quatre-vingt, elle s'engage dans une nouvelle voie, la mise en scène, qui prendra le pas sur son métier de comédienne. En 1987, elle obtenait le prix de la meilleure mise en scène de l'Association québécoise des critiques de théâtre pour le spectacle **Le Syndrome de Cézanne**. En 1988, elle crée **Madame Louis 14**, un one woman show qui lui vaut de nombreux éloges. En 1991, elle a réalisé la série télévisée **Montréal P.Q.** et occupe depuis le printemps 1992 le poste de directrice générale et artistique du Théâtre du Nouveau Monde.

photo: Les Paparazzi

La Scouine [1979], en collaboration avec Louise LaHaye et Pierre Moreau, d'après le roman du même titre d'Albert Laberge (roman publié aux Éditions de l'Actuelle, 1972)
La Rallonge, 29 septembre 1979
Sur un mode qui, en dépit du réalisme des dialogues, appelle un traitement stylisé, la pièce dépeint en une succession de tableaux aux diverses ambiances la difficile existence des membres d'une famille de paysans, dans un Québec du 19e siècle qui, à bien des égards, rappelle le moyen âge européen.
Durée : 2 heures
Personnage(s) : 46 personnages (16 femmes, 30 hommes) pouvant être joués par 3 femmes et 4 hommes
5 chansons

Pourquoi s'mett' tout nus [1979], en collaboration avec Louise Saint-Pierre et Daniel Simard
La Rallonge, 11 mai 1980
Les dépendances et dépassements de l'amour servent de fil conducteur à une douzaine de tableaux (dont chacun peut être joué isolément) mettant en scène un, deux ou trois interprètes qui se livrent avec humour, poésie et gravité à un strip-tease des corps, des âmes et des imaginaires.
Durée : 1 heure 30
Personnage(s) : 22 personnages (14 femmes, 8 hommes) pouvant être joués par 2 femmes et 1 homme

TRADUCTION

Dans la jungle des villes [1981], en collaboration avec Pierre Voyer ; traduction en français nord-américain de **Im Dickicht der Städte** de Bertolt Brecht
Théâtre de la Rallonge, 22 octobre 1981

POIRIER, Gérard

Gérard Poirier est né à Montréal. Il a été professeur de langues et d'histoire au Collège Saint-Denis. Fondateur d'une troupe semi-professionnelle, La Compagnie des Sept, il fait ses débuts en tant que comédien professionnel en 1955. Il mène alors une carrière très active au théâtre et à la télévision. Pendant quinze ans, il a été attaché au Théâtre du Rideau Vert, des tournées l'ont mené en Europe à plusieurs reprises. Il a signé de plus une quinzaine de mises en scène, il a été professeur en interprétation au Conservatoire d'art dramatique et il a écrit des textes pour la télévision. Il fut animateur à la radio pendant cinq ans au cours desquels il écrivait des sketches humoristiques. Des pièces inédites, des monologues, un recueil de nouvelles attendent encore la touche finale...

photo: Guy Tardif

Berthe et Rose en Floride [1982] (Les Éditions Mirka, 1982, épuisé ; copies disponibles pour prêt)
Radio de Radio-Canada, émission *L'Atelier des inédits*, en 1984 et 1985
Théâtre des Quatre-Saisons, 24 juin 1982
Cette comédie met en scène Rose et Berthe, deux amies dans la soixantaine, qui réalisent un rêve caressé depuis cinq ans : passer deux mois en Floride ! Malheureusement, au deuxième jour de leur voyage, elles perdent toutes leurs économies au jeu du Jai-Lai... Elles deviendront donc « waitresses » de pizzeria pour payer leur séjour. Mais grâce à Jean-Claude, le fils de Rose, elle feront la rencontre de Spencer, un multimillionnaire qui ne demande pas mieux que de les aider...
Durée : 1 heure 30
Personnage(s) : 2 femmes, 2 hommes

POISSANT, Claude

Claude Poissant cumule plusieurs métiers. En plus d'écrire pour le théâtre, d'évoluer comme comédien et de faire de la mise en scène, il est codirecteur artistique et cofondateur du Théâtre Petit à Petit - PàP2. Il a signé les mises en scène de nombreuses créations d'auteurs d'ici (Jean-François Caron, Anne Legault, Michel Marc Bouchard, Hélène Pedneault, Jean-Frédéric Messier, Jasmine Dubé, etc.), en plus de celles de plusieurs de ses propres pièces. Il dirige aussi des spectacles de musique rock et de variétés, et il enseigne l'interprétation dans les écoles de théâtre. Il a obtenu deux prix de la critique en 1990 pour son adaptation et sa mise en scène de **Les Amis**, de Kôbô Abe. En 1993, un autre prix lui a été décerné pour sa mise en scène de **Le Prince travesti** de Marivaux, présenté au Théâtre du Nouveau Monde, en novembre 1992.

photo: Robert Laliberté

J   **Demain il fera congé** [1976], en collaboration avec Lise Gionet, Danielle Hotte et Louis-Dominique Lavigne
Les Puces, mai 1977
Par le biais de l'humour et de la caricature, la pièce critique le système scolaire et les problèmes inhérents à l'apprentissage dans les différentes institutions, de la maternelle à l'université. Dans cette remise en cause de toute une société qui mise sur la productivité, percent des solutions qui permettent d'espérer que demain, il fera congé...
Durée : 1 heure 20
Personnage(s) : 4 interprètes (2 femmes, 2 hommes) ou plus
1 chanson

Tout seul comme deux [1978], en collaboration avec Pierre Leblanc
Théâtre Petit à Petit, avril 1979
Variations en vingt courts tableaux sur l'amitié masculine. Cette pièce explore avec humour, poésie et tendresse les jeux qui conduisent à la découverte de l'Autre et à la connaissance de soi.
Durée : 1 heure 15
Personnage(s) : 2 hommes
2 chansons

E   **Je donne ma langue au chef** [1980]
Théâtre Petit à Petit, 23 juin 1980
Parce qu'il fait beau, Sylvie, Philippe et Dominique doivent encore jouer dehors. À un jeu en succède un autre, cédant peu à peu la place à l'ennui, aux chamailles, puis aux réconciliations, le tout ponctué par le choeur des parents qui rappelle aux enfants qui est le vrai chef.
Durée : 1 heure
Personnage(s) : 1 femme, 2 hommes et un choeur

Tournez la plage [1981]
Théâtre Petit à Petit, 26 juin 1981
Les membres d'une famille vivant de prestations du Bien-être social et de petits vols s'évadent de leur misère en imaginant qu'ils sont au bord de la mer. Les personnages, toujours conscients de leur situation, ne renoncent jamais à leur humour caustique et désarçonnant.
Durée : 1 heure 30
Personnage(s) : 2 femmes, 2 hommes
4 chansons

Bluff [1982], en collaboration avec François Camirand
Troupe Théâtrale la Vitrine, 21 septembre 1983
L'incommunicabilité de quatre amis dans la trentaine qui, pour masquer le vide de leur existence et la précarité de leurs relations, parlent de tout et de rien sans s'écouter ni se compromettre, offrant aux spectateurs le portrait absurde d'une génération sans idéal mais d'une cruelle drôlerie.
Durée : 1 heure 45
Personnage(s) : 3 femmes, 1 homme

E   **Arture** [1982], en collaboration avec Marie-France Bruyère
Théâtre Petit à Petit, 22 décembre 1982
Curieux petit bonhomme, Arture se demande ce que peut être l'Art et à quoi il peut bien servir. Il ouvre sa porte-symbole sur cet univers fascinant et sa quête le met en contact avec des artistes (acteurs, auteur, danseurs, peintre, sculpteur, chanteurs et cinéastes) qui lui fournissent plus d'une réponse.
Durée : 50 minutes
Personnage(s) : 16 personnages (9 femmes, 7 hommes) pouvant être joués par 2 femmes et 2 hommes
6 chansons

Les Beaux Côté [1983], en collaboration avec Louis-Dominique Lavigne
Production de l'Association québécoise du jeune théâtre, 19 mai 1983
Une journée ordinaire dans la vie d'une famille banale, les Côté. Mais les apparences sont trompeuses. Les personnages transgressent les principes, la bienséance, poussant les limites du permis en diffusant tout haut ce qu'ils pensent tout bas, dans un langage subversif. Impatients, exaspérés et cyniques, ils révèlent leur vision absurde et désespérée de la vie.
Durée : 1 heure
Personnage(s) : 9 personnages (3 femmes, 6 hommes) pouvant être joués par 3 femmes et 3 hommes
5 chansons

Passer la nuit [1983] (Éditions les Herbes Rouges, 1988)
Coproduction du Théâtre Petit à Petit et de la Rallonge, 13 octobre 1983
André, Caroline, Daniel, Jacinthe, Murielle et Thomas (25-30 ans) se sont créé un lieu - luxueux bar des années cinquante -, un scénario et des personnages qu'ils rejouent inlassablement d'un soir à l'autre, cherchant à se défaire du réel qui, malgré cette mise en scène, ne se laisse pas éclipser. Fiction et réalité, angoisse et amertume finissent par se côtoyer dans cet univers des fantasmes de la nuit à passer.
Durée : 2 heures
Personnage(s) : 3 femmes, 3 hommes
1 chanson

J **Sortie de secours** [1984], en collaboration avec Louise Bombardier, Marie-France Bruyère, François Camirand, Normand Canac-Marquis, René Richard Cyr, Jasmine Dubé, Louis-Dominique Lavigne et David Lonergan (VLB Éditeur, 1987)
Théâtre Petit à Petit, 3 octobre 1984
Cinq adolescents ont fui, s'apprêtent à le faire, ou vivent les problèmes reliés à leur fugue. Réunis à la « Maison des jeunes », ils souhaitent réaliser une murale sur l'un des murs de l'établissement. Ils trouvent dans ce projet une tribune inespérée pour se faire entendre et s'écouter les uns les autres.
Durée : 1 heure 30
Personnage(s) : 23 personnages (13 femmes, 10 hommes) pouvant être joués par 3 femmes et 2 hommes
8 chansons

Défendu [1984]
Théâtre Petit à Petit, 22 novembre 1984
Allégorie en quinze tableaux et dix-huit chansons. Jules et Gabrielle, frère et sœur dans la vingtaine, font un pacte de suicide. Ils se donnent jusqu'au dernier jour de l'automne pour se prouver que la vie vaut la peine d'être vécue. La famille, les amis, les autres, par leurs propos quotidiens et philosophiques sur la vie et la mort, déterminent les choix de Jules et de Gabrielle.
Durée : 2 heures 15
Personnage(s) : 5 femmes, 4 hommes
18 chansons

Plafond - les humeurs de Louis-Pierre [1985] (dans **20 ans**, VLB Éditeur, 1985)
Deux personnages vivent un moment d'amour tout en épiant leurs voisins de « plafond ».
Durée : 20 minutes
Personnage(s) : 2 interprètes et 2 voix

Bain public [1985-1986], en collaboration avec Jocelyne Beaulieu, Louise Bombardier, François Camirand, Anne Caron, René Richard Cyr, André Lacoste, Geneviève Notebaert et Denis Roy
Théâtre Petit à Petit, 20 février 1986
Inspirée du cabaret politique, la pièce regroupe une cinquantaine de sketches sur l'actualité

sociale. Qu'on y traite de torture ou de violence, de sexualité ou de menace nucléaire, humour et ironie dominent : pour sourire et réfléchir, pour mordre ou choquer, mais surtout pour ne rien oublier, ni les menaces, ni les angoisses, ni les misères.

Durée : 1 heure 30
Personnage(s) : 65 personnages pouvant être joués par 2 femmes et 4 hommes
7 chansons

Ce qui reste du désir [1986]
Théâtre Petit à Petit, 12 mars 1987
Suzanne, après 16 ans d'exil, décide de quitter Londres et de revenir aux sources afin de tourner définitivement une page de sa vie. De ce retour inattendu jaillira la lumière sur des événements cachés et des sentiments jusque-là retenus, méconnus. Tous les personnages sont coincés entre l'ordre et la démesure, la révolte et le désir de révolte. Ils ont 35 ans.

Durée : 1 heure 45
Personnage(s) : 7 personnages devant être joués par 4 femmes et 2 hommes

J   **Les Colères tranquilles de Belzébuth** [1986]
Nouvelle Compagnie Théâtrale, 12 avril 1988
Marc a 12 ans ; à la fin de la pièce, il en aura 14. Jeune homme solitaire qui réfléchit tout haut, il nous relate les moments les plus importants de ces deux années, pendant lesquelles son regard s'est posé sur les drames vécus par le monde adulte. Ces drames du « jour le jour » affectent, à l'insu des gens qui l'entourent, son comportement.

Durée : 1 heure 30
Personnage(s) : 2 femmes, 5 hommes

L'An de grâce [1991-1992], en collaboration avec René Richard Cyr et Alexis Martin
PàP2, 17 février 1992
L'univers trouble, parfois drôle, parfois tragique de trois femmes, trois sœurs qui avec le temps ont oublié de se ressembler.

Durée : 1 heure 45
Personnage(s) : 3 femmes, 1 homme

Si tu meurs je te tue [1992-1993]
PàP2, 16 mars 1993
La rencontre entre deux frères, l'un vivant, l'autre disparu à l'adolescence. Au fil des fragments de la vie de François Savignac, de l'enfance à la responsabilité, on découvre peu à peu les diverses forces de l'absence de son frère Jean.

Durée : 1 heure 45
Personnage(s) : 3 femmes, 3 hommes

TRADUCTIONS ET TRANSPOSITIONS

E   **Tout ça pour des guenilles** [1978], transposition de **Poupée de chiffon**, traduction par Maurice Yendt de la pièce de Jorge Gajardo, d'après **Le Cercle de craie caucasien** de Bertolt Brecht

Les Amis [1989], transposition québécoise d'une pièce de Kôbô Abe, à partir d'une traduction française
Théâtre Petit à Petit, 24 octobre 1989

PONTAUT, Alain

Alain Pontaut, auteur dramatique, romancier et journaliste, est né à Bordeaux en décembre 1925. En 1961, il laisse la maison d'édition Hachette à Paris et s'installe à Montréal où il travaille d'abord aux pages internationales de *La Presse* puis aux quotidiens *Le Jour* et *Le Devoir* où il sera le critique de théâtre de 1962 à 1968 et où il signera régulièrement des critiques jusqu'à sa mort en 1991. Auteur de deux romans, **Tutelle** (1968) et **La Sainte Alliance** (1977), d'un **Dictionnaire critique du théâtre québécois** (1970), il publie aussi deux recueils de poèmes, **Le Tour du lac** et **Des jeux de givres**, et deux essais, **Yougoslavie** et **La Grande Aventure du fer**. Nommé secrétaire général du Théâtre du Nouveau Monde en 1975, il sera aussi conseiller culturel de René Lévesque. Son amitié pour le politicien lui permettra d'écrire, en 1983, la biographie intitulée **René Lévesque, ou l'idéalisme pratique**. Alain Pontaut était devenu membre du Cead en 1990.

photo: Alain Lebrun

Un bateau que Dieu sait qui avait monté et qui flottait comme il pouvait c'est-à-dire mal [1970] (Éditions Leméac, 1970)
Théâtre du Nouveau Monde, 14 octobre 1971
Parodie. Après une tempête, le bateau qu'occupaient Gama, Pervenche et Fabert, se retrouve perché en déséquilibre sur des récifs. De toute évidence, il coule. Afin de contrer leur peur et pour tromper leur désœuvrement, les passagers se créeront des personnages. Jusqu'à la fin, ils tenteront de remettre à flot leur vie qui coule à pic.
Durée : 1 heure 30
Personnage(s) : 1 femme, 2 hommes

L'Illusion de midi [1973] (Éditions Leméac, 1973)
Paquerette, une employée de banque, invite Capucine, une compagne de bureau, à assister à un spectacle de midi. Celle-ci est un peu embêtée car elle devait rencontrer un client assidu de la banque... qui est devenu depuis peu son amant. Une conversation fortuite entre l'amant de Paquerette et une autre personne fait naître le quiproquo.
Durée : 50 minutes
Personnage(s) : 2 femmes, 1 homme

Le Grand Jeu rouge [1975] (Éditions Leméac, 1975)
Washington. 1945. Un soldat à la retraite dans son sous-sol s'occupe activement à une sorte de jeu militaire qu'il s'est inventé. Sa femme découvrira que ce « jeu de rôle » est en fait une maquette pour de véritables stratégies militaires qu'il tient à garder secrètes. Le jeu est en réalité un grand jeu rouge.
Durée : 2 heures
Personnage(s) : 2 femmes, 2 hommes

Madame Jocaste [1983] (Éditions Leméac, 1983)
Oedipe n'a jamais eu de complexe. Il n'a pas tué son père et Jocaste aime un homme qu'aucun dieu ne peut lui ravir. La pièce défait le mythe oedipien et le réécrit en repensant la situation des personnages et en les soustrayant à la fatalité.
Durée : 1 heure 30
Personnage(s) : 1 femme, 1 homme

POULAIN, André

Originaire de l'Estrie, André Poulain se fait d'abord connaître comme auteur-compositeur-interprète, puis comme acteur, metteur en scène et auteur dramatique. Après avoir reçu une formation théâtrale au Théâtre de l'Atelier de Sherbrooke, il fonde successivement la Compagnie du Petit Thé des Bois (1968), le Théâtre Entre Chien et Loup (1977) et le Théâtre du Thé des Bois (1985) où sont créées la plupart de ses pièces. Également réalisateur à la télévision (CKSH-TV - Radio-Québec), professeur et animateur, il obtient un doctorat en études françaises de l'Université de Sherbrooke en 1985. Dans un texte intitulé **Théâtre d'une échappée**, il fait la synthèse de son expérience théâtrale en Estrie, à titre d'auteur et de producteur. Actuellement, il est directeur du Théâtre du Thé des Bois, chargé de cours à l'Université de Sherbrooke, et travaille à la préparation de nouveaux textes dramatiques, **La P'tite Saudite**, **Les Affaires encombrantes** et **Monnaie de singe**.

photo: Josée Lambert

L'Audition - 2 [1979]
Théâtre Entre Chien et Loup, octobre 1979
Drame. Un jeune comédien est invité à passer une audition bien spéciale dans un théâtre qui se cherche une nouvelle orientation depuis que son directeur est décédé. L'audition se transforme en une véritable thérapie de groupe dont le jeune acteur fait les frais. S'ensuit un rituel improvisé où l'on enterre symboliquement le vieux directeur pour accueillir enfin le jeune aspirant.
Durée : 1 heure 20
Personnage(s) : 3 femmes, 5 hommes

L'Audition - 3 [1981]
Théâtre Entre Chien et Loup, juin 1981
Autre version de la pièce précédente, mais avec une distribution réduite
Durée : 1 heure 10
Personnage(s) : 2 femmes, 4 hommes

L'Île-des-Heures (1982) [1982]
Théâtre Entre Chien et Loup, juin 1982
Judith et Lucien, deux touristes du monde moderne, échouent sur une île, découverte par Aristote Colomb en l'an 1500 où, par enchantement, on peut profiter de toutes les heures perdues du monde. Lucien y rencontre un insulaire qui rêve de fuir vers le monde moderne. Julie est recueillie et soignée par une sage-femme qui a toujours défendu les valeurs traditionnelles de l'île. À cause d'une marée noire et de vivres qui se raréfient, on construit un voilier pour rejoindre le monde moderne et s'y ravitailler. Les dieux recrachent le navire sur l'île pendant la saison des moissons et Lucien et Judith doivent se faire une raison et passer le reste de leurs jours sur l'Île-des-Heures.
Durée : 2 heures
Personnage(s) : 9 personnages (4 femmes, 5 hommes) pouvant être joués par 3 femmes et 4 hommes
2 chansons

L'Île-des-Heures (1986-1987) [1986-1987], nouvelle version scolaire

Deux touristes québécois, Judith et Lucien, échouent sur l'Île-des-Heures, une île inventée par une imagination errante. Deux insulaires, Mauve et Verlin, veulent faire savoir à tous que l'homme moderne annoncé par Léonard Icare, le prophète volant, est enfin arrivé mais celui-ci ne pense qu'à retourner chez lui et entraîne tous les insulaires dans la construction d'un voilier migrateur pour une expédition vers le monde moderne. Judith est retrouvée dans les dunes et soignée. Mauve se trouvant enceinte doit renoncer à prendre la mer. À peine appareillé, le bateau est recraché sur la rive. Nouveau débat au Palâbrement : le bateau ne sera pas reconstruit. Lucien, Verlin et Djinn défieront pourtant la loi de l'île et bâtiront un radeau pour reprendre la mer. Quand ils reviendront porter des vivres en hélicoptère, Mauve aura accouché et Judith aura adopté la vie des insulaires.

Durée : 2 heures 10

Personnage(s) : 11 personnages pouvant être joués par 4 femmes et 5 hommes

2 chansons

La Carte Miracle [1988], en collaboration avec Benoît Champ Roux et François Lanctôt

Théâtre du Thé des Bois, juin 1988

Quatre personnes, à la recherche du mieux-être physique et mental, s'aventurent à la Plazza du docteur Abraham Meyer, où ils ont accès, grâce à la carte *Miracle*, à toutes les thérapies possibles : lacrimothérapie, mamotete, cri de l'orignal, matérialisme diététique, bipnose, massochatou, thérapie par le rire, tamankari et quelques autres.

Durée : 2 heures

Personnage(s) : 17 personnages (6 femmes, 11 hommes) pouvant être joués par 2 femmes et 3 hommes

PROVENCHER, Anne-Marie

Comédienne de formation, Anne-Marie Provencher travaille depuis 1972 au théâtre, à la télévision et au cinéma. Membre du Théâtre Expérimental de Montréal de 1975 à 1979, elle est cofondatrice et membre du Nouveau Théâtre Expérimental et du théâtre Espace Libre de 1979 à 1990. Elle participe à de nombreuses créations comme interprète, auteure et metteure en scène. En plus de ses textes écrits en solo, elle collabore à une quinzaine de créations collectives dont **Finalement** et **Orgasme I** (Théâtre Expérimental de Montréal, 1977 et 1978), **La Peur surtout** (Théâtre Expérimental des Femmes, 1979), **La Californie** et **Amore Amore** (Nouveau Théâtre Expérimental, 1984 et 1985).

Où est Unica Zürn ? [1980]

Nouveau Théâtre Expérimental, août 1980

Intriguée par un chant qui la hante, Olga entreprend un voyage initiatique pour trouver la provenance de cet appel. Au musée, la Vénus de Botticelli l'interroge : « Où est Unica Zürn ? » Olga et les spectateurs devront traverser un gigantesque tableau pour rencontrer trois femmes qui sauront élucider cette étonnante question. Ce spectacle est une réflexion sur l'art, le rappel d'une

artiste peu et mal connue et une interrogation sur le lieu théâtral.
Durée : 1 heure 20
Personnage(s) : 4 femmes, 1 homme

La Tour [1986]
Nouveau Théâtre Expérimental, 30 septembre 1986
Une vieille tour abandonnée, tout exiguë : lieu magique. Hier, les pompiers y mettaient à sécher les boyaux d'arrosage. Une comédienne invite un spectateur (trice) à la fois, à y vivre une heure d'une spectaculaire ascension : vertige, mouvement, poésie, humour, intimité, escalade... théâtre.
Durée : 1 heure
Personnage(s) : 1 femme

Rictus [1991]
Productions Rictus, 22 février 1991
Né d'une réflexion sur la mort, **Rictus** jongle avec les notions de traces, de mémoire et de création. En huit tableaux, on y explore cette mort très concrète qui s'installe en soi, autour de soi, dans le corps qui vieillit, la mémoire qui s'efface, les échecs, la folie, les guerres... **Rictus** détourne des situations très réalistes pour en faire une fresque empreinte d'incongru, d'émotion, de tendresse et de trouble.
Durée : 1 heure 30
Personnage(s) : 19 personnages partagés entre 2 hommes et 3 femmes (dont une fillette de 10 ans environ)

PROVOST, Sylvie

Sylvie Provost est comédienne et auteure depuis sa sortie de l'Option-théâtre du cégep Lionel-Groulx en 1980. Elle est alors engagée par la compagnie de théâtre La Cannerie comme comédienne. Elle arrive donc à l'écriture dramatique par le biais de la création collective. Elle a collaboré à l'écriture d'une dizaine de pièces avant d'écrire son premier texte en solo en 1990, **Corps étranger**. En 1984, elle devient cofondatrice et codirectrice de la compagnie Ma Chère Pauline. Elle est une des auteurs de **Tiens tes rêves**, entre autres, qui a remporté le prix de la meilleure production Jeunes Publics en 1987. Elle est aussi une des scénaristes de la vidéo **Il vous reste une demi-heure !** qui lui a mérité le prix ADATE en 1986. Elle a écrit, pour l'Office national du film, le sketch du film **Le coeur qui bat** de la série **Grandir**, réalisé par Sylvie Groulx et produit en 1991. Cette même année, elle est boursière du Conseil des Arts du Canada.

J   **C'est à ton tour...** [1984], en collaboration avec Carole Foisy, Sylvain Hétu, Marie-Josée Leroux et Jean Lessard
Ma Chère Pauline, 25 septembre 1984
Pièce à sketches illustrant la menace des MTS dans la vie des jeunes, s'attardant aux comportements et aux attitudes entourant la sexualité et les relations amoureuses.
Durée : 1 heure 15
Personnage(s) : 1 femme (ou plus) et 2 hommes
Public visé : le second cycle du secondaire et le collégial
3 chansons

J **Tiens tes rêves** [1985-1986] (VLB Éditeur, 1988), en collaboration avec Sylvain Hétu et Jean Lessard

Ma Chère Pauline, 4 février 1986

Deux histoires se déroulent en parallèle : celle, d'une part, de Jenny et Bob, les héros d'un roman à l'eau de rose, et celle, d'autre part, de Geneviève et Martin, deux adolescents de 16 ans, maladroits, timides et fougueux. Ils vivront ensemble leur première relation sexuelle et découvriront que l'amour, ce n'est pas tout à fait comme dans les romans !

Durée : 1 heure 15

Personnage(s) : 3 femmes, 4 hommes ou 1 femme, 2 hommes et les voix de 2 hommes et 2 femmes et 2 femmes sur bande sonore

Public visé : le second cycle du secondaire et le collégial

J **C'est ce soir qu'on saoule Sophie Saucier** [1989], en collaboration avec Sylvain Hétu et Jean Lessard

Ma Chère Pauline, 8 novembre 1989

Pour leur bal de finissants, Mathieu, Pascal et les deux Sophie se sont loué une chambre de motel adjacente à la salle de bal afin d'avoir un endroit plus intime pour trinquer à leur amitié, se promettre de ne jamais se quitter et surtout pour jouer un bon tour à Sophie Saucier dite « la Poune ». Ses amis ont décidé de saouler celle qui les a tant fait rire et qui devrait, ce soir, aidée par l'alcool, se surpasser. Cette soirée sera l'occasion de découvrir des amours cachées : Pascal aime Sophie qui aime Mathieu, qui, lui, se découvre ce soir-là, une attirance pour l'autre Sophie. L'effervescence de cette fête aura tôt fait de tout brouiller en un formidable quiproquo amoureux. Mais quand Sophie Saucier, noyée dans l'alcool et qui n'a plus d'inhibition, comprendra enfin, sa réaction inattendue fera tout basculer. L'amitié qui les liait survivra-t-elle à cet incident ?

Durée : 1 heure 30

Personnage(s) : 2 femmes, 2 hommes

Public visé : le second cycle du secondaire et le collégial

JA **Corps étranger** [1990]

Ma Chère Pauline, 10 mai 1990

Madeleine a tout quitté : son fils Patrick, son jeune amant François et son pays. Six ans plus tard, Patrick rencontre son père pour la première fois et accepte de faire revivre le passé. Il revoit sa mère alors qu'elle n'avait que 31 ans et que lui, revendiquait l'intolérance de son adolescence. À partir de la naissance de la relation amoureuse entre Madeleine et le meilleur ami de Patrick, François, la complicité qui le liait pourtant à sa jeune mère se transforme en tempête, puis elle disparaît. Tout est ici raconté par des personnages comiquement, proprement, désespérément civilisés, rendant compte des chemins sinueux qu'empruntent les êtres humains pour exprimer leurs émotions.

Durée : 1 heure 25

Personnage(s) : 1 femme, 2 hommes

Public visé : 14 ans et plus

JA **L'Ombre de toi** [1992]

Ma Chère Pauline, 15 octobre 1992

Une nuit de l'an 2005, alors qu'ils viennent pourtant de régler leur divorce, Jean-Philippe sort une arme et exige le retour de Julie. En l'espace d'une nuit, ils revivent leurs moments de joie, de douleur, d'incompréhension. À l'aube, leur vision de la vie aura basculé quelque part entre l'échec et la réussite. Avec une précision sans merci, ce texte, teinté d'un humour mordant, fait l'autopsie d'un couple d'adolescents des années quatre-vingt-dix qui auront trente ans en l'an 2005, de qui on exige l'excellence en tout, et qui découvrent sans y être préparés, les compromis, les dépendances et toutes ces petites violences quotidiennes qu'on s'inflige en silence.

Durée : 1 heure 30

Personnage(s) : 1 femme, 1 homme et 6 voix (3 femmes et 3 hommes)

Public visé : 14 ans et plus

QUINTAL, Patrick

Patrick Quintal mène de front des activités d'auteur, de comédien, de metteur en scène et d'animateur. Il a été boursier à plusieurs reprises tant pour des projets d'écriture que pour du perfectionnement en interprétation. Ce qui lui a permis d'aller travailler à Bruxelles avec le metteur en scène Patrick Bonté en 1986. Membre du Théâtre de la Poursuite durant cinq ans, il fonde en 1985, à Sherbrooke, avec Laurence Tardi, le Théâtre du Double Signe dont il assume maintenant la direction artistique. Sa pièce **Kraken** a remporté le prix Yves-Sauvageau. Patrick Quintal travaille aussi en scénarisation pour la télévision.

Couvre-feux [1980], en collaboration avec le Théâtre de la Poursuite
Théâtre de la Poursuite, 1980
Spectacle de paroles ne faisant pas appel à des personnages psychologiques, ce texte qui dénonce les valeurs de la société bourgeoise occidentale commande une théâtralisation stylisée.
Durée : 1 heure 30
Personnage(s) : 4 interprètes ou plus, dont nécessairement 2 femmes et 2 hommes
3 chansons

Entre le temps et l'attente [1981]
Théâtre de la Poursuite, mars 1981
Quatre personnages dont on ignore si c'est le métier ou une expérience doivent tourner en rond. Ils respectent les consignes et suivent le rythme qui leur est imposé. Le signal qu'ils observent ne se répétant plus, ils se retrouvent dans une exaspérante et absurde attente qui les mène au délire et à la folie douce.
Durée : 1 heure 15
Personnage(s) : 2 femmes, 2 hommes
10 chansons

Lit d'eau [1982 et 1987]
Théâtre de la Poursuite, août 1982
Sur un rythme trépidant qui n'est pas sans rappeler celui du burlesque, un garçon « bougonneux » et une fille *flyée* se livrent à des jeux de mains et de mots, au cours d'une journée qu'ils décident de passer dans leur lit d'eau plutôt qu'au boulot.
Durée : 1 heure 30
Personnage(s) : 7 personnages (1 femme, 6 hommes) pouvant être joués par 1 femme, 1 homme et une voix d'homme
8 chansons

E   **La Belette bouquineuse** [1982]
Théâtre de la Poursuite, octobre 1982
Cédille et Matopée ouvrent une librairie et parviennent à convertir Baragouine, un commerçant ne songeant qu'au profit, au plaisir des mots et aux charmes de la lecture.

Durée : 45 minutes
Personnage(s) : 4 interprètes (femmes ou hommes)
1 chanson

Houdini, celui qui dévorait les chaînes [1984]
Théâtre de la Poursuite, octobre 1984
Plusieurs aspects de la vie et de la personnalité du célèbre illusionniste Houdini, élevé au rang d'archétype, sont évoqués et commentés à travers trente-cinq courts tableaux qui illustrent les moments marquants et les principaux numéros de sa carrière de magicien.
Durée : 1 heure 30
Personnage(s) : 20 personnages (10 femmes, 10 hommes) et un choeur pouvant être joués par 3 femmes et 3 hommes

Siskalao [1986]
Théâtre du Double Signe, 6 mars 1986
En 2005, de retour d'une expédition au cours de laquelle ils poursuivaient des recherches sur une communauté disparue, Guillaume et Jézabel font face à un phénomène mystérieux qui les fait passer à un nouvel état d'être et plonger dans leur passé mythique. Jézabel se voit ouvrir l'accès au rêve permanent, alors que Guillaume est propulsé dans une sorte de *no man's land* où il reprend conscience de son être profond.
Durée : 1 heure 30
Personnage(s) : plusieurs personnages pouvant être joués par 2 femmes et 2 hommes

Kraken [1988] (VLB Éditeur, 1991)
Théâtre du Double Signe, 10 novembre 1988
Traduit en italien par Eva Franchi sous le même titre [1992]
Coopérative del Giullare, Rome, septembre 1992
Un roi se fait guérir miraculeusement d'une maladie incurable par un curieux étranger qui se fait appeler Kraken et qui vit dans une barque accostée sur la rive. Ce dernier n'utilise aucun remède ; il guérit les gens en prenant sur lui leurs maux et leurs souffrances par l'étreinte, et se transforme ainsi peu à peu en une créature monstrueuse. Le roi devra affronter ce monstre qui l'ensorcelle et le provoque. Un texte alliant l'humour et le drame.
Durée : 2 heures
Personnage(s) : 3 hommes ou 1 femme, 2 hommes

Cent pour cent humain [1990-1991]
Théâtre du Double Signe, octobre 1990
Sept monologues, sept tableaux indépendants et deux chansons abordant avec humour et étrangeté le thème de la solitude et intitulés : **Ma vessie comme une lanterne, L'Invité, Crime à barbe, Le Répondeur, À guichets fermés, Cent pour cent humain, Le Strip-tease de l'écorché, Le Répondeur-Chat, Imperturbable et froid comme une banquise.**
Durée : 1 heure 45 (tableaux de durées variées)
Personnage(s) : 1 homme
2 chansons

EJA Mowgli [1992], d'après **Le Livre de la jungle** de Rudyard Kipling (VLB Éditeur, 1994)
Théâtre du Double Signe, décembre 1992
Les multiples aventures de Mowgli, enfant perdu dans la forêt indienne, qui se fait adopter par les loups et qui grandit au contact des animaux de la jungle.
Durée : 1 heure 30
Personnage(s) : Une vingtaine de personnages pouvant être joués par un minimum de 7 ou 8 interprètes

QUINTON, Marie-Thérèse

Après un baccalauréat en pédagogie, Marie-Thérèse Quinton suit des cours privés en théâtre et en interprétation (1972-1974). De 1974 à 1977, elle travaille en milieu carcéral, monte **L'Attente**, pièce à partir de la vie des détenus. De 1977 à 1984, elle anime des ateliers de théâtre populaire dans divers villages des Bois-Francs et en milieu hospitalier. En 1979, elle transforme en théâtre la grange de sa ferme à Saint-Fortunat et met sur pied le Théâtre de la Chèvrerie qu'elle dirige jusqu'en 1988. Depuis, elle consacre ne se consacre qu'à l'écriture dramatique et à l'animation.

photo: Michel Mercier

La Ruée vers Laure [1982] (Éditions Leméac, 1985)
Théâtre de la Chèvrerie, juin 1982
Hubert Desnoyers, déjà passablement endetté, se retrouve, à cause de son voisin Gaston, avec une dette supplémentaire de 10 000 $ envers un parieur. Or, il hérite d'une compagnie, mais pour toucher ce nouveau bien, il doit d'abord débarrasser ladite compagnie de L. Wilson. Pièges, quiproquos... L. Wilson se révèle être Laure qui, elle, saura faire en sorte qu'Hubert puisse entrer en possession de son héritage et rembourser sa dette.
Durée : 2 heures 15
Personnage(s) : 1 femme, 3 hommes

Félicitations Hermine [1983]
Théâtre de la Chèvrerie, juin 1983
Par stratégie politique et afin de redorer son image ternie par les calomnies d'une rivale, la candidate d'un comté rural tente de s'attirer l'appui de son vieil oncle, personnage vaudevillesque, bougon et « ratoureux », mais ancien député provincial qui en a vu d'autres et qui en fera voir de toutes les couleurs.
Durée : 2 heures
Personnage(s) : 1 femme, 3 hommes

Honorius un jour, Honorius toujours [1984], autre version (rôle principal masculin) de **Félicitations Hermine**
Théâtre la Relève à Michaud, juin 1984
Voir le résumé à **Félicitations Hermine**.
Durée : 2 heures
Personnage(s) : 1 femme, 2 hommes

Le Grand Traitement [1984]
Théâtre de la Chèvrerie, 20 juin 1984
Victime d'un burn-out, un employé de banque aux tendances maniaco-dépressives est congédié, mais bientôt pris en charge par son beau-frère, diplômé en psychologie, qui expérimente sur lui quelques thérapies de son cru qui ne le laissent pas au bout de ses peines.
Durée : 1 heure 45

Personnage(s) : 5 en tout (1 femme, 4 hommes) pouvant être joués par 1 femme et 2 hommes

Le Porte-monnaie [1986]
Théâtre de la Chèvrerie, 18 juin 1986
Après s'être installé à la ville, un avare devient peu à peu paranoïaque. Entouré d'un conseiller financier, de sa belle-soeur qui entame son quatrième veuvage et de sa fille, adepte d'une secte obscure, il se sent menacé de toutes parts. À la suite d'un cauchemar, il charge un détective de réaliser une enquête sur sa propre mort.
Durée : 1 heure 45
Personnage(s) : 2 femmes, 3 hommes

Lucky Luciano [1987]
Théâtre de la Chèvrerie, juin 1987
Un médecin au seuil de la quarantaine est pris de panique face à sa réputation d'homme trop pur. En rupture de respectabilité, il va travailler, les soirs de fin de semaine, comme pianiste dans un club.
Durée : 1 heure 45
Personnage(s) : 2 femmes, 2 hommes

Tel père... telle paire ! [1988]
Théâtre de la Chèvrerie, juin 1988
Un homme dont l'idéal de vie, se situe entre la « caisse de 24 », le jeu et l'impression de faux coupons-rabais se voit confier pour la durée des vacances, l'éducation de son fils, adolescent considéré comme pur génie.
Durée : 1 heure 45
Personnage(s) : 1 femme, 3 hommes

Les Beaux-Frères [1989], conçue spécialement pour le 10e anniversaire du Théâtre de la Chèvrerie. Un seul comédien interprète les 10 beaux-frères.
Théâtre de la Chèvrerie, juin 1989
Comédie fantaisiste. Un chauffeur d'autobus décide après vingt ans de métier que... « travailler... c'est trop dur ». Il verra toutefois ses aspirations à un légitime repos fortement contrariées par la bienveillance de ses nombreux beaux-frères.
Durée : 1 heure 45
Personnage(s) : 13 personnages (1 femme, 12 hommes) devant être joués par 1 femme et 3 hommes

Tuxedo Palace [1991]
Théâtre de la Chèvrerie, été 1991
Fantaisie. Un Québécois, Ernest Maloin, gère un petit hôtel sur l'île Maribo, en plein coeur du Pacifique. Mais depuis quelque temps, des personnages étranges... loufoques... incongrus... viennent troubler sa petite vie paisible.
Durée : 1 heure 45
Personnage(s) : 2 femmes, 5 hommes

E   ### J'entends le loup... le renard... le lièvre [1991], en collaboration avec Guy Mignault, d'après Bonjour monsieur de La Fontaine de Guy Mignault (pièce de Guy Mignault publiée aux Éditions Leméac, 1982)
Non publié, ce texte est destiné à être joué par des enfants du second cycle du primaire
Jeux de scène sur les fables de La Fontaine.
Durée : 45 minutes
Personnage(s) : 20 personnages pouvant être joués par des filles ou des garçons

E **La Promenade de Catherine et Jonathan** [1991]
Saynète d'animation destinée à être jouée par des enfants du premier cycle du primaire
Durant une promenade, deux enfants font diverses rencontres. Les enfants, sur un signal donné, créent une atmosphère ou expriment une émotion.
Durée : 15 minutes
Personnage(s) : Nombre illimité d'enfants

E **Alerte mondiale** [1992]
Ce texte est destiné à être joué par des enfants du second cycle du primaire
Le rêve a disparu de la planète Terre. Une alerte mondiale est lancée. Trois enfants et un robot partent à sa recherche à travers l'espace.
Durée : 50 minutes
Personnage(s) : 27 enfants, distribution facilement variable

El Dorado Snack-Bar [1993]
Théâtre de la Chèvrerie, été 1993
Un snack-bar en difficulté. Son histoire... ses clients et... ce qu'ils apporteront tour à tour de leur vie... de leurs rêves et de leurs émotions.
Durée : 2 heures
Personnage(s) : 21 en tout (6 femmes, 15 hommes) pouvant être joués par 1 femme et 2 hommes

RAFIE, Pascale

« Après un baccalauréat en art dramatique de l'Université du Québec à Montréal, Pascale Rafie obtient, en 1987, un diplôme en écriture dramatique de l'École nationale de théâtre du Canada. Depuis, elle se consacre essentiellement à l'écriture théâtrale que ce soit pour le public enfance-jeunesse ou plutôt pour un public d'adultes consentants. Elle a de plus fait quelques incursions du côté de la télévision pour enfants, dont **À la claire fontaine** pour TVOntario, et vient de publier un roman jeunesse intitulé **Piccolino et compagnie** (Éditions Michel Quintin, 1993). De plus, elle anime des ateliers de théâtre et d'écriture auprès d'enfants d'âge scolaire. »

Accident de parcours [1986]
École nationale de théâtre du Canada, mai 1986
À la suite d'un accident de voiture, Marie, à peine 20 ans, et Réal, dans la quarantaine avancée, se retrouvent sur un petit pont d'une route de campagne en pleine nuit. Jusqu'à ce que le soleil se lève, elle tentera de le séduire de toutes les façons mais après les rires, les pleurs, les provocations, Marie se révélera dans toute sa tragique vérité.
Durée : 45 minutes
Personnage(s) : 1 femme, 1 homme
1 chanson

L'Histoire des fourmis [1986]
École nationale de théâtre du Canada, décembre 1986
Après avoir fui leur pays, trois jeunes Libanais, membres d'une même famille, atterrissent à Montréal. Retenus à l'aéroport par une tempête de neige, déstabilisés par leur premier contact avec la culture québécoise, ils replacent, au cours de cette longue attente, les morceaux de leur drame. On découvre alors peu à peu un destin où s'entrecroisent l'horreur de la guerre et la tragédie d'une histoire familiale marquée par un lourd secret.
Durée : 1 heure
Personnage(s) : 4 femmes, 4 hommes
4 chansons

Toupie Wildwood [1987]
Théâtre Il va sans dire, 19 juin 1987
De jeunes rebelles espiègles en lutte contre l'image et le modèle des adultes doivent trouver un moyen pour ne pas devenir bêtement comme eux. Impossible de se dé-naître. Inutile même de rêver à d'improbables parents-éprouvettes. Devant le choix de rester et perpétuer la lignée des idioties traditionnelles, ils préfèrent sortir du cercle vicieux et partir tout recommencer ailleurs. Avec la vieille auto accidentée qui traînait dans la cour depuis des années, ils projettent de partir à Wildwood, terre mythique de soleil et de vacances, de délices et de différences...
Durée : 1 heure 30
Personnage(s) : 2 femmes, 3 hommes

E   **Charlotte Sicotte** [1989]
Théâtre de l'Avant-Pays, 10 avril 1989
Charlotte Sicotte, une marionnette qui ne manque pas de caractère, refuse de jouer le spectacle pour lequel elle a été conçue. Elle s'imagine que les enfants rient de ses yeux ronds comme des ronds de poêle, de son nez en forme de muffin, de ses cheveux comme des brins d'herbe... Elle s'enfuit pour se transformer, laissant en plan Eugène, son marionnettiste et créateur, qui fera tout pour la retrouver.
Durée : 1 heure
Personnage(s) : 1 homme et 7 marionnettes
2 chansons

J   **Maux de mémoire** [1988]
Théâtre Petit à Petit, 9 mars 1988 ; avec deux autres textes dans un spectacle intitulé **Fantômes, concert-fantôme**
Un jeune Chilien, réfugié à Montréal depuis deux ans, essaie d'oublier son passé. Mais tout semble concourir à lui faire revivre les événements qu'il aurait voulu effacer de sa mémoire.
Durée : 30 minutes
Personnage(s) : 1 femme, 2 homme
1 chanson

Le Mariage du diable ou l'Ivrogne corrigé [1989], librement inspiré de **L'Ivrogne corrigé ou le Mariage du diable**, livret de Louis Anseaume ; opéra
Productions Le Mariage du diable, 16 juillet 1989
Opéra-comique. Colette et Cléon s'aiment d'amour tendre et désirent unir leurs vies. Mais le tuteur de la jeune fille, Mathurin, ivrogne notoire, la promet en mariage à son non moins ivrogne de compère, Lucas. Pour parvenir à leurs fins, les amants mystifient les deux hommes en montant toute une mise en scène qui leur fait croire qu'ils sont morts et maintenant en enfer. Bâti sur le mode de la farce et fortement inspiré du théâtre de foire du XVIIe siècle, le texte est écrit dans une langue qui marie avec désinvolture ancien français et québécois.
Durée : 1 heure 15
Personnage(s) : 4 femmes, 3 hommes (2 sopranos, 2 mezzo-sopranos, 2 barytons, 1 basse)
15 airs de Glück, paroles de Louis Anseaume

Mes veines en Pacifique [1990]
Ce texte a été présenté en lecture publique à l'École nationale de théâtre, avec la collaboration du Cead, le 26 mars 1990.
Maïa, une enfant pas encore née, se demande s'il vaut la peine de venir au monde et se raconte l'histoire de sa vie future. Elle s'imagine dans un décor somptueux, à Venise, seule avec une mère plus belle que le jour. Mais la voilà bien vite prisonnière d'une histoire moins idyllique qu'elle le croyait et, malgré tous ses efforts pour changer de vie, elle devra suivre la logique des personnages qu'elle a créés et choisir - la vie ou la mort.
Durée : 1 heure 30
Personnage(s) : 3 femmes, 1 homme
1 chanson

Cabaret Neiges Noires [1992], en collaboration avec Jean-François Caron et Dominic Champagne (VLB Éditeur, 1994)
Ce texte a été présenté en atelier ouvert par le Théâtre Il va sans dire, en collaboration avec le Cead, le 18 avril 1992.
Adapté pour le cinéma [1994] par Dominic Champagne et Raymond St-Jean
Coproduction du Théâtre Il va sans dire et du Théâtre de la Manufacture, 19 novembre 1992
Traduit en anglais par Shelley Tepperman, provisoirement sous le même titre [1994]
Satire décapante du sens de la vie, de l'assassinat de Martin Luther King, de la solitude urbaine, de l'errance de Claude Jutra, de la passion amoureuse et de bien d'autres sources de désarroi, cette exaltante épopée tragico-comique allie allègrement les impitoyables opérettes des *Joyeux Troubadours* au strip-tease intégral de Maria Casarès, la mort de Jacques Brel au fond de tonne de Jack Daniel's et au Manifeste du FLQ.
Durée : 2 heures 45
Personnage(s) : 4 femmes, 6 hommes (comédiens, chanteurs et musiciens)
En musiques et en chansons

E   **Comment la terre s'est mise à tourner** [1993]
Théâtre de l'Avant-Pays, décembre 1994
Alba, Brutus et Carlo racontent. Il y a très très longtemps, la terre était immobile. Farhio, du Pays du Jour, et Fanny, du Pays de la Nuit, partent chacune de leur côté à la recherche de l'eau ou du soleil - sources de vie. Est-ce grâce à la fourmi Ysmina, au pin Parasol, au sinistre Krakatoa ou plutôt à l'amitié nouvelle des deux petites filles que la terre se met enfin à tourner ?
Durée : 55 minutes
Personnage(s) : 1 femme, 2 hommes et des marionnettes manipulées par 3 manipulateurs
Public visé : les enfants de 5 ans et plus
Quelques chansons

RETAMAL, Miguel

Né à Santiago du Chili, Miguel Retamal travaille dans tous les secteurs de la création et de la production théâtrale depuis 1966 : acteur, metteur en scène, animateur, professeur, il écrit des pièces pour enfants et pour adultes ainsi que des textes de théâtre-forum. De 1980 à 1985, il est directeur artistique de la troupe de théâtre expérimental Volcan de Montréal. Boursier du Conseil des Arts du Canada en 1986, il écrit **Rosita ou les Cuisinières, du bout du monde**. Depuis 1988, il est chargé de cours au département des lettres de l'Université du Québec à Rimouski, et directeur du Théâtre de Rimouski.

Rosita ou les Cuisinières, du bout du monde [1986-1993]
Pascale, une jeune Québécoise, vit des prestations de l'assurance sociale, malgré un baccalauréat en sociologie. Elle fait la connaissance d'un petit groupe de femmes immigrantes. Parmi elles, Rosita, dont le sourire cache une terrible douleur. À travers elle, on découvre la réalité de femmes venues d'un autre bout du monde. Elles cherchent, avec Pascale, des moyens pour se sortir de la misère reliée au statut de « B.S ».
Durée : 1 heure 30
Personnage(s) : 5 femmes, 2 hommes et 1 enfant

L'Attente [1991]
Carré-Théâtre, automne 1994
Manuel est un réfugié qui a fui son pays pour sauver sa peau et celle de sa famille. Pour lui, le temps s'est arrêté et cet ailleurs vers où il a fui, c'est le Québec, mais ce pays d'adoption aurait pu être n'importe où sur la planète. Il attend le moment où il pourra reprendre le fil du temps.
Durée : 1 heure 50
Personnage(s) : 4 femmes, 5 hommes et 1 enfant

Michou [1993]
Théâtre de Rimouski, 9 juillet 1993
Michou est le fils de Cristobal, un Latino-Américain qui a réussi en affaires au Québec. Il a double ration de préjugés : ceux de son pays d'origine et ceux de son pays d'adoption. La pièce fournit l'occasion de se moquer de quelques-unes de ses... convictions.
Durée : 1 heure 30
Personnage(s) : 2 femmes, 2 hommes

RICARD, André

Cofondateur et animateur du Théâtre de l'Estoc de Québec, de 1957 à 1968, André Ricard y fut directeur artistique et metteur en scène, tout en poursuivant des études en pédagogie et en lettres à l'Université Laval et au Conservatoire d'art dramatique de Québec, sous la direction de Jean Valcourt. Recherchiste, scénariste et réalisateur pour Radio-Canada (radio et télévision) et Radio-Québec, il a également collaboré à des longs métrages de fiction. Sa préoccupation pour les problèmes d'ordre socio-économique au Québec se reflète dans son travail et dans ses oeuvres. Il s'intéresse aussi à l'histoire et à la géographie. Professeur pendant plusieurs années au Conservatoire et à l'Université Laval, le plus clair de son activité, depuis 1980, est tourné vers l'écriture. Il a mérité, en 1976, le Prix, catégorie court métrage, de la Communauté radiophonique des programmes de langue française et, en 1988, le Prix de création dramatique de la Place des Arts. Il est l'auteur de plusieurs pièces radiophoniques et télévisuelles, de deux suites poétiques, d'un récit et de nouvelles.

photo: Luc Chartier

La Vie exemplaire d'Alcide 1er le Pharamineux et de sa proche descendance [1971] (Éditions Leméac, 1973)
Théâtre du Trident, 6 janvier 1972
Par-delà l'étonnante saga d'une famille sans scrupules dont l'empire s'étend sur les cinq continents grâce à la complicité du monde de la politique, de la finance, de la religion et du crime organisé, la pièce propose, dans un vertige verbal et visuel constant, une allégorie sur le pouvoir absolu, en douze tableaux passant de la farce à la tragédie.
Durée : 2 heures 30
Personnage(s) : 51 personnages (16 femmes, 35 hommes) pouvant être joués par 11 femmes et 14 hommes
10 chansons

La Gloire des filles à Magloire [1975] (Éditions Leméac, 1975)
Ce texte a été présenté en lecture publique par le Cead, le 5 février 1989.
Théâtre du Trident, 11 septembre 1975
À la veille du défilé de la Saint-Jean-Baptiste, une incursion dans le quotidien singulier et peu reluisant de trois soeurs vivant de la prostitution dans un Québec rural des années quarante, vendu à des intérêts étrangers.
Durée : 2 heures
Personnage(s) : 3 femmes, 2 hommes

La Longue Marche dans les Avents [1975-1983] (Éditions Leméac, 1984)
Centre national des Arts, 15 novembre 1983 ; produit sous le titre de **L'Année de la grosse tempête**
Durant l'Avent, en Nouvelle-France, deux journées en marge de l'Histoire, riches en rebondissements d'une insolite drôlerie, lors desquelles les intérêts des commerçants, des ecclésiastiques et des paysans se trouvent soudainement bousculés par l'invasion anglaise.
Durée : 2 heures
Personnage(s) : 27 (13 femmes, 14 hommes) pouvant être joués par 10 femmes et 7 hommes

Le Casino voleur [1976] (Éditions Leméac, 1978)
Adapté pour la télévision par Paul Hébert, Radio-Canada, saison 1981-1982
Théâtre du Trident, 20 avril 1978
Cette hilarante caricature de la corruption municipale met en scène trois personnages colorés qui, maintenant dépossédés des quelques biens et du peu d'influence qu'ils ont jamais eus, espèrent repartir en affaires. Au gré de leurs incessantes récriminations, ils évoquent les nombreuses manigances de l'époque où ils étaient respectivement maire, mairesse et homme de confiance du village.
Durée : 1 heure 30
Personnage(s) : 2 femmes, 2 hommes

Silence ou je fais évacuer la salle [1979]
Théâtre du Trident, 8 avril 1980 ; produit sous le titre de **Les Sept Péchés québécois**, avec six autres pièces
Dans un Québec préréférendaire et sur un mode clownesque, le directeur d'un grand quotidien montréalais, monsieur Lemeuleu, répète avec l'aide de mademoiselle Juju, sa secrétaire, l'extravagant discours qu'il s'apprête à prononcer devant la presse pour convaincre la population de voter non au oui.
Durée : 30 minutes
Personnage(s) : 1 femme, 2 hommes

Le Tir à blanc [1982] (Éditions Leméac, 1983)
Théâtre du Nouveau Monde, 18 février 1983
Dans ce drame psychologique sur les comportements de pouvoir et de violence entre hommes et femmes, une jeune femme agressée par un facteur voit son dégoût se transformer progressivement en une trouble passion. Une deuxième partie change complètement le point de vue : une jeune femme présente à un metteur en scène le texte d'une pièce - celle que nous venons de voir - qu'elle dit être d'un ami...
Durée : 2 heures 30
Personnage(s) : 4 personnages (2 femmes, 2 hommes) pouvant être joués par 1 femme et 1 homme

L'Année de la grosse tempête [1975-1983] (Éditions Leméac, 1984, sous le titre de **La Longue Marche dans les Avents**)
Voir le résumé à **La Longue Marche dans les Avents**

Le Tréteau des apatrides ou la Veillée en armes [1983-1990], deuxième volet d'un triptyque commencé avec **La Longue Marche dans les Avents**
Les années 1830, témoins dans le monde de grands changements, voient s'exaspérer, dans la Province de Québec, les efforts d'une élite laïque et francophone pour secouer le lien colonial et prendre en main le destin d'un groupe qui se perçoit comme une nation. Traversée de l'époque par un jeune homme que ses aventures mènent de la potence aux hautes sphères de l'administration.
Durée : 2 heures 30
Personnage(s) : 45 personnages (15 femmes, 30 hommes) pouvant être joués par une quinzaine d'interprètes

L'Immortelle Entrecôte [1986] (dans **20 ans**, VLB Éditeur, 1985)
Un jeu de théâtre macabre s'installe entre deux femmes de générations différentes.
Durée : 20 minutes
Personnage(s) : 3 femmes

Le Déversoir des larmes [1987] (Guérin Littérature, 1988)
Café de la Place, 7 septembre 1988
Gabrielle et Réjane, deux religieuses enseignantes, confrontent leurs valeurs morales. Puis, à la crudité de leurs propos, s'ajoute graduellement la matérialisation de certains fantasmes sexuels. Gabrielle, l'aînée, secondée par un homme se transformant au fil de ces jeux pervers, décortique les multiples manifestations du désir. Réjane, poussée dans ses derniers retranchements, se heurte à ses propres désirs, à ses peurs, aux blocages lui interdisant de s'y abandonner.
Durée : 2 heures
Personnage(s) : 2 femmes, 1 homme

TRADUCTIONS ET TRANSPOSITIONS

Oh ! quand j'entends chanter... [1980] traduction de **Absurd Person Singular** d'Alan Ayckbourn
Théâtre du Trident, 4 novembre 1980

Les Sorcières de Salem [1982], traduction de **The Crucible** d'Arthur Miller
Théâtre du Trident, 18 janvier 1983

De l'importance d'être fidèle [1989], traduction de **The Importance of Being Earnest** d'Oscar Wilde
Théâtre du Trident, 3 avril 1990

RICHARD, Joël

Né dans le Sud de la France, Joël Richard s'installe au Canada en 1968. Il oeuvre dans le milieu théâtral depuis 1978. Pendant quatre ans, il travaille au Centre national des Arts à Ottawa comme perruquier, recherchiste et assistant metteur en scène. Il fait également des stages au Shaw Festival, sous la direction de Christopher Newton, et au Théâtre National de Chaillot à Paris, sous la direction d'Antoine Vitez. Depuis 1984, il se consacre à la mise en scène et à l'écriture dramatique. De 1988 à 1990, il est directeur artistique du Théâtre des Lutins à Ottawa. Il vient de compléter une maîtrise en art dramatique à l'Université du Québec à Montréal portant sur la comédie musicale.

Josette [1982-1985]
Théâtre de l'Île (Hull), 1984
Josette, une coiffeuse d'origine française, est une énorme souillon. Désespérément, elle cherche à améliorer sa condition. Elle se bat pour perdre du poids, obtenir le respect, gagner l'amour et conquérir le pouvoir. Dans son salon de coiffure, toutes griffes dehors, elle se débat, au gré de ses humeurs et de ses besoins, contre ses fantasmes, ses joies et ses peurs.
Durée : 1 heure 30
Personnage(s) : 1 femme

Départ [1985-1986]

Dans un théâtre vide, un metteur en scène, à la veille d'une nouvelle production, confie des souvenirs à la scène. Peu à peu, les êtres chers qui le hantent envahissent l'espace scénique. Entraîné par eux, au gré de sa mémoire, il revit, invente, interprète, questionne ou se perd dans des épisodes de sa vie, marqués par une rupture et un départ.

Durée : heure
Personnage(s) : 5 femmes, 3 hommes
2 chansons

E **Monsieur Tout-gris** [1985-1988]

Théâtre des Lutins, 12 novembre 1988

Un jour, monsieur Tout-gris, qui vit tout seul, avec son chien Coco, sur sa chaise, sous son arbre, dans un parc et qui proclame bien haut les vertus de la solitude tout en se lamentant sur son triste sort, voit arriver Arlequin. Celui-ci va bouleverser sa vie. Il va l'entraîner dans une aventure qui le transformera, dans sa tête et dans son coeur.

Durée : 50 minutes
Personnage(s) : 2 hommes
Public visé : les enfants de la maternelle et du 1er cycle du cours élémentaire

15 août 1985 [1986]

Centre national des Arts, 22 avril 1987

Simon réunit autour de lui, lors d'une fête à la campagne, amis, maîtresses, amants et parents. Sans l'avouer, il sait que c'est sa dernière fête. Sans l'admettre, prétendant qu'il ne souffre que d'une grippe, il sait que la mort aura raison de lui, mais il la refuse. Aussi du groupe, Pierre, atteint de la même maladie. Mais il lui donne un nom : sida. Il la regarde en face et lutte. La pièce tente de cerner deux attitudes devant la mort.

Durée : 1 heure 30
Personnage(s) : 11 personnages (4 femmes, 7 hommes) joués par 3 femmes et 7 hommes

E **Aurore, un éclat de Lune, un éclat de Soleil** [1993]

Le Soleil et la Lune, unis par un grand amour, se querellent au point de troubler le sommeil du Ciel. Leur fille adorée, Aurore, tente de les réconcilier. Une fable à quatre personnages qui illustre l'impact des désaccords familiaux sur les jeunes enfants.

Durée : 50 minutes
Personnage(s) : 2 femmes, 2 hommes
Public visé : les enfants de 4 à 8 ans
Le personnage du Ciel peut être figuré par une marionnette géante

RIVIÈRE, Sylvain

Né à Carleton, dans la Baie-des-Chaleurs, Sylvain Rivière a étudié en communication à l'Université Laval. Depuis 1981, il habite les Îles-de-la-Madeleine. Poète, écrivain, journaliste au Québec pour *Gaspésie, Urgence* et en France, pour *Écrit Soc et Foc*, il a également écrit des chansons pour Gilles Bélanger, Danielle Odderra, Brigitte Leblanc et d'autres mises en musique par Claude Gauthier et Bertrand Gosselin. Plusieurs bourses lui ont permis, depuis 1984, des études sur le patois en France et en Belgique. Depuis 1982, il a publié une vingtaine d'ouvrages dont **La Saison des quêteux** chez Leméac en 1987 et **La Lune dans une manche de capot** chez Guérin en 1988. En 1990, il remportait le prix Jovette-Bernier et le prix Mérite culturel gaspésien. Finaliste au Grand prix de poésie du *Journal de Montréal* avec **Figure de proue**, en 1991, Sylvain Rivière participait, pour la quatrième année consécutive, au Festival de la Nouvelle de Saint-Quentin en France, et sa nouvelle **Le Bon Dieu en culott' de v'lours** était présentée sur le réseau national de Radio-Canada dans une narration de Jocelyn Bérubé. Il fonde, en 1989, le Théâtre de la Parlure et, en 1993, le Théâtre de l'Errance en Gaspésie.

La S'maine des quat'jeudis [1989], d'après des nouvelles du même auteur (Guérin littérature, 1988)
Théâtre de la Parlure, 1er juillet 1989
Suite de tableaux impromptus traitant des gazettes de village que sont les quêteux, itinérants exerçant divers petits métiers tout en se permettant de donner leur opinion sur tout : la religion, la politique et tout le reste.
Durée : 1 heure 45
Personnage(s) : 1 femme, 3 hommes
Violoneux faisant partie de la distribution

L'Oeuf à deux jaunes [1990] (Humanitas, nouvelle optique, 1990), avec la collaboration de Calixte Duguay pour la musique
Théâtre de la Parlure, été 1990
Alisé disparaît après la mort de sa femme causant tout un émoi dans l'anse chez son vieil ami de toujours, Oxida, et sa commère de femme, Malvina. Alisé revient au printemps, porteur d'un mystère qui le rejoindra bientôt en la personne de Jeanne-d'Arc, enceinte de sa « partance en ville ».
Durée : 1 heure 45
Personnage(s) : 2 femmes, 2 hommes
3 chansons

Les Palabres du vieux Procule à Désiré [1990] (Humanitas, 1990)
Théâtre de la Parlure, été 1990
Un vieux gaillard se raconte dans un langage grivois, accompagné de la Sainte-Trinité pour confirmer ses dires : la Veuve à Wilson, le défunt Vila et le défunt Manique. Humour, accent et vocabulaire particulier.
Durée : 1 heure 30
Personnage(s) : 1 homme

Une langue de côtes [1991] (Humanitas, nouvelle optique, 1991), avec la collaboration de Claude Gauthier pour la musique
Théâtre de la Parlure, été 1991
Conflit de valeurs et de générations. Un jeune homme, établi à Ottawa, vient avec sa femme, visiter ses parents qui n'ont jamais quitté les Îles-de-la-Madeleine. Ceux-ci ne reconnaissent plus tout à fait leur fils et son nouveau langage.
Durée : 1 heure 45
Personnage(s) : 2 femmes, 2 hommes
1 chanson

Le Pays dégolfé [1992] (Humanitas, nouvelle optique, 1992), avec la collaboration de Claude Gauthier pour la musique
Théâtre de la Parlure, été 1992
Le pays qui se dégolfe c'est le pays français d'Amérique qui prend le large. Les personnages sont face à la mer, ils parlent. Quatre personnages-poètes parlants, issus des poètes muets qui peuplent les Iles-de-la-Madeleine.
Durée : 1 heure 45
Personnage(s) : 2 femmes, 2 hommes
1 chanson

Coeur de maquereau [1993] (Humanitas, 1993), avec la collaboration de Nelson Minville pour la musique
Théâtre de la Parlure, été 1993
Sujet délicat : le sida chez un sexagénaire. Alosius est chasseur de loup-marin, et son fils, naturaliste vendu à la cause de Greenpeace aux quatre coins du monde.
Durée : 1 heure 5
Personnage(s) : 1 femme, 2 hommes
1 chanson

L'Épopée des Ramées [1993] (Humanitas, 1993), comprenant 20 chansons mises en musique par Manon Trudel, Donat Lacroix, Jean-Pierre Bérubé, Bertrand Gosselin, Alain Leconte, Claude Gauthier, Brigitte Leblanc, Gilles Bélanger, Régis Audet, Denis Landreville, René Robitaille et Laurence Lepage.
Théâtre de la Parlure, été 1993
Vaste saga musicale relatant les deux cents ans de peuplement des Îles-de-la-Madeleine.
Durée : 2 heures
Personnage(s) : 2 femmes, 2 hommes (musiciens-comédiens-chanteurs) et 4 narrateurs
20 chansons

Les Chairs tremblantes [1994] (Humanitas, 1994), avec la collaboration de Nelson Minville pour la musique
Théâtre de la Parlure, été 1994
Le vieillissement, les soins à domicile, les TGV (très grands vieillards) et aussi l'exode, l'amour, l'État, l'âme, le corps, la planète et le paysage immédiat.
Durée : 1 heure 45
Personnage(s) : 2 femmes, 2 hommes
1 chanson

ROBINSON, Reynald

Après ses études au Conservatoire d'art dramatique de Québec, Reynald Robinson devient membre du Théâtre de la Gaspésie et du Théâtre Parminou. Après trois ans de travail en collectif, il devient pigiste. Il joue dans **La Cuisine** de Arnold Wesker, **Un sur six** de Ron Clark et Sam Bobrick, **Ce qui reste du désir** de Claude Poissant et **Le Banc** de Marie Laberge, entre autres. Il signe aussi plusieurs mises en scène. De 1986 à 1994, il est directeur, codirecteur artistique puis conseiller dramaturgique du Théâtre du Gros Mécano où trois de ses textes ont été produits. Sa pièce **Jo et Gaïa la Terre** a été présentée aux Francophonies théâtrales pour la jeunesse, à Mantes-la-Jolie, en France, en mai 1992.

E **Le Secret couleur de feu** [1988]
Théâtre du Gros Mécano, mai 1998
Un petit garçon de dix ans, Philippe, ne se sent plus aimé de ses parents. Pour lui, quitter l'enfance signifie être abandonné. Se regardant dans un miroir, il se rend compte que son reflet a disparu ! Paniqué, il traverse le miroir et part à la conquête de son image. Il comprendra que son image est toujours en mouvance : à faire et refaire selon ses besoins. En acceptant ses peurs, en apprivoisant sa force intérieure, il finira par s'aimer tel qu'il est et acceptera de grandir.
Durée : 50 minutes
Personnage(s) : 2 femmes, 2 hommes
Public visé : les élèves du primaire et de la première année du secondaire

E **Jo et Gaïa la Terre** [1991]
Coproduction du Théâtre du Gros Mécano et du Centre national des Arts, le 30 octobre 1991
Une histoire dans laquelle trois générations se côtoient. Le petit Jo est atteint d'une maladie et on doit l'enfermer dans une bulle pour le protéger des microbes et de la pollution. Jo, l'enfant-bulle, et Gaïa, la planète bleue, se meurent d'un manque d'amour.
Durée : 1 heure
Personnage(s) : 2 femmes, 3 hommes
Public visé : les enfants de 6 à 12 ans

E **L'Homme, Chopin et le petit tas de bois** [1993]
Théâtre du Gros Mécano, mai 1993
Un drôle de monsieur habite seul une drôle de maison. Très grognon, il n'aime que sa précieuse armoire où il garde sa nourriture. Aujourd'hui pourtant, voici qu'il entend d'étranges bruits qui en sortent, et des notes de musique et voici que sa nourriture disparaît !... et que son armoire se transforme... Mais qui donc lui joue ces tours ? L'univers poétique d'un petit garçon pas comme les autres, caché dans le corps et les souvenirs d'un vieux monsieur.
Durée : 45 minutes
Personnage(s) : 1 homme
Public visé : les enfants de 5 à 8 ans
Tours de magie

RONFARD, Jean-Pierre

D'origine et de culture européennes (il est né dans le Nord de la France), Jean-Pierre Ronfard a parcouru de multiples chemins pendant ces quarante années consacrées à l'aventure théâtrale (en Algérie, en Grèce, au Portugal, en Autriche et au Québec). Cumulant les rôles de comédien, de metteur en scène, d'animateur et d'auteur, il a toujours été étroitement lié au développement du théâtre au Québec. Tour à tour directeur artistique de la section française de l'École nationale de théâtre du Canada, de 1960 à 1965, secrétaire général du Théâtre du Nouveau Monde, membre du Comité d'enquête sur la formation théâtrale au Canada, il fonde, en 1975, avec quelques comédiens, le Théâtre Expérimental de Montréal qui deviendra, en 1979, le Nouveau Théâtre Expérimental. Depuis 1981, il est donc l'un des principaux animateurs d'Espace Libre que gèrent et où se produisent le Nouveau Théâtre Expérimental, Carbone 14 et Omnibus.

photo: Benoît Ronfard

Médée [1970]
Étude sur le mythe
École nationale de théâtre du Canada, 1970
Le mythe de Médée, comme image des combats du pouvoir et de la révolte, de la normalité et de la marge, de la raison et de la folie.
Durée : 1 heure
Personnage(s) : 1 femme, 3 hommes et un choeur de femmes et d'hommes
Spectacle tragique à connotations politiques

Lear [1976] (revue Tract, 1977)
Théâtre Expérimental de Montréal, 25 janvier 1977
Cette réécriture sur le mode grotesque et dérisoire du **Roi Lear** de Shakespeare, influencée par Beckett et Artaud, présente un Lear dépouillé de sa grandeur mais où l'absurde et la cruauté du destin du vieux roi sont mis en lumière. Alors que règnent deux de ses filles à qui il a cédé le pouvoir, Lear et sa maîtresse Corneille sont forcés à errer. Sa troisième fille, déguisée en fou, l'accompagne dans cette descente aux enfers pendant que le bâtard Hector finit par prendre le pouvoir.
Durée : 2 heures
Personnage(s) : 4 femmes, 4 hommes

Vie et Mort du Roi Boiteux [1981] (2 tomes, Éditions Leméac, 1981)
Nouveau Théâtre Expérimental, 1981-1982
Épopée sanglante et grotesque en six pièces et un épilogue. Dans le quartier de l'Arsenal, la lutte de deux familles rivales, les Roberge et les Ragone... D'un bout à l'autre de la terre, les aventures de tout un peuple mystifié... Entre une mère et son fils, une longue histoire d'amour, de provocation et de mort... Sur le théâtre du monde, une horde de personnages, agités par des passions contradictoires, se prennent tous pour des reines et des rois, mais ils boitent...
Durée : 15 heures
Personnage(s) : 210 personnages (86 femmes, 124 hommes) pouvant être joués par 10 femmes et 13 hommes

La Mandragore [1982], inspiré de la pièce du même titre de Nicolas Machiavel ; musique originale de Catherine Gadouas (Éditions Leméac, 1982)
Théâtre du Nouveau Monde, 12 novembre 1982
Après maints subterfuges, un jeune Florentin un peu fou et ne sachant faire qu'une chose, l'amour, parvient à conquérir la belle épouse d'un docteur dévot et en tous points savant, sauf en un seul : l'amour. Librement adaptée de Machiavel, cette comédie propose une désopilante réflexion sur les joies de la chair.
Durée : 2 heures
Personnage(s) : 3 femmes, 4 hommes et un choeur
7 chansons (partitions disponibles au Cead)

Les Mille et Une Nuits [1984], d'après le recueil de contes arabes du même titre (Éditions Leméac, 1985)
Nouveau Théâtre Expérimental, juin 1984
Dans cette pièce, teintée d'un orientalisme de pacotille, tous les personnages vivent, à des degrés divers, la contrainte que la légende impose à la princesse Schéhérazade : inventer chaque jour une nouvelle histoire, créer pour ne pas mourir. C'est aussi un jeu de théâtre qui s'amuse à relater la naissance des contes et leur rencontre avec l'imaginaire de chacun.
Durée : 1 heure 40
Personnage(s) : 22 personnages pouvant être joués par 4 femmes et 5 hommes
1 chanson

Don Quichotte [1984], d'après le roman **El ingenioso hidalgo Don Quijote de la Mancha** de Miguel de Cervantes (nouvelle version) (Éditions Leméac, 1985)
Théâtre du Trident, 6 novembre 1984
Don Quichotte part en voyage monté sur Rossinante, bientôt suivi de Sancho Panza monté sur Grison. Ils font un voyage aux multiples péripéties, à travers des temps et des lieux disparates, où les réalités de la vie et de la pesanteur des choses s'opposent à l'idéalisme forcené du héros.
Durée : 2 heures
Personnage(s) : 33 personnages pouvant être joués par 4 femmes et 7 hommes

Le Titanic [1985] (Éditions Leméac, 1986)
Carbone 14, mai 1985
Le 14 avril 1912, le paquebot Titanic, merveille de la technologie moderne, coule au large de Terre-Neuve, lors de sa première traversée transatlantique. Font partie du voyage des personnages de tous bords : un immigrant juif, un journaliste japonais, Hitler, Isadora Duncan, une Danoise séduisante, un séducteur, un couple de vieux Américains, Sarah Bernhardt, tous unis dans un même destin.
Durée : 1 heure 40
Personnage(s) : 21 personnages pouvant être joués par 12 interprètes

Scène 85 [1985] (dans **20 ans**, VLB Éditeur, 1985)
Extrait d'une pièce à faire. Dans un pays d'outre-temps, des personnages se rencontrent et se racontent des histoires fantastiques.
Durée : 20 minutes
Personnage(s) : 2 femmes, 1 homme

Dans les dunes de Tadoussac [1985]
École nationale de théâtre, mars 1985
Cette « divagation théâtrale » matérialise sur scène ce qui se passe dans la tête de Charles, un étudiant qui rédige une thèse sur le 16e siècle : souvenirs de camping solitaire aux dunes de Tadoussac, rencontre avec des personnages bizarres et, surtout, d'étonnantes rêveries où sa vie ressemble étrangement à celle de l'empereur Charles Quint.
Durée : 1heure 30

Personnage(s) : 20 en tout (13 femmes, 7 hommes) pouvant être joués par 5 femmes et 3 hommes

Les Visiteurs de madame Artémise [1985]
Ce texte a été présenté en lecture publique par les Productions Germaine Larose, en collaboration avec le Cead, le 4 novembre 1985.
Sa mémoire (aidée par une bouteille de champagne que sa voisine lui a offerte) déambule dans son passé et donne une réalité, une incarnation à ses désirs, sa culture, ses aventures passées, sa culpabilité, ses revendications, son goût impérissable de l'opéra, l'amour à multiples faces qu'elle a eu, qu'elle a toujours pour son mari mort, ses enfants, un amant italien, une amie, un mystérieux prince noir...
Durée : 1 heure 15
Personnage(s) : 5 femmes, 3 hommes
4 chansons

Les objets parlent [1986]
Nouveau Théâtre Expérimental, 3 décembre 1986
Pièce sans acteurs où les objets sont les personnages. Lors de la création, les spectateurs étaient assis sur des praticables roulants que l'on déplaçait d'une scène à l'autre, vers un nouvel objet qui racontait quelque chose...
Durée : 1 heure 30
Personnage(s) : 0 femme, 0 homme, des voix et des machinistes

Mao Tsé Toung ou Soirée de musique au consulat [1986-1987] (Revue « Dérives », no 56-57, 1987), avec la collaboration de Ben Low pour la musique
Nouveau Théâtre Expérimental, 25 février 1987
Fresque épique. Shanghai 1927. Le Consulat. Monsieur le Consul, son épouse Mary et Élizabeth, une amie, entre des airs de Schumann et de Fauré, assistent impuissants, sous le regard de Wang, le boy, à l'effondrement de l'emprise colonialiste occidentale et à la montée du mouvement révolutionnaire chinois. L'Occident face à l'Orient. Opposant le texte dramatique (le Consulat) au conte épique (le peuple chinois), l'auteur retrace l'itinéraire politique de la Chine, de 1927 à 1941.
Durée : 1 heure 15
Personnage(s) : 2 femmes, 2 hommes et une foule

Marilyn (journal intime de Margaret Macpherson) [1987]
Nouveau Théâtre Expérimental, 9 octobre 1987
Margaret Macpherson est la doublure de Marilyn Monroe. Sa vie n'étant guère reluisante, elle fantasme sur « sa » star, jusqu'à calquer son existence sur celle de Marilyn. Mais sa tragédie intérieure deviendra celle de Marilyn... jusque dans la mort.
Durée : 1 heure 20
Personnage(s) : 1 femme et des voix
Ce texte demande l'emploi de voix off et la manipulation d'un magnétophone sur scène

Autour de Phèdre [1988], d'après des textes d'Euripide, Sénèque et Racine
Nouveau Théâtre Expérimental, 7 mars 1988
Aphrodite, déesse de l'amour, fait de Phèdre son instrument pour se venger d'Hippolyte qui préfère rendre hommage à une autre déesse, Artémis, la vierge. À partir de la figure mythologique de Phèdre, un metteur en scène s'interroge sur l'effet tragique. Dans le plus grand dépouillement des moyens scéniques, avec la seule force du verbe, combiné au geste, au regard, au bruit et au silence, le tragique est traqué, mis à l'épreuve. Les dieux sont interpellés.
Durée : 1 heure
Personnage(s) : 3 femmes, 3 hommes ou 4 femmes, 2 hommes

Le Grand Théâtre du monde [1989], en collaboration avec Robert Gravel et Anne-Marie Provencher
Nouveau Théâtre Expérimental, 10 janvier 1989
Évocation dramatique du siècle d'or espagnol, dominée par les figures de la Célestine et de Don Juan dans une grande fresque baroque à teinte conviviale presque rassemblant sur et autour d'une immense table de banquet spectateurs et acteurs.
Durée : 2 heures 30
Personnage(s) : 28 en tout (10 femmes, 18 hommes) pouvant être joués par un minimum de 14 interprètes (femmes et hommes en nombres égaux)

La Voix d'Orphée [1990], avec la collaboration de Catherine Gadouas pour la musique
Nouveau Théâtre Expérimental, 9 octobre 1990
Qu'est-ce que la voix ? La place de la voix ? Le mystère de la voix dans le phénomène spectaculaire ? C'est ce que traite l'auteur, tout en racontant à sa manière le mythe du premier des musiciens, sa descente aux enfers en quête d'Eurydice, sa défaite et sa gloire.
Durée : 2 heures
Personnage(s) : 3 femmes, 3 hommes

Falstaff [1990]
Théâtre du Trident, 18 septembre 1990
Inspirée par le cycle historique des **Henri** (**IV**, **V** et **VI**) et par la comédie **Les Joyeuses Commères de Windsor**, une comédie dramatique consacrée au populaire héros shakespearien, mangeur, buveur, voleur, grand parleur, petit faiseur, lâche, prétentieux, philosophe et poète, Falstaff, le précepteur (ou le corrupteur) du jeune Prince de Galles, qui deviendra Henri V, le plus vertueux des rois d'Angleterre.
Durée : 3 heures
Personnage(s) : 4 femmes, 13 hommes

Précis d'histoire générale du théâtre en 114 minutes [1992]
Anthologie de 15 petites pièces de 5 à 15 minutes chacune. « Certaines de ces pièces sont des extraits authentiques, d'autres de honteux pastiches. »
Nouveau Théâtre Expérimental, mai 1992
À travers quinze moments de jeu illustrant quinze esthétiques différentes, les spectateurs parcourent l'histoire du théâtre depuis l'authentique monologue de la mort d'Ajax (Sophocle) jusqu'à un pseudo nô japonais ; d'une pièce hyperréaliste où il s'agit avant tout de préparer un repas de poisson jusqu'à une comédie bourgeoise du XIXe siècle ; d'une chanson furieusement brechtienne à un mystère médiéval ou un numéro de mime corporel... Bousculant le cours normal du temps, le spectacle commence par les applaudissements du public et les saluts de la troupe pour s'achever avec une répétition détendue menée par un metteur en scène débonnaire.
Durée : 1 heure 50
Personnage(s) : 5 femmes, 5 hommes

Violoncelle et Voix [1992], étude théâtrale portant essentiellement sur les qualités confrontées de la musique et de la voix humaine
Nouveau Théâtre Expérimental, janvier 1993
Une voix de femme et une musique de violoncelle dialoguent. Un homme (le violoncelliste) et une femme (la cantatrice) débattent de l'attachement qui les lie et dont ils ne peuvent se défaire. Toute une série de jeux de théâtre sur le thème de l'attachement ; l'attachement à quelqu'un mais peut-être plus essentiellement à un lieu, une pensée, une forme, une sensation, un art, la musique, le théâtre... Comment cet attachement est-il né ? De quoi s'est-il nourri ? Pourquoi persiste-t-il ?
Durée : 50 minutes
Personnage(s) : 1 femmes (cantatrice) 1 homme (violoncelliste) et 1 machiniste

Le Cyclope [1985], traduction de **Kûklops** d'Euripide
Nouveau Théâtre Expérimental, mars 1985

ROY, Louise

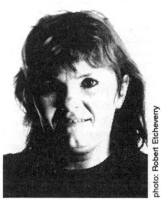

photo: Robert Etcheverry

Louise Roy a étudié les arts visuels à l'École des beaux-arts de Montréal mais se consacre entièrement à l'écriture dramatique depuis 1976. Elle écrit une première pièce, **Une amie d'enfance**, en collaboration avec Louis Saia, puis signe plusieurs autres pièces de théâtre et scénarios pour le cinéma et la télévision, avec ses collaborateurs Louis Saia, Marie-Christine Lussier, Michel Chevrier, Marie Perreault et Yves Desgagnés.

Une amie d'enfance [1976], en collaboration avec Louis Saia (Éditions Leméac, 1980)
Ce texte a été présenté en lecture publique par le Cead, les 15 et 28 janvier 1982, respectivement au Théâtre de l'Est Parisien et au Théâtre de Carouge de Genève.
adapté pour le cinéma ; porté à l'écran par Francis Mankiewiecz
Productions du Géant Beaupré, 27 janvier 1977
Traduit en anglais par David McDonald sous le titre de **A Childhood Friend**
Théâtre de la Poudrière, 1980
Comédie. Tableau hyperréaliste sur un patio de banlieue mettant en scène les retrouvailles de deux amies d'enfance qui réalisent rapidement qu'elles n'ont plus rien en commun.
Durée : 2 heures 30
Personnage(s) : 2 femmes, 2 hommes

Ida Lachance [1978], en collaboration avec Louis Saia
Théâtre du Rideau de Tweed, 15 février 1978
Une jeune femme enceinte d'un amant de passage part à la recherche de celui-ci au cours d'un voyage qui l'amènera à parcourir toute la province et à croiser sur son chemin une galerie de personnages très particuliers dans des univers quelquefois étranges. Une fresque de la psyché québécoise sur un ton drôle et touchant.
Durée : 2 heure 30
Personnage(s) : 39 personnages (17 femmes, 22 hommes) pouvant être joués par 3 femmes et 3 hommes

Bachelor [1979], en collaboration avec Louis Saia et la participation de Michel Rivard (Éditions Leméac, 1981)
Théâtre des Voyagements, 25 avril 1979

Traduit en anglais par Michael Sinelnikoff sous le titre de **Single**

Encore Theatre, décembre 1983

Dolorès vient s'épiler les jambes un soir, chez sa voisine de palier qu'elle a eu l'occasion de croiser quelques fois dans l'ascenseur de l'immeuble qu'elles habitent. Dolorès est étalagiste dans un grand magasin du centre-ville et est aussi une source intarissable d'opinions sur la mode, la décoration intérieure, les hommes, la vie de célibataire. Elle reviendra six mois plus tard défaite, vieillie, anéantie par un jeune homme qui a abusé de celle qui nous avait pourtant donné l'impression que tout était sous contrôle. Une comédie qui tourne au tragique.

Durée : 1 heure 30

Personnage(s) : 1 femme

Transport en commun [1981], en collaboration avec Michel Chevrier

Théâtre des Voyagements, 14 avril 1981

Une amitié naît entre deux inconnues qui se rencontrent dans un autobus, ce qui suscite l'amour, l'envie et la haine d'un troisième personnage qui les observe.

Durée : 45 minutes

Personnage(s) : 4 femmes

La trampoline est à deux pieds du plafond [1982], en collaboration avec Marie-Christine Lussier et Marie Perreault

Théâtre d'Aujourd'hui, 21 avril 1983

Cette déconcertante comédie où s'entrechoquent différents styles d'écriture propose notamment une réflexion sur le théâtre de la modernité - dont un surprenant pastiche de kabuki -, les « partys » de bureau, les aléas de la destinée et les langueurs adolescentes, le tout servi par des personnages qu'on dirait tirés d'une bande dessinée de Bretécher.

Durée : 2 heures

Personnage(s) : 25 personnages (17 femmes, 8 hommes) pouvant être joués par 4 femmes et 2 hommes

Quatre tableaux d'une cruauté sans nom [1983], en collaboration avec Marie Perreault

Médium médium, 18 mars 1983

Un artiste peintre vient exposer quatre tableaux au Centre culturel et sportif d'une petite ville et raconte l'histoire qui a donné lieu à chacun de ces quatre tableaux d'une cruauté sans nom. Sur le principe du film noir, le destin des personnages de ces tableaux se trouve tragiquement bouleversé par un événement d'apparence anodine.

Durée : 1 heure 45

Personnage(s) : 14 personnages (6 femmes, 8 hommes) pouvant être joués par 1 femme et 1 homme

Je ne t'aime pas [1984], en collaboration avec Yves Desgagnés

Médium médium, 16 mai 1984

Patricia tombe follement amoureuse de Louis, un petit fonctionnaire de Québec, qui profite d'un congé sans traitement pour s'installer temporairement à Montréal et réaliser le rêve de sa vie : écrire un opéra. Patricia habite juste en face du Palais de Justice où son frère Jules défend Camille Schnittgens, accusée d'avoir comploté avec son amant le meurtre de son mari. Une pièce sur la passion.

Durée : 2 heures

Personnage(s) : 2 femmes, 2 hommes

Les Nouilles [1985], en collaboration avec Yves Desgagnés (Éditions Leméac, 1986)

Théâtre de Quat'Sous, 14 janvier 1986

Une relationniste profite de l'ouverture du Festival international du Cinéma d'avant-garde de Montréal pour inviter chez elle la crème des intellectuels québécois à un souper de pâtes fraîches qu'elle a soi-disant organisé en l'honneur d'un jeune cinéaste mexicain de notoriété mondiale.

Cependant, elle passera la soirée à manipuler ses hôtes pour se faire du capital professionnel et essaiera tant bien que mal d'étouffer une réputation d'incompétente chronique qui la poursuit avec acharnement et qui menace d'anéantir sa carrière de relationniste. Une comédie de moeurs.
Durée : 2 heures
Personnage(s) : 2 femmes, 4 hommes

Perdue au milieu de l'océan [1993], en collaboration avec Marie Perreault
Produite à la radio de Radio-Canada, 1993
Une femme doit convaincre sa fille de 18 ans de sortir de la cabine d'un voilier, au fond de laquelle elle se terre depuis trois jours, pour aller dîner au *Blue Lagoon*, en compagnie de son futur beau-père.
Durée : 30 minutes
Personnage(s) : 2 femmes, 1 homme

RUEL, Francine

Comédienne avant tout, Francine Ruel a joué à la scène, à la télévision (entre autres dans **La Boîte à lettres**, émission pour enfants, **Cormoran** et les séries **Scoop**). Elle a aussi fait partie de la Ligue Nationale d'Improvisation. Outre ses pièces, et sa coécriture de l'immense succès **Broue**, elle a écrit des sketches et des chansons pour les séries télévisées **Du soleil à 5 cennes**, **Minute Moumoute**, **Pop Citrouille** et **Court-circuit**, de même que des chansons pour Louise Forestier et Élise Guilbault. Francine Ruel a également signé en solo **Fermer l'oeil de la nuit** et, avec Pierre Curzi, **Un chemin perdu d'avance**, deux téléthéâtres produits et diffusés par Radio-Canada, respectivement en 1982 et 1983. Elle a aussi écrit le scénario de **La dernière y restera** (court métrage réalisé par Jacques Méthé) et, avec Yves Simoneau, celui de **L'Amour-cage**. Elle est également l'auteure de deux romans jeunesse publiés à la Courte Échelle.

photo: Monic Richard

Les Trois Grâces [1980-1981] (Éditions Leméac, 1982)
Coproduction de la Compagnie des Deux Chaises et du Théâtre de Quat'Sous, 13 janvier 1982
Les trois Grâces vivent dans un cirque en forme de jupe. Elles sont grosses, très grosses car « la vie a laissé ses traces sur leurs corps de violoncelle ». Un jour pourtant, Grâce et Rose se libèrent de leurs corps, découvrent le plaisir d'être touchées et regardées et la mère reste seule avec « ses provisions affectives monstrueuses ».
Durée : 1 heure 40
Personnage(s) : 3 femmes et 1 homme
4 chansons et 5 thèmes musicaux

Carbone [1983]
Production de l'auteure, Lundis des Ha ! Ha !, 1984
Monologue d'une *drop-in*, jeune cégépienne qui a recouvré son banc d'école.
Durée : 10 minutes
Personnage(s) : 1 femme

Le Dernier Quatuor d'un homme sourd [1985], en collaboration avec François Cervantes (Léméac Éditeur, 1989)
Ce texte a été présenté en lecture publique par le Cead, en coproduction avec le Théâtre d'Aujourd'hui, le 1er décembre 1986.
Théâtre de Quat'Sous, automne 1987
Quatre grands noms de la musique préparent un concert qui pourrait devenir l'événement du monde musical : les derniers quatuors de Beethoven. Karl Pelensky, premier violon, dirige les répétitions, mais les perturbe aussi, traquant dans les notes la fièvre de leur créateur. Pour ses collègues, son perfectionnisme ressemble à un suicide artistique. Dans sa quête d'absolu, il met en péril toute l'entreprise ; ce concert sera unique ou ne sera pas.
Durée : 1 heure 40
Personnage(s) : 2 femmes, 4 hommes et un violoniste

Le Strip-tease intégral [1986]
Théâtre du Trident, 15 avril 1986 ; inclus dans un spectacle intitulé **Cabaret Bleu**
Description d'un numéro de cabaret sans parole pour comédienne, « velcro » et musique. Le strip-tease est intégral parce qu'il s'effectue jusqu'au squelette de l'effeuilleuse.
Durée : 5 minutes
Personnage(s) : 1 femme

Les Rixes du métier [1986]
Théâtre du Trident, 15 avril 1986 ; inclus dans un spectacle intitulé **Cabaret Bleu**
Numéro d'un couple de magiciens aux prises avec de graves problèmes matrimoniaux. Table à double fond, table de lévitation et armoire sur roulettes servent à Carla pour réaliser le plus grand tour de passe-passe qu'elle réserve à son « charmant mari ».
Durée : 15 minutes
Personnage(s) : 1 femme, 2 hommes

Les Sables émouvants, tango [1987-1989]
Théâtre de la Manufacture, 29 mars 1990
Des hommes, des femmes à la recherche d'un partenaire pour une nuit... ou pour la vie se retrouvent une longue nuit pour danser le tango. Gladys chante sur airs de bandonéon la nostalgie des amours perdues. Et Ange, le maître des lieux, le maître des jeux rend cette nuit... possible et qui sait... magique. « La piste s'éclaire. Elle est faite de carreaux noirs et blancs. Dans quelques instants...elle sera tachée de sang. Les hommes et les femmes s'approchent avec leur désir à la main, prêts à vous l'enfoncer dans le coeur ou le dos... je ne sais pas encore » - Ange
Durée : 1 heure 45
Personnage(s) : 3 femmes, 4 hommes

TRADUCTIONS

Le Vieux Domestique [1987], en collaboration avec José Luis Thenon, traduction de **El Viejo Criado** de Roberto Cossa
Cette traduction a été présentée en lecture publique par le Cead, en coproduction avec le Festival de Théâtre des Amériques, les 2 et 5 juin 1987.
Buenos Aires 1982. Un café qui a gardé son allure des années vingt. Deux amis s'y retrouvent. Un faux intellectuel et un faux dur à l'apparence rustique. Dehors, il y a la vie difficile, la répression, les sirènes. Dedans, il y a l'irréel... où tout est encore possible. C'est le rêve de tout un peuple qui préfère attendre, à l'intérieur des cafés en refaisant le monde, que quelque chose arrive pour l'amener ailleurs.
Durée : 1 heure 45
Personnage(s) : 1 femme, 3 hommes

SAINT-PIERRE, Louise

Comédienne, Louise Saint-Pierre fait ses études au Conservatoire d'art dramatique de Montréal. En 1973, elle est cofondatrice du théâtre de la Rallonge, auquel elle collabore jusqu'en 1984. Elle a aussi travaillé comme journaliste pour l'émission **Les Belles Heures** à la radio de Radio-Canada, de 1983 à 1987. Depuis, elle se consacre à l'enseignement, à l'écriture et à son métier d'actrice.

Pourquoi s'mett' tout nus [1979], en collaboration avec Lorraine Pintal et Daniel Simard
La Rallonge, 11 mai 1980
Les dépendances et dépassements de l'amour servent de fil conducteur à une douzaine de tableaux (dont chacun peut être joué isolément) mettant en scène un, deux ou trois interprètes qui se livrent avec humour, poésie et gravité à un strip-tease des corps, des âmes et des imaginaires.
Durée : 1 heure 30
Personnage(s) : 22 personnages (14 femmes, 8 hommes) pouvant être joués par 2 femmes et 1 homme

Le Party de Paline [1982]
La Rallonge, 1986
Une femme dans la trentaine, seule, s'interroge sur ses amours, ses angoisses, ses aspirations, sa vie... avec beaucoup d'humour et quelque poésie, en compagnie de son ombre fidèle : Paline de Voisier.
Durée : 1 heure 45
Personnage(s) : 1 femme

La Résurrection d'Ursule [1991-1992]
Ce texte a été présenté en lecture publique par le Cead, le 7 février 1991.
Théâtre de la Manufacture, 3 novembre 1992
Un texte écrit à la manière d'un chant qui ruse de l'intérieur, d'un dialogue incessant entre l'âme et le coeur d'Ursule. Les mots, la musique et la danse se conjuguent en alternance pour dire la quête d'amour et de Dieu.
Durée : 2 heures
Personnage(s) : 1 femme et 1 choeur

Le poisson a-t-il un système nerveux sensible à la douleur [1993]
Commande de l'Option-théâtre du cégep Lionel-Groulx
Option-théâtre du cégep Lionel-Groulx, 15 mai 1994
Pièce onirique, décadente. La société québécoise en tant que société et non en tant que nation, et dans son sous-texte tragique. Moment de transfert de pouvoir, dans une société dirigée par des

femmes, pouvoir héréditaire, société matrilinéaire. Transfert de pouvoir car il faut des enfants pour gouverner et qu'on a cinq ans pour le faire après avoir accédé à la tête du gouvernement, ce que n'a pu faire une récente chef d'État... Transfert, luttes, amours... *business as usual* de la vie.
Durée : 1 heure 20
Personnage(s) : 2 femmes, 5 hommes

SAPRE, Jean-Claude

Jean-Claude Sapre avait suivi un cours en techniques théâtrales à l'Université du Québec à Montréal, ainsi que plusieurs cours privés en interprétation, pose de voix et diction. Il travaillait comme comédien à la télévision, au théâtre et au cinéma. Il a écrit des pièces, des monologues, des textes et des scénarios pour la radio et la télévision (chansons et sketches pour **Pop Citrouille**, à Radio-Canada) et a fait de la mise en scène. Il a été fondateur et directeur artistique du Théâtre de la Moluque à Carleton. Il est décédé en 1988.

Pourquoi Dracula et puis pas moi ? [1978]
Le Patriote, octobre 1978
Le comte Dracula est encore à la recherche de sang frais... Dans cette comédie musicale, cependant, les deux vierges s'abandonnent facilement dans les bras de celui-ci, son pouvoir de séducteur mâle soulevant leurs désirs et leurs passions. Le docteur Molarius n'y pourra rien : lui-même voudra être mordu pour succomber enfin aux plaisirs de la chair.
Durée : 1 heure 30
Personnage(s) : 2 femmes, 4 hommes
9 chansons

À brûle-pourpoint ou la Valse solitaire [1981]
Café-théâtre les Fleurs du Mal, 4 mars 1981
À la recherche de l'amour, une jeune femme superficielle et coquette s'étourdit tous les soirs dans les bars. Elle oblige un copain, Pierre, à la suivre dans ses tournées. Il tente de lui faire comprendre qu'elle fuit ainsi sa solitude et qu'elle ne trouvera pas de remède à ce mal dans ses aventures sans lendemain.
Durée : 1 heure
Personnage(s) : 1 femme, 1 homme

SAUVAGEAU, Yves

Yves Hébert Sauvageau est né à Waterloo en 1946. Très jeune, il fonde une troupe de théâtre, La Lanterne, et s'occupe de loisir théâtral pour sa ville. En 1963, il entre à l'École normale de l'Université de Sherbrooke. Cette décision l'oriente progressivement vers le théâtre. Il remporte en 1965 le premier et le troisième prix du concours des jeunes auteurs de Radio-Canada. À la fin de ses études en interprétation à l'École nationale de théâtre du Canada en 1968, il partira en tournée avec les jeunes comédiens du T.N.M.. L'année suivante, il fera partie du Théâtre d'Aujourd'hui en tant que comédien et scripteur. Il est décédé à 24 ans, en 1970. Jean-Claude Germain dira de lui qu'il « n'a pas eu le temps d'acquérir ni le métier, ni le talent du génie dramatique qui l'habitait et dont on retrouve un peu partout dans ses oeuvres la trace, l'empreinte et le souffle ».

Les Enfants [sans date] (Les Écrits du Canada français, no 21, 1966 ; suivi de **Je ne veux pas rentrer chez moi, maman m'attend, Jean et Marie, Papa** et **Les Mûres de Pierre**, Librairie Déom, 1977, sous le titre de **Théâtre**)
Réjean a dix-neuf ans, et Angèle, vingt ans ; ils sont frère et soeur. Tous les samedis après-midi, ils se donnent rendez-vous au grenier pour renouer avec l'enfance et ses jeux. Cet après-midi-là, le combat s'engage : le signal est donné et une lutte à finir commence entre le monde adulte et l'insouciance de l'enfance.
Durée : 40 minutes
Personnage(s) : 1 femme, 1 homme

Les Mûres de Pierre [1966] (précédé de **Les Enfants, Je ne veux pas rentrer chez moi, maman m'attend, Jean et Marie** et **Papa**, Librairie Déom, 1977, sous le titre de **Théâtre**)
Les Pichous, février 1976
Sur les bords de la rivière Yamaska, coule la « source à Belzébuth » au beau milieu d'un champ de mûres que les anciens disaient maudit. Pierre et Jeanne d'Arc vont se marier. Pierre décide de s'établir dans ce champ maudit. Les deux familles s'acharneront à détruire les rêves de Pierre et de Jeanne d'Arc qui trouveront à se réunir quand même.
Durée : 2 heures 30
Personnage(s) : 4 femmes, 6 hommes

Je ne veux pas rentrer chez moi, maman m'attend [1966] (avec **Les Enfants, Jean et Marie, Papa** et **Les Mûres de Pierre**, Librairie Déom, 1977, sous le titre de **Théâtre**)
C'est l'histoire de Brigitte et Jacques, jeunes gens qui, après un party, vivent leurs premières expériences amoureuses dans le parc central d'une petite ville de province. C'est une parodie d'un genre de théâtre américain, d'un certain style de vie américain dans lesquels se complaisent souvent les Québécois.
Durée : 45 minutes
Personnage(s) : 1 femme, 1 homme

Jean et Marie [sans date] (avec **Les Enfants, Je ne veux pas rentrer chez moi, maman m'attend, Papa** et **Les Mûres de Pierre**, Librairie Déom, 1977, sous le titre de **Théâtre**)
Court exercice de style utilisant une grande quantité d'expressions populaires québécoises. Il

paraît que Ti-Paul n'est plus avec Marie... L'occasion est bonne pour Ti-Jean de lui avouer ses bons sentiments et qui sait... Marie en pensera peut-être autant.

Durée : 7 minutes

Personnage(s) : 1 femme, 1 homme

Papa [1966] (avec **Les Enfants, Je ne veux pas rentrer chez moi, maman m'attend, Jean et Marie** et **Les Mûres de Pierre**, Librairie Déom, 1977, sous le titre de **Théâtre**)

Brève rencontre d'un père et de son fils dans une chambre d'hôtel minable où vit le père. C'est la confrontation de leurs souffrances intimes. Le père cherche l'aide de son fils ; celui-ci tente de lui faire avouer qu'il veut se suicider et lui raconte sa propre expérience du suicide. Mais tout ceci l'a rendu froid, il s'en va... Le père a peut-être compris.

Durée : 45 minutes

Personnage(s) : 2 hommes

Wouf Wouf [1967] (Éditions Leméac, 1970)

Ce texte a été présenté en lecture publique par le Cead, le 3 mars 1969.

Atelier de la Nouvelle Compagnie Théâtrale, le 24 octobre 1974

Machinerie-revue, cette pièce est une oeuvre lyrique et proliférante. Tout y passe : argent, travail, alcool, mass media, homosexualité, drogue, famille, amour, religion, automatisme, politique, etc. Mais c'est surtout le grand affrontement entre les impératifs de la société de consommation et le désir d'amour et de création d'un jeune poète.

Durée : 2 heures 30

Personnage(s) : Une centaine de personnages et plusieurs choeurs pouvant être joués par 10 femmes et 12 hommes

5 chansons

Mononstres et manattentes (Ohé ! toi qui louches, fais-moi peur) [1970]

Quatre jeunes adultes ont mis sur pied le cours de personnalité Mur à Mur pour forcer les parents (le public) à devenir les monstres (mononstres) qu'ils sont au-dedans d'eux. Jean, alias Dracula, sera assisté pour les démonstrations d'usage de Jean-Pierre (Frank Einstein), Sophie (Momie) et Michèle (la Vamp Hire). Partition frénétique, drôlement ou désespérément irrévérencieuse.

Durée : 1 heure

Personnage(s) : 2 femmes, 2 hommes

4 chansons

Masques

E   **On s'aime à mort** [1970]

Des enfants se rencontrent après l'école et cherchent un jeu. « On va jouer à s'aimer tellement qu'on meurt tous ensemble en même temps. » Les enfants deviennent Centaure, Oiseau de tous les oiseaux, Bête à bon dieu de 99 ans, Caniche d'une heure. Montés dans l'arche de Noé, ils font naufrage en frappant un iceberg. Cette pièce est l'écho fidèle des jeux d'enfants avec leur simplicité, leur langage et leur atmosphère.

Durée : 30 minutes

Personnage(s) : 2 femmes, 6 hommes

TRADUCTION

Le Désir sous les ormes [1992], en collaboration avec Robert Ripps ; traduction de **Desire Under the Elms** de Eugene O'Neill

Théâtre du Nouveau Monde, 1971

André Simard est né en 1949. Il a obtenu une licence ès lettres et un certificat d'enseignement à l'Université Laval. Depuis 1973, il était professeur au cégep Limoilou. Très actif dans le milieu artistique de la ville de Québec, il a été membre de la Troupe des Treize, membre du conseil d'administration du Cead et fondateur du Petit Théâtre de Québec. Dramaturge préoccupé par les problèmes des travailleurs, il a écrit plus d'une vingtaine de pièces. André Simard nous a quittés le 7 janvier 1990. Sa pièce **Au pied de la lettre** avait peu avant été reprise à la Nouvelle Compagnie Théâtrale. Au moment de sa mort, il travaillait à l'adaptation théâtrale de **Le Chevalier inexistant** d'Italo Calvino.

La Soirée du fockey [1972] (suivi de **Le Temps d'une pêche** et **Le Vieil Homme et la mort**, Éditions Leméac, 1974)
Troupe des Treize, décembre 1972
À Roberval, des tenanciers de débits de boissons et des hockeyeurs désenchantés se laissent aller à la morosité.
Durée : 1 heure
Personnage(s) : 3 femmes, 11 hommes (distribution variable)

Le Temps d'une pêche ou Les poissons mordent pu [1972] (précédé de **La Soirée du fockey** et suivi de **Le Vieil Homme et la mort**, Éditions Leméac, 1974)
Troupe des Treize, 9 octobre 1972
Traduit en anglais par Aviva Ravel sous le titre de **Time Out for Fishing or The Fish Don't Bite no More** [1976]
Un chef syndical profite d'une invitation de son patron à une partie de pêche pour lui apprendre que ses ouvriers, excédés, ont décidé d'ouvrir leur propre compagnie en face de la sienne.
Durée : 30 minutes
Personnage(s) : 2 hommes

Le Vieil Homme et la mort [1972] (précédé de **Le Temps d'une pêche** et de **La Soirée du fockey**, Éditions Leméac, 1974)
Télesphore, apprenant par le journal qu'il est le dernier survivant d'un semblant de triangle amoureux, décide, poussé par une jalousie dévorante, de se laisser aller afin de retrouver sa défunte Imelda avant qu'elle ne soit rejointe par Elzéor, leur meilleur ami.
Durée : 20 minutes
Personnage(s) : 1 homme

Cinq pièces en un acte (Éditions Leméac, 1976), comprenant **En attendant Gaudreault**, **La Mort d'un pigeon voyageur**, **Une affaire de fou (A fool affair)**, **Butch**, pièce radiophonique dont le résumé n'apparaît pas ici, et **Mon dernier quarante-cinq tours**
En attendant Gaudreault [1973]
Troupe des Treize, août 1973
Traduit en anglais par Henry Beissel et Arlette Francière sous le titre de **Waiting for Gaudreault**

(Éditions Simon & Pierre, Toronto, 1978)
Trois peintres en bâtiments s'étant rebellés contre leur contremaître s'unissent pour camoufler l'homicide de ce dernier en accident.
Durée : 30 minutes
Personnage(s) : 4 hommes

Le Photographe [1973]
Un photographe plutôt traditionnel est entraîné par un « freak » dans une aventure de vente de *posters* pour découvrir un an plus tard que ce qui fait maintenant fureur, c'est la photo ancienne.
Durée : 20 minutes
Personnage(s) : 1 femme, 3 hommes

Une affaire de fou(s) - A fool affair [1973]
Troupe des Treize, juillet 1973
Un obsédé sexuel se faisant passer pour un psychiatre arrive à séduire une nouvelle patiente souffrant de nymphomanie refoulée.
Durée : 45 minutes
Personnage(s) : 2 femmes, 2 hommes

La Mort d'un pigeon voyageur [1974]
Justin Breton, ministre de la Justice, voit sa carrière politique s'envoler après avoir été victime d'un coup monté organisé par le Mouvement des Citoyens Libres.
Durée : 45 minutes
Personnage(s) : 2 femmes, 2 hommes ou 2 femmes, 4 hommes

Mon dernier quarante-cinq tours [1975] ; adaptation scénique d'une pièce radiophonique
Durant deux émissions de télévision diffusées simultanément, Anne, une chanteuse populaire, Bob, son ex-mari et ex-gérant, renouent leur idylle à distance sous l'oeil réjoui des téléspectateurs.
Durée : 45 minutes
Personnage(s) : 4 femmes, 6 hommes

Tempête à Wabush [1976]
Une terrible tempête qui fait rage dans tout le Nord-Est de l'Amérique du Nord fait en sorte que *Wabush Station*, un petit poste de radio privé, devient le seul que l'on puisse capter. Tout le monde (propriétaire, villageois, syndicat) veut profiter au maximum de cette cote d'écoute inhabituelle. Le tout se termine par une immense soirée canadienne.
Durée : 1 heure 45
Personnage(s) : 19 personnages (4 femmes, 15 hommes) joués par un minimum de 11 interprètes

Claire Fontaine Blues [1977]
Ce texte a été présenté en lecture publique par le Cead, le 11 mars 1978.
Un ministre annonce la construction d'une aluminerie à Claire Fontaine, zone agricole en périphérie urbaine. Le gouvernement procède aux expropriations. Face à des réactions imprévues (propriétaires en colère, médias accusateurs, pressions des organismes de protection du patrimoine culturel), le projet est abandonné, mais pas pour longtemps ... des élections s'en viennent.
Durée : 2 heures 30
Personnage(s) : 15 personnages (5 femmes, 10 hommes) pouvant être joués par 3 femmes et 2 hommes

J   **Au pied de la lettre** [1981], en collaboration avec Jean Lambert
Théâtre du Gros Mécano, 18 novembre 1981
Spectacle musical au cours duquel on découvre la correspondance de deux amies, deux adolescentes. L'amitié, les relations parents-enfants, la liberté, l'amour, la sexualité, les séparations, l'école, la solitude.
Durée : 1 heure 15
Personnage(s) : 3 femmes, 2 hommes
7 chansons

Diplômée du Conservatoire d'art dramatique de Montréal en 1973, Francine Tougas a joué à la scène, à la télévision et au cinéma, et a travaillé pendant deux saisons avec la Ligue Nationale d'Improvisation. Poète et monologuiste, elle a en outre composé les musiques de ses trois spectacles solos. De 1982 à 1986, elle a été scénariste pour l'émission **À plein temps**. On la retrouve comme scénariste et dialoguiste pour le docu-drame **Les Enfants mal-aimés** et pour le film de Michel Brault, **L'Emprise**. Depuis 1988, elle signe une série télévisée pour jeunes, **Bibi et Geneviève**, et a publié neuf livres tirés de la même série. Elle a aussi écrit le scénario de **Lubie** en 1993, une fiction de 30 minutes produite par TVOntario.

Histoires de fantômes [1980] (suivi de **L'Âge d'or** et de **Grandir**, Éditions Leméac, 1985)
Production de l'auteure, Festival de créations de femmes, 6 juin 1980
À travers quatre monologues, une femme raconte sa vie amoureuse. Teintées de rêve et de lucidité, ses histoires font appel aux souvenirs, aux inévitables chimères et aux fantasmes qui permettent d'échapper aux défaites de l'amour.
Durée : 1 heure 30
Personnage(s) : 1 femme
3 chansons

Grandir (En hommage à ma fille) [1981-1982] (précédé de **Histoires de fantômes** et de **L'Âge d'or**, Éditions Leméac, 1985)
Production de l'auteure, Festival Femmes en solo, 8 octobre 1981 (première version) ; coproduction du Théâtre de la P'tite Mousse et du Théâtre Expérimental des Femmes, 28 septembre 1982 (version finale)
Une femme monologue. Elle raconte les bouleversements produits dans sa vie par l'arrivée de sa fille. À travers ses efforts pour soutenir le développement harmonieux de son enfant, c'est elle-même qui doit mieux s'outiller, s'articuler pour faire face à la vie. Et c'est ainsi qu'elle grandit, elle aussi, aux côtés de sa fille.
Durée : 1 heure 30
Personnage(s) : 1 femme
3 chansons

L'Âge d'or [1982] (avec **Histoires de fantômes** et **Grandir**, Éditions Leméac, 1985)
Production de l'auteure, Festival de créations de femmes, 6 juin 1982
Une jeune femme se rend compte de la fascination qu'une vieille clocharde exerce sur elle... Elle peut ainsi exorciser sa peur de devenir comme elle et décide que l'âge d'or, c'est pour tout de suite. C'est en vivant à fond que peut se réaliser la transmutation des choses de la vie en or.
Durée : 15 minutes
Personnage(s) : 1 femme

Pis [1981-1986]
André avait projeté de séduire une fille qui a pris les devants et l'a invité à passer la nuit avec elle.

Il s'enfuit. Le lendemain, il raconte son histoire à Marc.
Durée : 20 minutes
Personnage(s) : 2 hommes

TREMBLAY, Carole

photo: Céline

« Carole Tremblay est née à Montréal de parents montréalais, au beau milieu de l'année 1959. Une fois grande, elle entame un baccalauréat en art dramatique à l'Université du Québec à Montréal qu'elle termine en 1986. Ensuite, elle joue et participe à la rédaction de spectacles pour enfants et pour adultes. Depuis 1989, elle se consacre exclusivement à l'écriture. D'abord de romans (**La Douce Revanche de Mme Thibodeau**, paru chez Gallimard, **Musique dans le sang**, chez Boréal, de même que **La Nuit de l'Halloween** et **En panne dans la tempête**, ouvrages de littérature jeunesse, également publiés chez Boréal.) Elle a également écrit quelques textes pour la télévision. »

Les Pirates [1988]
Coproduction de Carabosse et de Tapage Nocturne, mars 1989
Sur un mode comique, le quotidien de deux femmes, Mary Read et Anne Bonny, célèbres pirates du XVIIe siècle. On y voit les héroïnes se lancer à corps perdu dans une vie d'aventures afin d'échapper à la monotone et cruelle absurdité de la vie terrestre. Elles font la preuve que la fureur de vivre, poussée à sa limite, n'en est pas moins absurde.
Durée : 2 heures
Personnage(s) : 2 femmes, 1 homme

Homme au bord de la crise d'hormones [1993]
Théâtre la Fenière, mai 1993
Après avoir effectué un test psychologique dans une revue féminine, Jules se prend à douter de son identité mâle. Et si au fond il était une femme ? Sa mère, sa femme Louise, enceinte de huit mois, et son meilleur ami, un psychologue homosexuel, tenteront, chacun à leur façon, de faire de notre homme, un homme. Mais au fond, qu'est-ce qui différencie un homme d'une femme ?
Durée : 2 heures
Personnage(s) : 2 femmes, 2 hommes

TREMBLAY, Larry

Né à Chicoutimi, Larry Tremblay fonde, en 1984, le LAG (Laboratoire gestuel). Il participe à de nombreux spectacles comme acteur et metteur en scène, tout en poursuivant son travail d'écriture. Au cours de voyages successifs en Inde, il étudie le kathakali. Ses spectacles **Les Mille Grues** et **Le Déclic du destin** ont représenté le Canada dans plusieurs festivals au Brésil et en Argentine en 1990 et 1991. Il a publié deux recueils de poésie, **La Place des yeux**, en 1989, aux éditions TROIS, et **Gare à l'aube**, aux éditions du Noroît, en 1992. Les éditions Les Herbes Rouges publiaient son récit **Anna à la lettre C**, en 1992 et Leméac Éditeur, son essai **Le Crâne des théâtres**, en 1993. Professeur au département de théâtre de l'Université du Québec à Montréal, il y enseigne le jeu.

Le Déclic du destin [1988] (Leméac Éditeur, 1989), avec la collaboration de Guy Laramée et du groupe Tuyo pour la musique
Laboratoire gestuel (LAG), novembre 1988
L'univers ordinaire d'un homme a soudainement basculé dans l'insolite alors qu'il mangeait un éclair au chocolat. Il nous fait le récit féroce, inquiétant, mais irrésistiblement drôle aussi, de ses aventures qui lui ont fait perdre successivement les parties de son corps.
Durée : 1 heure 30
Personnage(s) : 1 homme

Josse est-il parti ? [1989], avec la collaboration de Jean Trottier pour la musique
Laboratoire gestuel (LAG), juin 1989 ; sous le titre de **Chou Blues**
Fantaisie théâtrale et musicale. L'absurde s'installe, à travers la quête insensée d'un homme, dans l'univers coloré du western : shérif, fugitif, Indien, chasseur de primes, aventurière.
Durée : 1 heure 30
Personnage(s) : 6 personnages joués par 2 femmes, 2 hommes
Plusieurs chansons

Leçon d'anatomie [1992] (Éditions Laterna Magica, 1992)
Théâtre d'Aujourd'hui, septembre 1992
Traduit en espagnol par Philippe Chéron
Brillamment et avec une verve d'une lucidité implacable, Martha pratique devant nous l'autopsie du cadavre d'une vie de couple, d'un amour déchu.
Durée : 1 heure 45
Personnage(s) : 1 femme ou 1 femme et 1 homme (rôle muet)

The Dragonfly of Chicoutimi [1993]
Ce texte a été présenté en lecture publique par le Cead, le 2 avril 1994.
À la suite d'un traumatisme, un homme perd l'usage de sa langue maternelle : le français. Aliéné, il fait le récit de sa vie dans un anglais fabriqué de toutes pièces.
Durée : 1 heure 30
Personnage(s) : 1 homme

En 1978, Michel Tremblay est nommé le Montréalais le plus remarquable des deux dernières décennies, pour son exceptionnelle contribution à la dramaturgie nationale et internationale. En 1972 son court métrage **Françoise Durocher, waitress** remporte trois prix Genie à Toronto. La même année il signe son premier long métrage, **Il était une fois dans l'Est** qui représente le Canada au festival de Cannes et à celui de Chicago en 1973. Deux autres longs métrages, **Le soleil se lève en retard** et **Parlez-nous d'amour**, sont produits en 1976. Conteur, adaptateur, traducteur, scénariste, parolier et librettiste, Michel Tremblay s'est aussi consacré, depuis 1978, à l'écriture romanesque. Ses **Chroniques du Plateau Mont-Royal** font revivre l'univers de son théâtre, à la lumière de l'humour et du fantastique. Un roman plus intimiste, **Le Coeur à découvert**, paru en 1986, donne naissance à un scénario réalisé la même année et lui vaut le Prix du public au Festival de Bruxelles en 1990. Il publie la suite, **Le Coeur éclaté**, en 1993. Il reçoit le prix Victor-Morin en 1974 et la médaille du lieutenant-gouverneur de l'Ontario en 1976 et en 1977. En 1984, il est nommé chevalier de l'Ordre de France et promu officier en 1991, année durant laquelle il est aussi nommé chevalier de l'Ordre national du Québec. En 1985, ses romans **La Duchesse et le roturier** et **Des nouvelles d'Édouard** lui méritent le prix France-Québec. En 1987, la revue *Lire* mentionne la pièce **Les Belles-Soeurs** dans la bibliothèque idéale, comme une des 49 pièces à avoir chez soi si on s'intéresse au théâtre depuis ses origines. Les oeuvres de Michel Tremblay sont traduites et jouées en vingt-deux langues. En 1988, il reçoit le prix Athanase-David. En 1990 et 1992, il publie deux recueils de récits autobiographiques, **Les Vues animées** et **Douze coups de théâtre**. Six fois boursier du Conseil des Arts du Canada, Michel Tremblay a reçu plus d'une trentaine de prix au cours de sa carrière dont, plus récemment, le Prix littéraire du *Journal de Montréal* pour **Marcel poursuivi par les chiens** et, en 1992 pour **Le Vrai monde ?** ; le prix Gémeaux du meilleur scénario et le Coffre d'or pour la meilleure dramatique télévisée au 18e Festival International de télévision à Plovdiv en Bulgarie. En 1993, les *Cahiers de théâtre Jeu/Éditions Lansman* publiaient **Le Monde de Michel Tremblay**, un ouvrage sur l'oeuvre de l'auteur. Au moment d'imprimer ce répertoire, Michel Tremblay terminait un roman intitulé **Un ange cornu avec des ailes de tôle** et une nouvelle pièce, **En circuit fermé**.

photo: Yves Renaud

Le Train (Leméac Éditeur, 1990) [1959]
Radio-Canada, concours Jeunes auteurs, 1964
Un compartiment de train. Deux hommes. Un meurtre.

Durée : 30 minutes
Personnage(s) : 2 hommes

Les Socles [1967] (*Canadian Theater Review*, automne 1979, p. 58-60)
Traduit en anglais par Renate Usmiani sous le titre de **The Pedestals** (*Canadian Theatre Review*, automne 1979, p. 52-56)
À la fois parabole de la vie familiale, parabole politique et allégorie de la condition humaine. Des parents dominateurs sont montés sur des socles et leurs enfants luttent pour sortir de la maison sans y parvenir.
Durée : 15 minutes
Personnage(s) : 5 femmes, 5 hommes

Les Belles-Soeurs [1965] (Éditions Leméac, 1972)
Ce texte a été présenté en lecture publique par le Cead, le 4 mars 1968.
Théâtre du Rideau Vert, 28 août 1968
Traduit en anglais par Bill Glassco et John Van Burek sous le même titre (Éditions Talonbooks, Vancouver, 1974)
St-Lawrence Centre (Toronto), 3 avril 1973
Traduit en anglais londonien par Ayshe Raif sous le titre de **Jam**
Traduit en anglais (Northern Dialect) par Noel Greig sous le titre de **The Good Sisters**
Traduit en allemand par Hanspeter Plochev sous le titre de **Schwester-herzchen** (Éditions Max Niemeyer Verlag, 1987)
Augsburg, 1987
Traduit en créole haïtien par Marie-Yardly Kavanagh sous le titre de **Tripotay**
Traduit en écossais par Martin Bowman et Bill Findlay sous le titre de **The Guid Sisters** (Nick Horn Books, Angleterre, 1991)
Tron Theatre (Glascow), mai 1989
Traduit en espagnol par Morgan Desmond et J. Fuster, Retalli
Traduit en espagnol pour le Chili
Santiago, Chili, 1987
Traduit en italien par Jean-René Lemoine et Francesca Moccagatta sous le titre de **Le Cognate**
Teatro di Rifredi (Florence), 15 février 1994
Traduit en polonais par Jozaef Kwaterko sous le titre de **Siostrzyezki** (revue *Dialog* 8, 1990), Télévision de Cracovie, octobre 1993
Traduit en roumain
Théâtre Odeon, Bucarest, 1994
Traduit en yiddish par Goldie Morgentaler et Pierre Anctil sous le titre de **Di Shvegerius**
Centre Saydie-Bronfman, Montréal, juin 1992
Le très célèbre *party* de collage de timbres-primes du théâtre québécois. Quinze femmes tragicomiques, surgies de la société prolétarienne des années soixante et de ses aliénations, se lancent par la tête leurs quatre vérités et une pelletée de bêtises. Drôle et féroce !
Durée : 1 heure 45
Personnage(s) : 15 femmes

Trois petits tours (Berthe, Johnny Mangano and his Astonishing Dogs et Gloria Star) [1969] (Éditions Leméac, 1972 ; 1986)
Radio-Canada, émission *Les Beaux Dimanches*, 21 décembre 1969
Traduit en anglais par John Van Burek sous les mêmes titres (Éditions Talonbooks, Vancouver, 1976)
Johnny Mangano and his Astonishing Dogs également traduit en anglais par Arlette Francière sous le titre de **Cues and Entrances** (Éditions Henry Beissel, 1977)
Traduit en allemand par Hubert Von Bechtolsheim
Trois moments d'une même réalité : les dessous des « folles nuits » au Cabaret le Coconut Inn. Berthe, la caissière, rêve derrière son guichet de verre, Carlotta fait le bilan de sa vie passée avec

Johnny Mangano et ses chiens savants, et l'agent de Gloria Star fait miroiter la gloire aux yeux d'un régisseur incrédule. Portrait de l'envers de la médaille où les désillusions sont au rendez-vous.
Durée : 1 heure 30
Personnage(s) : 8 femmes, 4 hommes

En pièces détachées [1966 et 1969] (suivi de **La Duchesse de Langeais**, Éditions Leméac, 1970 ; version pour la télévision [1969] Éditions Leméac, 1982)
Adapté pour la télévision (Radio-Canada, émission *Les Beaux Dimanches*, le 6 mars 1971)
Ce texte a été présenté en lecture publique par le Cead, à Paris, le 28 avril 1970.
Théâtre de Quat'Sous, 22 avril 1969
Traduit en anglais par Allan Van Meer sous le titre de **Like Death Warmed Over** (Éditions Talonbooks, Vancouver, 1975)
Manitoba Theatre Center (Winnipeg), 17 janvier 1973
Sous les regards et les commentaires des voisines, se déroule le quotidien de Montréalais issus du milieu ouvrier. Au restaurant « Nick's », au bar du « Coconut Inn » et dans le salon miteux d'une famille étouffante. C'est le drame d'une collectivité en état de crise.
Durée : 2 heures
Personnage(s) : 10 femmes, 7 hommes et un choeur de 9 femmes ou plus

Les Paons [1968]
Ce texte a été présenté en lecture publique par le Cead, le 2 février 1970.
Centre national des Arts, 11 février 1971
Deuxième version de **Les Socles**. Deux parents, pour garder leur pouvoir, assassinent leur progéniture et finissent figés comme des statues dans un jardin japonais.
Durée : 1 heure
Personnage(s) : 1 femme, 1 homme et des figurants

La Duchesse de Langeais [1968] (précédé de **Hosanna**, Éditions Leméac, 1973)
Ce texte a été présenté en lecture publique par le Cead, le 24 juin et le 1er juillet 1968.
Théâtre de Quat'Sous, 18 février 1970
Traduit en anglais par John Van Burek sous le même titre (Éditions Talonbooks, Vancouver, 1976)
Attablé à une terrasse dans un pays chaud, un travesti célèbre mais vieillissant s'enivre pour oublier un chagrin d'amour et, tantôt avec attendrissement tantôt avec cynisme, évoque les frasques de sa vie mondaine en se souvenant de ses liaisons passées.
Durée : 1 heure
Personnage(s) : 1 homme

Demain matin, Montréal m'attend [1970-1972] (Éditions Leméac, 1972), avec la collaboration de François Dompierre pour la musique
Terre des Hommes, 4 août 1970 (première version) ; Compagnie des Deux Chaises, 16 mars 1972 (version finale)
Comédie musicale décrivant le monde du music-hall : ses vedettes, ses victimes, ses réussites, ses déboires. Louise veut quitter son village de Saint-Martin pour faire carrière, comme sa soeur Lola Lee, dans la chanson à Montréal. Sentant la concurrence, celle-ci tentera de lui faire perdre ses illusions.
Durée : 2 heures
Personnage(s) : 40 personnages (22 femmes, 18 hommes, et 6 danseurs) pouvant être joués par 14 femmes et 11 hommes
20 chansons
Chorégraphies

À toi, pour toujours, ta Marie-Lou [1970] (Éditions Leméac, 1971)
Théâtre de Quat'Sous, 29 avril 1971
Traduit en anglais par Bill Glassco et John Van Burek sous le titre de **Forever yours, Marie-Lou** (Éditions Talonbooks, Vancouver, 1975)
Tarragon Theatre (Toronto), 4 novembre 1972
Traduit en allemand par Rainer Escher sous le titre de **Fur dich, ewig, deine Luis** [1990]
Cologne, 1990
Traduit en danois par Lars Willum sous le titre de **Din for evigt din, Marie-Louise**
Husets Teater (Copenhague), 1987
Traduit en italien sous le titre de **Tua per sempre Maria-Luisa**
Rome, 1978
Traduit en polonais par J. Lagowska et A. Zakrzewski sous le titre de **Twoja na zausze Marie-Lou**
Traduit en portugais par Roger Ramalhete et Carole Galaise sous le titre de **Tua para sempre, Marie-Lou**
Devenue chanteuse western, Carmen vient visiter sa soeur Manon qui est obsédée par la mort tragique de leurs parents, survenue dix ans auparavant. Entremêlant passé et présent, la pièce fera momentanément revivre le cauchemardesque univers familial dont Carmen est parvenue à s'affranchir.
Durée : 1 heure 30
Personnage(s) : 3 femmes, 1 homme

Hosanna [1971-1972] (suivi de **La Duchesse de Langeais**, Éditions Leméac, 1973)
Théâtre de Quat'Sous, 10 mai 1973
Traduit en anglais par Bill Glassco et John Van Burek sous le même titre (Éditions Talonbooks, Vancouver, 1974)
Tarragon Theatre (Toronto), 15 mai 1974
Traduit en néerlandais
Hollande, 1987
Claude Lemieux, alias Hosanna, croit réaliser le rêve de sa vie en se travestissant en Elizabeth Taylor dans *Cléôpatre*. Profondément blessé par un mauvais tour des autres travestis, il fait un triste retour sur lui-même, sur son amant et sur le monde clinquant dans lequel ils vivent. Allant au bout de sa vérité, il veut non seulement accepter son homosexualité, mais son identité propre dans un univers réel, hors de toute fiction.
Durée : 1 heure 30
Personnage(s) : 2 hommes

Bonjour, là, bonjour [1974] (Éditions Leméac, 1974)
Adapté pour la télévision, Radio-Canada, 1993
Compagnie des Deux Chaises, 22 août 1974
Traduit en anglais par Bill Glassco et John Van Burek sous le même titre (Éditions Talonbooks, Vancouver, 1975)
Tarragon Theatre (Toronto), 1er février 1975
Traduit en écossais
Glasgow, Écosse, 1991
Traduit en japonais
Traduit en portugais par Maria Pompeu
Révélé par la juxtaposition de conversations simultanées, l'amour incestueux d'un frère et d'une soeur. Quand Serge revient, après une absence de trois mois, il retrouve, inchangés, les problèmes de ses tantes hypocondriaques, de son père sourd laissé à la merci de celles-ci et de ses autres soeurs pour qui il est un objet de désir. Il décide, malgré toutes les objections, de vivre au grand jour son amour pour sa soeur Nicole.
Durée : 1 heure 30
Personnage(s) : 6 femmes, 2 hommes

Surprise ! Surprise ! [1974] (précédé de **Damnée Manon, sacrée Sandra**, Éditions Leméac, 1977)
Théâtre du Nouveau Monde, 15 avril 1975
Traduit en anglais par John Van Burek sous le même titre (Éditions Talonbooks, Vancouver, 1976)
St-Lawrence Centre (Toronto), 30 octobre 1975
Une surprise-partie organisée par téléphone vire au mal de tête quand une étourdie se trompe de numéro et convoque une autre Madeleine à la fête. Non seulement ce n'est pas son anniversaire mais c'est l'ennemie jurée de la Madeleine jubilaire. Bien sûr, il est trop tard pour faire marche arrière. La surprise-partie va en être toute une !...
Durée : 45 minutes
Personnage(s) : 3 femmes

Les Héros de mon enfance [1975] (Éditions Leméac, 1976), avec la collaboration de Sylvain Lelièvre pour la musique
Théâtre de Marjolaine, 26 juin 1976
Comédie musicale où les personnages des contes de fées bien connus deviennent résolument modernes et revendiquent des changements dans le cours de leur histoire. Dans un langage piquant et coloré, ils révèlent des dessous de leur personnalité jusqu'alors inconnus et surprenants.
Durée : 1 heure 30
Personnage(s) : 6 femmes, 3 hommes
13 chansons

Sainte Carmen de la Main [1975] (Éditions Leméac, 1976)
Présenté à la télévision (Radio-Québec), 9 novembre 1984
A donné naissance à un opéra ; musique de Sydney Hodkinson, livret de Lee Devin, créé au Festival de Guelph, printemps 1988
Compagnie Jean Duceppe, 20 juillet 1976
Traduit en anglais par John Van Burek sous le titre de **Sainte Carmen of the Main** (Éditions Talonbooks, Vancouver, 1981)
Tarragon Theatre (Toronto), 14 janvier 1978
Traduit en anglais et adapté pour la radio par C. Raphael
Radio, Londres, 1977-1988
Également traduit en finnois par Gerard Willegers sous le titre de **Heilege Carmen von de Kaap**
Finlande, 1985
Traduit en « français » par Michel Ouimet sous le titre de **Sainte Carmen de Montréal**
Les Ateliers de Lyon, 1989
Cette pièce est une parabole aux accents fortement lyriques sur l'aliénation des opprimés. Chanteuse western révoltée, Carmen veut enfin chanter ses propres paroles, réveiller la conscience de son public et ainsi restituer sa dignité au monde de la *Main*. Dans cette entreprise, elle se heurte au cynisme des uns et à l'opportunisme des autres.
Durée : 2 heures
Personnage(s) : 4 femmes, 3 hommes et un choeur de 12 personnes (6 femmes, 6 hommes)

Damnée Manon, sacrée Sandra [1976] (suivi de **Surprise ! Surprise !**, Éditions Leméac, 1977)
Théâtre de Quat'Sous, 24 février 1977
Traduit en anglais par John Van Burek sous le même titre (Éditions Talonbooks, Vancouver, 1981)
The Arts Club Theatre at Spratt's Ark, Vancouver, 19 avril 1979
Les monologues entrecroisés de Manon, bigote au service de Dieu, et de Sandra, travesti au service du sexe, se fondent puis se confondent. Langages et êtres opposés mais complémentaires, car les protagonistes réalisent qu'ils partagent un même passé, que leur avenir commun s'appelle désespoir et qu'ils sont l'une et l'autre des personnages issus de l'imagination d'un tiers.
Durée : 1 heure 30
Personnage(s) : 1 femme, 1 homme

L'Impromptu d'Outremont [1979] (Éditions Leméac, 1980)
Théâtre du Nouveau Monde, 11 avril 1980
Traduit en anglais par John Van Burek sous le titre de **The Impromptu of Outremont** (Éditions Talonbooks, Vancouver, 1981)
Arts Club Theatre (Vancouver), 8 mai 1980
Traduit en allemand par Hanspeter Ploscher sous le titre de **Requiem für maman** [1993]
Augsburg, Allemagne, 1993
Traduit en letton (revue *AVOTS*, 1993)
Traduit en portugais par Maria Pompeu
Également traduit en turc par Serge Sanli
Ankara, 1987-1988-1989
Quatre sœurs fêtent l'anniversaire de l'une d'entre elles. Cette réunion provoque un affrontement, met en évidence leur opposition et rappelle leur vie décevante. Comédie de mœurs et drame bourgeois mais aussi plaidoyer où l'auteur exprime à travers ses personnages ses vues sur la culture et le théâtre.
Durée : 1 heure 45
Personnage(s) : 4 femmes
2 chansons

Les Grandes Vacances [1981], en collaboration avec le Théâtre de l'Oeil
Théâtre de l'Oeil, 10 septembre 1981
Sur un ton qui tient à la fois du guignol et du burlesque, cette comédie dramatique propose une réflexion sur la commercialisation de la mort, vidée de son sens, de son humanité et de sa dimension de deuil par ceux qui en tirent le plus de profit : les entrepreneurs de pompes funèbres.
Durée : 1 heure 30
Personnage(s) : 10 marionnettes (5 féminines, 4 masculines et 1 chien)

Les Anciennes Odeurs [1981] (Éditions Leméac, 1981)
Théâtre de Quat'Sous, 4 novembre 1981
Traduit en anglais par John Stowe sous le titre de **Remember me** (Éditions Talonbooks, Vancouver, 1984)
MTC Warehouse Theatre (Winnipeg), 11 janvier 1984
Version pour la Belgique par Roland Mahauden
Version pour la France par Christian Bordeleau sous le même titre (l'Avant-scène, Paris, 1988)
Compagnie de Saint-Laurent (Avignon et Paris), 1988
Alors que son père est en phase terminale à l'hôpital, un jeune comédien vient chercher réconfort auprès de l'amant qu'il a quitté après quelques années de vie commune. Ce sera pour eux l'occasion de dresser un bilan lucide de leur relation et de leur vie respective.
Durée : 1 heure 30
Personnage(s) : 2 hommes

C't'à ton tour, Laura Cadieux [1972] (roman, Éditions du Jour, 1973)
Adapté pour la télévision par l'auteur ; non produit
Produit à la scène par Manon Gauthier (Quat'Saouls Bar, 27 janvier 1984)

Albertine, en cinq temps [1983] (Éditions Leméac, 1984)
Coproduction du Centre national des Arts et du Théâtre du Rideau Vert, 12 octobre 1984
Traduit en anglais par Bill Glassco et John Van Burek sous le titre de **Albertine, in Five Times** (Éditions Talonbooks, Vancouver, 1986)
Tarragon Theatre (Toronto), 1986
Traduit en danois par Lars Willum sous le titre de **Albertine, fem gange** [1986]
Copenhague, 1986
Traduit en espagnol (version chilienne) par Gerardo Sanchez, puis revu par Jose Dominguez, pour

la production vénézuélienne sous le titre de **Albertina en cinco tiempos** [1987]
Ateneo de Caracas, 1987
Version pour la France par Michel Ouimet
Traduit en hindi
New Delhi, 1989
Traduit en suédois 1980-1991
Arrivée au bout d'une vie... ratée, une septuagénaire du plateau Mont-Royal ressasse les moments marquants de son existence. Cinq comédiennes mettent en chair cette Albertine dépossédée, à cinq âges de sa vie, entre trente et soixante-dix ans. Cinq Albertine donc, qui dialoguent entre elles et avec Madeleine, « leur » soeur, tout à fait différente.
Durée : 1 heure 30
Personnage(s) : 6 femmes

Le Gars de Québec [1985], inspirée du **Revizor** de Gogol (Éditions Leméac, 1985)
Compagnie Jean Duceppe, 30 octobre 1985
En 1952, Sainte-Rose de Lima est sans doute le seul village « rouge » du Québec. Or, on annonce l'arrivée d'un haut fonctionnaire, émissaire spécial du gouvernement « bleu ». La panique s'empare des habitants.
Durée : 2 heures
Personnage(s) : 3 femmes, 9 hommes

L'Impromptu des deux *Presse* [1985] (dans **20 ans**, VLB Éditeur, 1985)
Ce texte a été présenté en lecture publique par le Théâtre d'Aujourd'hui, en collaboration avec le Cead, le 27 janvier 1986.
New Play Center (Vancouver), été 1986
L'auteur à 20 ans rencontre l'auteur à 40 ans. En échangeant leurs deux exemplaires de *La Presse*, ils dressent un bref bilan de l'évolution politique et artistique du Québec de 1965 à 1985.
Durée : 20 minutes
Personnage(s) : 2 hommes

Le Vrai Monde ? [1986] (Éditions Leméac, 1987)
Télévision de Radio-Canada, 1991
Coproduction du Théâtre du Rideau Vert et du Centre national des Arts, 2 avril 1987
Traduit en anglais par John Van Burek et Bill Glassco sous le titre de **The Real World ?** (Éditions Talonbooks, Vancouver, 1988)
Tarragon Theatre (Toronto), 24 mai 1988
Traduit en écossais sous le titre de **The Real Warld ?**
Tron Theatre (Glasgow), mai 1990
également traduit en anglais pour l'Angleterre par Lisa Forrell et Alison Kean sous le titre de **The Real World ?** [1989-1990]
Sandpiper Productions (Londres), 14 février 1990
Traduit en italien par Jean-René Lemoine et Francesca Moccagata sous le titre de **Il vero mondo ?** [1993]
Teatro della Limonaia, Festival Intercity (Florence), 1993
Traduit en néerlandais par Walter Groener sous le titre de **Het Ware Leven ?** [1992]
Anvers, Belgique, 1992
Traduit en portugais par Katia Grumberg sous le titre de **Overdadeiro mondo ?**
À 23 ans, Claude rêve de devenir écrivain. Sa première pièce met en scène trois personnages qui portent les noms de son père, de sa mère et de sa soeur, auprès desquels il a puisé son inspiration. Ses personnages prennent vie et côtoient leurs modèles ; une fascinante confrontation s'ensuit, où s'agitent le double fond des choses, la multiplicité des perceptions et des réalités. Où est le vrai monde lorsque chacun crie au mensonge ?
Durée : 2 heures
Personnage(s) : 4 femmes, 3 hommes

Nelligan [1989-1990], opéra ; avec la collaboration d'André Gagnon pour la musique
Opéra de Montréal, février 1990
Opéra en deux actes. Montréal, 1941. Hôpital Saint-Jean-de-Dieu. Émile Nelligan, interné depuis une quarantaine d'années, revit la trop courte période pendant laquelle il avait pu créer. Dans « une ville provinciale aux confins d'une province ignorante », pris entre un père irlandais, homme de principes, méprisant le talent de son fils et une mère canadienne-française, adorée, dont il a fait siennes la langue et la culture, le jeune Émile fait face à l'incompréhension de son milieu et au mépris dans lequel on tenait ceux qui déviaient des us et coutumes de l'époque.
Durée : 2 heures 30
Personnage(s) : 5 femmes, 7 hommes et 2 choeurs

La Maison suspendue [1989] (Leméac Éditeur,1990)
Compagnie Jean Duceppe, 12 septembre 1990
Traduit en anglais par John Van Burek sous le même titre [1990] (Éditions Talonbooks, Vancouver, 1991)
Canadian Stage Company, Toronto, 30 novembre 1990
Traduit en écossais par Martin Bowman et Bill Findlay sous le titre de **The House Among the Stars**
Traverse Theatre, Edimbourg, 1992
Un couple, Jean-Marc 44 ans et Mathieu 30 ans, vient passer ses vacances d'été avec le fils de ce dernier, Sébastien 11 ans, dans un chalet de bois rond des Laurentides, autrefois maison familiale. En ouvrant la porte, Jean-Marc part à la découverte de ses racines. La maison de 1910 vibre à nouveau aux accents du conteur Josaphat-le-violon et aux anxiétés de sa compagne et sa soeur Victoire qui ne veut pas partir pour la ville pour ne pas élever leur fils Gabriel loin de la nature. La maison de 1950 assiste aux affrontements d'Édouard qui accepte de vivre sa marginalité sexuelle à l'aide du rêve et de sa soeur Albertine qui refuse l'imaginaire dans sa vie. Jean-Marc arrivera à réconcilier les traces qu'ont laissées deux générations familiales dans son âme avec sa nouvelle famille.
Durée : 1 heure 30
Personnage(s) : 3 femmes, 5 hommes et 1 garçon (jouant les rôles de 3 enfants de 11 ans)

Marcel poursuivi par les chiens [1992] (Leméac Éditeur, 1992)
Compagnie des Deux Chaises, 4 juin 1992
Traduit en angais par John Van Burek et Bill Glassco sous le titre de **Marcel Persued by Hounds** [1992] (Éditions Talonbooks, Vancouver, 1992)
Winter Garden Theatre, Toronto, 1992
Version pour la Belgique
Théâtre Le Moderne de Liège, 1994-1995
À 15 ans, emporté par des hallucinations qui le font vaciller entre le rêve et la réalité, Marcel tente d'apaiser son mal de vivre auprès de sa soeur Thérèse. Mais le destin a déjà choisi pour lui le camp de l'imagination et de la folie.
Durée : 1 heure 40
Personnage(s) : 4 femmes, 1 homme

En circuit fermé [1994] (à paraître chez Leméac Éditeur)
Production à venir
Une pièce sur le milieu de la télévision.
Durée : 1 heure 45
Personnage(s) : 3 femmes, 4 hommes

TRADUCTIONS ET TRANSPOSITIONS

Lysistrata [1968-1969] (Éditions Leméac, 1969), transposition de la comédie du même titre d'Aristophane
Centre national des Arts, 2 juin 1969

L'Effet des rayons gamma sur les vieux-garçons [1970] (Éditions Leméac, 1970), traduction de **The Effect of Gamma Rays on Man-in-the-Moon Marigolds** de Paul Zindel
Théâtre de Quat'Sous, 18 septembre 1970

... Et mademoiselle Roberge boit un peu... [1971] (Éditions Leméac, 1971), traduction et transposition de **And Miss Reardon drinks a little** de Paul Zindel
Compagnie des Deux Chaises, 14 septembre 1971

Mistero Buffo [1973], traduction de la pièce du même titre de Dario Fo
Théâtre du Nouveau Monde, 14 décembre 1973

Mademoiselle Marguerite [1975] (Éditions Leméac, 1975), traduction et transposition de **Aparaceu a Margarida** de Roberto Athayde
Théâtre du Nouveau Monde, 2 septembre 1975

Camino Real [1979], traduction de la pièce de Tennessee Williams
École nationale de théâtre du Canada, 1979

Oncle Vania [1982] (Éditions Leméac, 1983), traduction de la pièce d'Anton Tchekhov, en collaboration avec Kim Yaroshevskaya
Théâtre du Nouveau Monde, 25 mars 1983

Six heures au plus tard [1986] (Éditions Leméac, 1986), transposition de la pièce de Marc Perrier ; produite par la télévision de Radio-Canada, diffusée en janvier 1989
Théâtre d'Aujourd'hui, 13 novembre 1986

Qui a peur de Virginia Woolf ? [1987], traduction de **Who's afraid of Virginia Woolf ?** d'Edward Albee
Théâtre du Rideau Vert, 3 mars 1988

Les Trompettes de la mort [1991], transposition québécoise de la pièce de Tilly (revue *Acteurs*, Paris, no 36, mai 1986)
Théâtre du Café de la Place, 4 septembre 1991

Premières de classes [1992] (Leméac Éditeur, 1993), traduction de **Catholic School Girls**, de Casey Kurtti
Théâtre de Marjolaine, 27 juin 1992

TURP, Gilbert

photo: Mirko Buzolicht

« Venu au théâtre amateur par la poésie, puis comédien de métier formé à l'École nationale de théâtre du Canada (1975-1978), Gilbert Turp joue régulièrement. Le reste du temps, il écrit. Il est reconnu comme le principal traducteur québécois de Bertolt Brecht. »

La Saint-Jean du petit monde [1979]
Théâtre d'Aujourd'hui, 30 octobre 1980
Vaudeville épique. On s'attache au destin d'une jeune héritière qui cherche, non sans naïveté, le chemin d'une plus grande justice sociale. L'action se déroule au tournant du siècle à Montréal, au moment où le Québec s'urbanise et s'industrialise.
Durée : 2 heures
Personnage(s) : 4 femmes et 4 hommes
8 chansons

Les Cauchemars du grand monde [1979-1980]
Ce texte a été présenté en lecture publique par le Cead, le 6 avril 1981.
Théâtre Petit à Petit, 14 janvier 1984
Entre une épouse dans le coma qui mourra, une maîtresse qui cherche la sécurité dans le mariage et un fils révolté d'avoir été élevé dans la ouate, un médecin aux tendances autodestructrices voit sa vie se transformer en cauchemar. Autopsie d'une certaine élite.
Durée : 1 heure 30
Personnage(s) : 1 femme, 2 hommes

Variétés [1982]
Théâtre de la Manufacture, 9 novembre 1984
Sur le thème de l'incommunicabilité, pièce à sketches qui développe six univers quotidiens et des personnages tragicomiques, comme six photographies de situations captées dans les rues de Montréal.
Durée : 1 heure 30
Personnage(s) : 14 personnages (4 femmes, 8 hommes et 2 femmes ou hommes) pouvant être joués par 1 femme et 3 hommes

Du sang, du sexe et tout ce que vous voudrez [1982-1983]
Farce au ton de bande dessinée sur les ingrédients de base de la culture de masse américaine : le sang, le sexe et n'importe quoi. Un journaliste qui se croit pur enquête incognito dans un bordel. Il met le doigt dans un engrenage qui le fera basculer.
Durée : 1 heure 30

Personnage(s) : 3 femmes, 4 hommes

Les Fantômes de Martin [1985-1987] (VLB Éditeur, 1987)
Théâtre d'Aujourd'hui, 11 novembre 1987
Martin, 20 ans, a perdu son cri et rêve de faire du cinéma. Il vit une relation passionnée avec Ruth qui l'encourage à suivre le chemin des institutions cinématographiques. Finster Abend, qu'il vénère comme un maître, rejette, quant à lui, toutes les voies institutionnelles. Pendant que Martin se penche sur lui-même, Ruth le quitte et Finster se suicide ; Martin retrouve alors son cri.
Durée : 2 heures
Personnage(s) : 2 femmes, 3 hommes

Le Pays de Cocagne [1986-1987]
Théâtre épique. Librement inspiré de l'oeuvre peinte de Pieter Bruegel l'Ancien. Un petit pays tranquille voit sa classe politique démissionner et tombe entre les mains d'un pouvoir fasciste. Des fuyards trouvent refuge au Pays de Cocagne, l'île des vieilles utopies. Mais un nuage toxique envahit l'île, obligeant les réfugiés à retourner dans leur ancien monde qui, effondré, est à reconstruire.
Durée : 2 heures 30
Personnage(s) : 9 femmes, 16 hommes (dont une voix) et les voix de plusieurs autres personnages. Peut être joué par 8 femmes et 9 hommes

Le Chant du travail [1993]
Compagnie de théâtre Yggdrasil, 18 janvier 1994
Cantate grinçante sur un haut fonctionnaire qui veut travailler et un ministre qui n'est pas en état de fonctionner ; sur un préposé qui nous entretient de l'art et du balayage et sur une prestataire qui ne s'en fait plus avec tous ceux qui la dérangent. Un esprit vient hanter un ordinateur et entonner le chant du travail. Dédié aux 23% de sans-emploi du Québec.
Durée : 1 heure
Personnage(s) : 5 comédiens, femmes ou hommes

Loup Blanc [1992-1993]
Ce texte a été présenté en lecture publique par le Cead, le 10 avril 1993.
Loup Blanc, journaliste pigiste à court de contrats, de temps, d'argent et d'estime de soi, et sa blonde Harriet attendent un bébé d'un jour à l'autre. Heureusement qu'en cette semaine cruciale, trois bons génies veillent sur eux afin que tout se passe bien à l'accouchement. Portrait de la jeune trentaine et regard ironique sur une ville en fin de siècle.
Durée : 1 heure 30
Personnage(s) : 3 femmes, 3 hommes et 3 neutres (les bons génies)
3 chansons

Érection et débandade de la ville de Fonnenoère [1993], variation sur des thèmes de Brecht
Livret de cabaret-théâtre
Atelier-Studio Kaléidoscope, automne 1994 (sous toutes réserves)
Fuyant la platitude et la grisaille, la Veuve, Moïse et le Tas partent fonder la ville de Fonnenoère. Portrait d'une société qui est devenue tellement ennuyante que la marchandise qui se vend le mieux c'est le rire.
Durée : 2 heures
Personnage(s) : 2 femmes, 3 hommes et au moins 3 choristes
Partition musicale importante

Le Mobile de l'amour [1978-1993]
Compagnie de théâtre Yggdrasil, 1995 (sous toutes réserves)
Conçu comme un double mobile, d'abord au sens de structure aérienne en morceaux épars qui vont au gré du vent, puis dans le sens d'enquête (le mobile de l'amour, comme on dit le mobile

du crime). Une voix interroge de multiples personnages sur l'amour. Ils viennent faire leur tour de piste avec leur récit, leur scène. C'est l'histoire d'un regard sur l'amour que l'amour transforme.

Durée : 2 heures 20
Personnage(s) : 8 interprètes
6 chansons

TRADUCTIONS

La Bonne Âme du Setchouan [1982], traduction de **Der gute Mensch von Sezuan** de Bertolt Brecht

L'Opéra de quat'sous [1983], traduction de **Die Dreigroschenoper** de Bertolt Brecht
Centre national des Arts, 12 janvier 1984 ; version remaniée pour le Théâtre du Nouveau Monde, 1991 ; c'est cette seconde version que le traducteur privilégie.

Mère Courage et ses enfants [1983], traduction de **Mutter Courage und Ihre Kinder** de Bertolt Brecht
Nouvelle Compagnie Théâtrale, 17 janvier 1984

La Vie de Galilée [1989], traduction de **Leben des Galilei** de Bertolt Brecht
Théâtre du Nouveau Monde, septembre 1989

E   **Une comète en Mouminelande** [1993], traduction de l'adaptation théâtrale du roman de Tove Jansson (Suède) réalisée par le Manitoba Theatre for Young People
Manitoba Theatre for Young People, avril 1993

VANASSE, Paul

En 1975, après avoir obtenu un baccalauréat spécialisé en art dramatique de l'Université du Québec à Montréal, Paul Vanasse participe à la fondation de la coopérative du Théâtre de la Bascule. Jusqu'en 1982, il y crée plusieurs textes pour enfants. Par la suite, il anime de nombreux ateliers d'art dramatique et produit des textes pour la jeunesse et pour adultes. Depuis quelques années, son engagement communautaire l'a amené à travailler auprès des groupes populaires. Plusieurs de ses textes ont pour but de prévenir la violence sociale.

E   Toupti [1981]

Théâtre de la Bascule, octobre 1981

Ce n'est pas facile d'être petit. Une chaise devient un obstacle infranchissable, une noix dans sa coquille, un défi à relever. Mais Toupti, un gamin sorti d'une boîte ficelée, montrera à ses amis qu'avec un peu d'imagination, on peut être un tout-petit et déjouer les problèmes, que même avec seulement deux petits doigts, on peut aider les grands et leurs grosses mains malhabiles.

Durée : 45 minutes

Personnage(s) : 1 femme ou 1 homme et 2 marionnettes

2 chansons

Masques

E   Les P'tits Monstres [1984]

Pièce conçue pour être jouée par des enfants de 8 à 12 ans

Une équipe de soccer-baseball attend l'équipe adverse pour jouer la finale provinciale. Les joueurs revivront, tout en faisant leur échauffement musculaire, les instants qui ont précédé leur arrivée au stade et qui révèlent leurs défauts, souvent bien cachés.

Durée : 50 minutes

Personnage(s) : 4 filles, 4 garçons

E   Papa-pyjama [1987]

Production Paul Vanasse, septembre 1987

« Enfin, une journée de repos complet, sans personne. Tout le monde est parti chez les grands-parents. » Mais à quoi peut bien penser un père en train de paresser ? À son enfant bien sûr ! Julien a-t-il mis sa camisole ? A-t-il bien déjeuné ? Il se rappelle les « joies » de l'épicerie du jeudi et le bain du soir. Et quand la journée se termine et qu'il couche Julien, Papa-pyjama se dit qu'une journée de repos de temps en temps, à ne penser qu'à soi, ça fait du bien...

Durée : 50 minutes

Personnage(s) : 1 homme et 3 marionnettes

6 chansons

J   J't'aime [1987]

Commande pour une école secondaire. Pièce conçue pour être jouée par des élèves du second cycle du secondaire

Une classe de théâtre attend son professeur. Les étudiants ont eu comme devoir de proposer une pièce qu'ils devront monter au courant de l'année. Curieusement, toutes les pièces proposées ont le même thème : l'amour. Les élèves joueront leur trouvailles pour le reste de la classe, avant de procéder au choix de la pièce annuelle.

Durée : 2 heures

Personnage(s) : de 15 à 35 filles et garçons

VILLENEUVE, Raymond

Après avoir obtenu un baccalauréat en droit à l'Université de Montréal, Raymond Villeneuve étudie pendant deux ans en écriture dramatique à l'École nationale de théâtre du Canada. Il cofonde par la suite la compagnie de théâtre Béton Blues dont il est le directeur artistique et pour laquelle il écrit trois textes. Il signe aussi un texte de commande pour Tess Imaginaire, à l'occasion du Festival de jazz de Montréal de 1988. Pour la télévision, il a écrit des émissions pour enfants pour Télé-Métropole et des textes humoristiques pour **Samedi P.M.**. Raymond Villeneuve a remporté à trois reprises le premier prix du concours de dramatiques radiophoniques de Radio-Canada : en 1987, avec **Richard Lacoste : rocker et fils de...** ; en 1990, avec **Laguna Beach** ; et, en 1991, avec **Ligne de fuite**. Les textes de ces dramatiques radiophoniques sont disponibles au Cead.

Squat [1988]
Compagnie de théâtre Béton Blues, 10 mai 1988
Comédie épique montréalaise où l'on assiste à la fugue d'un groupe de jeunes gens bien nantis qui, « pour le trip », vont vivre une fin de semaine dans un squat (entrepôt désaffecté) et se trouvent face à des sans-abri.
Durée : 2 heures 20
Personnage(s) : 14 personnages parlants (6 femmes, 8 hommes) pouvant être joués par 4 femmes et 6 hommes ; et des figurants facultatifs

E   **La Petite Histoire du jazz** [1988], à partir d'une histoire originale de Mario Boivin
Tess Imaginaire, été 1988
Pièce où le chaleureux et sympathique Buddy Bolden relate l'histoire du jazz depuis ses origines en Afrique jusqu'à sa reconnaissance mondiale aujourd'hui, à travers le destin de cinq enfants. La pièce met aussi l'accent sur le problème du racisme.
Durée : 1 heure 10
Personnage(s) : 2 femmes, 4 hommes

Bulletin spécial [1989], à partir d'un scénario original de Raymond Villeneuve et Denis Trudel
Théâtre Béton Blues, 2 août 1989
Conçu sur le mode du thriller, *Bulletin spécial* se déroule dans le domaine de l'information télévisée et plonge un animateur d'information au centre d'une crise politique qui ébranle le Québec en entier.
Durée : 1 heure 30
Personnage(s) : 1 femme, 4 hommes

Père contre père [1992-1993]
Compagnie de théâtre Béton Blues, 22 avril 1993
À la suite du décès de sa mère, Gabriel devient victime de l'affrontement entre son père biologique et son père affectif qui se déchirent pour obtenir sa garde. Une interrogation sur la paternité et la masculinité contemporaines.
Durée : 1 heure 45
Personnage(s) : 3 hommes

VINCENT, Julie

Comédienne, dramaturge, musicienne, chanteuse et enseignante, Julie Vincent a plusieurs cordes à son arc. Et elle sait aussi comment les faire vibrer : Plaque d'or de la meilleure interprétation féminine au Festival international du Film de Chicago, en 1979, pour son rôle de Suzanne dans **Mourir à tue-tête** d'Anne-Claire Poirier, lauréate du prix spécial du jury au Festival du Café-théâtre francophone d'Évry avec son spectacle **Noir de monde** qui fut également présenté off-Avignon en 1988. Elle se sent autant à l'aise avec Shakespeare, Molière, Tremblay, Garneau qu'à la Ligue Nationale d'Improvisation ou à *Samedi de Rire*. Piquée par l'écriture, elle semble vouloir pousser plus loin dans cette voie car elle prépare présentement un nouveau texte en collaboration avec sa soeur Isabelle.

photo: Michel Dubreuil

La Déprime [1981] (VLB Éditeur, 1991), en collaboration avec Denis Bouchard, Rémy Girard et Raymond Legault
Production le Klaxon, 5 janvier 1981
Traduit en anglais par Maureen LaBonté sous le titre de **Terminal Blues** [1985]
Centre national des Arts, Ottawa, 1985
Une journée dans un terminus d'autobus Voyageur. Une cinquantaine de personnages typiques de ces terminus : chauffeurs, employés d'entretien, « waitress », clochards, voyageurs... qui révèlent nos comportements modernes, nos problèmes en les poussant quelquefois jusqu'à l'absurde et à la satire.
Durée : 2 heures 30
Personnage(s) : 50 personnages (19 femmes, 31 hommes) pouvant être joués par 2 femmes, 3 hommes
1 chanson

Noir de monde [1988] (Éditions la Pleine Lune, 1989)
Coproduction du Klaxon et du Théâtre de la Manufacture, 4 février 1988
Traduit en anglais par Maureen LaBonté sous le titre de **Running Riot** [1989]
Ce texte surréaliste aborde à la fois la menace nucléaire, la difficulté de créer et l'impossibilité de traduire le réel sur scène. C'est l'histoire d'une comédienne prisonnière de son décor, de sa pièce, de son texte et qui ne peut plus s'en sortir. Elle s'échappe de la pièce qu'elle a écrite. Elle se dérobe par peur de la menace, par peur de son engagement, par peur de ne plus être aimée de son public. L'actrice se cache mais c'est peine perdue : les personnages de sa pièce et de sa vie la provoquent et la ridiculisent.
Durée : 1 heure 40
Personnage(s) : 8 personnages pouvant être joués par 1 femme et 2 marionnettes
7 chansons

Auteur-compositeur, Pierre Voyer a été claviériste et chanteur pour différentes formations musicales de 1966 à 1978. Sa première pièce, **Giratoire**, a été primée au Festival national d'art dramatique (1968), la deuxième, **Les Chats**, au concours de la Nouvelle Compagnie Théâtrale (1970). Depuis 1975, il a signé une dizaine de textes dramatiques et une cinquantaine de musiques de scène (Nouvelle Compagnie Théâtrale, Théâtre Sans Fil, Théâtre de la Rallonge) fortement axées sur le travail de la voix chantée et des choeurs. Traducteur-adaptateur, il a signé les dialogues de **Le Seigneur des anneaux** de Tolkien ; **Dans la jungle des villes** et **Sainte-Jeanne des abattoirs** de Brecht, **Le Chat botté** de Tieck, de même qu'une adaptation du **Prométhée enchaîné** d'Eschyle et le texte du **Grand Jeu de nuit** du Théâtre Sans Fil. Dans le domaine littéraire, il a été collaborateur à *Mainmise* (1970-1974) et au *Québec littéraire* (1988-1989) ; il a publié un essai, **Le Rock et le Rôle** (Leméac, 1981) et deux romans, **Les Enfants parfaits** (Guérin littérature, 1987) et **Fabula Fibulae** (L'Hexagone, 1993). Depuis 1984, il enseigne la voix chantée et la littérature dramatique à l'Option-théâtre du cégep Lionel-Groulx.

Les Merveilles de Carole [1968]
Carole n'a pas de chum. Sa soeur parle sans arrêt de son mariage. Carole s'envole et devient la fille de Lapine, dans une boîte à lunch. Elle part à la chasse aux *chums* et en trouve deux... Elle rencontre aussi des personnages absurdes qui la font fuir avec ses deux chums sur un bateau.
Durée : 1 heure 35
Personnage(s) : 13 personnages (9 femmes, 4 hommes) pouvant être joués par 5 femmes et 3 hommes
3 chansons

T.V. Rêve (Color Guided Tour) [1971]
Camp des Jeunesses Musicales d'Orford, 1971
Comédie absurde. Élie est un clown, sa femme, Gaudeline, est une femme d'affaires ratée. Ils sont complètement anesthésiés par la télévision qui leur donne un étrange cauchemar dans lequel leurs fantasmes les plus fous se manifestent.
Durée : 1 heure 30
Personnage(s) : 2 femmes, 4 hommes
4 chansons

A   La Barbe du Père Noël [1971]
La « vraie » histoire du Père Noël et de sa compagne la Fée des Étoiles. Celle-ci veut partir parce qu'elle s'ennuie au Pôle Nord. Les lutins négocient leurs conditions de travail en véritables hommes d'affaires. Tous ces bouleversements finissent par le retour au Pôle Nord d'une Fée des Étoiles enceinte.
Durée : 1 heure
Personnage(s) : 1 femme, 2 hommes
Public visé : les adultes

E   **L'Enfant couvert de poux** [1975], adaptation d'un conte montagnais
Un enfant couvert de poux est abandonné par ses parents. Dans son périple à travers les forêts, il apprendra qu'il n'est qu'un élément de la nature. Il deviendra un oiseau et ses parents le réclameront en vain.
Durée : 45 minutes
Personnage(s) : 3 femmes, 3 hommes et 10 neutres dont 8 animaux
Public visé : les enfants du 2e cycle du primaire

La Face cachée de la lune [1976]
Atelier de la Nouvelle Compagnie Théâtrale, 1976
Une suite de courts portraits à la fois réalistes et absurdes traitant des sentiments refoulés.
Durée : 1 heure 30
Personnage(s) : 2 femmes, 1 homme et 7 neutres et des chœurs parlés

E   **Le Cirque Bouffon et le Zoo Brillant** [1977]
Les Productions du Bord de l'eau, 1977
Les Bouffon possèdent un cirque décrépit. Leur fille tombe amoureuse d'un acrobate nouveau venu et leur fils... balaie au zoo. Avec la complicité du chien Diogène, ils abriteront un tigre échappé du zoo que le proprio veut transformer en « zoo total ».
Durée : 1 heure
Personnage(s) : 2 femmes, 4 hommes et 2 neutres pouvant aussi être des marionnettes
3 chansons

La Nuit de Nice [1989-1990]
Ce texte a été présenté en lecture publique par le Cead, le 5 février 1990.
Quelques mois avant que la folie ne l'exile dans un silence définitif, Friedrich Nietzche règle ses comptes avec le fantôme de Richard Wagner. Dans cette lutte à finir, Nietzche expose les positions idéologiques et esthétiques qui les ont opposés. Ce conflit, qui a eu raison de Nietzche, réactive le débat actuel sur les enjeux véritables de la création.
Durée : 1 heure 15
Personnage(s) : 1 homme

Dans les rets [1992]
Un retraité, qui travaille comme brigadier, a assisté à un accident. La petite fille, qu'un chauffard a frappée, est morte dans ses bras. Pris de panique, il a caché le cadavre dans un placard. Le chauffard lui rend visite. Il tente d'intimider le seul témoin de l'accident. Les deux hommes se liguent dans un silence impossible à soutenir.
Durée : 1 heure 15
Personnage(s) : 2 hommes

TRADUCTIONS

Dans la jungle des villes [1981], en collaboration avec Lorraine Pintal ; traduction en français nord-américain de **Im Dickicht der Städte** de Bertolt Brecht
Théâtre de la Rallonge, 22 octobre 1981

Penthésilée [1988-1990], traduction de **Penthesilea** de Kleist
Théâtre de la Rallonge, 7 juin 1990

Le Chat botté [1983], traduction de **Der Gestifelte Kater** de Ludwig Tieck

Théâtre de Carton

Fondé en 1972, le Théâtre de Carton a voulu fouiller et faire évoluer l'écriture à travers une approche qui privilégie l'émotion, l'intériorité humaine et provoque une réflexion mobilisatrice. Ses spectacles sont largement diffusés à travers le Québec et le Canada et la francophonie internationale. Auteur et producteur de treize textes de théâtre dans un contexte de création collective, il a ensuite développé un principe de collaboration avec des auteurs se joignant à sa démarche par affinité. Depuis 1990, le Théâtre de Carton s'attache plus particulièrement aux univers issus des mythes, des légendes et des contes qu'il explore concrètement avec l'auteur, les concepteurs et les comédiens.

J   Au coeur de la rumeur [1973]
Théâtre de Carton, automne 1976
La pièce illustre, par différentes situations quotidiennes, les problèmes que vivent les adolescents face à leur famille, à leurs amis, aux relations amoureuses et à la société. Le ton est à la fois humoristique, cocasse et tendre, invitant adultes et adolescents à faire une autocritique de leurs comportements.
Durée : 1 heure 30
Personnage(s) : 48 personnages (22 femmes dont 1 voix, 26 hommes) pouvant être joués par 2 femmes et 3 hommes
4 chansons

E   Te sens-tu serré fort? [1977]
Théâtre de Carton, 1977
Des personnages représentant les cinq sens de l'être humain invitent les spectateurs à faire une meilleure connaissance, une re-découverte de leurs fonctions, de leur sensibilité. Le spectacle est basé sur la participation du public à des jeux qui permettent l'exploration nouvelle et spontanée des cinq sens.
Durée : 30 minutes, plus une animation de 30 minutes
Personnage(s) : 5 personnages (femmes ou hommes)
4 chansons

Si les ils avaient des elles [1978]
Théâtre de Carton, 11 janvier 1979
Allégorie sur l'abolition des rôles sexuels. Sont-elles surmontables, ces différences entre Pitou, « Bouge pas, chus là » et Pitou,« Laisse faire, j'vas l'faire » ? Peut-être... si les ils et les elles se retrouvent tous à la buanderie pour y faire le grand lavage des préjugés, des images et des craintes, et si leur confiance mutuelle peut passer les épreuves.

Durée : 2 heures
Personnage(s) : une soixantaine de personnages pouvant être joués par 3 femmes et 3 hommes
3 chansons

E   **Je m'imagine** [1979]
Théâtre de Carton, 1979
Axé sur la découverte du corps et de ses possibilités, ce spectacle destiné aux enfants vise à leur faire prendre conscience, à travers des jeux et par l'évocation de situations qu'ils vivent quotidiennement, que le corps et le toucher ne sont pas aussi tabous qu'on veut bien leur faire croire.
Durée : 45 minutes
Personnage(s) : 7 personnages (4 femmes, 3 hommes) pouvant être joués par 2 femmes et 2 hommes
6 chansons

Cœur flyé à tour de contrôle [1981-1982]
(Christian Girard et Jacinthe Potvin)
Théâtre de Carton, 1982
À l'occasion d'un voyage en Grèce, qu'elle relate avec humour en rejouant les épisodes les plus significatifs, une jeune femme dans la trentaine est amenée à faire le point sur divers aspects de sa vie émotive et revient grandie par ce périple.
Durée : 1 heure
Personnage(s) : 6 personnages (4 femmes, 2 hommes) joués par 1 femme
3 chansons

Danse, p'tite désobéissance [1981-1982]
Version finale par Josef Saint-Jean (pseudonyme) à partir de textes et d'improvisations du collectif
Théâtre de Carton, 16 février 1983
Édith Larose, musicienne et gardienne de Pierre-Marie Lamaire, est condamnée pour avoir encouragé la dissidence de l'enfant. La pièce raconte, de 1957 à 1980, l'histoire de Pierre-Marie et de ses deux amies : leur enfance, leur adolescence et leur trentaine. Critiques d'un certain ordre social, tous trois sont finalement écrasés par la violence de cet ordre. Mais leur survie s'affirme au-delà de la mort dans une descendance sans fin.
Durée : 2 heures
Personnage(s) : une quinzaine de personnages pouvant être joués par 2 femmes et 1 homme

E   **Je regarde le soleil en face** [1982-1983], d'après une idée originale de Robert Dorris
Théâtre de Carton, 1983
Fable écologique où se mêlent personnages réels et créatures de l'imagination. Noée vit avec son père Félix. Avec Garou, sa complice, elle rêve de grandes batailles où la vie et l'imaginaire triomphent des Gros Minus qui saccagent la nature. Elle entraîne son père, son professeur et toute sa classe dans l'aventure d'un spectacle où elle laisse libre cours à ses aspirations profondes.
Durée : 1 heure 15
Personnage(s) : 6 personnages pouvant être joués par 2 femmes et 2 hommes
7 chansons
Masques

TRADUCTION ET TRANSPOSITION

EJ   **Les enfants n'ont pas de sexe ?** [1979], d'après **Sex is not for kids**, version américaine par Jack Zipes de **Darüber Spricht Man Nicht** du collectif allemand Rote Grütze (Éditions Québec/Amérique, 1981, épuisé ; VLB Éditeur, 1989)
Théâtre de Carton, 6 décembre 1979

Fondé en 1973, le Théâtre de l'Oeil se consacre exclusivement à l'art de la marionnette. Reconnu pour ses conceptions scénographiques, l'ingéniosité de ses marionnettes et l'originalité des thèmes abordés, le Théâtre de l'Oeil s'emploie à communiquer sa passion aux jeunes spectateurs. Puisant aux sources d'une tradition millénaire, la compagnie est toutefois animée par un esprit innovateur. Chaque création explore de nouvelles avenues, privilégiant tantôt l'alternance, tantôt le mélange des marionnettes. Cette recherche, le Théâtre de l'Oeil veut la faire partager au plus grand nombre. C'est dans cet esprit que ses productions sont présentées dans différents lieux, allant des grandes salles aux écoles de quartier. En vingt ans, la compagnie a produit seize spectacles. Ceux-ci ont été diffusés partout au Québec, dans plusieurs provinces canadiennes ainsi qu'à l'étranger (États-Unis, Europe, Chine, Algérie). Les activités du Théâtre de l'Oeil comprennent également l'animation d'ateliers portant sur la fabrication et la manipulation de marionnettes. La troupe a aussi collaboré à la scénarisation et au tournage d'une séquence de marionnettes pour **La Force du soleil**, un film éducatif en trois dimensions coproduit par IMAX Corporation et Fujitsu Ltée. Celui-ci a notamment été présenté aux expositions universelles d'Osaka (1990) et de Séville (1992), de même qu'au Cinéma IMAX de Montréal (1993-1994). En 1990, le Théâtre de l'Oeil recevait le prix de la Meilleure production jeunes publics, décerné par l'Association québécoise des critiques de théâtre, pour son spectacle **Un autre monde**. Le texte d'une autre de ses productions **Qui a peur de Loulou ?** paraissait en 1994 chez VLB Éditeur.

E   **Une fable au chou** [1974]
(André Laliberté, en collaboration avec Jocelyn Desjarlais)
Théâtre de l'Oeil, septembre 1974
Né dans un chou, un drôle de petit garçon traverse un univers peuplé de militaires, d'adultes qui travaillent, de fourmis affairées ; en somme, un monde où personne n'a le temps de jouer et de se faire des amis, jusqu'à ce qu'il rencontre une drôle de petite fille...
Durée : 45 minutes
Personnage(s) : 14 marionnettes (dont 2 féminines et 7 masculines)
Public visé : les enfants de 5 à 12 ans

E   **Tohu-Bohu** [1976]
Théâtre de l'Oeil, hiver 1976
Les animaux de la forêt veulent se rendre jusqu'à la lune, afin d'échapper aux hommes et à la pollution. Le lynx les avertit que la lune, n'ayant pas d'air, n'est pas habitable. Faute de fuir la terre et ses problèmes, les animaux décident de faire le ménage de la forêt avec l'aide des humains.
Durée : 25 minutes
Personnage(s) : 3 personnages et 7 marionnettes

E **Regarde pour voir** [1979] (Éditions Québec/Amérique, 1981)
Théâtre de l'Oeil, novembre 1979
Traduit en anglais par Linda Gaboriau sous le titre de **See what you see**
Théâtre de l'Oeil, 1984
Cette pièce fantaisiste et didactique pour comédiens et marionnettes veut initier les enfants aux différentes traditions du théâtre de marionnettes, tout en favorisant une conscience écologique à l'égard du recyclage inventif de matériaux : bouteilles et contenants de plastique ou de carton, brosses, rouleaux, etc.
Durée : 55 minutes
Personnage(s) : 6 personnages (pouvant être joués par 2 hommes et 1 femme) et des marionnettes
Public visé : les enfants de 8 à 12 ans
2 chansons
Cette pièce nécessite l'utilisation d'un écran et de diapositives

E **À dos de soleil** [1979], d'après **Comment une souris reçoit une pierre sur la tête et découvre le monde** d'Étienne Delessert
Théâtre de l'Oeil, 1er mars 1980
Traduit en anglais par Linda Gaboriau sous le titre de **Follow the Sun**
Théâtre de l'Oeil, 1980
Une petite souris, en creusant un tunnel, reçoit une pierre sur la tête et dégage ainsi une ouverture. À la surface de la terre, la souris, émerveillée et curieuse, fait la découverte du monde et de ses éléments naturels grâce à son ami le Soleil.
Durée : 25 minutes
Personnage(s) : 4 comédiens-manipulateurs
Public visé : les enfants de 3 à 8 ans
1 chanson

Les Grandes Vacances [1981], en collaboration avec Michel Tremblay
Théâtre de l'Oeil, 10 septembre 1981
Sur un ton qui tient à la fois du guignol et du burlesque, cette comédie dramatique propose une réflexion sur la commercialisation de la mort, vidée de son sens, de son humanité et de sa dimension de deuil par ceux qui en tirent le plus de profit : les entrepreneurs de pompes funèbres.
Durée : 1 heure 30
Personnage(s) : 10 marionnettes (5 féminines, 4 masculines et 1 chien)

EJA **Bébé disparaît** [1984]
(André Laliberté ; produit avec **Le Grand Air**)
Théâtre de l'Oeil, juin 1984 ; sous le titre de **Chouinard et compagnie**
Chouinard se voit confier la garde de bébé mais, à la suite d'un quiproquo, bébé disparaît. Voilà Chouinard dans un beau pétrin. Il s'ensuit un imbroglio cousu de méprises. On accuse à tort monsieur Lee, l'Asiatique, d'avoir kidnappé bébé. Cette drôle d'histoire lève le voile sur un racisme sournois qui sommeille chez plusieurs d'entre nous.
Durée : 20 minutes
Personnage(s) : 7 marionnettes pouvant être manipulées par 3 marionnettistes

EJA **Le Grand Air** [1984]
(André Laliberté ; produit avec **Bébé disparaît**)
Théâtre de l'Oeil, juin 1984 ; sous le titre de **Chouinard et compagnie**
Chouinard et sa femme découvrent les plaisirs et les inconvénients du camping sauvage. Tout leur arrive : la contravention, la crevaison, les moustiques et bien d'autres choses encore ! Chouinard et Mado apprennent à leurs dépens qu'il « vaut mieux prévenir que guérir ». Réflexion piquante sur les petites bêtises de la vie de tous les jours où chacun peut se reconnaître.
Durée : 20 minutes

Personnage(s) : 6 marionnettes pouvant être manipulées par 3 marionnettistes

E **Le Soldat et la mort** [1984], en collaboration avec Irina Niculescu, d'après un conte roumain d'Ion Creanga
Théâtre de l'Oeil, novembre 1984
Dans cette légende populaire, Ivan, un joyeux petit soldat à la fois frondeur et débonnaire, souhaite profiter de la vie avant que la mort ne l'entraîne dans sa ronde finale. Chassé de l'Enfer pour mauvaise conduite, il se retrouve portier au Paradis et, entre diables et Bon Dieu, il joue à cache-cache avec la mort qu'il saura sans doute déjouer.
Durée : 55 minutes
Personnage(s) : 10 marionnettes pouvant être manipulées par 4 marionnettistes
Public visé : les enfants de 5 à 12 ans

EJA **À l'eau tout le monde** [1985]
(André Laliberté)
Théâtre de l'Oeil, février 1985 ; sous le titre de **Chouinard et compagnie**
Angéline part en croisade pour la sauvegarde de l'eau. Elle dénonce avec force la pollution et le gaspillage. Au seuil de l'an 2000, son rêve de se baigner dans la rivière des Prairies sera-t-il exaucé ?
Durée : 15 minutes
Personnage(s) : 10 marionnettes pouvant être manipulées par 3 marionnettistes

EJA **Angéline bricole** [1985]
(André Laliberté et Josée Plourde)
Théâtre de l'Oeil, juin 1986 ; sous le titre de **Chouinard et compagnie**
« C'est décidé ! Belle-maman ira vivre dans un centre d'accueil : la maison est devenue trop petite ! » Difficile pour Chouinard de ne pas se mêler de cette épineuse situation. Angéline, l'énergique grand-mère, prendra finalement les choses en main et se mettra au bricolage afin de construire une rallonge à la maison.
Durée : 15 minutes
Personnage(s) : 5 marionnettes manipulées par 3 marionnettistes

EJA **La Loterie** [1985]
(André Laliberté)
Théâtre de l'Oeil, juin 1986 ; sous le titre de **Chouinard et compagnie**
Devenir millionnaire ! Tout le monde en rêve... Pris par une passion subite et démesurée, fiévreux, les amis de Chouinard misent leur avoir en vue d'un bonheur inespéré... 13 millions ! Le pauvre Percé en perdra la tête et passera bien proche d'y perdre également Lucette, sa bien-aimée.
Durée : 15 minutes
Personnage(s) : 8 marionnettes pouvant être manipulées par 3 marionnettistes

EJA **Le Portrait de mon oncle** [1985]
(André Laliberté)
Théâtre de l'Oeil, juin 1986 ; sous le titre de **Chouinard et compagnie**
Trois mois de loyer en retard, le chômage, les dettes et voilà la famille Chouinard sur le pavé. Mais Chouinard ne se laisse pas abattre pour si peu. Vous désirez connaître son secret ? Il est caché dans le portrait de mon oncle.
Durée : 10 minutes
Personnage(s) : 4 marionnettes pouvant être manipulées par 3 marionnettistes

En août 1977, Judith Savard et Hélène Blanchard fondent leur compagnie, le Théâtre des Confettis, qui produira des spectacles pour enfants. Leurs objectifs : encourager l'expression et l'autonomie de leur public et favoriser une meilleure communication entre enfants et adultes. Le Théâtre des Confettis, reconnu pour sa recherche sur le personnage, recrée sur scène, par des situations à la fois drôles et émouvantes, l'univers du quotidien et celui de l'imaginaire. Depuis sa fondation, la compagnie a présenté des spectacles un peu partout au Québec, au Canada, aux États-Unis, en Angleterre, en France et a participé à de nombreux festivals internationaux.

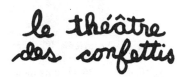

E   La Boîte à malices [1979]
Théâtre des Confettis, 1980
Grenadine, petite fille inventive, devient complètement abrutie parce qu'elle regarde trop la télévision. Son amie Limonade, pour la sortir de sa léthargie, lui fait jouer à ses émissions préférées. Grenadine se rend compte de leur mauvaise influence et fait le ménage dans celles-ci.
Durée : 45 minutes
Personnage(s) : 2 femmes
4 chansons

E   Un drôle d'épouvantail [1980]
Théâtre des Confettis, 1980
Traduit en anglais par Maureen LaBonté sous le titre de **Scarecrow Girl**
The Penguin Theatre Company, 1981
Deux petites filles aux caractères différents, l'une délurée, l'autre timide, apprennent à se connaître. La naissance de leur amitié démontre, en douceur, les difficultés qu'éprouvent les enfants à se faire accepter tels qu'ils sont auprès de nouveaux amis, et ce, malgré leurs différences et les sarcasmes.
Durée : 50 minutes
Personnage(s) : 2 femmes

E   Partir en peur [1983-1984]
Théâtre des Confettis, 1984
Judith et Hélène partent faire du camping sauvage. Par diverses situations cocasses, elles expriment toutes les peurs qu'elles ressentent pour tout et pour rien. Hélène éprouvant des craintes que Judith ne ressent pas et inversement, elles s'aperçoivent qu'elles peuvent s'entraider au lieu de s'entraîner l'une l'autre dans leurs peurs respectives.
Durée : 45 minutes
Personnage(s) : 2 femmes
1 chanson

TRANSPOSITIONS

E **Le Voyage de Petit Morceau** [1982], en collaboration avec Daniel Meilleur, transposition de
Pezzettino, l'école des loisirs de Léo Lionni et du Théâtre de Galafronie (Belgique)
Théâtre des Confettis, mai 1982
Traduit en anglais par Françoise Donahue sous le titre de **The Journey of Little Blue Piece**
Théâtre des Confettis

Théâtre du Sang Neuf

En 1972, des comédiens soucieux de s'adonner à la création et de favoriser la diffusion d'oeuvres régionales en arts d'interprétation fondent, à Sherbrooke, le Théâtre du Sang Neuf. En 1976, la compagnie choisit de se consacrer exclusivement au théâtre, visant aussi bien les jeunes publics que les adultes. C'est en 1979 qu'elle s'oriente plus particulièrement vers la création de spectacles-animations pour les adolescents ; les pièces pour grand public présentées en salle fixe s'ajouteront en 1983. L'accessibilité et le souci de conscientiser la communauté constituent les deux plus grands axes du Théâtre du Sang Neuf, l'incitant à développer un art populaire.

E **À quoi ça sert les grosses bébelles ?** [1975]
(Denis Girard et Marc Thibault)
Théâtre du Sang Neuf, 1975
Deux enfants reçoivent trois jeux en cadeau : un cow-boy, un explorateur et une poupée. Ils deviennent vite les esclaves de ces personnages-jouets préprogrammés qui refusent de changer leur statut. Ils décident finalement de se débarrasser de ces « bébelles » ; il y a tant d'autres jeux à inventer.
Durée : 1 heure
Personnage(s) : 2 femmes, 3 hommes

J **Chu pour rien, chu contre toute** [1976]
(Marthe Boisvert, Louise Bombardier, Jacques Couture, André Saint-Pierre et Marc Thibault)
Théâtre du Sang Neuf, 1976
« Allô ! Qu'est-ce que tu fais à soir, c'est vendredi ? »... Illustrant différentes préoccupations des adolescents et certains moments de leur vie, cette revue musicale à sketches est construite autour des thèmes de l'enfance, de la famille, de la sexualité, de l'école et de l'évasion.
Durée : 1 heure 30
Personnage(s) : 42 personnages (17 femmes, 25 hommes) pouvant être joués par 2 femmes et 3 hommes
9 chansons

E   Passé la ligne, c'est ma maison [1976]
(Sylvie Bégin, Georges Comtois, Johanne Fillion, Myriam Grondin et Marc Thibault)
Théâtre du Sang Neuf, 1976
Que se passe-t-il quand des enfants bouleversent par leurs jeux l'ordre qui règne dans la maison ? Les adultes interviennent pour tenter d'établir de nouvelles règles du jeu, en accord avec leurs besoins, et c'est la confrontation... D'où l'importance d'une délimitation claire des frontières, du type : « passé la ligne, c'est ma maison ».
Durée : 35 minutes
Personnage(s) : 14 personnages pouvant être joués par 3 femmes et 2 hommes
2 chansons

En spécial cette semaine seulement... [1977]
(Georges Comtois, Hervé Dupuis, Myriam Grondin, Rollande Laveau, Yves Masson, Rodrig Mathieu, Mario Morin et Micheline Poulin)
Théâtre du Sang Neuf, 1977
Comédie critique en dix-huit tableaux sur la société de consommation. La secrétaire qui rêve d'épouser son patron, la consommatrice aveugle de « spéciaux de la semaine », le gars gêné avec les filles, l'homme d'affaires pas très scrupuleux, tous sont floués par des politiciens véreux. Mais trois d'entre eux, prenant conscience de la situation, voudront changer les choses...
Durée : 1 heure 30
Personnage(s) : 36 personnages, une voix et un choeur pouvant être joués par 3 femmes et 5 hommes
1 chanson

De la vie à deux ou Moi chu moi et toi, t'es toi [1978]
(Georges Comtois, Danielle Dupuy, Suzanne Fréchette, Myriam Grondin et Marc Thibault)
Théâtre du Sang Neuf, 1979
Spectacle sur les relations de couple illustrant de façon humoristique et dramatique le besoin de retrouver et de conserver son identité, même en amour.
Durée : 1 heure 15
Personnage(s) : une vingtaine de personnages pouvant être joués par 1 femme et 2 hommes
3 chansons

J   Qui sort du moule, dérange la foule [1981]
(Luc Archambault, Lorraine Roy et Marc Thibault ; version revue par Jacques Jalbert, en collaboration avec Isabelle Hodgson, Denis Michaud et Jacques Routhier)
Théâtre du Sang Neuf, 1981
Spectacles sur les violences, tant physiques que morales, vécues à l'école. Traitement fantaisiste : l'action se déroule dans une machine à boules qui symbolise l'école et les types d'agression qu'on y trouve.
Durée : 35 minutes
Personnage(s) : 14 personnages pouvant être joués par 1 femme et 2 hommes

Théâtre Parminou

Fondé en 1973, à Québec, par des finissants de l'École nationale de théâtre du Canada et des Conservatoires d'art dramatique de Québec et de Montréal, le Théâtre Parminou déménage trois ans plus tard à Victoriaville. Sa structure de coopérative autogérée permet encore aujourd'hui à une douzaine de gens de théâtre de vivre de leur métier en région. Installée dans son propre centre de création depuis 1989, la troupe continue de remplir la mission théâtrale qu'elle s'est donnée à ses débuts : créer et diffuser un théâtre populaire, socialement engagé dans les problématiques de son époque. Sa démarche artistique particulière lui a permis de développer un type de théâtre original qui s'articule avant tout dans son rapport au public. Troupe de tournée, le Théâtre Parminou explore tous les lieux de diffusion « hors théâtre » et va à la rencontre des publics les plus divers autant dans leurs contextes de vie, de travail ou d'études que de loisirs.

La Grand'langue [1974]
(Normand Canac-Marquis, Véronique Aubut, Louis-Dominique Lavigne, Jack Robitaille, André Poulin, Carole Poliquin, Rémy Girard, Hélène Desperrier et Jean-Léon Rondeau)
Théâtre Parminou, été 1974
Spectacle traitant des problèmes de la langue au Québec.
Durée : 1 heure 30
Personnage(s) : 3 femmes, 3 hommes jouant plusieurs personnages

Partez pas en peur [1977]
(Martine Beaulne, Hélène Desperrier, Normand Canac-Marquis, Jack Robitaille et Reynald Robinson)
Théâtre Parminou, automne 1977
Spectacle traitant de la peur du changement.
Durée : 54 minutes
Personnage(s) : 2 femmes, 3 hommes jouant plusieurs personnages

Pensions-y-bien [1983]
(Nicole-Éva Morin, Réjean Bédard, Martine Beaulne et Michel Cormier)
Théâtre Parminou, été 1983
Intervention théâtrale traitant des régimes de pension pour les femmes.
Durée : 45 minutes
Personnage(s) : 9 personnages pouvant être joués par 1 femme et 1 homme

Y'a d'la paix sur la planche [1983](Réjean Bédard, Michel Cormier et Nicole-Éva Morin)
Théâtre Parminou, 1983
Deux clowns lisent leur journal quotidien et font le tour du monde et de ses zones de tensions, de famine et de répression. Ils veulent que cesse la guerre et que s'installe la paix.
Durée : 50 minutes
Personnage(s) : 2 clowns jouant 6 personnages
5 chansons
Participation du public

Attention, ça va germer [1984]
(Réjean Bédard, Michel Cormier, Jean-François Couture, Daniel Jean, Marie-Dominique Cousineau, Gilles Labrosse et Nicole-Éva Morin)
Théâtre Parminou, 1984
Le problème de la relève et l'importance de la formation technique et professionnelle en agriculture.
Durée : 1 heure 30
Personnage(s) : 9 personnages pouvant être joués par 2 femmes et 2 hommes
4 chansons

L'égalité brille pour tout le monde [1985-1986]
(Réjean Bédard, Michel Cormier, Nicole-Éva Morin et Madeleine St-Hilaire)
Théâtre Parminou, 1986
Théâtre-forum. Marie-Claude pose sa candidature pour un nouveau poste. Son mari et son patron se posent comme obstacles. Le public est invité à intervenir.
Durée : 1 heure
Personnage(s) : 9 personnages (4 femmes, 5 hommes) et 1 meneur ou meneuse de jeu.

Toujours trop jeune [1986]
(Odette Caron, Hélène Desperrier et Jacques Drolet)
Théâtre Parminou, hiver 1986
Les jeunes et la responsabilisation.
Durée : 1 heure
Personnage(s) : 6 personnages pouvant être joués par 1 femme et 2 hommes

L'Étoffe du pays [1987], version pour les écoles secondaires. Adaptation de Hélène Desperrier du texte original de Michel Cormier, Jacques Drolet, Marie-Dominique Cousineau, Nicole-Éva Morin et Gilles Labrosse [1987]
Théâtre Parminou, 1987
1837. Le mécontentement gronde au Bas-Canada. Tit-clin répond à l'appel du boycottage des produits anglais par les députés qui se présentent en chambre vêtus de l'« étoffe du pays ». Mêlé à la violence qui s'ensuit, il en sort à la fois victime et héros.
Durée : 45 minutes
Personnage(s) : 14 personnages (4 femmes, 10 hommes) pouvant être joués par 1 femme, 2 hommes
2 chansons

D'égale à égal [1988]
(Réjean Bédard, Michel Cormier et Louise Deslière)
Théâtre Parminou, 1988
Les inégalités et les préjugés que vivent encore les femmes en matière d'emploi dans le réseau de l'éducation au Québec.
Durée : 1 heure
Personnage(s) : 7 personnages (2 femmes, 5 hommes) pouvant être joués par 1 femme et 1 homme et 1 meneur ou meneuse de jeu

Pas de vacances pour les anges [1990]
(Maureen Martineau, Nicole-Éva Morin, Louise Proulx, Patrick Saucier)
Théâtre Parminou, 1990
Les personnes « aidantes ». Les anges gardiens des personnes en perte d'autonomie. Trois d'entre elles ont décidé de briser leur isolement et viennent nous parler de leur réalité.
Durée : 50 minutes
Personnage(s) : 15 personnages (8 femmes, 7 hommes) pouvant être joués par 2 femmes et 1 homme

La Vie à l'an vert [1990-1991]
(Hélène Desperrier et Maureen Martineau)
Théâtre Parminou, 1990
Mosaïque de scènes clips. Ni victimes, ni héros, des jeunes tentent de se réapproprier leur pouvoir d'agir sur leur environnement.
Durée : 50 minutes
Personnage(s) : 18 personnages (6 femmes, 8 hommes et 4 neutres) pouvant être joués par 2 femmes, 2 hommes

Dans de beaux draps [1990-1991]
(Maureen Martineau, Hélène Desperrier, avec la collaboration de François Roux)
Théâtre Parminou, 1991
Pourquoi les gens font peu ou pas d'enfants ?
Durée : 1 heure 20
Personnage(s) : 18 personnages (10 femmes, 8 hommes) pouvant être joués par 2 femmes et 2 hommes
2 chansons

Les Pétards à mèche célestes [1991]
(Maureen Martineau, François Roux, Réjean Bédard, Yves Dagenais, Hélène Desperrier, Yves Séguin, Sonia Vachon, avec la collaboration de Marcel Sabourin)
Théâtre Parminou, été 1991
Une troupe itinérante essaie de mener à bien son spectacle en présentant des numéros burlesques de l'illustre Houdini, d'un orchestre de chambre tout à fait désaccordé, d'un surprenant dompteur d'escalopes de veau, d'équilibristes en déséquilibre, tout cela dans une atmosphère de folie indescriptible propre à l'univers clownesque.
Durée : 1 heure 30
Personnage(s) : Une dizaine de personnages pouvant être joués par 3 femmes et 2 hommes
Jeux clownesques. Très peu de paroles.

L'Effet secondaire [1991]
(Hélène Desperrier et Maureen Martineau)
Théâtre Parminou, automne 1991
Théâtre-clip en couleur et en musique sur le phénomène du décrochage scolaire.
Durée : 1 heure
Personnage(s) : Une vingtaine de personnages pouvant être joués par 2 femmes et 2 hommes et 1 musicien
1 chanson (cassette disponible au Théâtre Parminou)

Silence d'argent, parole d'or [1992]
(Maureen Martineau et le Théâtre Parminou)
Théâtre Parminou, printemps 1992
Théâtre-forum sur la violence faite aux personnes âgées.
Durée : 1 heure 15
Personnage(s) : 12 personnages pouvant être joués par 1 femme et 2 hommes et 1 meneur ou meneuse de jeu

Chut ! c'est un secret [1992]
(Maureen Martineau, Sonia Vachon, Yves Séguin, Hélène Desperrier et François Roux)
Théâtre Parminou, été 1992
La nuit, dans un théâtre désaffecté, des personnages surgissent tout à coup et entraînent le public dans un jeu très étrange qui mêle fiction et réalité.
Durée : 1 heure 30
Personnage(s) : 7 personnages pouvant être joués par 3 femmes et 1 homme

Les Bleus amoureux [1992]
(Réjean Bédard, Maureen Martineau, François Roux et Yves Séguin)
Théâtre Parminou, 1992
À travers quatre saisons, quatre étapes importantes de leur thérapie, Pierre et Mario tenteront de piéger en eux-mêmes leur propre ennemi : l'homme violent.
Durée : 1 heure 20
Personnage(s) : 3 hommes

Aki [1992]
(Hélène Desperrier, Réjean Bédard et Patrice Dussault)
Théâtre Parminou, automne 1992
Trois récits modernes : **1492 avenue des Amériques, L'Indian Time** et **L'Homme qui a vu l'ours**, pour parler d'enracinement, d'appartenance à la terre et de préjugés entre les nations blanche et autochtone.
Durée : 1 heure 30
Personnage(s) : 11 personnages pouvant être joués par 2 femmes et 3 hommes
Distribution mixte, Blancs et autochtones

À temps pour l'indian time [1993]
(Hélène Desperrier, Réjean Bédard et Maureen Martineau)
Théâtre Parminou, 1993
Théâtre-forum. Pris au milieu des bois, Marc et Pierre s'affrontent sur les préjugés mutuels qu'ils nourrissent face aux Blancs et aux autochtones.
Durée : 1 heure 30
Personnage(s) : 2 hommes et 1 meneur ou meneuse de jeu
Distribution mixte, un Blanc et un autochtone

À côté de moi [1993]
(Réjean Bédard, Yves Séguin, en collaboration avec Hélène Desperrier et François Roux)
Théâtre Parminou, 1993
Jean-Christophe a choisi la voie du silence. Il a tranché le fil de ses rêves. Il a brisé le miroir de son adolescence mais la vie a été plus forte que lui. Spectacle sur l'estime de soi.
Durée : 1 heure
Personnage(s) : 7 personnages pouvant être joués par 2 femmes et 2 hommes

L'Histoire de l'oie de Michel Marc
Bouchard. Coproduction: Les deux mondes
et le Centre national des Arts, avril 1992.
Sur la photo: L'oie Teeka et Alain
Fournier. Photo: Rabanus.

Le Temps d'une vie de Roland Lepage. Production du Théâtre d'Aujourd'hui, avril 1975. Sur la photo: Murielle Dutil. Photo: Daniel Kieffer.

Anaïs dans la queue de la comète de Jovette Marchessault. Production du Théâtre de Quat'Sous, septembre 1985. Sur la photo: Patricia Nolin et Andrée Lachapelle. Photo: Robert Laliberté.

Le Chien de Jean Marc Dalpé. Coproduction: Le Théâtre du Nouvel-Ontario et le Théâtre Français du Centre national des Arts, mars 1988. Sur la photo: Roger Blay et Roy Dupuis. Photo: Jean-Guy Thibaudeau.

Le Scalpel du diable de Jean-François Caron. Production du Théâtre de la Manufacture, novembre 1991. Sur la photo: Normand Daoust et Daniel Gadouas. Photo: Jean-Guy Thibaudeau.

Les Fridolinades de Gratien Gélinas. Production du Théâtre Français du Centre national des Arts présentée au Théâtre du Rideau Vert, novembre 1987, cinquante ans après la création. Sur la photo: Rémy Girard et Denis Bouchard. Photo: Guy Dubois.

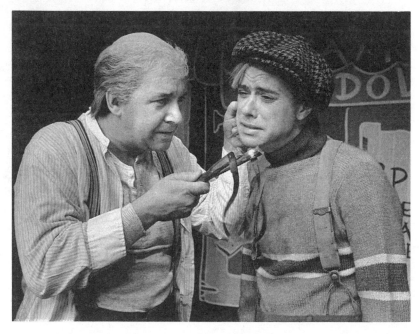

Syncope de René Gingras. Production de Médium médium, janvier 1983. Sur la photo: Benoît Girard et Paul Savoie. Photo: Robert Etcheverry.

La Déposition d'Hélène Pedneault. Production du Théâtre Expérimental des Femmes, janvier 1988. Sur la photo: Louise Laprade et René Gagnon. Photo: Louise Oligny.

Les Feluettes ou la Répétition d'un drame romantique de Michel Marc Bouchard. Coproduction du Théâtre Petit à Petit et du Théâtre Français du Centre national des Arts présentée au Théâtre du Nouveau Monde, janvier 1989, deux ans après la création. Sur la photo: Denis Roy et Jean-François Blanchard. Photo: Robert Laliberté.

Oublier de Marie Laberge. Production de
la Compagnie Jean Duceppe, octobre 1987.
Sur la photo: Louise Turcot et Paule
Baillargeon. Photo: François Renaud.

Émilie ne sera plus jamais cueillie par l'anémone de Michel Garneau. Production du Théâtre du Café de la Place, octobre 1981. Sur la photo: Monique Mercure et Michelle Rossignol. Photo: Pierre Gaudard.

La Passion de Juliette de Michelle Allen.
Production du Théâtre du Nouveau
Monde, janvier 1984, huit mois après la
création. Sur la photo: Sophie Clément et
Christiane Raymond. Photo: Robert
Etcheverry.

Le Cerf-volant de Pan Bouyoucas.
Production du Théâtre d'Aujourd'hui,
février 1993. Sur la photo: Jacques Godin
et Lionel Villeneuve. Photo: Bruno
Massenet.

Bernadette et Juliette ou La vie, c'est comme la vaisselle, c'est toujours à recommencer d'Elizabeth Bourget. Production des Pichous, septembre 1978. Sur la photo: Michèle Barrette et Jean-Guy Viau. Photo: Daniel Kieffer.

Père contre père de Raymond Villeneuve. Production de Béton Blues, avril 1993. Sur la photo: Denis Trudel et Michel-André Cardin. Photo: Nathalie Pavlowski.

J'écrirai bientôt une pièce sur les nègres
de Jean-François Caron. Production du
Théâtre de Quat'Sous, septembre 1989.
Sur la photo: Anne Dorval, Luc Picard et
Jean-René Ouellet. Photo: Les Paparazzi.

In Vitro de Yvan Bienvenue. Production
Urbi et Orbi, février 1993. Sur la photo:
Roger Léger, Julie McClemens et
Stéphane Jacques. Photo: Bruno Braën.

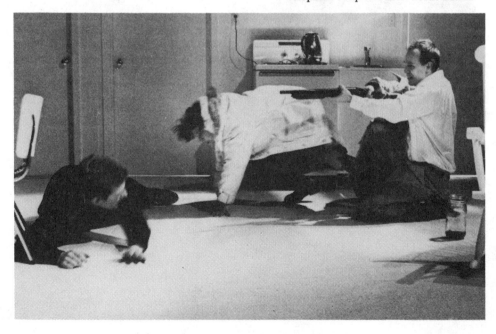

Cendres de cailloux de Daniel Danis.
Production de l'Espace Go, novembre
1993. Sur la photo: Paul Savoie, Catherine
Sénart, Isabelle Miquelon et Stéphane
Simard. Photo: Yves Renaud.

Le Syndrome de Cézanne de Normand
Canac-Marquis. Production de La
Rallonge, février 1987. Sur la photo:
Robert Lalonde, Hélène Mercier et
Clément Cazelais. Photo: Daniel Lebarbé.

La Visite des sauvages ou l'Île en forme de tête de vache d'Anne Legault. Production de la Compagnie Jean Duceppe, avril 1986. Sur la photo: Béatrice Picard, Esther Lewis et Gilbert Turp. Photo: Jean-Marc Petit.

Ce qui reste du désir de Claude Poissant. Production du Théâtre Petit à Petit, mars 1987. Sur la photo: Pascale Montpetit, Adèle Reinhardt et Patricia Tulasne. Photo: Robert Laliberté.

L'Ombre de toi de Sylvie Provost.
Production Ma chère Pauline, octobre
1992. Sur la photo: Jean Lessard et Sylvie
Provost. Photo: Yves Dubé.

À propos de la demoiselle qui pleurait
d'André Jean. Production du Théâtre
Français du Centre national des Arts,
janvier 1988, trois ans après la création.
Sur la photo: Julie Bergeron et Paul
Latreille. Photo: René Binet.

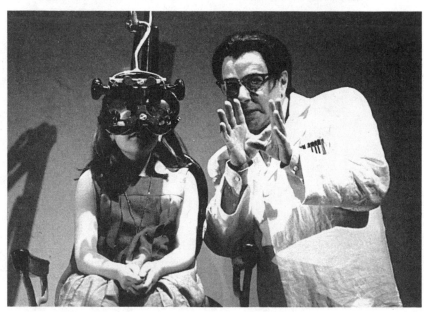

La Leçon d'anatomie de Larry Tremblay.
Production du Théâtre d'Aujourd'hui,
septembre 1992. Sur la photo: Hélène
Loiselle. Photo: Daniel Kieffer.

Tu faisais comme un appel de Marthe
Mercure. Production de l'Atelier-Studio
Kaléidoscope, Limoges 1992. Sur la photo:
Danielle Fichaud, Monique Richard, Josée
La Bossière et France Castel. Photo: Yves
Dubé.

Duo pour voix obstinées de Maryse Pelletier. Production du Théâtre d'Aujourd'hui, janvier 1985. Sur la photo: Gilles Michaud, Hélène Mercier et Paul Savoie. Photo: Daniel Kieffer.

Fragments d'une lettre d'adieu lus par des géologues de Normand Chaurette. Production du Théâtre de Quat'Sous, mars 1988. Sur la photo: Larry-Michel Demers et Jean-Louis Roux. Photo: Michel Gagné.

Les Belles-Soeurs de Michel Tremblay. Production du Théâtre du Rideau Vert, août 1968. Sur la photo: Denise Proulx, Sylvie Heppel, Denise Filiatrault, Marthe Choquette, Carmen Tremblay, Denise de Jaguère et Germaine Giroux. Photo: Guy Dubois.

Les Nuits de l'Indiva de Jean-Claude Germain. Production du Théâtre d'Aujourd'hui, janvier 1980. Sur la photo: Nicole Leblanc. Photo: Daniel Kieffer.

Vie et Mort du Roi Boiteux de Jean-Pierre
Ronfard. Production du Nouveau Théâtre
Expérimental, juin 1982. Sur la photo:
Jean-Pierre Ronfard. Photo: Hubert
Fielden.

Kushapatschikan ou la Tente tremblante
de Gilbert Dupuis. Production du Carré-
Théâtre du Vieux Longueuil, novembre
1992. Sur la photo: Luc Morissette, Sylvie
Gosselin et Michel Daigle. Photo: Robert
Côté.

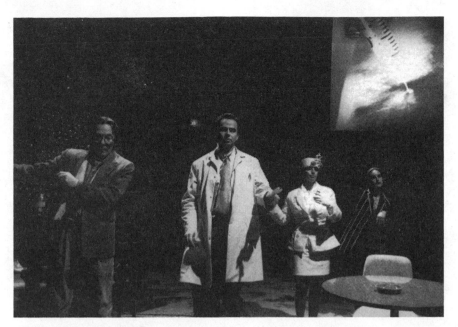

Un monde nouveau d'Elizabeth Bourget. Production du Groupe Multidisciplinaire de Montréal, janvier 1993. Sur la photo: Luc Morissette, Jean-Stéphane Roy, Suzy Marinier et Sophie Vajda. Photo: Bruno Braën.

HA! HA!... de Réjean Ducharme. Production du Théâtre du Nouveau Monde, janvier 1990, douze ans après sa création. Sur la photo: Marie Tifo, Robert Lalonde, Julie Vincent et Gaston Lepage. Photo: Les Paparazzi.

Sortie de secours de Louise Bombardier, Marie-France Bruyère, François Camirand, Normand Canac-Marquis, René Richard Cyr, Jasmine Dubé, Louis-Dominique Lavigne, David Lonergan et Claude Poissant. Production du Théâtre Petit à Petit, octobre 1984. Sur la photo: Benoît Lagrandeur, Annie Gascon, Louise Bombardier, Lucie Routhier et Denis Roy. Photo: Martin L'Abbé.

Comédie russe de Pierre-Yves Lemieux. Production du Théâtre de l'Opsis, juin 1993. Sur la photo: Jean-Luc Bastien, Sophie Vajda, Normand D'amour, Normand Lévesque, Hubert Loiselle, Denis Bernard et Luce Pelletier. Photo: François Melillo.

La Maison suspendue de Michel Tremblay. Production de la Compagnie Jean-Duceppe, septembre 1990. Sur la photo: Rita Lafontaine, Denise Gagnon, Gilles Renaud et Élise Guilbault. Photo: André Panneton.

La Charge de l'orignal épormyable de
Claude Gauvreau. Production du Théâtre
du Nouveau Monde, mars 1974. Sur la
photo: Jean-Guy Viau, Jean-Pierre
Bergeron, Gilles Renaud, Han Masson et
Murielle Dutil. Photo: André LeCoz.

Parasols de Louis-Dominique Lavigne et Daniel Meilleur. Production du Théâtre de la Marmaille, janvier 1989. Sur la photo: Daniel Meilleur, Yves Dagenais, Monique Rioux et Valérie Gasse. Photo: Paul-Émile Rioux.

Klondike de Jacques Languirand. Production du Théâtre du Nouveau Monde, février 1965. Photo: Henri-Paul. Archives publiques du Canada.

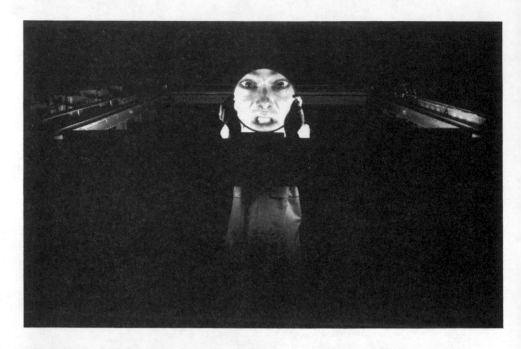

Contes d'enfants réels de Suzanne Lebeau. Production du Carrousel, mai 1993. Sur la photo: Benoît Vermeulen. Photo: André P. Therrien.

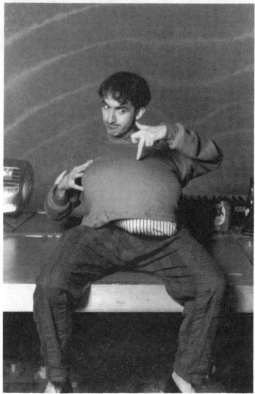

La Nuit blanche de Barbe-Bleue de Joël da Silva. Production du Théâtre de Quartier, novembre 1989. Sur la photo: Joël da Silva. Photo: Les Paparazzi.

Petit Monstre de Jasmine Dubé. Production du Théâtre Bouches Décousues, mai 1992. Sur la photo: Benoît Brière et Guy Jodoin. Photo: Camille Mc Millan.

Accidents de parcours de Michel Monty. Production du Trans-Théâtre, mars 1992. Sur la photo: Benoît Vermeulen et Brigitte Poupart. Photo: Ron Levine.

Provincetown Playhouse, juillet 1919, j'avais 19 ans de Normand Chaurette. Production de l'Espace Go, mars 1992. Sur la photo: David LaHaye et René Gagnon. Photo: Les Paparazzi.

La Cité interdite de Dominic Champagne. Production du Théâtre Il va sans dire, avril 91. Sur la photo: Denis Bouchard et Julie Castonguay. Photo: Robert Laliberté.

Natures mortes de Serge Boucher.
Production du Théâtre de Quat'Sous,
octobre 1993. Sur la photo: Élise
Guilbeault et Pierre Rivard. Photo: Yves
Renaud.

Marina, Le Dernier Rose aux joues de
Michèle Magny. Production du Théâtre
d'Aujourd'hui, avril 1993. Sur la photo:
Élise Guilbault. Photo: Daniel Kieffer.

théâtre **d'aujourd'hui**

Au cœur de la création québécoise

Le Théâtre d'Aujourd'hui
occupe fièrement une place
unique dans le paysage théâtral
montréalais et il est depuis
25 ans le seul théâtre entièrement
voué à la dramaturgie québécoise.

Direction   artistique :   Michelle   Rossignol

3888, rue Saint-Denis, Montréal, H2W 2M2
tél.: (514) 282-7516   Fax (514) 282-7535

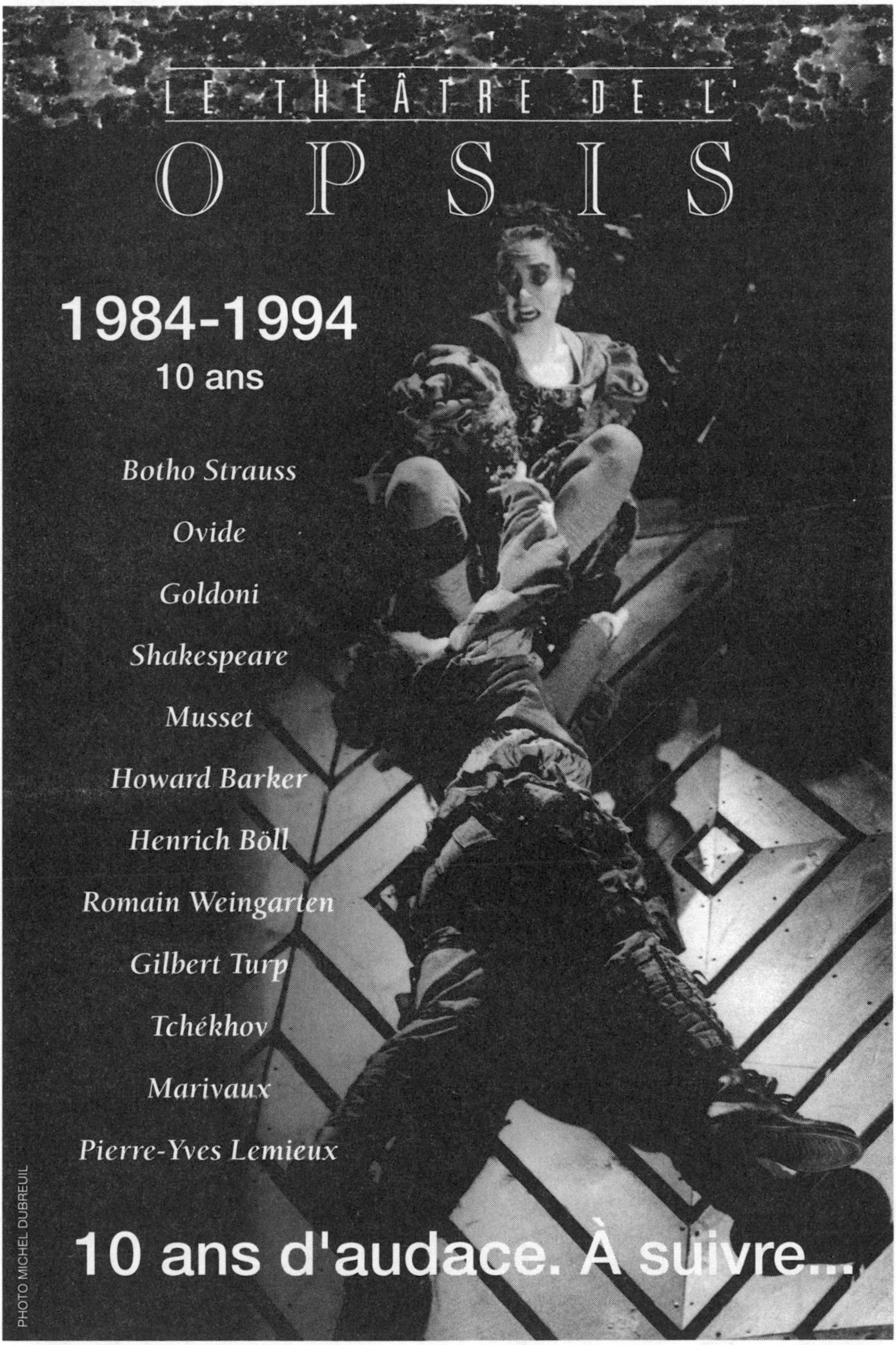
LE THÉÂTRE DE L'
OPSIS
1984-1994
10 ans
Botho Strauss
Ovide
Goldoni
Shakespeare
Musset
Howard Barker
Henrich Böll
Romain Weingarten
Gilbert Turp
Tchékhov
Marivaux
Pierre-Yves Lemieux
10 ans d'audace. À suivre...
PHOTO MICHEL DUBREUIL

L'ARRIÈRE SCÈNE

COMPAGNIE DE THÉÂTRE

poésie, image, musique...
une recherche assidue de la beauté

Traguille

Victoire de mon coeur

Je suis un ours!

Coeur de verre

Les boîtes

Train de nuit

Côté cour

Monsieur Léon

Théo

Alphonse

Centre culturel de Beloeil, casier postal 329, Beloeil QC Canada J3G 5S9 téléphone: 514.467.4504

Le Théâtre français du CNA

Nous sommes fiers de nous associer
aux artistes et aux compagnies de théâtre
pour offrir à notre public une saison de choix.

Chaque année, nous présentons
5 séries de pièces :

- **Coup de foudre**, du théâtre pour adultes
- **Les 400 coups**, du théâtre d'avant-garde
- **Les Petits-Trots**, du théâtre à partir de 4 ans
- **Les Grands-Galops**, du théâtre à partir de 7 ans
- **Spécial Ado**, du théâtre pour adolescents

Directeur : **Jean-Claude Marcus**

Centre national des Arts
C.P. 1534, succursale B,
Ottawa (Ontario) K1P 5W1

Téléphone :
(613) 996-5051

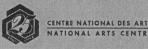

CENTRE NATIONAL DES ARTS
NATIONAL ARTS CENTRE

THÉÂTRE DE

QUAT'SOUS

40

la saison du quarantième

1995-1996

CENTAUR THEATRE COMPANY

Professional English-Language Theatre in the heart of Old Montreal

453 St-François-Xavier, Montréal, Québec, H2Y 2T1
BOX OFFICE / GUICHET (514) 288-3161

Depuis

15 ans

un théâtre

de création

de provocation

d'aventures

le nouveau théâtre
NTE
expérimental

ESPACE LIBRE
1945 Fullum, Montréal, Qc H2K 3N3
Tél.: 514.521.4199
Télécopieur.: 514.521.8434

Directeurs artistiques :
Robert Gravel Jean-Pierre Ronfard

théâtre du rideau vert

45 ANS DÉJÀ!

Une première dans l'histoire du théâtre au Québec.

La saison 1993-1994 fête les quarante-cinq ans du *Théâtre du Rideau Vert*, un demi-siècle jalonné d'événements prodigieux en créations, présentations de grands spectacles, visites d'artistes étrangers, tournées à travers le pays, en Europe et en U.R.S.S.

Quarante-cinq ans qui furent témoins de la création des *Belles-Soeurs* de Michel Tremblay et de *La Sagouine* d'Antonine Maillet, plus des oeuvres de Jean Barbeau, Marie-Claire Blais, Albert Brie, Louis-Georges Carrier, Jean Daigle, Michel d'Astous, Marcel Dubé, René-Daniel Dubois, Michel Garneau, Gratien Gélinas, Félix Leclerc, Anne Legault, Françoise Loranger, Loïc Le Gouriadec, Claire Martin, Jean-Paul Pinsonneault, Roger Sinclair et Louis Martin-Tard.

Après ce passé exceptionnel, le *Théâtre du Rideau Vert* garde la même passion de former un public réceptif aux divers courants, avec la programmation de pièces classiques, d'oeuvres contemporaines et de créations.

355, rue Gilford, Montréal (Québec) H2T 1M6   Tél. : (514) 845-0267 Fax : (514) 845-0712

THÉÂTRE BOUCHES DÉCOUSUES

THÉÂTRE BOUCHES DÉCOUSUES

➤**PETIT MONSTRE**
MISE EN SCÈNE DE
CLAUDE POISSANT
(PRIX DE LA CRITIQUE, AQCT, 91-92)

➤**LITTLE MONSTER**
TRADUCTION DE
MAUREEN LABONTÉ

➤**PIERRETTE PAN,**
MINISTRE DE L'ENFANCE
ET DES PRODUITS DÉRIVÉS
MISE EN SCÈNE DE
MARTIN FAUCHER

TEXTES DE **JASMINE DUBÉ**

INFO: **(514) 278-3309**

le Théâtre de Quartier

Depuis 1975

du théâtre pour tous

3680, rue Jeanne-Mance, suite 328
Montréal (Québec) Canada H2X 2K5
Téléphone : (514) 845-3338

carré théâtre

Le Carré-Théâtre présente :

LE TEMPS D'UNE PARADE

DE JEAN-FRANÇOIS CARON

AVEC MARIE CODEBECQ ET YSABELLE ROSA

DANS UNE MISE EN SCÈNE D'ANOUK SIMARD

DU 18 MARS AU 16 AVRIL 1994 • DU MARDI AU SAMEDI 20 HEURES
À LA CHAPELLE DU FOYER DES ARTS DE LA SANTÉ ET DU MIEUX-ÊTRE • 150 RUE GRANT À LONGUEUIL
RÉSERVATIONS : 442-2245

LE THÉÂTRE DE LA VIEILLE 17

INSOMNIE ROBERT MARINIER **CAPITAINE** JOËLLE ROY **À FRAIS VIRÉS** ANDRÉ JEAN **EDDY** JEAN MARC DALPÉ **LA MACHINE À BEAUTÉ** ROBERT BELLEFEUILLE - RAYMOND PLANTE **LES INUTILES** BENOÎT OSBORNE **NATIONAL CAPITALE NATIONALE** JEAN MARC DALPÉ - VIVIENNE LAXDALL **À LA GAUCHE DE DIEU** ROBERT MARINIER **LA NUIT** ROBERT BELLEFEUILLE - ANNE MARIE CADIEUX - ROBERT MARINIER **PROTÉGERA NOS FOYERS ET NOS...** CAROLE AVELINE - JEAN MARC DALPÉ **LE ROI DABOBERT** JEAN EMMANUEL ALLARD **LES MURS DE NOS VILLAGES** ROBERT BELLEFEUILLE - HÉLÈNE BERNIER - ANNE MARIE CADIEUX - ROCH CASTONGUAY - JEAN MARC DALPÉ - LISE L. ROY - VIVIANNE ROCHON **INTERDITS** JOHANNE CÔTÉ **FOU RIRE SOUS LE PETIT CHAPITEAU** ROBERT BELLEFEUILLE **PETITE HISTOIRE DE POUX** ROBERT BELLEFEUILLE **LE NEZ** ROBERT BELLEFEUILLE - ISABELLE CAUCHY **MARC ET JULIE** JOHANNE CÔTÉ **LE FUTUR ANTÉRIEUR** ANDRÉ JEAN **EN CAMISOLES** ROBERT BELLEFEUILLE - ROBERT MARINIER **FOLIE FURIEUSE** ROBERT BELLEFEUILLE **LA VISITE** MICHEL MARC BOUCHARD - ROBERT BELLEFEUILLE **LES ROGERS** ROBERT BELLEFEUILLE - JEAN MARC DALPÉ - ROBERT MARINIER **LES FELUETTES** MICHEL MARC BOUCHARD **LA VOIX DES ANNÉES 30** MICHEL GARNEAU - JACQUELINE PATRY - ISABELLE CAUCHY **PREMIER PREMIER** ROBERT BELLEFEUILLE - ANNE MARIE CADIEUX - ROCH CASTONGUAY - VIVIANNE ROCHON **HAWKESBURY BLUES** JEAN MARC DALPÉ - BRIGITTE HAENTJENS **ADIOS** ODETTE GAGNON **ROCK POUR UN FAUX BOURDON** MICHEL MARC BOUCHARD **NEIGES** MICHEL GARNEAU **LA MESURE HUMAINE** PAUL DOUCET

DE CRÉATION

THÉÂTRE
L'ATELIER STUDIO KALÉIDOSCOPE
Dir. artistique: Marthe Mercure

Profil:
Compagnie de théâtre de création de textes originaux et d'adaptation. Pour chaque production: recherche sur le travail de l'acteur et sa relation vocale, gestuelle et corporelle au texte et à la scénographie.

Diffusion d'ateliers 6 hrs/sem.

a) Pour débutants:
préparation d'auditions

b) Pour adultes 3 heures/sem.
Contenu : coaching, interprétation, textes classiques et contemporains. Entraînement voix, corps, respiration, mise en espace, approche en création.

c) Pour professionnels, comédiens, danseurs, chanteurs :
ATELIER TRAGÉDIE/DANSE/THÉÂTRE
Contenu : même entraînement que b) mais essentiellement axé sur textes de tragédie classique et contemporaine.

d) Coaching pour comédiens professionnels

4060, boul. Saint-Laurent, suite 607A, Montréal (Québec) H2W 1Y9
(514) 844-2353

Les nuages de terre

Les nuages de terre

une co-création
des DEUX MONDES (Montréal)
et du KI-YI M'BOCK THÉÂTRE (Abidjan)

Texte de Daniel Danis
Mise en scène de Daniel Meilleur et Werewere Liking
Musique et environnement sonore
de Michel Robidoux et Boni Ghanoré
Scénographie de Daniel Castonguay
Lumière de Jocelyn Proulx

Une coproduction de
Les deux mondes (Québec)
Ki-Yi M'bock Théâtre (Côte d'Ivoire)
Le Centre National des Écritures du Spectacle
(La Chartreuse) (France)
Espace des Arts de Chalon-sur-Saône (France)
Festival International des Francophonies en Limousin (France)
et d'autres à venir

création en septembre 1994

19e contribution des DEUX MONDES
à la dramaturgie québécoise depuis sa fondation
en 1973

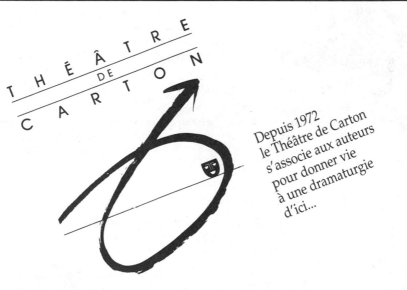

Un théâtre de création pour l'enfance et la jeunesse

Le Théâtre du Gros Mécano est une compagnie professionnelle spécialisée dans la création de spectacles destinés au jeune public. Depuis sa fondation en 1976, le Théâtre du Gros Mécano travaille sans relâche au développement d'une théâtralité qui rend perceptible l'univers sensible des jeunes.

Une démarche d'auteur s'inscrit dans le travail de la compagnie depuis 1987. Voici quelques titres de pièces créées par les membres du comité artistique.

Reynald Robinson

Cet auteur développe une écriture poétique et symbolique, une incursion dans le monde de l'inconscient et du rêve.

Le secret couleur de feu (8-12 ans) - 1988
Un enfant de 10 ans lutte contre une forte fièvre. Il rêve et découvre ainsi sa force secrète intérieure.
5 personnages - 4 comédiens

Jo et Gaïa, la terre (8-12 ans) - 1991
Le jour de son anniversaire, une grand-mère attend son mari qui ne revient pas de la pêche et s'inquiète de l'avenir des générations futures.
6 personnages - 5 comédiens

L'Homme, Chopin et le petit tas de bois (4-8 ans) - 1993*
Un vieil homme vit seul avec son armoire.
Un jour, elle s'anime et devient magique.
L'homme découvre que son enfance s'y cache.
1 personnage + 1 manipulateur - 2 comédiens

Lise Castonguay

Rouge Tandem (8-12 ans) - 1990
Annie déménage. Elle doit quitter amis, grands-parents et école. Pour découvrir son nouvel environnement, Annie s'invente un jeu et s'engage dans une aventure qui changera sa vie. «Un suspense bien huilé que les enfants suivent avec passion». Radio Canada

André Lachance

Les aventures mirobolantes de Don Quichotte (6-12 ans)- 1993*
À la fois idéal d'amour et étincelle de folie, Don Quichotte est une porte ouverte sur le monde de l'imagination.
20 personnages - 5 comédiens

* Spectacles encore disponibles
en tournée

LE THÉÂTRE DU
GROS MÉCANO

Case postale 30 216
Québec (Québec)
G1K 8Y2

(418) 649-0092

le Carrousel

20 ans de recherche et de création

codirection : Gervais Gaudreault, Suzanne Lebeau

**Il n'y a pas de bulle protectrice dans laquelle
les enfants vivent à l'abri de la vraie vie.**

contes d'enfants réels

**Meilleur spectacle jeunes publics
Les Prix de la critique 1992-1993**

Le Carrousel   2017, rue Parthenais, Montréal, Québec, Canada H2K 3T1
Téléphone : (514) 529-6309   Télécopie : (514) 529-6952

Photo : André P. Therrien

*le répertoire classique
et contemporain*

*le théâtre d'ici
et d'ailleurs*

théâtre du nouveau monde

84, rue Sainte-Catherine Ouest, Montréal

Métro Place-des-Arts

866-8667

option théâtre
du collège
lionel·groulx

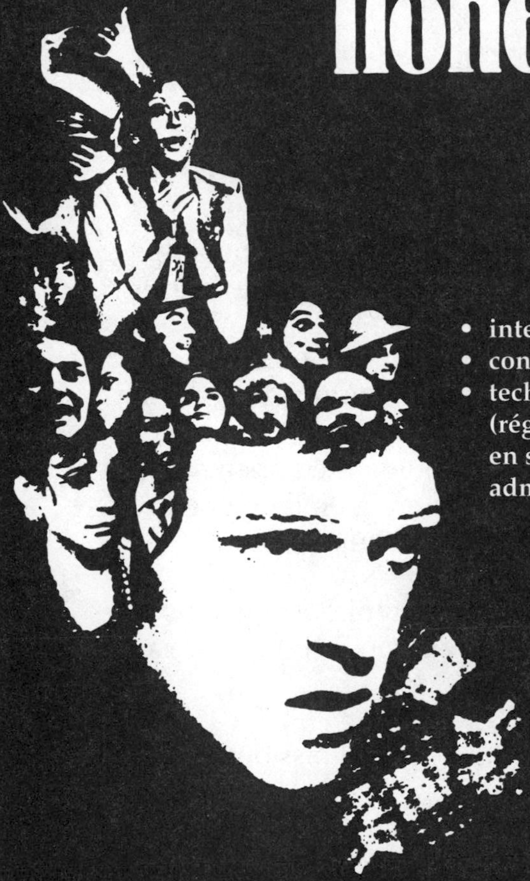

- interprétation
- conception (décor, costumes)
- technique
  (régie, assistance à la mise
  en scène, éclairage, son,
  administration)

100, rue Duquet
Ste-Thérèse (Québec)
J7E 3G6

Tél. : (514) 430-3120

LES CONSERVATOIRES

des écoles

c a d q

QUÉBEC

Depuis près de trente-cinq ans, le Conservatoire d'art dramatique de Québec offre une formation post-collégiale complète aux personnes qui désirent faire une carrière professionnelle en JEU ou en SCÉNOGRAPHIE.

Le programme d'études qui prévaut au Conservatoire d'art dramatique de Québec est axé principalement sur la création. Les techniques spécifiques et novatrices de l'enseignement, auxquelles s'ajoute un équipement informatique de pointe, contribuent à en faire une école dynamique, adaptée aux besoins d'aujourd'hui.

La participation active du Conservatoire au développement et à l'évolution du théâtre à Québec lui vaut sa notoriété dans le monde artistique.

Pour avoir des renseignements sur l'admission on doit s'adresser au:

Conservatoire d'art dramatique de Québec
31, rue Mont-Carmel
Québec (Québec)
G1R 4A6
Tél.: (418) 643-2139

Gouvernement du Québec
**Ministère
de la Culture**

D'ART DRAMATIQUE
d'excellence

MONTRÉAL

Le Conservatoire d'art dramatique de Montréal se consacre depuis quarante ans à la formation professionnelle
et au perfectionnement dans le domaine de l'art dramatique.

Le programme d'études postcollégiales qui y est dis-
pensé se caractérise par un enseignement théorique et
pratique personnalisé, tourné vers l'avenir et encadré
par des professionnels reconnus.

De plus, le Conservatoire accueille des comédiens et
des comédiennes professionnels en quête de perfectionnement, à qui il offre des ateliers de formation continue
en mise en scène, en radiophonie et en doublage.

On peut obtenir des renseignements sur l'admission en
s'adressant au:

Conservatoire d'art dramatique de Montréal
100, rue Notre-Dame Est
Montréal (Québec)
H2Y 1C1
Tél.: (514) 873-4283

Québec 🟦🟦

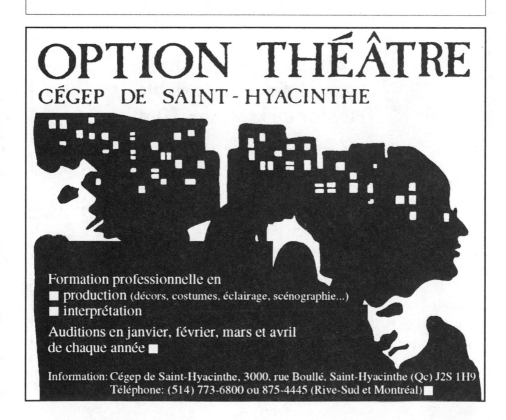

Le Théâtre de la Bordée
1143 rue Saint-Jean,
Québec

246 places en gradins
géométrie semi-variable
largeur de la scène: 10 m
profondeur: 7.5 m
hauteur sous le gril: 12 m
hauteur du cadre de scène: 5.5 m
cintres à contrepoids
pupitre de commande Avab 202,
72 gradateurs, 136 appareils

Régie

Pour plus de renseignements concernant nos conditions de location ou de coproduction, contactez Pierre Labrie, directeur administratif, au 418-694-9721 ou écrivez au 1105 St-Jean suite 201, Québec, G1R 1S3

FÉDÉRATION QUÉBÉCOISE du THÉÂTRE AMATEUR

Depuis 1958, nous regroupons les troupes de théâtre amateur. Nos buts sont de promouvoir, guider et aider l'évolution du théâtre amateur.

Nos services
- vente de livres de formation
- guide-bottin
- recueil de textes
- ateliers de formation
- répertoire de formateurs
- informations

Nous réalisons pour vous le
Festival International de Théâtre Amateur
La plus grande fête de théâtre au Québec

C.P. 977, Victoriaville (Québec) Canada, G6P 8Y1
Tél.: (819) 752-2501   Fax: (819) 758-4466

Le Conseil québécois du théâtre

Le Conseil québécois du théâtre, fondé en 1983,
est l'organisme de concertation et de représentation de l'ensemble
du milieu théâtral professionnel du Québec.

Le CQT publie

◆

Théâtre à l'affiche,
un calendrier des spectacles qui paraît 8 fois l'an;

◆

l'*Aide-Mémoire,*
bulletin d'informations théâtrales qui paraît 4 fois l'an;

◆

des études ponctuelles
sur la situation économique du théâtre;

◆

un répertoire des compagnies et organismes
du théâtre professionnel québécois.

Le Conseil québécois du théâtre
5505, boulevard Saint-Laurent, bureau 4120, Montréal (Québec) H2T 1S6
Téléphone : (514) 278-9208 / Télécopieur : (514) 278-9239

Le Conseil québécois du théâtre : un outil de référence essentiel
pour tout savoir sur le théâtre professionnel au Québec,
ses associations et ses compagnies.

◆

**Association
Québécoise
des
Marionnettistes**

*Des auteurs
à part...
entière!*

(514) 521-6142

C.P. 7 succ. Delorimier
Montréal, Québec
H2H 2N6

*Centre de l'UNIMA
pour le Québec*

Atelier Bleu Majjjiiik

L'Avant-Pays, marionnettes

Théâtre Biscuit

Le Castelet Magique

Théâtre de la Dame de Coeur

La Griffe Rouge

L'Illusion, théâtre de marionnettes

Magda Harmignies, marionnettes

Marionnettes du Bout du Monde

Le Matou Noir

Théâtre de l'Oeil

Pointe du Moulin "Trois Chardons"

Puppetunes

Théâtre de Sable

Théâtre Sans Fil

Semaine Mondiale de la marionnette

T.A.C. Théâtre

Théâtre de Zef

Diane Bouchard, conceptrice

Jacques Boutin, marionnettiste

Richard Lacroix, scénographe

Louise Lapointe, fabrication

Association nationale des

francophones hors Québec

Théâtre la Seizième
Michelle Cook, *directrice artistique*
#226, 1555 Ouest, 7e avenue
Vancouver (Colombie-Britannique)
V6J 1S1
tél. (604) 736-2616 fax (604) 736-9151

L'UniThéâtre
Guylaine Normandin, *directrice artistique*
8527-91, rue Marie-Anne Gaboury
Edmonton (Alberta) T6C 3N1
tél. (403) 469-7193 fax (403) 469-9590

La Troupe du Jour
Denis Rouleau, *directeur artistique*
218D, avenue B Sud
Saskatoon (Saskatchewan)
S7M 1M4
tél. (306) 244-1040 fax (306) 652-1725

Le Cercle Molière
Roland Mahé, *directeur artistique*
Le Théâtre du Grand Cercle
Irène Mahé, *directrice artistique*
Case Postale 1, Saint Boniface
Manitoba R2H 3B4
bureaux: 430, boul. Provencher
Saint-Boniface
tél. (204) 233-8053 fax (204) 233-2373

Théâtre du Nouvel Ontario
Sylvie Dufour, *directrice artistique*
C.P. 622, Sudbury (Ontario) P3E 4P8
bureaux: 90, rue King, Sudbury, P3C 2V7
tél. (705) 675-5606 fax (705) 671-9708

Compagnie Vox Théâtre
Pier Rodier, *directeur artistique*
C.P. 291, succursale «A»
Ottawa (Ontario) K1N 8V3
bureaux: La cour des Arts
2, ave Daly, Ottawa, K1N 6E5
tél. (613) 594-3340 fax (613) 233-0698

Théâtre de la Vieille 17
Robert Bellefeuille, *directeur artistique*
C.P. 138, succursale «B»
Ottawa (Ontario) K1P 6C3
bureaux; 61 A, rue York, Ottawa
tél. (613) 236-8562 fax (613) 232-5107

Théâtre du Trillium
Claire Faubert, *directrice artistique*
C.P. 7135, Vanier (Ontario) K1L 8E2
bureaux: 24, rue Springfield, Ottawa
tél. (613) 749-3631 fax (613) 749-5253

Théâtre Populaire d'Acadie
René Cormier, *directeur artistique*
C.P. 608, Caraquet (N.-B.) E0B 1K0
bureaux: 276, boul. St-Pierre Ouest
tél. (506) 727-0920 fax (506) 727-0923

Théâtre l'Escaouette
Maurice Arsenault, *directeur artistique*
140, rue Botsford, Moncton
Nouveau-Brunswick E1C 4X4
bureaux: Centre culturel Aberdeen
140, rue Botsford, Moncton
tél. (506) 855-0001 fax (506) 857-8002

Théâtre français de Toronto
Diana Leblanc, *directrice artistique*
219, rue Dufferin, suite 303
Toronto (Ontario) M6K 1Y9
tél. (416) 534-7303 fax (416) 534-9087

La **Maison Théâtre** regroupe 26 compagnies de théâtre jeune public qui se produisent aux quatre coins du Québec… et du monde. Depuis son ouverture en 1984, la **Maison Théâtre** a accueilli 450,660 spectateurs. La saison prochaine, elle célèbre son 10e anniversaire.

Chaque année, la **Maison Théâtre** propose une programmation régulière comprenant 3 séries; la petite enfance, l'enfance et la jeunesse.

ALCAN

LE DEVOIR

BANQUE NATIONALE

Maison Théâtre
C.P. 1143 succursale Desjardins
Montréal (Québec) H5B 1C3
(514) 288-7211

Les Herbes rouges

COLLECTION «THÉÂTRE»
dirigée par Paul Lefebvre

Yvan Bienvenue • Normand Canac-Marquis • Jean-François Caron • Alain Fournier • Carole Fréchette • Marthe Mercure • Jean-Frédéric Messier • Michel Monty • Pol Pelletier • Claude Poissant • Lise Vaillancourt • Téo Spychalski

hors collection

Pierre Gingras • Le Grand Cirque Ordinaire • Laurence Tardi • Yolande Villemaire • Veilleurs de nuits 1, 2, 3, 4

3575, boulevard Saint-Laurent, bureau 304, Montréal (Québec) H2X 2T7
Téléphone : (514) 845-4039

Michèle Allen
Louis-Jean Antonio
Gilles Archambault
Luan Asllani
Bernard Assiniwi
Roberto Arhayde
Suzanne Aubry
Roger Auger
Jean Barbeau
Jacqueline Barrette
François Beaulieu
Jocelyne Beaulieu
Michel Bélair
Danielle Bissonnette
Charlotte Boisjoli
Michel Marc Bouchard
André Boulanger
Jacques Brault
André Cailloux
François Cervantes
Normand Chaurette
Robert Choquette
Laure Conan
Robert Cornevin
Guy Corriveau
Jean-Pierre Crête
Michel D'Astous
Pierre Dagenais
Daniel Danis
Louis-Marie Dansereau

Dominique de Pasquale
Gilles Derome
Yves Desgagnés
Clémence Desrochers
Marc Doré
Marcel Dubé
René-Daniel Dubois
Réjean Ducharme
Jacques Duchesne
Guy Dufresne
Roger Dumas
Pierre E. Duval
Frank Fouché
Louis Fréchette
Jean Gagnon
René Gingras
Jacques Godbout
Pierre Goulet
Robert Gravel
Marie-Francine Hébert
John Herbert
Jean Herbert
Henrik Ibsen
Claude Jasmin
Hélène Jasmin-Bélisle

Naïm Kattan
Michèle Lalonde
Victor Lanoux
Laquerre
Jean-Marc Lavergne
Bertrand B. Leblanc
Félix Leclerc
Roland Lepage
Françoise Loranger
Claude Levac
Antonine Maillet
Jovette Marchessault
Yves Masson
Thomas McDonnough
Serge Mercier
Guy Mignault
André Montmorency
Pierre Morency
Léo Munger
Isabelle Myre
Ernest Pallascio-Morin
Alice Parizeau
Marc Perrier
Alain Pontaut
Sylvie Prégent

Marie-Thérèse Quinton
Jean-Robert Rémillard
Bernadette Renaud
André Ricard
Mordecai Richler
Édouard Rinfret
Michel Rivard
Jean-Pierre Ronfard
Claude Roussin
James Rousselle
Jean-Louis Roux
Louise Roy
Francine Ruel
Jean-Guy Sabourin
Louis Saïa
Yves Sauvageau
Peter Shaffer
William Shakespeare
André Simard
Yves Sioui Durand
Serge Sirois
Bernard Slade
Anton Tchekhov
Yves Thériault
Francine Tougas
Larry Tremblay
Michel Tremblay
Ronald Tremblay
Pierre Turgeon
Manon Vallée
Paul Zindel

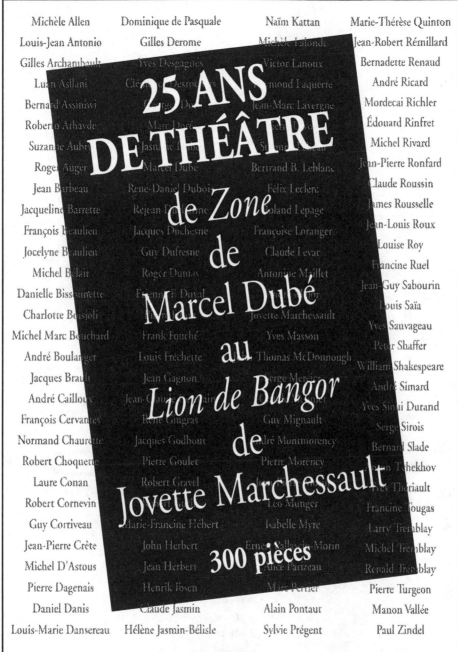

25 ANS DE THÉÂTRE

de *Zone*
de Marcel Dubé
au
Lion de Bangor
de
Jovette Marchessault

300 pièces

Le théâtre qu'on lit

LEMÉAC

Pour ceux et celles
qui sont
à la recherche
d'originalité
et de rigueur!
Pour ceux et celles
qui veulent être
à la fine pointe
de l'information
culturelle!
Pour ceux et celles
qui veulent en savoir
plus long sur tout
ce qui concerne
les événements
culturels de prestige
ou d'avant-garde!
Soyez parmi
les abonnés
des revues
culturelles!

815, rue Ontario Est

Société

Bureau 202

de développement

Montréal (Québec)

des périodiques

H2L 1P1

culturels

☎ (514) 523-7724

québécois

Télécopieur : 523-9401

INDEX DES AUTEURS

Index des auteurs

Index des auteurs

Index des auteurs

INDEX DES TITRES

Index des titres

Index des titres

Index des titres

Index des titres

Index des titres

INDEX DES TEXTES POUR ENFANTS

INDEX DES TEXTES POUR ADOLESCENTS

INDEX DES TRADUCTEURS

Index des traducteurs

CET OUVRAGE
A ÉTÉ ACHEVÉ D'IMPRIMER
LE VINGT-QUATRE MARS
MIL NEUF CENT QUATRE-VINGT-QUATORZE
PAR LES TRAVAILLEURS ET TRAVAILLEUSES DES PRESSES
DE L'IMPRIMERIE GAGNÉ
À LOUISEVILLE
POUR LE COMPTE DE
VLB ÉDITEUR/CEAD.

IMPRIMÉ AU QUÉBEC (CANADA)